Karen White

De Volta para Casa

Até onde é possível apagar as lembranças?

Tradução
Fernanda Castro Bulle

Novo Conceito

Esta edição foi publicada sob acordo com NAL Signet, do grupo da
Penguin Group (USA) Inc.

3ª Impressão — 2013

Produção Editorial:
Equipe Novo Conceito
Impressão e Acabamento Arvato Print 161013

Este livro segue as regras da Nova Ortografia da Língua Portuguesa.

Dados Internacionais de Catalogação na Publicação (CIP)
(Câmara Brasileira do Livro, SP, Brasil)

White, Karen
De volta para casa / Karen White ; tradução Fernanda Castro Bulle.
-- Ribeirão Preto, SP: Novo Conceito Editora, 2013.

Título original: Falling home
ISBN 978-85-8163-241-4

1. Ficção norte-americana I. Título.

13-04461 CDD-813

Índices para catálogo sistemático:
1. Ficção : Literatura norte-americana 813

Novo Conceito

Rua Dr. Hugo Fortes, 1.885 — Parque Industrial Lagoinha
14095-260 — Ribeirão Preto — SP
www.editoranovoconceito.com.br

Para Wendy Wax Adler e Susan Crandall, pela amizade e enorme apoio durante todos esses anos e por terem lido todas as minhas versões deste livro sem reclamar. Obrigada.

Agradecimentos

Esta publicação jamais teria acontecido sem as inúmeras cartas dos leitores pedindo por este livro anos depois de a versão original ter saído de catálogo. Então, obrigada leitores! Obrigada também à minha agente literária, Karen Solem, e à editora, New American Library, por tornar isso possível.

Nota da autora

Há cerca de dez anos, sentei-me em frente ao computador para escrever meu terceiro romance. Eu não tinha uma editora para ele, contudo, me senti impelida a escrever a história sobre duas irmãs que há 15 anos haviam rompido o relacionamento. Também era a história desalentadora de uma mulher que foi criada numa pequena cidade da Geórgia, entretanto muito enraizada num estilo de vida nova-iorquino, que de repente é obrigada a se questionar se é realmente possível voltar para casa.

O livro *De Volta para Casa* foi publicado no verão de 2002 no formato de brochura. A capa retratava um copo de suco de limão cor-de-rosa manchado de batom. Não era a capa que eu tinha imaginado para ele, mesmo assim eu estava feliz de vê-lo nas livrarias e de ter compartilhado a história com leitores que pareciam tê-la adorado tanto quanto eu. Um pouco depois, quando o livro saiu de catálogo, continuei a receber correspondências de pessoas desesperadas para encontrá-lo e, desde então, não parei de receber essas cartas, especialmente porque os exemplares usados eram os únicos disponíveis no mercado e estavam sendo vendidos a preços absurdos.

Sete anos depois, os direitos do livro voltaram a pertencer a mim. Minha atual editora, a New American Library, comprou os direitos e agendou a publicação para novembro de 2010. O livro recebeu uma nova capa maravilhosa e me foi dada a oportunidade de revisá-lo.

A princípio fiquei hesitante, afinal os leitores amaram a história e também Cassie, Harriet, Maddie, Sam e o resto dos habitantes de Walton, na Geórgia. Mas então me dei conta de que não precisava mudar nada daquilo. Ao contrário, eu queria acrescentar algo ao livro desafiando-me a escrevê-

-lo *melhor*. Afinal, desde a publicação do *De Volta para Casa* eu já escrevi nove romances. Com a experiência, minha escrita ficou mais precisa, mais cautelosa, mais sucinta. Queria fazer uso de tal experiência para escrever um livro melhor. E acho que atingi esse objetivo com a reedição de 2010 de *De Volta para Casa*.

Para os leitores acostumados com a versão antiga, a principal diferença que irão notar é o acréscimo de dois pontos de vista. Enquanto a história original era contada apenas pelos olhos de Cassie, o relato da nova versão também ocorre pelos pontos de vista de Harriet e Maddie, proporcionando ao leitor uma maior compreensão das personagens e de suas motivações. O que talvez não seja tão aparente é a "precisão" das palavras. Tentei reescrever cenas com mais precisão, percebendo que posso me fazer entender mais rapidamente se meu leitor não se deparar com um monte de palavras dizendo a mesma coisa.

Enfim, eu ainda amo este livro tanto quanto o amava quando o escrevi originalmente. Eu ri nas partes engraçadas, chorei nas tristes e suspirei, feliz, quando finalmente cheguei ao "FIM". E isso, para mim, é um sinal de uma boa leitura, seja ela pela primeira vez ou uma releitura.

Capítulo 1

Cassie estava sonhando de novo. Sonhava com os verões de antigamente: os verões de pés descalços, joelhos ralados e sorvetes de pêssegos caseiros que escorriam pelo queixo e deixavam os dedos melados. Tia Lucinda tocou o sino chamando para o jantar e Cassie e Harriet apostaram uma corrida pelo gazebo em direção à varanda dos fundos, as pernas bronzeadas elevando-se sob os brancos vestidos de verão. O som estridente da campainha em seus sonhos parecia tão real que Cassie sentiu que podia tocar no metal gelado e fazê-la parar.

Mas em vez disso, seus dedos tocaram o braço de Andrew, cuja pele quente ela sentiu na mão, e acordou num sobressalto. Os cheiros da grama de verão e do perfume de lavanda de tia Lucinda alojaram-se em algum lugar no fundo de suas lembranças. Contudo, o som estridente continuou, enchendo-a de pavor.

Ela prendeu a respiração, olhando para os números brilhantes de seu relógio, e ficou atenta ao próximo toque do telefone. Somente más notícias chegavam às três da madrugada. Nascimentos e casamentos eram sempre anunciados à clara luz do dia. Notícias ruins vinham à noite, quando o Sol se vestia de luto.

Andrew se mexeu brevemente e então rolou para longe dela. Levantando-se da cama, Cassie cambaleou pelo quarto escuro em direção à sala para não despertá-lo. Bateu o dedinho do pé numa cadeira e disse algo em tom exclamativo. As palavras escolhidas eram a única coisa reminiscente de seu passado.

— Diacho! — murmurou ela, e estendeu o braço para apanhar o telefone, entretanto, o derrubou da mesa. Lutou com ele no chão até finalmente conseguir levá-lo à orelha. — Alô?

Fez-se uma breve pausa e em seguida:

— Oi, Cassie. Sou eu, Harriet.

O sangue de Cassie congelou e ela segurou o telefone com mais força.

— Harriet — disse ela, sua voz soou-lhe tensa e insegura. — Tudo bem?

As palavras eram tão inadequadas e estúpidas que quis abocanhá-las de volta assim que saíram de sua boca. Eram três da manhã, sua irmã distante estava ligando depois de quase 15 anos de silêncio, e ela lhe perguntava se estava tudo bem com o mesmo tom de voz que perguntaria a uma colega de trabalho se ela gostaria de açúcar no café!

— É o papai. Ele está morrendo.

Uma sirene tocou alto lá fora na escuridão, do lado de fora da janela de Cassie. Ela esticou os braços sobre a mesa e acendeu a lâmpada.

— O que aconteceu? — O diamante de lapidação redonda numa antiga platina brilhava na mão esquerda sob a fraca luz. Andrew se aproximou e se sentou ao lado dela com uma ruga de interrogação na testa. Cassie tapou o fone com a mão e sussurrou: — É minha irmã.

— Espere um segundo. — O telefone de Harriet fez um baque surdo enquanto o som de choro de bebê chegava distante pela linha. Devia ser Amanda, a caçula de Harriet. Cassie conhecia cada criança por meio das fotos que o pai lhe enviava. Eram cinco crianças, distribuídas igualmente ao longo de apenas 15 anos de casamento. Cada anúncio de nascimento feito pelo pai abria antigas feridas, arrancado as cicatrizes e fazendo Cassie sangrar de novo.

Harriet voltou.

— Desculpe. A bebê esteve inquieta assim o dia inteiro.

Cassie engoliu seco.

— O que há de errado com papai?

Harriet parecia ter chorado.

— Ele sofreu um ataque cardíaco. Foi durante seu *checkup* anual, ele estava no hospital quando tudo aconteceu e por isso conseguiram tratá-lo de imediato. Não achávamos que fosse tão grave, mas ele diz que está morrendo. E você sabe que ele sempre fala sério. Está no hospital agora, mas quer que o levemos para casa amanhã. Foi ideia dele ligarmos para você a esta hora, no meio da noite. Diz que não descansará em paz até que suas duas meninas estejam aqui. Quer que você volte para casa.

Cassie não disse nada, ficou apenas escutando os sons do telefone sendo largado outra vez e da choradeira da bebê. Ela se virou para Andrew, que tinha apoiado a cabeça no sofá e fechado os olhos. Seu olhar vagueou pela sala do apartamento localizado no Upper East Side, que haviam comprado juntos como um presente de noivado. Nada naquele espaço fresco e claro, pintado com quadriculado preto e branco e com ângulos bem definidos, lembrava a antiga casa na qual crescera. Assim como a mulher que se tornara não lembrava mais a menina de 20 anos que deixara a pequena cidade de Walton, na Geórgia, sem olhar para trás, há 15 anos.

Então um homem falou, suas palavras eram intensas e vibrantes.

— Cassie? É o Joe.

Ela olhou para o lado, tentando focar na mistura abstrata de cores da pintura atrás de seu sofá, desejando bloquear as recordações que a voz dele trazia à tona: lembranças de noites iluminadas pela Lua com gafanhotos fazendo serenatas no gazebo atrás da antiga casa e de gardênias de tia Lucinda murchando no calor e espalhando seu sedutor aroma.

— Cassie? Você está aí?

— Sim. — Sua voz falhou, então ela falou de novo, mais segura dessa vez. — Sim. Estou aqui.

Andrew se sentou com as costas retas e segurou a mão dela, seus olhos a salvaguardando.

Joe falou de novo.

— Você vai voltar para casa?

O telefone deslizou em sua mão suada. Todos os dias ela lidava com clientes difíceis, os mantenedores da agência de publicidade, todavia, nada antes a deixara tão perturbada quanto o som da voz de Joe e o mero pensamento de retornar ao lugar onde havia jurado nunca mais colocar os pés.

— Estou em casa — disse ela de modo desafiador.

— Você sabe o que estou querendo dizer, Cassie. — Ela mal conseguia escutá-lo, ele falava tão baixo. — Harriet precisa de você. Da mesma forma que você precisa dela, suponho. Seu pai está morrendo e quer as filhas ao lado dele.

Ela olhou para Andrew. Ele estava usando apenas uma cueca *boxer*, a pele pálida no clarão da lâmpada. Ela encarou os contornos dos músculos no peito dele, cada saliência gravada na memória de seus dedos. Cassie trabalhava para Andrew Wallace há cinco anos, era sua namorada há três e sua noiva há um. Assim como ela, ele também era um pedaço de outro estado implantado em Nova York, vindo de Newport Beach, na Califórnia.

Cassie esticou os braços para segurar na mão dele, que estava sobre a própria coxa. Ele despertou assustado, seus olhos encontrando os dela com uma interrogação. Ela apertou os dedos dele, sentindo a ligação que havia ali, a ligação que a fazia considerá-los como flores selvagens que foram retiradas dos trópicos e colocadas em uma estufa. Eles se entendiam, compartilhavam uma paixão mútua pelo trabalho e nunca falavam o quão distante de casa estavam.

Cassie piscou os olhos com força.

— Voltarei. Por papai.

Joe suspirou no telefone.

— Seja lá o que te traga aqui, Cassie, venha o mais rápido possível.

Cassie ouviu sussurros do outro lado da linha e Harriet falou de novo:

— Avise-me em que voo virá que vou te buscar.

— Não — respondeu ela rápido demais. Ela não estava preparada para passar uma hora sozinha com Harriet no carro. — Quero dizer, acho que vou dirigindo. Precisarei de um carro enquanto estiver aí e... gostaria desse tempo para pensar. Se eu dirigir direto, amanhã à noite talvez eu chegue aí.

— Tenha cuidado. As rodovias não são seguras para uma mulher sozinha.

— Honestamente, Harriet. Posso tomar conta de mim mesma.

Harriet respirou no fone.

— Eu sei, Cassie, você sempre fez isso.

Cassie esperou um pouco e então disse:

— Diga a papai... diga a ele que estou chegando.

Despediram-se. Cassie desligou o telefone e ficou olhando para o vazio por um longo tempo. Por fim, Andrew se mexeu ao seu lado e ela retirou a sua mão da dele.

— Tenho de voltar a Walton. Papai está doente e me quer ao seu lado neste momento. Está morrendo.

Andrew olhou para baixo, para as próprias mãos cuidadosamente tratadas, e respirou profundamente.

— Sinto muito. Ele ergueu os olhos. — Gostaria de ir com você, mas agora não posso.

Cassie o olhou com calma.

— Eu sei. Tudo bem, acho melhor que fique mesmo. Walton não é seu tipo de cidade. Ficaria desesperado para ir embora depois de cinco minutos.

Ele fechou a boca com força.

— Não é isso. É que um de nós precisa ficar aqui para acompanhar os negócios. A campanha do BankNorth está marcada para ser lançada no mês que vem, e temos muito trabalho a fazer. Mas quero que fique lá o tempo que for necessário.

Ela tocou os ombros dele.

— Francamente, Andrew. Você não precisa explicar. Eu entendo. Obrigada.

Ele concordou e então olhou para o lado.

Cassie esfregou o rosto, tentando apagar velhas imagens.

— É tão difícil de acreditar. Falei com ele pelo telefone domingo passado. De novo ele estava me dizendo que era hora de eu voltar para casa. — Ela sorriu para a escuridão do lado de fora da janela. — Ele disse a coisa mais peculiar.

Andrew apagou a lâmpada e se levantou, envolvendo-a em seus braços.

— O que ele disse desta vez?

Cassie se aninhou num lugar suave, abaixo da clavícula dele, torcendo o nariz frente ao penetrante cheiro de colônia envelhecida.

— Disse que a terra da Geórgia sempre estaria grudada na sola de meus sapatos, independentemente de quantas aulas de oratória eu fizesse.

Andrew bufou de leve.

— O velho juiz nunca desiste de tentar defender o seu caso, não é?

Cassie balançou a cabeça.

— É verdade. — Ela fechou os olhos, ciente de que seus escarpins italianos jamais teriam paciência para a terra vermelha e grudenta da Geórgia.

Os dois ficaram abraçados em frente à enorme janela de vidro. O tráfego sem fim lá embaixo pulsava e vibrava como uma serpente eletrônica, movendo-se com a energia da cidade. Cassie levantou o queixo e encarou o horizonte brilhante e os enormes contornos dos prédios: nas redondezas, eles eram iguais às feridas de sua memória.

Sem se dar conta deste gesto, Cassie levou a mão ao pescoço, sobre sua frágil corrente de ouro, e envolveu nos dedos os quatro pequenos pingentes pendurados nela. O ouro estava gelado ao toque, entretanto a confortou, assim como havia feito muitas vezes desde que sua mãe lhe dera aquela joia.

A voz de Andrew soou abafada.

— Você está nervosa.

Cassie ergueu a cabeça e olhou para ele.

— Não estou. Por que diz isso?

— Porque sempre que está nervosa você mexe no colar. É o seu único hábito irritante.

Ela recuou.

— Não estou nervosa. Apenas... pensativa.

Cassie soltou a mão de Andrew e ele se inclinou para lhe beijar o pescoço, seus lábios quentes se prolongaram em sua pele. Ele ergueu a cabeça.

— Quanto tempo acha que ficará fora?

Ela sentiu um pontada de irritação.

— Não sei, Andrew. Enquanto meu pai precisar de mim, acho.

Ele esfregou os dedos em seu cabelo com luzes.

— Desculpe, não quis parecer insensível. Fique o tanto que for necessário. — Repetiu ele, tentando convencer aos dois de que ele estava sendo sincero. Ele lhe lançou um leve sorriso. — E não se esqueça de que estou a apenas um telefonema de distância, caso precise de alguma coisa.

Colocando as mãos sobre o peito dele, ela o encarou com um olhar penetrante.

— Na verdade, há uma coisa. Vou guiando. E queria saber se pode me emprestar o carro.

Ela pôde ver a hesitação nos olhos dele através do brilho das luzes de fora. Ele tirou os braços dos ombros dela.

— Meu carro? Você quer ir com o meu carro?

Cassie quase podia ouvir o conflito interno de Andrew. Ninguém que ela conhecia na cidade precisava ou gostava de um carro, muito menos tinha um lugar para guardá-lo. Entretanto, Andrew tinha uma casa montada em Connecticut, com estábulos para os seus cavalos e uma garagem para o seu carro.

Os ombros dele se curvaram de leve.

— Você não poderia alugar um? — Ela sabia que ele não estava brincando.

Cassie respirou fundo, questionando-se se ele seria tão cuidadoso com ela quando fosse sua esposa como ele era com aquele carro.

— Gostaria de algo seguro, de confiança, e rápido. Você sabe que cuidarei bem dele. — Tentando acrescentar alguma leviandade, ela disse: — E ele *tem* seguro, não tem?

— Muito engraçado, Cassandra. Mas e se quebrar? Não sei se quero um macaco caipira cheio de graxa sob o capô dele.

Cassie colocou as mãos na cintura e lembrando-se de tia Lucinda rapidamente as tirou.

— Só porque têm sotaque não significa que sejam ignorantes, Andrew. A maioria dos meninos com quem cresci saberia remontar seu carro a partir de uma pilha de sucata, e ele teria melhor desempenho que agora. — Cassie mordeu os lábios, questionando-se por que havia se colocado em defesa dos sulistas. Ela já não era mais um deles. Havia se livrado de seu sotaque juntamente com seus longos cabelos e sua propensão para frituras, embora não conseguisse ainda calçar sapatos brancos depois do Dia do Trabalho e antes da Páscoa.

Andrew suspirou.

— Tudo bem. Você pode pegar o meu carro. Mas tem que me prometer que vai cuidar dele e encerá-lo pelo menos uma vez.

Ela o puxou para perto de si e o beijou.

— Obrigada. Prometo que vou cuidar dele.

Várias horas depois, um pouco antes do amanhecer, eles pegaram o primeiro trem para Greenwich, em Connecticut, e tiraram o carro dele da garagem. Andrew colocou a mala dela no pequeno bagageiro do compacto Mercedes e ficou 20 minutos falando sobre coisas que ela podia e não podia fazer com o veículo.

Quando já não havia mais nada a ser dito, ele a envolveu em seus braços e a beijou intensamente, suas mãos deslizando nas costas dela de um jeito experiente, o qual sabia que a agradava.

— Sentirei sua falta — murmurou ele em seu pescoço. — Espero que dê tudo certo com seu pai, me ligue para contar os acontecimentos.

— Obrigada, vou sim. — Ela tocou-lhe nos lábios. — Vou sentir sua falta também — disse ela, enquanto se afastava e se sentava no banco do motorista.

Cassie fechou a porta, deu a partida no carro e lhe lançou um sorriso corajoso. Não conseguiu se livrar da sensação de que aquela despedida era de certa forma permanente. Com a garganta apertada, gritou:

— Vou te ligar! — Então, partiu.

Ao olhar para o retrovisor, viu Andrew parado no estacionamento, olhando para o carro, até que ela fez a curva e o perdeu de vista.

Capítulo 2

Eram quase nove horas da manhã quando Cassie começou a viagem. O Sol de fim de junho ainda não estava quente o suficiente para secar o orvalho da grama dos quintais imaculados pelos quais passou. Se guiasse rápido, chegaria a Walton por volta da meia-noite. Sabia o caminho de cor. Logo depois de se mudar para Nova York, quando a atração por coisas conhecidas estava quase insuportável, ela parou numa agência de guias rodoviários e pegou um guia de viagens TripTik. As páginas estavam agora rasgadas e amassadas, o plástico se abrindo em vários lugares. Apesar de o carro ter GPS, o guia TripTik se encontrava sobre o assento do passageiro, fechado, caso ela se perdesse.

Ela colocou vários CDs no som do carro e cantou alto para afugentar seus pensamentos. Teria que lidar com eles logo, logo. O pequeno carro vermelho a levou primeiro para Nova Jersey, então para Pensilvânia, depois ao longo da linha Mason-Dixon e para Virgínia. Quando o Sol começava a se mover para detrás das extremidades pintadas das nuvens, ela atravessou a Carolina do Norte, a mancha do Blue Ridge visível no horizonte distante. A temperatura e a umidade aumentavam de modo constante conforme ela seguia mais para o sul. Contudo, por alguma razão, estava relutante em fechar as janelas e ligar o ar-condicionado. Sentir a umidade em sua pele e ouvir os zumbidos dos insetos de verão a aproximavam de casa mais rápido do que o incessante giro dos pneus sobre a estrada. Pensou em seu pai, porém não ousou pensar em nada além disso, como rever a irmã ou Joe. Ela, então, examinou o infindável asfalto estendido à sua frente: a linha pontilhada como uma estrada de tijolos amarelos até sua casa.

Depois do cair da noite, ela cortou caminho pela região noroeste da Carolina do Sul e entrou na Geórgia. Não tinha certeza se era sua imaginação, contudo, o ar parecia diferente. A poeira vermelha o permeava, alterando-o de alguma forma, diferenciando-o de ares mais comuns de outros estados. Ela podia quase sentir o cheiro das rosas-loucas e jasmins--estrelados que se agarravam à varanda dos fundos da casa de seu pai. Uma vontade de estar lá e de vê-lo a consumiu tão intensamente que ela pisou ainda mais fundo no acelerador.

Ela havia acabado de passar pela placa de boas-vindas de Walton, "Onde todo mundo é alguém", quando a luz do indicador de combustível piscou no painel e irradiou um vermelho intenso. Certamente Andrew lhe dissera quanto de combustível havia na reserva, mas não lembrava. Não havia nada ao redor além do seu carro e da negra extensão da estrada vazia. Ela visualizou um pequeno sinal refletor que dizia "Combustível — 24 horas", então seguiu as flechas interestaduais em direção à rodovia que levava ao pequeno distrito comercial de Walton na Geórgia. A estrada lhe parecia conhecida, mas não os pontos de referência. As coisas haviam mudado. Reconheceu a esquina onde havia sido a loja de refrigerantes Virgil e o cinema *drive-in* e ficou emocionada. Uma loja de tapetes e uma lanchonete, lado a lado, em prédios quadrados, ocupavam aquele lugar agora.

As luzes da rua eram a única iluminação. Todos os comércios estavam envolvidos pela escuridão das altas horas. Um sinal que piscava a guiou até o posto de gasolina e ela parou na frente dele quase rindo ao ler as letras em neon: "Isca. Combustível. Cappuccino". A parte referente ao cappuccino era nova, mas Cassie conhecia bem aquele posto. Havia sido um lugar de diversão na época do ensino médio. O dono era o pai de um garoto com quem estudara no colégio. Não conseguia se lembrar do nome do menino, mas se lembrava de como ele ficava rodeando o seu grupo, querendo se aquecer no calor do brilho de Harriet, mas com medo de se aproximar demais.

Cassie parou perto de uma bomba de combustível e saiu do carro, ansiosa por acabar logo com aquilo e chegar ao seu destino. Estava tão perto agora! Um bilhete escrito à mão, pregado com uma fita num tubo virado para a bomba dizia: "Depois de escurecer, por favor pague lá dentro". Ela abriu a porta do carro, arrancou a chave e a bolsa e trancou a veículo com um leve bipe do controle remoto. Semicerrando os olhos para enxergar sob aquele fraco brilho amarelo das luzes de fora, ela viu uma enorme janela e uma porta de vidro com um homem lá dentro, atrás de um balcão. Ela atravessou o estacionamento e entrou pela porta.

Cassie passou pela cerâmica de linóleo rachada e pelas prateleiras de bolachas recheadas, pastilhas de menta e fumo de mascar e entregou ao homem seu cartão American Express.

— Gostaria de completar o tanque com a premium e também de um *cappuccino*, por favor.

Enormes olhos azuis de um rosto muito enrugado a encararam, rodeado por fios de cabelos brancos e uma barba. Aquele rosto lhe pareceu vagamente familiar, mas ela preferiu permanecer incógnita. Estava de volta à cidade para ver seu pai, não para encenar um constrangedor regresso ao lar. Um regresso que certamente traria à tona lembranças desagradáveis.

Ele sorriu e devolveu seu cartão.

— Sinto muito, senhora, não trabalho com American Express.

Ela franziu a cara. Deveria ter parado num caixa eletrônico no caminho para sacar mais dinheiro, mas esteve relutante com medo de atrasar ainda mais a viagem.

— Ah, o senhor aceitaria um cheque, então?

— Sim, claro. Preciso só de sua carteira de motorista.

Uma cadeira deslizou atrás dela, e ela se contorceu para ver um homem alto levantando-se de um banquinho. Ele vestia calças jeans e botas, e sua camisa de botões tinha as mangas dobradas para cima do pulso, deixando à mostra antebraços bronzeados.

— Vou completar o tanque para a senhora.

Cassie ficou paralisada, incerta se Andrew aprovaria aquele homem perto de sua Mercedes.

— Não precisa. Eu mesma coloco.

Olhos azuis a observavam atentamente e ela percebeu que eram da mesma coloração intensa da do homem mais velho. O homem jovem lançou um olhar para o pai ao mesmo tempo em que sorria com ternura. Ela teve a nítida impressão de que estavam zombando dela.

— A bomba é um pouco dura e precisa de força para segurá-la. — Disse o jovem apoiando o cotovelo no balcão. — Além disso, não me sentiria bem em fazer uma dama encher o tanque sozinha enquanto fico aqui dentro sentado. Não se preocupe, não vai precisar me dar gorjeta.

Ela estreitou os olhos na direção dele, tentando ignorar as lindas pregas em volta da boca quando ele sorria. De toda forma, ela não estava com muita vontade de ficar lá fora e ser devorada por insetos vivos enquanto enchia o tanque. Se ele realmente quisesse, então poderia fazê-lo.

— Tudo bem. Só preciso abrir o tanque de combustível.

Ele a seguiu até lá fora enquanto ela desejava fervorosamente estar vestindo jeans ao invés daquela saia curta que tirara do armário. Ele se moveu para a lateral do carro próximo à bomba enquanto ela abria o tanque.

— Gasolina premium.

— Eu sei — respondeu ele com um sorriso que lhe fez questionar se deveria ficar um pouco mais ali para ter certeza de que ele sabia o que era uma premium. O homem apenas lhe encarou de volta e ela teve a sensação de que ele sabia exatamente o que ela estava pensando.

Ela se virou para entrar e então gritou sobre o ombro:

— Obrigada. — As palavras lhe soaram estranhas, mas, por alguma razão, necessárias. Ela não o esperou responder para entrar.

Encarando o velho, ela perguntou:

— Poderia me dizer, por favor, onde está a máquina de *cappuccino*?

O homem de cabelos brancos se levantou com um resmungo e saiu de trás do balcão.

— O negócio está aqui. Não tem sido muito usado, mas foi ideia do meu filho. Ele foi pra faculdade e voltou cheio de ideias malucas. Então estou limpando e enchendo esta máquina todos os dias. — Ele ergueu o macacão sobre uma considerável saliência na cintura e caminhou a passos lentos para o fundo da loja. — Não conte a ninguém, mas agora ele me convenceu a beber também. Me ajuda a ficar acordado quando o ajudante do turno da noite não vem e eu preciso substituí-lo. Claro que eu ponho umas gotas de Jack Daniel's para adoçar um pouco. — Ele piscou e estendeu o braço para pegar copos de isopor numa prateleira.

Cassie olhou pela enorme janela o jovem lá fora. Ele estava parado perto do carro, esperando encher o tanque, jogando um moeda para o alto e pegando-a.

O cabelo cor de areia era um pouco mais comprido do que ela estava acostumada, na altura da nuca, mas lhe caía bem. Ele provavelmente era como um carro esporte italiano: belo de olhar, mas sem muito conteúdo. Ela se perguntou em que ele teria se formado na faculdade. Provavelmente Educação Física.

Os olhos deles se encontraram através do vidro. Caramba. Ela o estava encarando. Depressa, deu um gole de seu copo de *cappuccino* fervendo, queimando o lábio e a língua.

— Diacho!

O velho lhe lançou um olhar.

— Cuidado, está quente.

— É. Notei. — Ela tirou seu talão de cheques da bolsa. — Quanto te devo?

Ele baixou os óculos no nariz e examinou um pequeno monitor.

— Deu 39 dólares e 75 centavos.

A campainha sobre a porta tocou e ela percebeu o homem jovem entrar, mas não se virou. Colocou o copo sobre o balcão e preencheu o cheque, então o entregou arrastando-o sobre a superfície.

O velho o examinou de perto e o devolveu a ela.

— Sinto muito, madame. Não aceitamos cheques de outros estados, e este aqui diz que a senhora é de Nova York.

Ela se conteve para não dar um suspiro de irritação.

— Tudo bem. Vocês têm um caixa eletrônico aqui por perto?

O homem lhe devolveu um olhar inexpressivo, então deu o cheque ao filho. Ela reparou nas mãos do moço quando ele o dobrou: longas e adelgaçadas, as juntas dos dedos reverberavam sob a pele macia. Nada de graxa de carro sob as unhas.

Os olhos dele encontraram os de Cassie, iluminando-se com uma espécie de deleite.

— Nós podemos aceitar o cheque dela, pai. Eu a conheço.

— É mesmo? — Cassie resistiu ao impulso de colocar as mãos sobre os quadris.

— Você é Cassie Madison. Fizemos o ensino médio juntos e os primeiros dois anos de faculdade.

Ela o olhou mais atentamente, um alarme começou a disparar dentro de sua cabeça. Instintivamente, suas mãos correram para o pingente do colar em seu pescoço.

— Eu estava com você quando recebeu a notícia de que Joe havia fugido com sua irmã Harriet na noite de nosso baile de outono dos alunos do segundo ano da faculdade. Segurei sua cabeça nos arbustos enquanto você vomitava.

Cassie se deu conta de que de sua boca saía o som de um pneu murchando, e então a fechou imediatamente. Ela deveria ter sacado no instante em que o velho disse "filho", mas esteve preocupada demais em sair dali o mais rápido possível. Ela se lembrava de um moço de uns 20 anos com aparelho nos dentes e óculos de lentes grossas que aumentavam seus olhos até parecerem cobrir toda a face. Sam Parker: a terceira pessoa na Terra que ela não gostaria de ver novamente.

— Você... está diferente. — Aquelas foram as únicas palavras que conseguiu pronunciar.

Os olhos dele brilhavam.

— Você também.

— Estou surpresa por você lembrar daquele dia.

A boca de Sam se contorceu.

— Não é algo que uma pessoa esqueça.

Ela buscou pela chave dentro da bolsa, tentando esconder o rubor que tomava conta de seu rosto.

— Bem, você tem meu aval para esquecer agora.

Como ela vinha tentando fazer há anos. Mas a recordação de sua espera por Joe na varanda da frente da casa do pai, com seu vestido roxo de tafetá e o anel de compromisso que Joe lhe havia dado, estava escrita em tintas indeléveis na sua memória. Ela ainda podia ver o rosto de Sam enquanto ele subia os degraus da varanda e lhe entregava um bilhete de Joe e Harriet. O desejo de vomitar a atingiu assim que viu o nome dos dois rabiscado no final do papel.

O Sr. Parker saiu de trás do balcão.

— Imagino que tenha vindo aqui para ver seu pai. Sinto muito em saber que o velho juiz esteja tão fraco. Só de ver você é provável que ele se recupere.

O olhar dele a animou, sua solidariedade era sincera. Por alguma razão ela sentiu vontade de chorar, mas rapidamente piscou os olhos para impedir que as lágrimas caíssem.

— Obrigada. — Ela engoliu em seco. — Preciso ir agora. Estão me esperando.

Sam disse suavemente:

— Você não pode, seu carro está vazando fluido de transmissão. Não percebeu o motor dar uns trancos?

Ela o encarou, confusa.

— Não exatamente.

— Bem, nós não temos o fluido de que você precisa, mas podemos conseguir para você. Mas não hoje à noite. Papai vai cuidar disso amanhã. Por enquanto, deixe-me levá-la para casa.

Ela queria recusar, pois, toda vez que olhava para ele, revivia a maior humilhação de sua vida. Mas cedeu, dando-se conta de que não tinha muitas opções.

— Tudo bem.

Ele não se mexeu, mas parecia esperar que ela dissesse algo mais.

— Obrigada — acrescentou ela. — Mas não é mais a minha casa. Estou aqui apenas para uma visita.

Sam a olhou de esguelha antes de sair e segurou a porta para ela enquanto ela o seguia para a cabine dupla da caminhonete dele.

Ele tirou as malas dela do bagageiro e segurou a porta do passageiro aberta para que ela entrasse. Ela olhou para o enorme degrau e se perguntou de que forma subiria ali com aquela saia curta.

Sam virou o rosto de lado, e ela ergueu a saia na altura do quadril para subir, então a desceu de novo enquanto se acomodava no banco. A caminhonete parecia ser nova, o aroma de couro ainda era forte dentro dela.

Sam fechou a porta, então foi para o lado do motorista, parando em frente da porta aberta quando o celular soou com uma mensagem. Ele olhou para a tela, suas sobrancelhas se curvaram num leve franzido.

— Parece que eu ia para o seu lado de todo jeito.

Sam entrou com facilidade na caminhonete. Cassie esperava encontrar um porta-armas ou uma bandeira dos Confederados na janela traseira e ficou um pouco desapontada ao descobrir a janela vazia e nada no assento de trás, senão uma maleta preta.

Ele engrenou o veículo e o conduziu até a estrada.

— Você se foi há muito tempo, Cassie.

Ela virou o rosto e olhou para fora da janela lateral.

— As pessoas me chamam de Cassandra agora, e sim, é verdade.

Ele parecia intencionado a ignorar a linguagem corporal dela, e enchia o vazio do ambiente com perguntas.

— Parece que você construiu uma bela carreira em Nova York. Seu pai está muito orgulhoso de você. Hoje em dia só fala das meninas dele e dos netos.

Cassie apenas concordou com a cabeça.

Ele ficou quieto por um momento.

— Nunca pensei que você fosse do tipo que fugisse das situações.

Ela virou a cabeça depressa a fim de encará-lo, certa de que podia ver um vestígio de sorriso nos lábios dele.

— Não vai ficar brava comigo. Estou apenas afirmando um fato. Nunca pensei que fosse presenciar o dia em que Cassie Madison permitisse que uma situação tirasse o melhor dela.

Cassie se sentou com as costas retas no assento.

— Não permiti. Sempre soube que esta cidade não era o meu lugar. O momento apenas pareceu adequado, só isso. Sempre planejei ir embora.

— E nunca voltar, mesmo nos feriados? Nunca passou pela sua cabeça que havia pessoas aqui que a amavam e sentiam saudade de você?

Ela virou para olhar para o seu perfil marcante, as luzes da rua por onde passavam lançavam clarões mosqueados no rosto dele. Aquele homem certamente mudara desde que o vira pela última vez, e para melhor. O fato de ele ter refletido um pouco sobre o desaparecimento dela a surpreendeu. Ela não havia pensando em Sam Parker nenhuma vez naqueles 15 anos desde que partira.

Incomodada no banco, ela virou o rosto.

— Encontro com meu pai todos os anos em Atlanta e lá recuperamos o tempo perdido. Isso basta. — Cruzando os braços no peito, acrescentou: — Preferiria não falar sobre isso agora.

Ele se inclinou para frente e ligou o rádio numa estação de música country com um homem cantando sobre um cachorro chamado Jake. Cassie rangeu os dentes desejando um som *new age* mais suave, como o que Andrew gostava de tocar nas caixas acústicas Bose espalhadas pelo apartamento.

— Imagino que falar pouco seja uma outra coisa que aprendeu no norte.

— O que você quer dizer com uma outra coisa?

Ele deu de ombros, esticando o braço sobre o encosto do assento duplo.

— Bem, não me lembro de você ser assim tão esnobe. Mas me lembro de que sempre ficava cruel quando sentia medo.

Ela o olhou de modo penetrante. Então, sem falar nada, esticou o braço para alcançar o volume do rádio e o aumentou para que não escutasse Sam. Ela já estava tomada de culpa e ele só a fazia sentir-se pior.

Com o rádio nas alturas, eles guiaram de volta para a interestadual e pegaram a próxima saída. Foi então que ela reparou que seus dentes estavam batendo, embora a noite estivesse quente, quase agradável. Dentro de dez minutos eles estavam passando pela Primeira União Metodista de Walton, à esquerda, o cartaz iluminado do lado de fora com a mensagem do reverendo Beasley. "Precisa de uma nova aparência? Renove sua fé aqui". Ela se lembrava do reverendo Beasley colocando um novo cartaz todas as semanas e se perguntou se ele ainda fazia isso.

Sam parou num cruzamento deserto de onde era possível ver uma escola de ensino médio a duas esquinas à frente. Ele virou à direita na Orchard Street, passou as casas conhecidas dos Ladues, dos Pritchards e do velho Sr. Harris. Depois, de novo à direita, na Madison Lane, as antigas árvores de carvalho formavam um véu sobre a rua. As casas ali estavam distribuídas de modo mais esparso, distanciando-se cada vez mais umas da outras, até restarem apenas o final da rua e uma longa pista de cascalho. Cassie virou a cabeça olhando fixamente para duas placas de "vende-se" nas casas de ambos os lados da propriedade de seu pai. Sam desligou o rádio e os sons da noite zumbiram por toda parte ao redor deles.

Devagar, eles entraram na rodovia de cascalho, a única luz que se infiltrava pelas veredas de carvalho era a da Lua, roubando as cores da paisagem e transformando em cinza o capô vermelho. A grande casa branca assomou diante deles, a visão tão consoladora quanto os braços de sua mãe, e as antigas lembranças lhe vieram à tona novamente. Ela sentiu um toque suave em seu antebraço.

— Você está bem?

Ela fez que sim com a cabeça e de repente não conseguiu falar nada.

Sam estacionou a caminhonete numa entrada circular, então esticou as mãos até o assento traseiro e pegou a maleta preta. Ele saiu e caminhou até o outro lado da caminhonete enquanto Cassie tentava sair sozinha. Mas seus esforços foram dificultados por sua saia curta e ela teria caído no chão se não fosse o braço de Sam conduzindo-a até embaixo. A sua mão ficou segurando a dela por um momento, a palma supreendentemente macia e quente.

— Vai dar tudo certo, você sabe — disse ele, carinhoso, com seu sotaque sulista agradável aos ouvidos dela.

Cassie retirou a mão dele.

— Eu sei. Demora só um pouco para me acostumar. Eu consigo lidar com a situação. — Ela fechou a boca abruptamente, assustada com a sua voz trêmula. Levou as mãos ao colar e seus dedos seguraram com força os pingentes.

Ele observava as mãos dela com um leve sorriso, mas não disse mais nada.

Eles subiram os degraus da varanda no meio de duas das seis colunas acaneladas. Cassie parou: sua confiança fraquejara. Sam andou na sua frente e colocou a mão sobre a maçaneta da porta.

— Não deveríamos bater antes? — sugeriu ela, tentando ganhar tempo.

Ele abriu a porta de uma vez, liberando o penetrante aroma de cera de móveis e de madeira velha.

— Não costumo fazer isso. Além disso, eles estão me esperando.

Ela lhe lançou um olhar interrogativo.

— Como assim?

Antes que ele pudesse responder, o ruído de pés correndo sobre os pisos de madeira cascatearam na direção deles, o som de crianças gritando os alcançou antes que qualquer pessoa aparecesse.

Um menino de cabelos bem loiros de cerca de cinco anos correu na direção de Sam com a cabeça inclinada como a de um touro agitado.

— Dr. Parker! — gritou ele enquanto Sam o erguia bem acima de sua cabeça.

— Doutor...? — Cassie parou, pois o som de mais pezinhos fazia sua cabeça girar. Uma menininha com tranças vermelhas correu toda apressada em sua direção, gritando bem alto:

— Tia Cassie!

Seus braços estavam esticados e Cassie esticou bem os seus também para pegar a menininha.

Cassie ficou ali, na entrada, sem jeito, abraçando uma menininha que ela nunca conheceu; uma criança que, por mais de uma década, tinha vivido apenas em seus sonhos. Ela observou a figura esguia de uma mulher surgir no topo da escada de madeira e então descê-la a galopes, um outro som familiar que ressoou no fundo da memória de Cassie.

A mulher parou na frente dela e lançou-lhe um sorriso de animadora de torcida, o mesmo que sempre lhe trazia a lembrança de sua mãe. Ela cheirava a rosas e talco e a vômito de bebê. Cassie se sentiu perdida por um momento, olhando para aquela mulher crescida que ela conhecia, mas não sabia quem era.

O sorriso de Harriet era constante.

— Bem-vinda, Cassie.

Capítulo 3

Harriet abraçou a irmã, mas Cassie ficou imóvel. O fantasma do perdão já não existia há muito tempo. Harriet recuou, enquanto seu sorriso enfraquecia um pouco.

— Bom te ver. Você está linda. — Ela passou os dedos nas pontas do cabelo castanho com corte chanel de Cassie, fazendo-o balançar. — Você está tão... sofisticada. — Ela deixou cair o braço sentindo-se repentinamente tímida. — Fica bem em você.

Harriet ficou encarando a irmã, apenas 15 meses mais velha que ela, mas, ainda assim, mais alta. A força e a confiança de Cassie sempre fizeram Harriet se sentir protegida, mesmo antes da morte da mãe, que aconteceu quando Cassie tinha oito anos e Harriet, sete. Desde então, Harriet havia obrigado Cassie a desempenhar esse papel para sempre.

Elas sempre foram as melhores amigas: desde os tempos em que Cassie pegava a irmã no berço quando ela chorava. Cassie não se importou quando a mãe a atrasou um ano na escola para que ela frequentasse o jardim de infância com a irmã. Elas haviam compartilhado tudo, até Joe.

Cassie falou devagar:

— Você está com boa aparência... bem, está igual.

Sentindo-se constrangida, Harriet tocou em seu cabelo na altura dos ombros. Ela ainda o usava preso para trás por uma faixa de tecido. Deu-se conta, então, de que agora ela devia parecer sem estilo para a irmã. E de que Cassie estava maravilhosa e quase irreconhecível.

A criança agarrada às pernas de Cassie começou a pular para cima e para baixo, com os bracinhos estendidos para que ela a pegasse. Harriet se agachou para pegar a filha enquanto suas palavras saíam apressadas.

— Deixamos as crianças ficarem acordadas esta noite na casa do vovô porque estavam muito ansiosas para te ver. Aquele é o Joey — disse ela apontando para o filho sendo chacoalhado para cima e para baixo nas costas de Sam. — E essa é a Knoxie, de quatro anos. Demos esse nome em homenagem à vovó Knox, por causa do cabelo vermelho. Só esperamos que ela não tenha o mesmo temperamento difícil, apesar de que a velha conseguia ser bastante dócil quando queria...

— Como está o papai? — interrompeu Cassie.

Harriet fechou a boca, sentindo-se castigada e se perguntando por que não parava de falar. Ela entregou Knoxie a Cassie e então foi tirar Joey de Sam.

— Ele estava reclamando que não conseguia dormir, então eu chamei o médico. Você se lembra de Sam Parker, né? Salvou a mim e a um bando de colegas do terceiro ano de sermos reprovados em Biologia e Matemática. Ele estudou com a gente nos primeiros anos de faculdade, lembra? Então, acho que foi depois que você partiu, ele foi estudar fora e estamos muito felizes por tê-lo de volta.

Sam largou o menino agarrado em suas costas e se dirigiu à escada.

— Sem dúvida alguma eu me lembro de Cassie. Mas não a reconheci de início, só depois que vi a parte de trás de sua cabeça.

O rosto de Cassie corou. Com um tenso sorriso, ela disse:

— Engraçado, eu não me lembro muito de Sam. — Ela se virou para Harriet. — Posso ver papai agora?

Harriet fez que sim com a cabeça e pegou Knoxie.

— Ele... ele não está nem um pouco igual a quando o viu da última vez, então, tente não se espantar.

— Pode deixar — disse Cassie, e seguiu atrás de Sam na escada.

Rapidamente, Harriet colocou as duas crianças em frente à televisão para assistir ao Disney Channel, com rigorosas instruções para que não mudassem de canal. Em seguida, ela subiu para tentar interpretar a silenciosa atração entre Cassie e Sam e perguntava-se por que todos os pedidos de desculpa que havia ensaiado dizer quando visse a irmã permaneceram não ditos.

Ela os alcançou quando Sam e Cassie estavam chegando à porta escura, ao final do longo corredor da escadaria. As duas filhas mais velhas de Harriet, Madison e Sarah Frances, estavam sentadas de pernas cruzadas no chão, do lado de fora da porta, apoiadas na parede do corredor, cabeças encostadas uma na outra, olhos fechados e parecendo estar dormindo profundamente. Sarah Frances tinha cabelos cor de mel, como Harriet, mas os de Madison eram dois tons mais escuros. Não chegavam a ser castanhos, mas também não eram loiros. A cor não era natural, como costumava lamentar Cassie a respeito de seu próprio cabelo, que agora brilhava com luzes que não haviam sido colocadas ali pelo Sol. Ela fez uma pausa por um momento para observar as meninas, impressionada por ver como lembravam ela e Cassie antes de mudarem outras coisas além da cor dos cabelos.

Sam bateu à porta de leve e então a abriu. Deu um passo para trás, deixando que Cassie e Harriet entrassem primeiro.

Cassie parou na soleira. Sam pareceu notar sua hesitação e colocou a mão no ombro dela firmemente, enquanto Harriet tentava enxergar o quarto através dos olhos de alguém que não o via há mais de uma década. A coloração escura do ambiente, as cores vinho, azul-marinho e verde-bandeira ressaltavam o fato de que não havia uma influência feminina naquela decoração há mais de vinte anos.

Um homem velho, cujo corpo magro mal fazia volume nas cobertas, descansava na imponente cama com dossel. Ela ficava bem acima do chão. Era uma herança tradicional na qual gerações de sua família haviam dormido. Aquele homem carregava pouquíssima semelhança com o pai robusto de sua memória, mas quando ele abriu os olhos, quase negros em contraposição ao branco pálido de sua face, o rosto de Cassie mostrou reconhecimento e alívio. Esticando os ombros, ela caminhou em direção à cama.

Uma mão pálida, de veias azuis, visíveis sob a pele fina como um papel, estendeu-se para tocá-la. Cassie a segurou, envolvendo-a gentilmente entre as suas, como uma criança que segura uma borboleta.

Harriet desviou o olhar, sentindo a culpa sempre presente por ter sido parcialmente responsável pela longa ausência da irmã e por ter separado seu pai da filha favorita. Mas nada além disso: ela nunca sentiria remorso ou culpa por nada que acontecera há tantos anos. Era a única maneira, especialmente no começo, de Harriet conseguir encarar cada dia.

— Oi, papai, estou aqui — disse Cassie.

— Já era hora — respondeu ele fechando os olhos. A mão dele ficou frouxa entre as suas e ela se virou para Sam em pânico, enquanto Harriet se aproximava da cama.

— Ele está bem? — perguntou Cassie.

Sam deu um passo à frente, tirando um estetoscópio de sua maleta.

— Tenho certeza que sim. Ele estava acordado apenas esperando você chegar em casa para que pudesse dormir. Mais ou menos como quando você era uma adolescente.

Cassie acariciou a face do pai antes de se afastar da cama para que Sam o examinasse.

— Improvável. Não era eu quem tinha um encontro diferente a cada noite da semana. — Ela lançou um olhar de soslaio na direção de Harriet. E, mais brandamente, disse: — Ele até te dirá que a maioria dos cabelos grisalhos dele não foram causados por mim.

Sam lhe lançou um olhar incrédulo antes de se inclinar para examinar o velho com o estetoscópio.

— Não é essa a lembrança que tenho.

— Nem eu — disse Harriet baixinho, embora não estivesse segura de quanta veracidade havia naquelas declarações.

Cassie cruzou os braços sobre o peito, ignorando-os, e perguntou:

— Ele está bem?

Sam endireitou as costas, tirando o estetoscópio dos ouvidos.

— Ele está apenas dormindo. — Sam fixou-lhe um olhar penetrante. — E quando ele acordar, podemos conversar sobre o incidente não solucionado do nosso último ano de ensino médio, quando alguém pintou a varanda do diretor Purdy de rosa-choque enquanto ele dormia.

Harriet segurou o riso enquanto observava a orelha de Cassie ficar vermelha, lembrando-se de como havia mentido para o pai pela primeira e única vez na vida, para que Cassie não ficasse em apuros, e de como a lembrança da varanda rosa ainda a fazia rir.

Cassie apertou o braço dele.

— Pelo amor de Deus, Sam. Você não vai contar a ninguém, né?

Os ombros dele chacoalhavam de tanto rir enquanto guardava o estetoscópio na maleta.

— Cassie, isso foi há mais de 15 anos. Você acha que alguém ainda se importa?

O queixo dela se projetou na direção do velho na cama.

— Ele se importaria. — Ela engoliu em seco. — Ele... ele vai ficar bem?

Sam lançou um olhar para Harriet antes de segurar Cassie pelo cotovelo e conduzi-la até a porta. Ele nivelou seu olhar com o dela e falou baixinho:

— Vou ser direto e franco com você porque Harriet me pediu e também porque sei que você quer saber a verdade. Não, não vai. É provável que você não saiba, mas este não é o primeiro infarto e seu coração está muito enfraquecido para que ele consiga se recuperar completamente. Creio que seja apenas uma questão de tempo. — Ele fez uma pausa. — Sinto muito.

Harriet observava a irmã enquanto ela encolhia os ombros, o que a lembrou, pela primeira vez desde sua volta, da velha Cassie.

— Você pensou em alguma alternativa? Cirurgia? Transplante?

Sam fez que não com a cabeça.

— Já esgotei todas as opções viáveis, Cassie. Ele não sobreviveria a uma cirurgia, e um transplante está fora de questão na idade dele. Sinto muito, mas não há nada que possamos fazer.

Os olhos dela brilharam com lágrimas não derramadas.

— Se você não se importar, eu gostaria de uma segunda opinião. Não quero ser grosseira, mas onde foi mesmo que você obteve seu diploma de médico?

Harriet fechou os olhos rapidamente, esperando a resposta de Sam. O clima entre Sam e Cassie continuava viscoso como o melaço em janeiro, e Harriet já não tinha mais certeza se o habitual comportamento gentil de Sam funcionaria com sua irmã.

Os olhos de Sam piscaram, irritados.

— Harvard. Talvez já tenha ouvido falar.

— Nossa. — Os ombros de Cassie afundaram e ela sentiu seu espírito de briga abandonando-a. — Posso ficar com ele por um tempo? Prometo não acordá-lo.

Sam não disse nada por um momento.

— Claro. Harriet sabe o que fazer caso ele acorde, e voltarei de manhã para saber como vão as coisas. Tente descansar um pouco. — Ele abriu a porta e então se virou para Cassie. — E eu apostaria o meu melhor cão de caça que o juiz sempre soube da varanda rosa. — Com um aceno de despedida para as duas, ele pisou no corredor e fechou a porta atrás de si.

Harriet se sentiu momentaneamente insegura quanto ao seu lugar, um sentimento que se tornara desconhecido com os anos de esposa e mãe.

— Você quer que eu fique?

Cassie olhou para ela ciente de sua presença pela primeira vez. As palavras de desculpas não ditas de Harriet estavam na ponta da língua, mas ela ainda não as conseguia dizer, pois sabia que jamais seriam as exatas palavras que Cassie gostaria de ouvir.

— Tanto faz — respondeu ela ao se virar para a cama exatamente quando os olhos do pai se abriram. Cassie se aproximou dele e se sentou na cama, enquanto Harriet permaneceu onde estava, perto da porta, incapaz ou sem vontade de sair.

A voz dele soou baixa e distante.

— Você cortou seu cabelo mais curto desde a última vez que a vi. Ficou ainda mais parecida com sua mãe. — Ele deu um leve suspiro. — Eu queria tanto que ela estivesse aqui. Então ela poderia dar uma surra em você, já que eu não tenho forças agora.

— Obrigada, papai. É bom te ver também. — Cassie o beijou na face de aparência frágil e baixou a cabeça para tentar esconder as lágrimas que escorriam pelo rosto. O pai bateu de leve no colchão ao lado do próprio corpo, e ela se jogou ao lado dele, sua cabeça dividindo com ele a pilha de travesseiros. Ela parecia a criança amedrontada que Harriet se sentia diante da perda de uma das últimas âncoras da infância delas.

Cassie tocou na mão dele e a segurou com força.

— Sinto falta de mamãe. Queria saber... — Cassie fungou e se aconchegou mais perto dele. — Queria saber se as coisas teriam sido diferentes se ela estivesse aqui.

Harriet ficou paralisada, perguntando-se se seu pai sabia que ela estava no quarto, e esperou calada pela resposta dele.

O juiz falou com os olhos fechados.

— Se você se refere a ela saber sobre Joe e Harriet e tê-los impedido, acho que não. Até mesmo você pode ver agora que foram feitos um para o outro.

Cassie virou o rosto.

— Ele era meu. — Ela pareceu infantil, como se estivessem conversando sobre uma boneca favorita. Sua voz não combinava com a imagem de uma mulher sofisticada vestindo roupas caras e com os cabelos brilhando.

— Sim, Cassie. Ele era seu. Mas isso foi há muito tempo. Agora, ele e Harriet têm um casamento maravilhoso e cinco filhos. — Fez uma pausa, respirando fundo e com dificuldade. — Dói-me ver que durante todos esses anos você nem tentou fazer as pazes com sua irmã. Harriet tentou tantas vezes se aproximar. E você não fez nenhum esforço para conhecer seus sobrinhos. São crianças lindas, Cassie. Ficaria orgulhosa deles.

Ela não conseguiu esconder um soluço.

— Eu sei e sinto muito. Guardei todas as fotos deles em meu álbum e penso neles o tempo todo. Mas ainda dói, papai. Ainda dói. Algumas vezes nem sei se algum dia vou superar tudo.

As lágrimas ardiam nos olhos de Harriet. Tudo o que desejava era sair furtivamente do quarto, mas teve a sensação de que Cassie se esquecera de que ela estava ali.

— O que ainda dói, Cassie? O fato de que você perdeu Joe ou de que alguém saiu ganhando?

Ela arregalou os olhos, só então se dando conta da possível veracidade daquelas palavras.

— Não sei mais. Honestamente, não sei. Talvez seja apenas um hábito antigo que não sei como mudar. Ou talvez eu não consiga aceitar o fato de que você ficou do lado dela. Você não fez nada para trazê-los de volta.

Harriet fez que não com a cabeça, lembrando-se das palavras cruéis que o pai havia dito a ela e de quando ela e Joe retornaram a Walton, já casados. E da sensação, que nunca foi embora, de que algo precioso e insubstituível havia sido perdido para sempre.

O velho mudou de posição na cama.

— Não era uma questão de tomar partido. Não gostei da maneira como revelaram seus sentimentos, mas lá no fundo eu sabia que foram feitos um para o outro. E que, com o tempo, você os perdoaria e encontraria alguém que fosse realmente seu.

A voz dele ficou muito baixa, quase um sussurro.

— Já faz 15 anos, Cassie. Já é hora de superar isso. Siga com sua vida.

Abruptamente, Cassie se levantou da cama e foi até a janela.

— Você sempre ficou do lado dela. Acho que isso nunca vai mudar. Mas eu já me recuperei. — Fez uma pausa. — Estou com 35 anos, papai. Já superei tudo isso. Tenho uma vida nova, e nada disso mais tem importância. Esta cidade, estas pessoas, ficaram todas no passado. — Ela suspirou, pressionando a testa contra o vidro. — E quanto mais eu ficava longe, menos eu sentia vontade de voltar.

O juiz se esforçou para apoiar-se nos cotovelos. Harriet deu um passo à frente para ajudá-lo, mas Cassie foi mais rápida, acomodando-o e colocando os travesseiros atrás dele.

A voz do pai parecia tensa.

— Você pode ir à Lua, Cassandra Lee Madison, mas este lugar, estas pessoas, sempre correrão em seu sangue. Você não pode se livrar disso, então é bom que volte para casa.

Cassie o ajudou a se deitar de novo sobre os travesseiros, os pontos rosa brilhantes no rosto dele aos poucos foram desaparecendo. Harriet se adiantou para ajudar, pois sabia que Cassie jamais conseguira recuar de uma briga com o pai. Ele era teimoso, e ela herdara esse traço dele. Os olhos de Harriet encontraram os da irmã e ela fez um sinal de cabeça para que ela parasse, mas Cassie virou o rosto, parecendo não a ter visto. Firme, Cassie disse:

— Esta não é mais a minha casa.

Os dedos magros e longos do pai apertaram com força o antebraço de Cassie enquanto Harriet colocava a mão sobre o ombro dele. A voz do pai estava baixa, mas tão vigorosa e temível quanto na época em que eram crianças e Cassie era pega mentindo.

— É claro que é! E não há nada que possa fazer para mudar isso. Se é que eu mando em alguma coisa aqui, você vai voltar para ficar.

Cassie surpreendeu Harriet ao inclinar-se para frente e dar um beijo na testa dele. Gentilmente, ela disse:

— Você não manda nada. Vou ficar aqui até você melhorar, mas depois vou voltar para minha casa, para Nova York.

Ele não respondeu nada e suas pálpebras tremularam até fechar. Harriet e Cassie ficaram de lados opostos da cama por um longo tempo, olhando para o pai que dormia enquanto anos de palavras não ditas se abrigavam ao lado dele.

Harriet falou baixinho para a irmã:

— Deixe-me preparar alguma coisa para você comer e te levar para o seu quarto. Deve estar cansada da longa viagem.

— Não — respondeu Cassie, ríspida. — Quero ficar aqui com ele. Ela se deitou ao lado do pai, a mão sobre a dele, e fechou os olhos.

Há muito tempo, quando eram crianças, Cassie contara à irmã que, durante um mês depois da morte da mãe, ela passara as noites na cama dele escutando sua respiração. A mãe desistira de sua longa batalha contra o câncer naquele quarto, e a menininha Cassie achava que se tivesse ficado ali, ao lado dela, ela teria escutado o momento em que a mãe parou de respirar e teria conseguido acordá-la. Mas ela morrera, e Cassie prometera a si mesma que não permitiria que a mesma coisa acontecesse com o pai.

A história cobriu a jovem Harriet de culpa ao saber que, enquanto ela dormia em paz no próprio quarto no fundo do corredor, Cassie ficara atenta ao pai, cochilando e se beliscando para se manter acordada até a noite acabar e o amanhecer cinzento encontrar o seu caminho pelas cortinas. Quando o pai se levantava para tomar banho, Cassie corria para o quarto para dormir umas duas horas antes de a tia Lucinda abrir abruptamente as cortinas. Ela fez isso até o dia em que o pai enfiou a cabeça debaixo da cama e lhe disse que estava crescida demais para dormir ali.

Harriet estava prestes a lhe perguntar de novo se ela queria algo para comer, mas viu a mão do pai apertando a de Cassie. Com os olhos ainda fechados ele disse:

— Acho que pintar a varanda do diretor Purdy demonstrou muita coragem, sabe. Só espero que agora tenhamos aprendido que há outros meios de se fazer entender.

Cassie arregalou os olhos, surpresa.

— Então você sabia mesmo. Por que não me contou?

Ele virou de lado sob as cobertas.

— Porque eu teria de puni-la, e você não merecia isso.

Cassie levou o queixo para frente, e isso trouxe lembranças tão profundas da velha Cassie a Harriet que ela quase sorriu.

— Você está repleto de razão. Ele queria cancelar a formatura por causa de uma briga boba sobre comidas na lanchonete, e nem todo mundo estava envolvido. Não era justo.

O juiz soltou um leve resmungo.

— Foi uma bela façanha. E vou te dizer que fiquei rindo por quase uma hora depois que vi aquilo.

Eles riram baixinho juntos por um instante. Por fim, Cassie disse:

— Obrigada, papai, por não ter me colocado em apuros.

— De nada. — A voz dele parecia cansada. — Estou feliz que esteja de volta. — Ele olhou para Harriet e lhe estendeu a outra mão. — Nós dois estamos.

Cassie nada respondeu, mas apertou a mão dele. Sabendo que ela não sairia dali, Harriet se inclinou para beijar a testa do pai antes de sair para pegar na cômoda de cedro no corredor mais uma coberta para colocar sobre a irmã.

Ao voltar, notou que Cassie havia encontrado um canto no chão, um travesseiro da cama estava sob a cabeça e ela dormia profundamente. Harriet gentilmente estendeu a coberta sobre a irmã, apagou a luz e saiu devagar fechando a porta atrás de si.

Na manhã seguinte, Maddie ficou de pé na entrada do quarto do avô enquanto a mãe pressionava a própria orelha contra a porta. Virando-se na direção da filha, ela sussurrou:

— Sua tia e seu avô ainda estão dormindo e você não deve perturbá-los. Tenho certeza de que a tia Cassie está morrendo de vontade de te ver também, mas ela está exausta por causa da longa viagem. Espere ela acordar e se vestir, depois, aposto que ela vai até te contar histórias sobre a cidade de Nova York.

Maddie olhou para Harriet, perguntando-se novamente como aquela mulher miúda e loira poderia ser sua mãe. A única coisa que tinham em comum eram os olhos verdes. Até mesmo a mãe sempre comentava como ela era idêntica à tia, as mesmas longas pernas que faziam com que Harriet aparentasse ser ainda mais baixa ao lado da filha e da irmã. Algumas vezes, sua mãe dizia que ela e tia Cassie compartilhavam mais do que apenas semelhanças físicas, seja lá o que aquilo significava.

— Minha nossa! Caceta!

Harriet fez um barulho como alguém que suga o canudo num copo vazio.

— Madison Cassandra Warner! Vou lavar sua boca com sabão se você usar de novo essa expressão!

— Mas já são dez horas! Ela vai dormir para sempre?

Antes que sua mãe pudesse responder, a porta abriu e tia Cassie ficou ali parada, piscando com a claridade da luz e encarando-as com os olhos escuros e inchados. Ao fechar a porta atrás de si, ela lhes lançou um sorriso engraçado, sentindo que nenhum de seus músculos da face tivesse acordado ainda.

— Então, você deve ser minha xará.

Maddie olhava fixamente para a estranha na frente dela, o rosto conhecido apenas pelas fotos. Ela reparou que os cabelos de tia Cassie estavam mais claros agora, diferente da tonalidade marrom dos seus, e que pareciam bem modernos, embora ela ainda estivesse com cara de sono. Maddie sentiu um cutucão de sua mãe nas costas. Sentindo-se repentinamente envergonhada, ela disse:

— Sim, senhora. Sou Maddie. — Sem jeito, abraçou a tia e recuou para trás.

Maddie ficou observando enquanto a mãe olhava para ela e para Cassie. Parecia que ver as duas juntas pela primeira vez era como fazer um gol. Com uma voz engraçada, sua mãe disse:

— Sei que vocês têm muita conversa para colocar em dia, mas já vi antes Cassie sem o seu café da manhã e ela fica bastante desagradável.

Tia Cassie bocejou e franziu o nariz para a mãe de Maddie, fazendo a filha rir porque a lembrou de algo que ela e Sarah Frances fariam.

Envolvendo Maddie em seus braços, sua mãe disse:

— Você, senhorita, precisa tomar seu café da manhã, e eu vou buscar um pouco de café.

— Eu pego. — Maddie correu para a cozinha e, depois de encontrar duas canecas limpas na armário do avô e enchê-las com café preto, ela se dirigiu para cima com cuidado, para o antigo quarto da tia e que agora era o quarto onde ela dormia quando vinha ficar com o avô . A cama de dossel rosa e o papel de parede também dessa cor, com acolchoado e cortinas combinando, eram os mesmos de quando tia Cassie era uma menina. Dormir sob as minúsculas rosas sempre fizera com que Maddie sentisse uma ligação com a tia cujo nome dera origem ao seu, mas que nunca conhecera.

Estava prestes a entrar no quarto quando ouviu a voz de sua mãe e parou, com medo de que pudesse interromper alguma coisa, especialmente se significasse que a mãe e a tia iriam conversar sobre o porquê de Cassie ter se ausentado por tantos anos. E por que havia aquele olhar no rosto da tia? Aquele mesmo olhar que fazia Maddie se lembrar de como ficava a sua irmãzinha Knoxie quando não conseguia encontrar sua coberta favorita.

— É tão bom te ver aqui. Acho que nunca deixei de ter esperanças.

Tia Cassie riu, mas não pareceu uma risada sincera.

— Só não se acostume comigo por perto, é só até papai melhorar e depois terei de ir embora.

— E se ele não melhorar? E aí?

Maddie inclinou a cabeça no vapor que saía das canecas, sem desejar ouvir a resposta.

— Ele vai. Pessoas sobrevivem a ataques cardíacos o tempo todo.

— Estou feliz que tenha voltado — disse de novo a mãe de Maddie. — Há muita coisa que quis lhe dizer ao longo de todos esses anos e agora, finalmente, tenho uma chance.

As canecas começavam a ficar pesadas nas mãos dela, mas Maddie não iria sair dali naquele momento.

— Se é sobre você e Joe, não quero falar sobre isso. Chega desse assunto. E não vejo nada de positivo em você ficar remoendo isso agora.

Maddie chacoalhou o braço, derramando café quente sobre a mão, mas se obrigou a continuar calada. *Você e Joe*. O que ela quis dizer?

Ela teve de fazer força para escutar sua mãe.

— Nunca quis te magoar. Não sei se hoje você é capaz de acreditar mais nisso agora do que o foi no passado, mas é verdade. E preciso que saiba disso.

— Se você acha que esse pequeno pedido de desculpas pode apagar 15 anos de humilhação e sofrimento, você está enganada. E essa é a razão de eu não querer tocar nesse assunto.

Maddie ouviu o rangido das molas da cama e rapidamente entrou no quarto ao lado, conseguindo de alguma maneira não derrubar mais café. Passos saíram do quarto da tia e pararam. Quando sua mãe falou de novo, Maddie achou que ela talvez estivesse chorando.

— Você era a minha melhor amiga, Cassie. Minha heroína. E quero tê-la de volta na minha vida. Em nossas vidas.

A tia não respondeu nada. Por fim, Maddie ouviu a mãe dizer:

— Eu te amo, Cassie. Estou feliz que esteja de volta. — Maddie ficou escutando enquanto sua mãe atravessava o corredor e descia as escadas.

Por um longo tempo, Cassie não se mexeu, e Maddie ficou onde estava, com medo de fazer barulho, o café esfriando em suas mãos. Estava prestes a sair do quarto nas pontas dos pés quando escutou a tia dizer bem baixinho:

— Eu também te amo, Harriet.

Capítulo 4

A mala de Cassie já havia sido trazida para o seu antigo quarto. Ela pegou seu *nécessaire* com xampu, condicionador e gilete e entrou cambaleante no banheiro.

Tomou um banho rápido com água fria, que era um truque que aprendera na faculdade. Não só acelerava o banho como também deixava a pessoa mais desperta e pronta para a manhã. Cassie tinha certeza de que precisaria estar completamente atenta. O pensamento de ver Joe de novo fez com que suas mãos tremessem, e ela cortou a perna com a lâmina da gilete.

Desligou a água, abriu a cortina e notou que não havia toalhas nos ganchos. Tremendo, lembrou-se de uma toalha limpa que alguém colocara sobre sua cama.

— Diacho — murmurou ela num som quase inaudível. Pegou um chumaço de papel e o colocou sobre o joelho cortado. Em seguida, com o cabelo molhado escorrendo sobre o rosto, enfiou a cabeça para fora da porta. Felizmente, o corredor estava deserto. Ela segurou firme as roupas na frente do corpo e deu dois passos rápidos no piso de madeira. Seu pé molhado escorregou e ela caiu sobre as costas nuas, fazendo um estrondo.

Para o seu desespero, viu a porta do quarto de seu pai se abrir e Sam aparecer na entrada. O olhar dele examinou todo o corredor até, finalmente, concentrar-se nela.

Cassie segurava a roupa íntima sobre o peito, cobrindo-o; a outra mão agarrava o resto das roupas sobre o colo.

Sam limpou a garganta.

— Isso é algo de Nova York?

A voz dela estava artificialmente aguda.

— O que é de Nova York?

— Fazer ioga nua e toda molhada no corredor.

Ela estreitou os olhos.

— Escorreguei.

Sam saiu da porta e começou a caminhar na direção dela.

— Você se machucou?

Cassie, segurando a calcinha na frente do corpo, recuou depressa.

— Estou bem. Por favor, saia.

Ela podia vê-lo tentando esconder um sorriso. Ele se virou para a porta.

— Você não está tão diferente quanto pensa, sabe.

— O que você quer dizer com isso? Uso dois manequins abaixo do que eu costumava vestir e não uso mais óculos.

— Não estou falando disso. Mas não se preocupe, é para o bem. Você era uma menina lindinha. — Ele virou a maçaneta e abriu a porta. — Agora vá se vestir antes que alguém te veja.

Ela percebeu a risada na voz dele, mas antes que pudesse retrucar, ele havia fechado a porta atrás de si.

Assim que ouviu o estalido do trinco, Cassie correu para o quarto e se vestiu o mais rápido possível. Secou os cabelos, cuidando para enrolar as pontas para dentro, e se maquiou. Precisaria de todas as defesas que tinha para atravessar aquele dia.

O cheiro de bacon frito chegou até ela, fazendo seu estômago roncar. Ficou parada no quarto, tentando ganhar tempo, com esperanças de que, quando descesse, ninguém, inclusive Joe, estivesse mais lá. Com certeza não poderia encará-lo de estômago vazio.

Ao caminhar em direção à escada, viu que a porta do quarto de seu pai estava aberta e se aproximou, aguardando para ver se ele estava acordado. Parou sob a soleira e viu Harriet sentada na beira da cama segurando a mão dele. Cassie se virou para sair, mas foi chamada por ele.

— Entre, Cassie. Não estou tão sonolento agora e quero ver minhas meninas juntas.

Ela caminhou para o outro lado da cama e se sentou na ponta, enfiando o pé na lateral, como fazia quando criança. Escorregou a mão sobre a dele e observou sua face abrir-se num largo sorriso.

— Posso morrer feliz agora. — A mão dele apertou a de Cassie tão suavemente que ela lançou um olhar preocupado para a irmã.

Mas Harriet estava inclinada para frente tirando com cuidado os cabelos da testa do pai.

— Não diga isso, papai. Você ficará bem, vai ver.

Harriet se virou para colocar água numa xícara que estava na mesinha de cabeceira, e os olhos de Cassie encontraram os do pai. Ela viu amor neles e também viu as forças de seu pai se esvaindo. Viu também despedida.

O juiz bebeu um gole de água enquanto Harriet segurava a cabeça dele. Quando ela largou a xícara, ele colocou a mão entre as dela novamente.

— Minhas filhas — disse ele com os olhos úmidos. — Vocês me deram tanta alegria todos esses anos. Sua mãe teria ficado tão orgulhosa.

Cassie olhou para uma mancha no tapete oriental no chão, piscando rapidamente.

— Conte-nos sobre esse Andrew com quem você está pensando em se casar, Cassie. Ele virá nos visitar? Por que se ele quer pedir a minha permissão, é bom ele vir rápido.

— Papai. — Cassie começou a protestar, então parou ao notar que ele havia fechado os olhos.

— Quantos filhos você vai ter?

A mão dela estava suando, presa no casulo quente da mão fechada de seu pai.

— Nós, bem, ...nós ainda não falamos sobre isso.

O pai acenou com a cabeça, os olhos ainda fechados.

— Terão de conhecer os primos, a tia e o tio também.

— Viremos para visitar. — Cassie usou a outra mão para enxugar as lágrimas. Notou que a irmã a encarava e virou o rosto.

A voz do pai havia ficado muito baixinha e a respiração pesada.

— Você ainda ri bastante, Cassie? Foi disso que mais senti falta. — Ele engoliu forte e continuou. — Era como bolinhas de gás saindo rápido quando se coloca Coca-Cola no copo. Efervescente. Sim, era assim que ele chamava.

Cassie o esperou recuperar o fôlego antes de perguntar:

— Quem chamava?

Como ele não respondeu, Harriet disse baixo:

— Sam. Ele e Sam falam muito de você.

Cassie lançou rapidamente um olhar inquisitivo para a irmã e estava prestes a perguntar por que Sam teria algum interesse nela, quando o pai voltou a falar, a voz tão baixa que ela teve que se inclinar para escutá-lo.

— Então, Cassie, você ainda ri?

Ela relaxou o corpo na cama.

— Algumas vezes, papai. Algumas vezes.

Os olhos dele se abriram por um instante. Em seguida, fecharam-se enquanto ele fechava a boca com determinação.

— Hum — murmurou ele, e Cassie ficou apreensiva. Aquele sempre fora um aviso de que ele estava prestes a puni-la após tê-la obrigado a confessar alguma coisa. Como não disse nada, Cassie relaxou, sentindo o estresse sair de seus ombros.

Harriet afastou com carinho o cabelo da testa dele novamente.

— Você precisa descansar agora, papai. Ficarei aqui caso precise de alguma coisa.

Ele assentiu com a cabeça, e Cassie se inclinou para beijá-lo outra vez, mantendo a cabeça perto da dele por um pouco mais de tempo, sentindo o hálito do pai em sua face.

— Te amo, papai. — A voz dela falhou, e ela inclinou a cabeça bem pertinho para que o cabelo dele tocasse seu rosto.

— Eu também te amo.

Harriet olhou para a irmã.

— Vá tomar o café da manhã. Tia Lucinda está morrendo de vontade de te ver. Está toda animada preparando um monte de comida, esperando-a descer.

Cassie fez que sim com cabeça.

— Está bem. Mas me chame... caso precise de alguma coisa. — Ao virar-se para sair, ela pensou ter visto um leve sorriso nos lábios do pai, o tipo de sorriso que sempre aparecia em seu rosto quando ele tinha uma surpresa para ela. Cassie se virou de novo, mas já não havia mais nada no rosto dele e sua respiração seguia em um ritmo constante de quem está dormindo.

Devagar, desceu os degraus, seu estômago roncando por causa daquele aroma agradável. Enquanto descia, ela foi fazendo uma pequena pausa em cada retrato de seus antepassados, nomeando-os em sua cabeça, e parou na frente da foto de seu pentavô Madison, que construíra aquela casa em 1848 para atrair uma noiva. Deve ter dado certo, pois o sujeito teve quatro esposas consecutivas e teve um total de nove filhos. Cassie ficou olhando fixamente para aqueles olhos escuros, lembrando-se de como costumava assustar a irmã com histórias de que aqueles olhos a observariam enquanto subisse a escada. Cassie sorriu, lembrando-se de que por vários anos Harriet não quis subir sozinha.

Ela chegou à cozinha e parou diante da figura conhecida de tia Lucinda de costas. A irmã caçula do pai fora como uma mãe para ela; mudou-se para casa deles quando sua mãe ficara doente demais para sair da cama. Ela esteve lá ao longo de todos os acontecimento importantes da vida de Cassie: os aniversários, os recitais, os prêmios escolares e, mais tarde, as lágrimas. Tia Lucinda estava agora diante do fogão, seus ombros nodosos estavam mais curvados do que Cassie se recordava e ela usava o vestido vermelho vivo de todo dia e saltos altos. De repente, Cassie havia voltado à manhã de 15 anos atrás, quando vira a tia pela última vez de pé em frente ao fogão, com o pegador de panela cor de pêssego sob o braço enquanto sovava a massa de bolacha com uma mão e fritava ovos com a outra.

— Tia Lucinda?

A velha mulher se virou, seus lábios vermelhos e brilhantes se abriram:

— Oh! — Ela caminhou na direção de Cassie e a abraçou com força, os cheiros familiares de óleo de banho Youth Dew e gordura de bacon eram estranhamente confortantes.

— Minha nossa, Cassie. Como é bom te abraçar de novo, mas você é só pele e osso. As pessoas não comem em Nova York? — Suas palavras não conseguiram esconder a torrente de lágrimas.

Ela beijou o rosto da sobrinha, que não teve coragem de tirar a inevitável marca de batom vermelho. Assim como fazia quando criança, ela esperaria até estar longe dos olhos da tia para fazer isso.

Assim que tia Lucinda a soltou, Cassie reparou pela primeira vez nos dois homens sentados à mesa. Sam estava parado diante de prato cheio de mingau de milho e linguiça e o homem, na frente dele, estava sentado com uma bebê no colo, dando-lhe uma mamadeira. Suaves ruídos de sucção preenchiam o ambiente, repentinamente silencioso, enquanto Cassie se dava conta de que o temido momento havia chegado.

Tia Lucinda a abraçou de novo e a empurrou para frente.

— Você provavelmente já teve ter visto Sam, e este é Joe. — Ela se dirigiu aos homens. — Ela não está linda? Tão linda quanto a mãe, não acham?

Cassie ficou completamente enrubescida, de repente tinha voltado aos 12 anos de idade e à época em que ela e Harriet voltavam para casa e interrompiam uma das tardes de *bridge* da tia Lucinda e todas aquelas senhoras bajulavam Harriet, com seus cabelos loiros caindo sobre o casaco, e tia Lucinda, fazendo uma pose de mãe protetora, puxava Cassie para frente e dizia a todas o quão inteligente ela era e que ainda não havia se desenvolvido completamente. Cassie encolheu-se de vergonha da lembrança.

Sam engoliu a comida que enchia sua boca e disse:.

— Você tem razão, tia Lucinda. Com certeza ela está. No começo, o novo corte de cabelo me confundiu, mas eu a teria reconhecido de qualquer jeito.

Ela se obrigou a olhar para Joe, focando a bebê em seu colo. Ela estava com roupas cor-de-rosa, a cor acentuado as suas faces rosadas. Devagar, Cassie ergueu os olhos. Seu olhar parou nele, encarando o menino que havia amado com todo o seu coração e desejando que um raio a atingisse e não deixasse nada dela, senão um resto de cinzas sobre o piso de cerâmica da cozinha. Mas nada aconteceu. Ela não sentiu nada. Nenhuma centelha, nenhum aperto no peito, nenhum frio na barriga. Joe Warner já não deixava sua boca seca. Ele parecia o treinador de futebol americano do ensino médio e o professor de ciências que havia se tornado, com manchas de canetão vermelho nos dedos e com os bolsos da camisa cheios de canetas, lápis e com uma chupeta cor-de-rosa também. Ele ainda era maravilhoso, com olhos castanhos cheios de alegria que quase desapareciam quando ele ria, mas perdera o poder de lhe sugar todo o ar dos pulmões apenas com um olhar. Ele era o marido de sua irmã, um velho amigo, e nada mais.

Ainda assim, a antiga dor, uma mistura de sofrimento e humilhação, pulsava bem fundo no seu coração. Ela esboçou um sorriso, colocando as mãos nos bolsos de sua bermuda de linho.

— Oi, Joe, há quanto tempo.

Ela percebeu que Sam observava a troca de cumprimentos, as costas rígidas na cadeira.

Joe se levantou, sem jeito por um momento, então sorriu de volta.

— Nossa, com certeza. Como tem passado?

Ela deu um passo para frente, perto o suficiente para sentir o cheiro de produtos de bebê e de pó. Os olhos azuis da bebê se arregalaram e ela sorriu deixando escorrer leite pelo queixo.

— Esta é Amanda — disse Joe, virando-a para que Cassie a visse melhor.

Cassie colocou o dedo na mãozinha aberta da criança, encantada com os dedinhos perfeitos e as unhas quase transparentes.

Joe falou com a bebê.

— Esta é sua tia Cassie, aquela sobre a qual sua mãe está sempre falando.

Cassie levantou a cabeça repentinamente, e seus olhos encontraram os de Joe pela primeira vez. Antes que conseguisse reprimir as palavras, disse:

— Isso é verdade?

Joe fez que sim com a cabeça, um pouco sem jeito.

— Quase todos os dias. Há fotos de vocês duas juntas por toda nossa casa, até mesmo no quarto das crianças. Ela fez questão de que elas soubessem quem você é. — Fez uma breve pausa, então disse: — No início enviávamos cartas. Mas... mas sempre voltavam fechadas, então paramos. Mas isso não significa que paramos de pensar em você ou de nos importar com você.

Ela engoliu seco, tentando pensar no que responder. Ela queria lhe dizer que agora estava tudo bem, que a raiva que sentira todas as vezes em que carimbou "devolver ao remetente" já não tinha mais importância ou nem mesmo existia. Mas a lembrança da humilhação fez com que as palavras entalassem em sua garganta. Elas estavam ali há mais de 15 anos e não seria fácil tirá-las de lá.

A bebê arrotou sobre a camisa do pai, gerando uma distração necessária. Sam se levantou estendendo uma cadeira para ela, e ela se jogou na cadeira. Tia Lucinda se aproximou e lhe serviu um prato cheio de bacon, ovos, mingau e seu famoso biscoito amanteigado. Ela sentiu o beijo da tia no topo da cabeça.

— Quero que coma tudo, ouviu bem? Está magra demais.

Cassie espetou com o garfo um pedaço de bacon, examinando-o com cuidado. Quando estava prestes a colocá-lo na boca, Joe disse:

— Você emagreceu, Cassie. Muito.

Ela largou o bacon de novo no prato e pegou o café. Ela o encarou através do vapor.

— Já faz 15 anos que você me viu pela última vez. Tempo suficiente para mudar.

Ele se sentou de novo, colocando Amanda sobre o ombro, e começou a dar tapinhas nas costas da filha.

— As coisas mudam devagar por aqui, Cassie. Você não vai encontrar nada muito diferente. O Sr. Purdy ainda é o diretor do colégio. Ele também deve estar velho pra chuchu agora.

Os lábios de Cassie se mexeram com a menção do nome do Sr. Purdy.

— Então, isso me faz pensar que eu fiz bem em sair daqui. É bom saber que eu saí, então. Eu acho que mudar é bom.

Sam arrastou a cadeira para trás ao se levantar e pegou o seu prato.

— Não necessariamente, principalmente no quesito escolher roupas novas esquisitas.

Ela sabia que ele estava se referindo ao incidente no corredor lá em cima e olhou com raiva para as rugas do rosto dele enquanto ele caminhava até a pia com o prato. Cassie abriu a boca para dizer algo, mas parou ao notar Harriet na porta. Sua irmã tinha uma expressão esquisita no rosto, como alguém que acabara de ver um avião cair do céu. Cassie largou a xícara rapidamente, derramando café quente nas laterais.

Os dedos dela se agarraram à antiga corrente no pescoço enquanto o ar a sua volta parecia ter sumido. Seu olhar percorreu a cozinha em busca de objetos, pessoas, qualquer coisa que a ajudasse a se lembrar das coisas como elas costumavam ser antes que sua vida desse uma nova reviravolta. Seus olhos se voltaram para uma pilha de jornal no canto, os sapatos de jardinagem do pai jogados diante da porta dos fundos, os óculos dele sobre o balcão ao lado do pote de banha de fritura. Ela olhou para os pés rapidamente, desejando não chorar. Haveria tempo para chorar sozinha depois.

— É o papai..?

A voz de Harriet estava carregada, cheia de lágrimas não derramadas.

— Ah, Cassie... — Ela olhou para a irmã, mas Cassie interrompeu o elo desviando o olhar. Ainda não desejava dividir sua dor com uma mulher com quem não compartilhava a sua vida há tanto tempo.

Harriet não se mexeu.

— Foi... em paz. E rápido. Eu teria te chamado se não tivesse sido tão rápido. Ele só disse adeus e... e fechou os olhos.

Joe se levantou e foi até a mulher, colocando o braço livre sobre os estreitos ombros dela, e a beijou no rosto.

Cassie se levantou, os seus joelhos estavam trêmulos. Sam a observava atentamente enquanto ela se agarrava às costas da cadeira.

— Quero vê-lo.

Harriet olhou para Joe e, então, de novo para Cassie.

— Espere um instante. Há uma outra coisa.

Cassie inclinou-se para o lado, desejando que tivesse alguém para segurá-la com compaixão e simpatia, para beijar-lhe a face, mas, por alguma razão, não conseguia imaginar Andrew fazendo isso.

— O que é?

Harriet inclinou a cabeça para o lado tentando tornar a notícia menos excêntrica.

— Ele me disse... ele me disse...— Ela olhou para Joe outra vez, em busca de forças, então para Cassie de novo, ainda com a mesma expressão esquisita.

Cassie olhava apenas para a irmã, os nervos tensos.

— O quê?

Os olhos de Harriet encontraram os de Cassie, e ela soube. Seu pai faria o impossível para obrigá-la a ficar em Walton. Maddie abriu a porta dos fundos, gerando uma lufada de ar quente, trazendo para dentro o cheiro forte de caixas de madeira que estavam enfileiradas na parede dos fundos. Cassie ficou sem ar, sufocada, intoxicada, inconformada. Ela queria colocar o mão sobre a boca da irmã para impedir a inevitável saída das palavras, mas percebeu que estava paralisada. A porta de tela se fechou de uma vez.

Devagar, Harriet disse:

— Ele deixou esta casa para você. E tudo que há dentro dela.

Capítulo 5

Cassie saiu, fechando a porta de tela atrás de si com cuidado para não chamar a atenção. Havia visto ovos apimentados à moda cajun, tortas de batata doce e de milho numa quantidade suficiente para um ano inteiro e, assim mesmo, as pessoas que chegavam traziam mais comida. Ela ainda não tinha certeza se estavam ali para prestar os respeitos ao seu pai ou para olhá-la, embasbacados, e constatar se tinham nascido chifres nela durante o tempo que passara fora. Ela olhou para o seu terno preto e notou marcas de dedo de açúcar de confeiteiro e gordura dos cones que a velha Sra. Crandall trouxe. Através da tela da porta, viu a mulher em questão caminhando de lá para cá no balcão da cozinha, arrumando um grande vaso de flores. Cassie ficou olhando aqueles dedos gordos enquanto eles esticavam longas hastes de gladíolas, os mesmos dedos que ela se lembra de terem agarrado um pedaço de giz para acabar com sérios problemas de discórdia do quinto ano. Todos os contemporâneos da Sra. Crandall a chamavam de Graciosa, mas para a geração de Cassie, ela sempre seria a Sra. Crandall.

Cassie suspirou, cansada de ser empurrada, cutucada, abraçada e apertada. Tentando se livrar de algumas das marcas de dedo, pisou para fora da varanda e seu salto imediatamente afundou na lama vermelha que beirava a sarjeta. Puxou-o de volta e começou a mancar pelo caminho de cimento, tentando tirar um naco de terra vermelha grudado em seu sapato. Sem muito saber aonde estava indo, caminhou em direção ao gazebo, tirando os dois pés do sapato antes de atravessar o enorme jardim. Tarde demais, lembrou-se dos insetos escondidos na grama, e fez uma combinação de pulos, de pulos num pé só e de saltos antes de chegar ao santuário do gazebo.

Ela se jogou num dos bancos embutidos e ergueu um dos pés. Milhares de criaturas minúsculas tinham cravado os ferrões em sua sola, furando toda a meia de seda e ferindo-a intensamente. Como podia ter se esquecido dos severos avisos de seu pai para não andarem descalças no gramado de trás? Cassie e Harriet chegavam até mesmo a revezar a carona nos ombros para que só uma precisasse calçar os sapatos. Para as crianças, não existiam sapatos no mundo de verão de Walton, e Cassie fizera questão de nunca mais andar descalça depois que saíra da casa do pai. Até aquele momento.

Olhando para a planta do pé, ela sentiu lágrimas insistentes encherem seus olhos. Não chorou quando o Sr. Murphy viera do funeral para discutir os acertos. Tampouco chorou no velório, quando a população de Walton, vestida de preto, desfilou pelo caixão como formigas num piquenique. E não chorou mais cedo naquela manhã no funeral. Mas agora, olhando para sua meia rasgada e para os pequenos ferrões espetando seu pé, ela soluçava. Soluçava pela perda do pai, por suas sábias palavras, por sua lealdade e pela menininha nos joelhos dele que ela jamais poderia ser de novo.

Um salto raspou na madeira e Cassie ergueu a cabeça. Sam Parker, usando um outro par de botas de *cowboy*, pretas agora, estava parado no último degrau que dava para o gazebo, olhando-a com uma expressão curiosa.

Ela virou o rosto.

— Gostaria de ficar sozinha, se você não se importar.

Ignorando suas palavras, ele se sentou no banco ao lado dela.

— Esses ferrões devem estar doendo muito pelo tanto que você está chorando. Seu pai nunca lhe disse para não andar descalça por aqui? — Ele estendeu o braço para pegar o pé dela e o colocou sobre o colo.

Inicialmente, ela resistiu, mas relaxou quando ele se inclinou sobre o seu pé e começou a tirar os ferrões, um a um, com os dedos.

Cassie deu uma fungada nada feminina.

— O que há com você, que sempre está por perto me vendo fazer algo humilhante?

Sem olhar para ela, ele respondeu:

— Chorar não é humilhante, só permite que os outros saibam que você é humana.

Cassie enxugou uma gota de lágrima na ponta do nariz com as costas da mão.

— Você quer dizer que houve essa dúvida?

Ele largou um pé e se esticou para pegar o outro.

— Ainda não.

Seus olhos se encontraram, e Cassie rapidamente desviou os seus, sem saber por que ela enrubescera.

Para se distrair, ela se apoiou nas próprias mãos e ficou olhando fixamente para o teto do gazebo. Ele foi pintado de azul, imitando o céu, para evitar que abelhas e pássaros construíssem seus ninhos ali. Ela se lembrava de Joe lhe dizendo isso no primeiro verão juntos. O verão em que Harriet estava longe num acampamento de animadoras de torcida e Joe era só seu.

Cassie olhou rapidamente para Sam outra vez, dando-se conta de que ele havia parado e agora estava com as mãos apoiadas sobre a perna dela de maneira despretensiosa e seus pés descansavam sobre o colo dele. Parecia tão normal e confortável e, definitivamente, constrangedor. Naquele momento, ela pensou em Andrew, algo que fizera com pouquíssima frequência desde que chegara a Walton, e não conseguia se lembrar da última vez que se sentaram juntos em silêncio, sem a interferência do alvoroço de suas vidas. Bem depressa, ela se sentou e colocou os pés no chão de novo.

Sam enfiou a mão no bolso de trás e tirou um belo lenço de linho e o entregou a ela.

Cassie ficou olhando para o lenço por um instante, mas não o tocou.

Ele o balançou.

— Seu nariz está escorrendo.

— Obrigada — disse ela, fungando de novo. Ela o pegou, enxugou os olhos de leve, então assoou o nariz naquele pedaço de pano limpo.

Sam falou, baixinho:

— Vou sentir saudades dele. Era um homem maravilhoso.

Cassie começou a soluçar de novo, e pareceu algo natural para Sam envolvê-la em seu braço e puxá-la para si. Ela segurava o lenço sobre o rosto, esfregando-o entre o nariz e o peito dele.

Sam acariciava o ombro dela enquanto falava.

— A cidade inteira vai sentir saudades dele, Cassie. Mas uma coisa você nunca pode se esquecer: ele acreditava que você e Harriet eram as suas maiores conquistas. Todo o resto que ele conquistou era menor em comparação a vocês duas, e ele nunca teve vergonha de admitir isso.

Cassie fungou no lenço, sentindo-se como uma fracassada pela primeira vez em muitos anos. Havia fracassado como filha por não ter permitido que o próprio pai participasse de sua vida por tanto tempo, e por ter fingido que ligações mensais e encontros anuais em Atlanta eram suficientes.

Sua voz saiu abafada na camisa dele.

— Ele deve ter sido também um homem muito generoso.

Ela percebeu Sam concordando com a cabeça.

— Isso é verdade. Ele me contratava todo verão para aparar a grama mesmo quando podia contratar alguém melhor e que custasse menos porque sabia que eu estava economizando para pagar a faculdade. Ele até escreveu minha carta de recomendação, e fez isso quando eu acidentalmente passei com o cortador de grama por cima das roseiras de sua mãe.

Cassie ergueu a cabeça por um instante.

— Sempre achei que você trabalhasse aqui para paquerar a Harriet.

Ele olhou para ela de esguelha.

— Não. Essa não era a razão que me fazia vir aqui toda semana destruir o jardim de seu pai.

Algo no olhar dele a fez se mexer e retirar a cabeça de seu ombro. Afastou-se de repente, constrangida por estar sentada tão perto de um homem que não era seu noivo — ou em nada parecido com ele, graças a Deus —, e deixou que seu olhar se voltasse para casa e para além dela. Escavadoras ressoavam ao longe, onde costumava ser a antiga plantação de algodão. Seu pai lhe contara que ele acabou cedendo o terreno para uma incorporadora local e vendera a área no ano anterior, e uma pequena vizinhança de casas de alto padrão estava sendo construída no lugar. Também já não existiam mais as antigas árvores que Cassie e Harriet um dia chamaram de floresta encantada, onde forjavam visões do futuro príncipe e da vida exótica que esperavam ter um dia.

Uma nuvem negra pairava no horizonte, bloqueando o Sol e reduzindo a luminosidade. O cheiro forte de chuva enchia o ar e deixava a grama com um aroma adocicado. Uma brisa fresca agitava os lençóis que tia Lucinda esquecera no varal dos fundos, fazendo-os dançar como aparições espectrais presas à terra.

Cassie apoiou os cotovelos no colo com o rosto entre as mãos.

— Uma vez eu fugi, quando tinha 13 anos. Fui só até o pequeno conjunto de árvores que costumava ficar ali. Estava atrás de um arco-íris, mas ele desapareceu do céu enquanto eu atravessava o gramado. Sentei-me numa pedra e fiquei esperando até meu pai vir me buscar. — Ela fez uma pausa para limpar o nariz, então amarrotou o lenço na mão. — Ele disse que tudo bem eu estar perseguindo o final do arco-íris desde que nunca me esquecesse onde ele começava.

Sam inclinou-se para trás no banco, os cotovelos apoiados no encosto.

— Eu também fugi uma vez.

Cassie ergueu uma sobrancelha, tentando imaginar o eterno relaxado e despreocupado Sam se importando com alguma coisa a ponto de fugir.

— Você? Por quê?

Ele lhe olhou de soslaio.

— Culpa. E amor não retribuído.

Cassie recostou-se.

— Culpa, hein? Isso certamente é motivo de fuga para muitos. O que você fez? Destruiu o coração de alguma garota do interior?

Sam não sorriu e ficou olhando fixamente para a cabeça dela.

— Não. Culpa porque meu irmão, Tom, morreu aos 12 anos tentando me salvar de um afogamento.

Cassie ficou com a fisionomia sombria, lembrando-se das histórias. Ela tinha 4 ou 5 anos quando tudo aconteceu. Parece que Sam foi avisado de que não deveria nadar sozinho no córrego, mas fugiu e foi assim mesmo.

Cassie olhou para os pés.

— Sinto muito.

Sam pegou uma pequena pedra do banco e arremessou para fora do gazebo.

— Sim, eu também. Acho que se a culpa é capaz de controlar um homem, controlou-me com as duas rédeas. Foi o que me impulsionou durante todos os anos de escola, ensino médio, faculdade e, por fim, faculdade de medicina. — Ele se encostou de novo no banco, a testa franzida. — Nunca me fez sentir melhor, mas pelo menos meus pais teriam um filho do qual se orgulhar. Por minha culpa eu era filho único e estava determinado a não ser uma decepção para eles.

— Foi por isso que voltou para Walton? Você poderia estar fazendo tantas outras coisas em sua vida...

Ele se virou para encará-la, os olhos escuros.

— É uma das razões.

Os olhares se encontraram por um longo momento até que Cassie virou o rosto e se recostou no banco. Ela ficou olhando fixamente o céu que escurecia, sentindo o forte cheiro de chuva no ar, perguntando-se quais teriam sido aquelas razões, ao mesmo tempo em que começava a se dar conta de que talvez soubesse a resposta.

Maddie olhava para fora no gazebo, de trás da porta de tela, Knoxie pulava para cima e para baixo ao seu lado. Elas estavam procurando tia Cassie para lhe dizer que a mãe precisava dela de volta ali dentro.

Tia Cassie e o Dr. Parker estavam sentados realmente muito perto um do outro, e por alguma razão isso fez Maddie se lembrar do que ela escutara sobre o pai e a tia. Já era muito ruim saber que seus pais se beijavam mesmo quando não havia ninguém por perto, mas pensar no pai e na tia juntos revirou um pouco o seu estômago. Por mais que gostasse dela, Maddie estava contente por ela não ser sua mãe. Mães assam coisas, curam joelhos e cotovelos ralados, e te mandam para o quarto quando fala bobagem. Maddie não conseguia visualizar tia Cassie fazendo nada disso. Além disso, sua mãe nunca teria pego suas coisas e se mudado para Nova York, e tia Cassie jamais poderia ter feito isso se tivesse cinco filhos e um marido a tiracolo.

Examinando os dois adultos de novo, Maddie disse:

— Acho que tia Cassie acha o Dr. Parker lindo.

Um ruído distante agitou as nuvens, fazendo-a olhar para o céu outra vez antes de se voltar para sua irmãzinha:

— Onde estão os seus sapatos?

Knoxie deu de ombros.

— Joey quis ver se eles iam embora com a descarga.

Maddie ficou olhando para Knoxie por um momento, sem saber se deveria chamar a mãe para lhe contar tudo ou se isso poderia esperar. Ergueu os olhos na direção das nuvens que escureciam e se decidiu pela segunda opção. Agachando-se, ela disse: Suba nas minhas costas que vou correr até o gazebo antes que escureça.

Com Knoxie nas costas, Maddie apressou-se em direção ao gazebo.

— Ferrões! — gritava Knoxie, e suas palavras estavam difíceis de ouvir com as nuvens se abrindo como uma porta e lançando para baixo uma chuva torrencial.

Maddie correu pelo gramado e escada acima. Tia Cassie pegou Knoxie toda encharcada e os quatro se amontoaram no centro do gazebo, de costas para as rajadas de chuva que entravam pelas aberturas das arcadas. Sam as envolveu em seus braços, sua testa praticamente pressionada contra a de Cassie. As rajadas de chuva gelavam a pele de Maddie, mas ela estava ocupada demais observando a tia e o Dr. Parker e tentando perceber algo entre eles.

Knoxie enfiou a cabeça no peito de Cassie e ergueu os olhos somente quando a chuva crepitava num suave chuvisco. Seus olhos verdes arregalados se voltaram para os dois adultos.

— Dr. Parker... tia Cassie é sua namorada?

Tia Cassie colocou Knoxie no chão com um som de chape, como se ela fosse uma batata quente, e acariciou a cabeça da sobrinha, distraída.

— Claro que não Knoxie. Vou me casar com outra pessoa.

A boca de Knoxie abriu um pouco enquanto ela seguia olhando ora para tia Cassie, ora para o Dr. Parker.

— Maddie disse que você acha o Dr. Parker...

Maddie rapidamente tapou a boca da irmã com a mão. Com um leve sorriso, ela levantou Knoxie nos braços.

— Isso não importa. Viemos aqui para lhe dizer que as pessoas estão começando a ir embora e mamãe nos pediu para te chamar.

O barulho da chuva havia diminuído, permitindo que todos recuassem. Maddie franziu a testa ao olhar para o céu. Não sabia se ficava, molhada e cheia de lama, se voltava correndo para casa naquele momento, ou se optava por permanecer ali mais um pouco e ver sua irmã falar outra coisa constrangedora.

Knoxie, sentada agora na beirada de um dos bancos entre o Dr. Parker e Cassie, virou-se para a tia e perguntou:

— Você vai precisar de uma daminha?

Tia Cassie mordeu os lábios.

— Ainda não cheguei nesse ponto com os preparativos. Mas se eu resolver que preciso, você será a primeira pessoa que chamarei, tudo bem?

Maddie revirou os olhos enquanto se sentava e encaixava os joelhos sob o queixo. Tia Cassie estava agindo de modo estranho perto do Dr. Parker, e isso poderia ser interessante de observar.

O Dr. Parker colocou o braço ao redor de Knoxie para que pudesse cutucar tia Cassie.

— Como pode seu noivo não estar aqui?

— O que é um noivo? — Maddie perguntou.

— O homem com quem vou me casar, Andrew Wallace. — Tia Cassie se virou para o Dr. Parker. — Ele é muito ocupado, especialmente quando não estou por perto. Mas tenho certeza de que ele estaria aqui se pudesse.

Tentando ser prestativa, Maddie acrescentou:

— Ele ligou três vezes hoje e deixou mensagens com tia Lucinda. Ela estava querendo saber por que você não ligou para ele de volta.

Dr. Parker tinha um sorriso estranho no rosto.

— Você está planejando aparecer em seu apartamento e em seu escritório e voltar à vida de antes sem perguntas sobre tudo o que aconteceu aqui?

Tia Cassie olhou para ele como se aquilo fosse exatamente o que planejara fazer.

Ele prosseguiu:

— Imagino que precise avisá-lo que você ficará por aqui muito mais do que o esperado. Quero dizer, você é dona desta casa agora, não pode apenas ir embora.

Cassie encolheu os ombros, discordando com a cabeça.

— Não posso ficar com esta casa. Ela não me serve de nada em Nova York. — Ela pegou os sapatos e desceu o primeiro degrau. — Preciso voltar agora. Harriet está me esperando.

Maddie ficou observando a tia olhar para a lama e para os sapatos, que eram iguais aos que Carrie Bradshaw usava no seriado de televisão que sua mãe a proibira de assistir, e hesitou por um instante.

— Há ferrões na grama, tia Cassie — gritou Knoxie.

Pondo-se atrás de Cassie, Sam disse:

— Você não acha que era essa a intenção de seu pai?

Cassie não se virou, mas de onde Maddie estava sentada dava a impressão de que ela estava tentando não chorar.

— Ele não está mais aqui. Mas sei que ele respeitaria a minha decisão.

— Mas... e quanto ao restante de sua família?

Maddie endireitou-se no banco, sabendo que ele se referia a ela, ao seu irmão e a suas irmãs. E ao seu pai e à sua mãe. Ela sabia que o avô havia deixado a casa para a tia, mas não lhe ocorrera que talvez ela não a quisesse. Estar longe de Walton por tanto tempo não fora o suficiente.

Os ombros de tia Cassie se encolheram.

— Não sou tão insensível quanto você pensa. Vou oferecê-la a tia Lucinda e se ela não quiser, oferecerei então a Harriet e Joe. Mas se eles não quiserem, terei que vendê-la.

A voz dele soou como a do pai depois que pegava Maddie numa mentira.

— Você não pode simplesmente vendê-la. Já está na sua família há mais de 150 anos. Seria como vender o próprio filho.

— Tia Cassie tem um filho? — gritou Knoxie.

— Não, estúpida. É só uma expressão. — Maddie se levantou, pegou sua irmãzinha e a jogou no colo, certificando-se de que a mão estava a postos caso precisasse tapar a boca de Knoxie de novo.

Cassie ainda olhava para a lama.

— Confie em mim, não é minha primeira escolha. A menos que você esteja se oferecendo para comprá-la, você realmente não tem nada a ver com o assunto.

— Não posso comprá-la agora. — Ele se moveu para se colocar ao lado dela enquanto os dois observavam a água da chuva escorrer pelo telhado do gazebo e se esparramar pela lama. A chuva agora apenas pingava, era seguro voltar para casa. Quando ele falou de novo, não era mais como o amigável Dr. Parker. — Precisa de ajuda?

Antes que tia Cassie pudesse responder, ele a pegou nos braços e começou a carregá-la de volta para a casa. Maddie tentou não rir quando a tia começou a discutir com ele para que a colocasse no chão, até que olhou para a lama e percebeu que estava melhor ali no alto. Além disso, apesar de toda choramingação, pareceu a Maddie que ela não se importava tanto assim de ser carregada pelo Dr. Parker.

Maddie colocou Knoxie no banco e se agachou na frente dela para que sua irmãzinha pudesse subir em seu ombro antes que ela descesse cambaleante os degraus e chapinhasse na grama encharcada e no barro. Ela andou devagar, pensando no que a tia havia dito sobre vender a casa — a casa onde haviam crescido sua mãe e Cassie. O que a tia dissera sobre não precisar dela fazia sentido, mas no coração de Maddie não parecia certo.

Quando ela e Knoxie chegaram à metade do gramado, Maddie olhou para cima e parou.

— Veja Knoxie — disse ela apontando para o alto. Um arco havia se formado no céu roxo-escuro, um arco-íris de vários tons pairava sobre a enorme casa branca com a ponta desaparecendo no lugar onde fora o antigo algodoal. Elas ficaram olhando para ele por um bom tempo antes de Maddie se mover para a varanda da frente. Desejava evitar a multidão na cozinha e precisava refletir sobre seus sentimentos em relação a um estranho vivendo na casa do avô.

Harriet ficou observando Sam colocar Cassie com força nos degraus da varando dos fundos e desaparecer para dentro. Pela linha austera da boca dele, Harriet imaginou que estivessem discutindo, mas era difícil dizer com base no rosto de Cassie. No passado, ela fora capaz de ler todas as emoções no rosto da irmã, mas os anos que as separavam haviam ensinado Cassie a esconder seus sentimentos muito bem, num lugar onde ninguém os encontraria com facilidade.

Cassie passou alguns minutos arrumando os cabelos e limpando o rímel que pudesse ter borrado sob os olhos. Devagar, ela abriu a porta de tela e, tocando o seu pescoço com a mão, entrou na cozinha, onde avistou Harriet.

— Maddie me encontrou. Obrigada.

Harriet concordou com a cabeça, sentindo-se deselegante e antiquada no seu melhor vestido preto de domingo, o qual usara em todos os funerais dos últimos dez anos. Cassie estava com um terno preto, enviado no dia anterior de Nova York por seu noivo juntamente com várias outras coisas. Ele lhe caía perfeitamente, parecia ter sido feito sob medida, com pregas e bainhas no devido lugar e com um inesperado babado nas costas. Seus sapatos eram igualmente elegantes, os saltos a deixavam mais alta que Harriet em suas velhas rasteiras.

— Todo mundo está reunido na porta da frente.

Harriet seguiu Cassie, que se adiantava pela casa e escutava o murmúrio de vozes, o fluxo e o refluxo de som como um enxame de abelhas. Pequenos grupos de pessoas estavam de pé na sala de estar da frente, enquanto outros rodeavam a mesa pedestal de mogno na sala de jantar, cuja superfície transbordava de comida. As velhas gêmeas Sedgewick, Thelma e Selma, com quase oitenta anos e ainda vestindo roupas iguais, revezaram para dar um abraço apertado em Cassie, deixando-a sem ar.

As mãos frágeis de Selma agarraram o antebraço de Cassie.

— Seu pai queria uma amostra de nosso jardim de rosas vermelho-brilhante para o roseiral de sua mãe. Se estiver tudo bem para você, eu gostaria de plantá-la eu mesma, como uma espécie de homenagem a ele.

Cassie piscou, pois praticamente tinha esquecido o que eram rosas. Agora pensava nelas apenas como algo que recebia em dúzias do florista da esquina e enfiava num vaso sobre sua mesa, onde podia assisti-las minguando aos poucos.

Harriet a cutucou gentilmente nas costas.

— Seria adorável. Meus pais certamente amavam aquele jardim de rosas.

Cassie concordou de pronto com um gesto de cabeça.

— Obrigada, Sra. Selma. Eu ficaria muito feliz com isso. — Sem mais nenhum cutucão de Harriet, Cassie se inclinou e beijou a velha no rosto, tentando, com cuidado, não raspar a face no chapéu de palha de Selma.

Harriet beijou as duas senhoras, desfrutando do aroma de talco de bebê, e agradeceu-lhes por terem vindo e pelo presunto que trouxeram.

Ela observou que Cassie corou ao ver o Sr. Purdy tirando seu chapéu do cabide na porta dianteira. Ela, então, se questionou se a irmã estava recordando todo o incidente da varanda rosa de novo. Ele se aproximou de Cassie com um sorriso no rosto e os braços estendidos e a abraçou.

— É tão bom te ver novamente, Cassie. Sentiram muitas saudades de você por estes lados. Suponho que na cidade grande tenha feito bom proveito da educação que recebeu no Colégio Walton.

— Fiz sim, senhor — respondeu ela com um sorriso trêmulo no rosto.

— Sinto muito pelo seu pai. Ele fará muita falta. — Ele parou por um instante e então deu um leve sorriso. — Embora eu precise confessar que a melhor coisa de tudo isso foi vê-la de volta em sua casa. Espero que considere seriamente a possibilidade de ficar aqui para sempre. Sei que esse era o desejo dele.

Cassie engoliu fazendo um ruído e Harriet se viu prendendo a respiração, esperando a resposta dela.

— Com certeza pensarei no assunto, mas eu realmente não acho...

O Sr. Purdy a cortou.

— Não há necessidade de tomar nenhuma decisão apressada agora. Há muitas outras coisas acontecendo em sua vida que irão lhe tomar a energia mental, portanto, não tenha pressa. — Ele vestiu o chapéu. — Só tente ficar longe de travessuras enquanto estiver por aqui.

Cassie arregalou os olhos, mas o Sr. Purdy apenas sorriu ao se virar para dar um beijo de despedida em Harriet e sair pela porta da frente.

A multidão foi diminuindo. Ao partir, todos beijaram e abraçaram Cassie e Harriet e deram tapinhas nas costas delas. Harriet estava exausta. Após cuidar de uma bebê e de quatro crianças, planejar o funeral e pisar em ovos com a irmã, era esperado que se sentisse cansada. Mas aquele esgotamento, por alguma razão, parecia diferente: ela finalmente havia exaurido todas as sua reservas.

Cassie franziu a testa quando mais uma pessoa lhe perguntou se ela ficaria em Walton, e Harriet fez o possível para desviar a pergunta e apressá-la para fora com muitos agradecimentos. Quando ela se voltou para a irmã, Cassie ainda estava com a testa franzida.

— Você sabe que eles não estão sendo intrometidos à toa. Querem saber sobre você porque se importam com você. — Harriet tocou no braço da irmã. — Todos nós ficamos preocupados ao longo desses anos. Sentimos que... bem, que é nosso dever verificar, saber se está tudo bem com você. E se você não mudou muito.

Cassie se virou para encarar a irmã, os dedos em busca do colar que Harriet estava surpresa de ver que ela ainda usava.

— Bem, uma coisa que mudou foi a maneira de me vestir. O que há com todos esses laços enormes no pescoço e esses cabelos armados? Não vendem *Vogue* por aqui?

Harriet a observava, calmamente.

— Você sempre ficava cruel quando se sentia amedrontada. Acho que algumas coisas nunca mudam.

Cassie a encarou de volta.

— O que devo temer?

Por um instante, Harriet continuou olhando sem responder nada, pois ambas pareciam saber a resposta. Por fim, ela disse:

— Quase todo mundo já se foi. Venha. Vamos procurar tia Lucinda para ver se ela precisa de ajuda.

Ela abriu a porta vaivém que dava para cozinha e rapidamente pisou no agradável silêncio. O único barulho que havia era o suave tique-taque do relógio de pescador acima do fogão. Ela e Cassie o haviam dado ao pai no Dia dos Pais, encantadas com a maneira como o peixinho marcava os minutos.

Tia Lucinda estava de pé na porta dos fundos, a face pressionada contra a tela. Cassie a chamou e começou a caminhar na direção dela. Mas alguma coisa na postura da tia — os ombros caídos e as mãos pela primeira vez vazias e quietas ao lado do corpo — fizeram-na parar.

— Tia Lucinda — disse Cassie outra vez, e a tia se virou.

— Ah, Cassie — gritou ela e caminhou, sem firmeza, em sua direção.

Cassie abriu bem os braços e envolveu a tia que soluçava, chacoalhando os ombros. A mão de Cassie automaticamente começou a acariciar o poliéster preto do vestido de Lucinda, suave no começo e, depois, de modo mais enérgico.

Harriet observava, incerta de seus sentimentos. Sabia que não era ciúme. Ela sempre soube ao longo de todos os anos de ausência da irmã que ela não passava de uma substituta. Mas o soluço de Lucinda trouxe algo mais: um lembrete de que ela e Cassie eram as velhas guardiãs agora; de que a infância havia oficialmente acabado e a sabedoria e orientação do pai já não existiam mais. Agora, elas estavam em cima de uma falha geológica, sem outra escolha senão pisar sobre a rachadura que se alargava.

— Calma, calma, tia Lu. Você vai ver, tudo vai dar certo. — A expressão de Cassie era cheia de dúvida.

Tia Lucinda ergueu a cabeça, piscou os olhos e esboçou um sorriso trêmulo.

— Vai dar, não vai? As coisas sempre dão certo no final, não é verdade?

— Ela segurou firme a mão de Cassie. — Tenho amigos maravilhosos, você e Harriet, Joe e as crianças. As coisas vão ficar bem. — Seu sorriso titubeou. — Mas vou sentir saudades dele. Já cuidava de seu pai há tantos anos que nem sei o que fazer da minha vida agora.

Cassie colocou o braço sobre os ombros de tia Lucinda.

— Há muitas coisas que pode fazer. Não se preocupe com nada. Farei questão de que esteja bem antes de eu voltar para Nova York.

Tia Lucinda arregalou os olhos.

— Voltar? Você não pode voltar! E a casa? E sua família? Não pode simplesmente nos deixar. Precisamos de você.

Por causa da exaustão, a sensação de mágoa há tanto sentida e reprimida por Harriet aquietou-se inesperadamente. Seus joelhos pareciam prestes a falhar e ela rapidamente se sentou à mesa da cozinha. Fez uma anotação mental para falar com Sam sobre vitaminas, ou seja lá do que precisava para lidar com sua falta de energia, e sobre todas as emoções que o retorno de Cassie trouxera.

Cassie continuou a consolar a tia.

— Vocês se viraram muito bem sem mim por um longo tempo. Acho que sobreviverão de novo. Mas prometo que virei visitá-los com mais frequência, tudo bem? Não serei mais uma estranha.

— Mas... e a casa?

Cassie fez que não com a cabeça.

— Não a quero. — Fez uma pausa por um instante. — Na verdade, estava pensando em te dar a casa. Você vive aqui há tanto tempo que pode também ser dona dela.

Cassie parou, assustada com a mudança da expressão da tia. Lucinda a encarava com os olhos semicerrados, marcas de rímel escorrendo pela face com blush.

— Seu pai queria que esta casa fosse sua. Eu não serei a responsável por frustrar os planos dele. Além disso, o que faria um mulher velha como eu com uma casa grande como esta? Só de mantê-la sozinha já seria a minha morte.

Cassie suspirou profundamente.

— Mas eu poderia arcar com as despesas. Você não teria de pagar nada.

A tia se virou para ela.

— Seu pai queria que você fosse a proprietária desta casa, Cassie, e fim de papo. Tenho certeza de que ele tinha suas razões, e há muito tempo aprendi que meu irmão costumava estar certo. — Ela tocou de leve o nariz com um papel amassado. — Além disso, talvez já seja hora de eu encontrar um lugar para mim. Seu pai me deixou um bom pé de meia, mais que o suficiente para comprar uma casa. Uma pequena, claro, mas minha. Já faz muito tempo que não fico sozinha.

Cassie abriu a boca para argumentar, mas a fechou assim que Sam entrou na cozinha e se apoiou no balcão, cruzando uma bota sobre a outra. Cassie desviou os olhos, fazendo com que Harriet se perguntasse de novo sobre o clima de paixão entre sua irmã e Sam.

Cassie parecia ter visto algo saindo do topo da cadeira atrás da mesa. Ela caminhou até onde Harriet estava sentada e o arrancou da madeira atrás dela.

Segurou a minúscula folha de pinheiro na palma da mão, o cheiro de Natal parecia ter de repente preenchido o ambiente. Cassie olhou para Harriet, e a sincera expressão de surpresa daquela fez com que se parecesse com a irmã que Harriet um dia conhecera e amara.

— Você se lembra de como a mamãe adorava o Natal? Como ela costumava decorar quase a casa inteira com ramos de pinheiros?

Harriet concordou com a cabeça, sorrindo.

— Tia Lucinda ainda faz isso. Todos os anos ela ameaçava mandar um monte para Nova York, mas nós a convencíamos do contrário, dizendo que você provavelmente tinha suas próprias tradições.

Cassie suspirou, esmagando a folha nas mãos.

— Andrew é alérgico. Nós temos uma arvorezinha artificial enfiada no canto do quarto. — Ela ergueu os olhos, sua expressão chegava a ser desafiadora. Todos os vestígios da jovem que fora um dia haviam desaparecido de novo. — Pelo menos temos neve de verdade. E o Rockfeller Center.

Sam limpou a garganta.

— Estou indo embora agora, mas queria dar uma sugestão antes de partir. Esta casa vai ficar bem solitária hoje à noite só com você e Lucinda. Por que vocês duas não vão dormir na casa de Harriet?

Ela fez que não com a cabeça.

— Não. Quero ficar aqui. Faz-me sentir mais perto de papai.

Tia Lucinda lhe deu um leve sorriso.

— Eu também prefiro ficar, Sam. Ficar aqui me fará sentir que quase nada mudou.

Sam concordou antes de se dirigir a Cassie.

— Então talvez você devesse pedir para Harriet e sua família ficarem com vocês. Fará com que as duas se sintam melhor. — Ele lançou um olhar para Harriet, que assentiu com a cabeça. — Tenho certeza de que ela não se importaria.

Um grito de Sarah Frances os assustou e Sam se afastou ao ouvir o som de pés apressados. A menininha passou correndo por eles com um laço de fita solto balançando no cabelo seguida de perto por Joey. Lucinda se pressionou contra a parede e Cassie voou de costas contra Sam quando notou com o que o menino estava perseguindo a irmã: uma cobrinha não venenosa, cuja pele refletia a luz do candelabro sobre a mesa e cuja língua vermelha entrava e saía da boca.

Harriet fez força para se levantar até ver Joe correndo atrás deles, gritando para deter Joey, mas sem conseguir fazer que ele parasse de rir.

Cassie se soltou dos braços de Sam.

— É sim. Ótima ideia, Sam. Me sentirei bem melhor com eles na casa esta noite. — Ela volveu os olhos. — Além disso, é muito trabalho para que todos tragam suas coisas para cá.

— De jeito nenhum — disse Harriet, preferindo ficar exatamente onde estava, pois não tinha total certeza de que encontraria a energia para se mover.

— Bem, então isto está resolvido. — Ele se despediu e piscou para Harriet antes de sair pela porta vaivém.

Cassie gritou, quase sem esconder o sorriso.

— Cuidado para a porta não bater na sua bunda quando sair.

A única resposta dele foi a porta da frente batendo com força.

Tia Lucinda a encarou, perplexa.

— Você deve estar assustada, querida. Está sendo cruel.

Cassie olhou na direção de Harriet para discordar, para recriar o velho time dos "nós *versus* eles". Mas Harriet só conseguia sorrir e concordar com a cabeça, pois Lucinda estava repleta de razão.

A tia segurou Cassie pelo cotovelo.

— Vamos deixar Harriet descansar os pés um pouco mais enquanto eu e você pegamos as comidas que estão na mesa da sala de jantar e as trazemos para a cozinha.

Harriet ficou observando Cassie permitir-se ser conduzida dali, com a expressão pensativa, provavelmente se perguntando por que todos pareciam acreditar que havia algo amedrontando-a.

Capítulo 6

Cassie acordou assustada com o barulho de um bebê chorando. Ao se sentar, ela olhou firmemente para o contorno escuro do dossel rosa e se perguntou como conseguira cair no sono tão facilmente. Ainda estava vestindo seu terno preto quando se jogou na cama depois do jantar pensando que o sono não a encontraria. Não queria admitir que Sam tinha razão, mas ela se sentira estranhamente aliviada por saber que os quartos à sua volta estavam cheios de membros de sua família.

O choro ficou mais alto e Cassie ouviu uma porta se abrir, passos subirem a escada, atravessarem o corredor e descerem de novo. Ela saiu da cama e abriu a porta. Não queria voltar a dormir e precisava de alguém para conversar.

A porta da frente se fechou sem barulho enquanto Cassie descia as escadas e ela, então, saiu. A Lua cheia brilhava intensamente, iluminando a varanda e as colunas com uma luz azul-celeste. Ela viu Joe no balanço com um pacotinho se mexendo em seus braços.

Ele levou um dedo até os lábios antes de inclinar a cabeça para olhar o rosto da bebê e fez sinal para que Cassie o acompanhasse no balanço. Ela se sentou devagar, tentando não sacudi-lo.

Eles balançaram em silêncio por um tempo, escutando os insetos escondidos na grama murmurarem sua incessante canção de ninar. Uma enorme rã coaxou perto deles. Seu chamado solitário era a única percussão acrescida à música dos grilos. Cassie ficou contente por Joey não estar ali para acrescentar o infeliz anfíbio a sua coleção. A bebê chorou mais um pouco, um choro cada vez mais fraco, até se acalmar ao ritmo do balanço.

A criança deu um profundo suspiro enquanto dormia. Uma brisa suave trouxe com ela o aroma de jasmim e madressilva e uma imensidão de memórias esquecidas de muitas noites de verão naquela mesma varanda. Ela visualizou a mãe sentada nos degraus cantando para ela e Harriet. Sentiu o fru-fru suave do tecido de algodão sob o seu queixo enquanto seu pai lia o jornal, as folhas descartadas voando como mariposas nas tábuas de madeira do piso da varanda.

Joe falou primeiro.

— Tia Lucinda disse que você quer vender a casa.

Cassie concordou com a cabeça.

— Não preciso dela. O que eu faria com uma casa enorme e velha na Geórgia? Não moro mais aqui. — Ela olhou para Joe. — Mas, se possível, gostaria de mantê-la na família. Ela parou o balanço colocando os pés no chão. — Tia Lucinda não a quer ou não precisa dela, mas se você quiser, é sua. Eu te dou esta casa.

Joe, distraído, batia de leve nas costas da bebê, e Cassie tentou não olhar para as mãos dele, as antigas mãos de sua lembrança.

— Não, Cassie. Não conseguiríamos pagá-la. Mesmo que você nos desse a casa, não conseguiríamos mantê-la. Não ganho muito como professor de escola e a loja de Harriet mal dá para algumas despesas extras. Seu pai foi muito generoso com a gente em seu testamento, mas temos cinco faculdades para bancar.

Cassie se sentou com a costas retas.

— Mas eu poderia ajudar! Poderia vender...

— Não. — A voz de Joe era firme e fez com que a bebê se mexesse. Esperou um pouco, então prosseguiu, e relaxou no balanço de novo. — Não é isso que o juiz queria. Acho que você deveria ficar com a casa, nunca se sabe quando pode precisar dela.

Ela discordou com um gesto de cabeça na escuridão.

— Esta casa fazia parte de mim há muito tempo, mas aquela vida acabou para sempre e não há necessidade de eu ficar com ela. Agarrar-se ao passado não é algo muito saudável. — Desviou os olhos por um momento. — É como se agarrar a antigas feridas: dificulta o amadurecimento.

Joe olhou para ela quando a bebê suspirou em seu sono, os olhos dele brilhavam sob a luz da Lua.

— Então, o que vai fazer?

Ela deu de ombros, sacudindo o balanço de leve.

— Talvez pudesse vendê-la. Reparei nas placas de "em negociação" nos gramados dos Haneys e dos Duffys. Alguém está comprando propriedades em Walton.

Com um forte bafejo, Joe moveu com cuidado a bebê para o outro ombro.

— É, mas não são o tipo de pessoas para quem se deseja vender esta casa.

— O que você quer dizer com isso?

— Os incorporadores compraram aquelas casas, fizeram um ótimo negócio com as famílias. Mas seu pai não os tratou muito bem. Eles querem construir um *shopping center* top de linha bem aqui. — Ele coçou o queixo, furioso. — Desde que colocaram uma saída na interestadual, toda a comunidade de Atlanta está se mudando para cá, e vários tipos de construtoras querem mudar Walton. Este lugar virou um verdadeiro circo.

Cassie deixou que seu olhar vagueasse até o trecho do gramado iluminado pela Lua, o silêncio da noite caindo-lhe como uma suave música para a alma.

— É a mesma incorporadora para quem papai vendeu o algodoal?

— Não. E você não vai acreditar em quem o comprou. — Ele olhou para Cassie com esperanças.

Ela tentou disfarçar sua impaciência.

— Vamos, diga-me, quem?

— Ed Farrell.

— Ed Farrell? Você está de gozação, né?

O balançou fez um ruído quando Joe se mexeu.

— Não. Ele tem seu próprio negócio de imóveis agora e está recrutando ativamente todos aqueles suburbanos para se mudarem para o bairro novo que ficará atrás de sua casa. Ele teve até o desplante de chamá-lo de Farrellsford.

Cassie arregalou os olhos para visualizar o alto e magro Ed do colegial e as calças que ele usava, sempre um tamanho menor que o dele ou grande demais

— as que a mãe conseguia encontrar no brechó. Se estava comprando propriedades e construindo bairros, ele progredira bastantes desde que o conhecera.

— Nossa! — Foi tudo o que ela conseguiu dizer.

Joe se sentou direito.

— Mas você nem pensaria em vender esta casa para uma incorporadora, não é mesmo?

Ela se levantou bruscamente, sacudindo o balanço com aquele movimento repentino.

— Sinceramente, não sei. Se ninguém a quiser, serei obrigada a vendê-la. E ponto final.

— Você faria isso para nos punir? Para se vingar do que aconteceu há 15 anos?

Ela se inclinou sobre o parapeito que se estendia entre as colunas, empurrando para o lado uma lata de tinta, o cheiro de tinta fresca forte no ar.

— Não, claro que não. Eu... — Fechou os olhos por um instante. — É engraçado, mas nada disso parece ter mais importância. Teve por tanto tempo, quando fiquei longe, mas agora que estou aqui, percebo o quão irrelevante tudo isso é para minha vida. Logo antes de papai morrer, disse a ele que ficar distante era apenas um hábito com o qual eu me acostumara. Acho que eu estava certa.

— Não fizemos aquilo para te machucar, você sabe. Nós nos amávamos e te amávamos também. Mas todas as vezes que tentamos te contar, você mudava de assunto ou saía correndo. Parecia que você sabia o que íamos dizer, mas não queria escutar. Acho que você é o tipo de pessoa que precisa ser atingida na cabeça antes de acreditar na verdade.

Ela sorriu para ele da varanda escurecida.

— Talvez. Não que isso tenha importância agora. Tenho uma vida nova. Preciso fazer o que for necessário para voltar a Nova York e retornar à vida que batalhei tanto para construir.

A voz de Joe estava baixa, quase completamente apagada pelo rangido do balanço.

— Você está feliz?

Suas palavras a surpreenderam, lembrando-lhe da pergunta de seu pai: "Você ainda ri?".

— Bem, sim. Claro. Claro que estou. Tenho um emprego maravilhoso, um excelente padrão de vida. Vivo numa das cidades mais animadas do mundo. Um homem inteligentíssimo que é louco por mim, e nós vamos nos casar. Como poderia não estar feliz?

Ele concordou em meio à escuridão.

— Entendo. Bem, tudo que lhe desejo é que encontre a felicidade que eu e Harriet temos.

Cassie desviou os olhos para além do gramado da frente, na direção da vereda de carvalhos.

— Queria que você repensasse sobre a casa. Ela tem todos os quartos de que precisa para as crianças. Eu preferiria não ter de vendê-la.

Ele golpeou com a mão um inseto no ar que parecia intencionado a picar sua filha adormecida.

— Faça o que quiser, Cassie. A casa é sua. E quando já não puder mais voltar atrás em sua decisão, ainda estaremos aqui, esperando, para ajudá-la a superar isso.

A bebê começou a chorar quando Joe se levantou e caminhou até a porta da frente. Antes de fechá-la atrás de si, ele gritou por cima dos ombros:

— Se eu fosse você, não me inclinaria no parapeito. Não conseguia dormir, então me distraí pintando-o. — A porta se fechou devagar atrás dele.

Ela se virou para ver a mancha em seu terno preto, uma faixa branca brilhante sob a fraca luz. Retornou ao balanço e se sentou nele com um baque. A noite a sua volta estava viva com sons e movimentos serpenteando a grama e piscando no céu. Correndo os dedos nos pingentes de seu colar, ela pensou no pai morto, na sua casa, na pintura em seu terno preto e não soube se devia chorar ou rir. Então, ficou sentada no balanço, escutando os sons da noite darem lugar aos da manhã e vendo o Sol raiar no céu.

Maddie se virou na cama e desligou com um tapa o botão do despertador para que ele não acordasse mais ninguém. Sarah Frances suspirou em seu sono ao lado dela, em seguida, acalmou-se de novo enquanto Maddie soltava a respiração que estava prendendo sem perceber. Em silêncio, ela foi até a porta do quarto nas pontas dos pés e saiu, fechando-a com cuidado atrás de si. Caminhou até a outra ponta do corredor e se sentou de pernas cruzadas no chão, do lado de fora do quarto da tia para esperá-la.

Maddie e sua família passaram duas noites na casa do avô e ela sabia que a tia corria todas as manhãs às seis horas. Aquela era a sua chance de conhecer Cassie melhor e, talvez, ficar alguns passos à frente de Lucy Spafford com alguns segredos que aprenderia com a tia sobre como se vestir de modo sofisticado. Ela com certeza sabia desse tipo de assunto, afinal, vivia em Nova York.

Ela escutou o alarme dela sendo desligado, um xingamento abafado e o aparelho sendo arremessado no chão. Dentro de segundos, sua tia tropeçou até a porta e a abriu.

— Bom dia, tia Cassie. — Maddie lhe deu um sorriso radiante.

Cassie piscou os olhos para tentar se concentrar, seus lábios se moveram, mas obtiveram pouco êxito em esboçar um sorriso.

— Bom dia, Madison. Estou indo correr. Até mais.

Madison se levantou, meio desajeitada, arrumando o elástico de seu pijama baby-doll.

— Posso ir com você?

Sua tia tentou esconder um bocejo.

— Você corre com regularidade?

Maddie olhou para baixo, seu dedão cutucando o tapete sem saber se deveria mentir de modo deslavado ou dar uma tapeadinha.

— Bem, tipo... na aula de educação física nós corremos em volta do campo de futebol. — Ela olhou para cima, tentando não parecer muito ansiosa. — Mas seria legal com você. Esperaria um minuto enquanto me troco?

A tia Cassie piscou outra vez, ainda incerta se estava realmente acordada.

— Claro. Mas seja rápida, tudo bem? Quero terminar antes que o calor piore. Não estou acostumada.

Madison saiu em disparada para o quarto e vestiu rapidamente a camiseta, o short e o tênis. Quando retornou ao quarto da tia, Cassie estava sentada sobre a cama com um short numa mão e um único pé de sapato balançando na outra, tentando descobrir o que fazer com eles.

— Quer que eu te prepare um pouco de café, tia Cassie?

— Não, obrigada. Não antes de eu correr. — Cassie entrou no *closet* para se trocar.

Madison se sentou no chão, encolheu as pernas na frente dela, apoiou os cotovelos nos joelhos e o queixo nas palmas da mão.

— O seu noivo é bonito?

A voz da tia parecia abafada vinda do *closet*.

— Bem, sim. Ele é. Muito, por sinal.

Maddie espiou com curiosidade a mala aberta que estava no chão, perguntando-se no que estaria preso aquele pedaço de fita preta.

— Vocês passam muito tempo andando no Central Park de mãos dadas? — Houve uma enorme pausa, então.

— Acho que não, pois só caminhamos juntos do trabalho para casa, quando nossas mãos estão ocupadas com pastas e pacotes de comida.

Maddie enrugou a testa, dando-se conta de que a fita era na verdade um minúsculo conjunto de roupas íntimas que, certamente, não fora comprado no catálogo da JCPenny, onde sua mãe comprava suas calcinhas brancas de algodão.

— O que vocês fazem para se divertir?

Cassie saiu do *closet*, puxando os cabelos para trás com um elástico preto.

— Estamos sempre muito ocupados na agência de publicidade, que é do Andrew. Temos planos para uma fugida romântica depois que as coisas se acalmarem um pouco, mas agora não parece ser o momento oportuno.

Madison visualizou a tia numa roupa elegante, vestindo outro par daqueles sapatos de salto alto, sentada num escritório com divisórias de vidro, com um telefone em cada orelha e dez pessoas à sua volta esperando por sua assinatura. Ou aprovação. Ou seja lá o que fosse que a tia Cassie fazia.

— Quando vamos conhecê-lo?

Cassie pressionou o corpo contra a beira da penteadeira, alongando os tendões da perna.

— Bem, hum. Não sei. Ele está tão ocupado com a agência, especialmente agora que estou longe, que é praticamente impossível ele vir aqui...

Maddie se apressou para o meio do quarto e se sentou com as pernas em "V" e, tocando o dedão do pé com as pontas dos dedos da mão, ela falou ofegante:

— Mamãe disse alguma coisa sobre te preparar uma festa de noivado. Talvez ele venha para participar.

Ela ergueu os olhos a tempo de ver as sobrancelhas da tia se erguerem.

— Uma festa de noivado? Nossa, acho que não ficarei aqui tanto tempo assim...

Madison a ignorou e continuou se alongando.

— Mamãe está muito animada, mas acho que era para ser surpresa. Então, por favor, não lhe diga nada. — Ela se levantou e começou a alongar os tendões da perna, querendo ainda prosseguir com a conversa anterior. — Então, o que você e o Sr. Bonitão fazem para se divertir na cidade de Nova York quando dá tempo?

— Bem, nós, hum, bem, certa vez fomos a um musical, *Wicked*. Tenho certeza de que faremos mais disso depois de contratarmos mais funcionários para a agência, mas agora estamos tão sobrecarregados que está difícil encontrar tempo para o lazer. — Cassie trocou de pernas e começou a alongar os outros tendões. — Nós costumamos sair para jantar em bons restaurantes, mas estamos sempre com clientes, então, acho que não conta muito como diversão.

Madison se curvou para amarrar os cadarços do tênis.

— Você acha que é legal? — Ela inclinou a cabeça para o lado.

Cassie ergueu as mãos sobre a cabeça e a inclinou para o lado também.

— Bem, com certeza. É legal. Quero dizer, o que poderia ser melhor do que a combinação de comidas maravilhosas com negócios?

Maddie ficou imóvel por um momento pensando em cinemas *drive-in* e no riacho onde nadava com os amigos.

— Ah.

Cassie olhou para o relógio na cabeceira.

— Aguarde só um minutinho, está bem? São quase seis e meia e vou tentar encontrar Andrew no escritório antes que alguém chegue.

Com um aceno, Maddie foi até o banheiro escovar os dentes e jogar um pouco de água no rosto, pensando o tempo todo em maneiras de adequar sua percepção sobre o significado de se divertir. Obviamente, ela tinha muito a aprender.

Quando terminou, fechou a porta do banheiro e, em silêncio, desceu a escada. Ficou surpresa ao ouvir uma voz de homem antes de chegar à porta do escritório e ver que sua tia estava falando no viva voz ao mesmo tempo que usava as mãos para mexer nos papéis da escrivaninha de seu avô. Sem querer interromper, Maddie se sentou devagar perto da parede da entrada, num lugar escondido da escrivaninha, e ficou esperando.

Sua mãe sempre lhe disse que era falta de educação escutar a conversa de outras pessoas ao telefone, então ela se esforçou ao máximo para ignorar a tia Cassie e o homem no viva voz. Em vez disso, ela se concentrou na mesa perto de onde estava sentada, onde seu avô mantinha as fotos de toda a família em porta-retratos.

Havia muitas fotos de Maddie e de seus irmãos desde quando eram bebês, a foto de toda a família que tiraram no Natal passado, uma antiga foto em preto e branco do avô e da avó — a que morrera antes de ela nascer — ao lado de um antigo carro esportivo muito arrojado. Mas a maioria delas eram fotos de tia Cassie e de sua mãe quando crianças. Maddie se acomodou melhor para ver as fotos da tia que começavam no que parecia ser o jardim da infância e terminavam no ensino médio.

Ela ficou olhando fixamente para os retratos e se esforçou para reconhecer a tia na menina de franjas ao redor do rosto, que naquelas fotos era mais redondo, com seus óculos de aros grossos e aparelhos nos dentes. Até mesmo a camisa não combinava com a mulher sentada agora atrás da escrivaninha de seu avô. Tinha uma gola grande e muitas baleias nadando como estampa, algo que Maddie acreditava que sua tia jamais usaria nos dias de hoje. Ela olhou de relance para a fotografia de sua mãe no último ano de colégio, vestida com um uniforme de animadora de torcida, com os longos cabelos loiros caindo sobre os ombros. Pareceu-lhe que, enquanto a tia parecia ter sido repaginada pelo "Esquadrão da Moda", a mãe continuava igualzinha.

O tom de voz de Cassie mudou, chamando a atenção de Maddie para a conversa no telefone.

— Mentira. Você está brincando, né?

— Não, é sério. Sei lá, parece que você está com um sotaque.

Maddie percebeu um tom de preocupação na voz da tia.

— Não se preocupe. Tenho certeza de que é temporário.

— Então, como você está? Venho tentando te encontrar. Seu celular cai direto na caixa postal e todas as vezes que liguei para o número da casa deixei uma mensagem com uma pessoa chamada Lucinda. Cara! Pensa numa pessoa que precisa de fonoaudióloga. Mal conseguia entender o que ela falava. Parecia que falava russo.

O som de dedos teclando o computador atravessava a linha do telefone enquanto Maddie se sentava um pouco mais reta para ver a expressão da tia.

— É a irmã de meu pai. Aquela que cuidou de mim e de Harriet quando nossa mãe morreu e tem sido uma espécie de mãe substituta desde então.

Fez-se uma pequena pausa, preenchida pelo som das batidas.

— Ah, bem, com certeza ela deve ser muito legal. Ela lhe deu o meu recado?

— Sim. Mas eu, é..., está difícil encontrar um momento para te ligar. Tem sido uma loucura desde a morte de papai. Têm acontecido alguns fatos importantes por aqui, e por isso não te liguei logo. Queria antes pensar em todas as minhas alternativas.

As batidas nas teclas pararam.

— Entendo. Que tipo de fatos?

Tia Cassie se recostou na cadeira do avô e Maddie tentava se encolher o máximo possível para não ser vista. Há muito tempo desistira de fingir que não estava escutando.

— Bem, parece que herdei esta casa e tudo que está nela. Nem Lucinda, nem Harriet a querem, sinto-me um pouco de mãos atadas agora.

— Venda-a.

Maddie se esticou para ver a expressão da tia e, então, seguiu o olhar dela, que atravessou a enorme entrada, subiu a escada e parou nas antigas fotografias de todos os Madisons mortos há muito tempo. Por um instante, Maddie se perguntou se havia visto uma testa franzida no rosto do pentavô.

Tia Cassie prosseguiu:

— É, com certeza eu poderia vendê-la. O que provavelmente terei que fazer. Mas esta casa está com a família desde 1840. Será uma decisão difícil. Sem falar no fato de que terei de remexer em tudo aqui, especialmente no sótão, que acredito estar intocado há anos.

Maddie relaxou na parede, sentindo antipatia pelo sujeito cuja voz saía pelo telefone. Ela não conseguia defini-lo, não parecia do sul nem do norte. Parecia que aquele homem estava tentando esconder de onde era.

Um telefone tocou ao fundo antes que ele falasse de novo.

— Por que não liga para um corretor de imóveis e contrata uma daquelas empresas que vão até o lugar e se livram dos entulhos para você? Aí, dentro de uma semana, pode estar aqui de volta.

Cassie jogou com força uma pilha de papel na gaveta de cima e abriu outra.

— Andrew, não sei... acho que não posso fazer isso.

Andrew suspirou ao telefone.

— Por que não? Nossos clientes precisam de você aqui. Eu preciso de você aqui. Sinto saudade de você.

Baixinho, mas nem tão baixinho assim, tanto que Maddie ainda podia ouvir quando ela parava um segundo para respirar, Cassie se aproximou do alto-falante.

— Eu sei. Também sinto. Dê-me apenas uma semana e terei uma ideia mais clara, tenho certeza de que até lá terei resolvido tudo.

— Espero que sim. Não gosto quando você está longe. A cama fica grande demais.

Cassie se levantou e, pela primeira vez, notou Maddie, que começou a olhar para as unhas.

— Aposto que sim. Talvez devesse se mudar para a cama de solteiro no outro quarto.

Cassie desligou o viva voz e Maddie não ouviu a resposta de Andrew. Mas, pela testa franzida da tia, Maddie estava quase certa de que não era bem o que a tia esperava ouvir.

— Tentarei — sussurrou ela antes de desligar. Continuou olhando para o telefone até que Maddie se levantou e caminhou até a escrivaninha.

— Está pronta? — Sem esperar por uma resposta, tia Cassie saiu de trás da escrivaninha e caminhou até o vestíbulo, abriu a porta e a segurou para que Maddie passasse primeiro. Com um enorme pulo, a tia estava fora da casa e correndo em direção à estrada num passo bem acelerado. Não demorou muito para que Maddie a alcançasse, embora parecesse que Cassie estava sofrendo um pouco para manter o ritmo. Maddie reduziu a velocidade deliberadamente, assim não teria de se lembrar como fazer os primeiros socorros caso ela desmaiasse.

Elas correram em silêncio por um tempo, pulando sobre as enormes rachaduras nas calçadas, fugindo para a rua para desviar dos galhos cheios das árvores-de-júpiter e dos botões das hortênsias pendentes ao longo do caminho. Maddie acenava para todos os carros que passavam por elas, reconhecendo amigos, vizinhos e colegas de escola que conhecera a vida toda. Tia Cassie parecia mais concentrada em respirar. Apesar de no começo ter tentado identificar as pessoas para quem Maddie acenava, ela continuou em silêncio.

Quando chegaram à gigantesca casa vitoriana na esquina, Maddie parou, pulando no lugar enquanto falava com a velha senhora que estava numa cadeira de balanço na varanda. Cassie parou ao seu lado, respirando rápido.

Maddie deu um aceno.

— Bom dia, dona Lena. Leu algum livro interessante ultimamente?

A velha mulher deu um largo sorriso desdentado, seus olhos com óculos refletiam o céu azul. Ela ergueu um romance cuja capa retratava pessoas nuas, do tipo que a mãe de Maddie jamais permitiria ter dentro de casa.

— Estou chegando na parte picante. Ela acabou de conhecer o lado perverso dele.

Cassie lançou um olhar assustado para Maddie.

— Não conte à mamãe que ela disse isso, está bem? — pediu-lhe Maddie enquanto se despedia de dona Lena e voltava a correr.

Cassie fez que não com a cabeça, mas Maddie pôde notar que ela estava fazendo força para não rir e para respirar. Entre arquejos, a tia disse:

— Puta merda!

Maddie olhou de esguelha para a tia, cujo rosto estava ainda mais vermelho do que da última vez que checara.

— Desculpe. Não sei de onde veio isso, não costumo xingar. É que a dona Lena foi minha professora na escola dominical quando eu tinha 15 anos, e o pai dela era o pastor na Primeira Igreja Batista de Walton. O que aconteceu?

Madison franziu o nariz.

— A irmã dela, que mora em Mobile, gerencia a biblioteca da igreja e lhe envia todos os livros doados que não pode usar. Ela lê os mesmos livros repetidas vezes porque os esquece.

— Ela ainda ensina na escola dominical?

Madison fez que sim com a cabeça e enxugou um gota de suor do rosto.

— Nunca perde um domingo. Mas agora é só uma professora assistente, grande parte do tempo fica na frente da sala de aula sorrindo. Sua cabeça oscila entre fantasia e realidade, mas não quer ir para um asilo. Nós todos cuidamos dela agora. — Maddie parou por um instante, respirando ofegante enquanto seus tênis batiam na calçada. — Mamãe reveza com outras mulheres para lhe levar jantar e outras coisas.

Elas correram pela Madison Lane e atravessaram a Orchard, com o antigo carvalho obscurecendo o cruzamento a partir do gramado da frente dos Hardens e bloqueando a placa "Pare". Um balanço de corda estava pendurado num galho alto, e uma criança estava sob ele, tentando pular alto para agarrá-lo. A menininha acenou para elas ao passarem e Maddie acenou de volta.

Cassie, fazendo força para respirar, perguntou:

— Os Hardens ainda vivem ali? Eu me lembro... de balançar naquele... balanço.

Madison fez que não com a cabeça.

— O Sr. e a Sra. Harden venderam a casa para a filha, Mary Jane, e se mudaram para a Flórida. Você a conhecia?

Cassie fez que sim.

— Eu me lembro de Mary Jane Harden. Fomos melhores amigas do jardim de infância até o segundo ano de faculdade. — Ela parou por um momento, e Maddie não sabia se era porque estava sem ar ou se pensando no que deveria dizer. Por fim, falou: — E depois me mudei e não mantive contato com ninguém. Parece meio estúpido agora ter perdido contato com Mary Jane. — Cassie balançou a cabeça, o suor escorria pelo rosto. — Talvez eu a procure enquanto estiver aqui em Walton. Duvido que tenhamos algo em comum, mas seria bom revê-la.

Continuaram pela Madison Lane até chegarem a Walnut, então viraram para o leste em direção a Main Street e ao quadrilátero central. Não importava quantas vezes Maddie a via, ou quantas vezes dissera que a odiava e não via a hora de partir, a área central de Walton parecia uma imagem que se vê em cartões postais: uma cidade que outras pessoas talvez desejassem visitar. As frentes das lojas de tijolo com floreiras, toldos brilhantes e enormes janelas não eram tão desagradáveis assim de olhar, e Maddie sempre sentiu orgulho por sua mãe e a comunidade de jardineiras plantarem todas as lindas flores ao longo das calçadas a cada outono e inverno.

Vagas diagonais para carros projetavam-se das laterais da larga calçada como pernas de uma centopeia se arrastando pela Main Street. O fórum se sobressaía no quadrilátero no cruzamento entre a Main e a avenida Monroe. A grama estava sempre cortada ao redor do monumento dos Confederados e havia uma outra estátua do lado oposto.

Cassie saltitou em volta da estátua antes de parar completamente, seu rosto estava vermelho, dando a impressão de que ela precisaria de primeiros socorros a qualquer momento. Ela jogou o corpo para a frente, com as mãos sobre os joelhos escorregadios, e ergueu os olhos na direção da estátua.

— Meu Deus — disse ela ofegante.

Madison reduziu o passo, parou ao lado dela e encarou uma réplica menor da Estátua da Liberdade.

— Parece com a verdadeira?

Cassie se esticou, arrumando a faixa na testa.

— Não... exatamente. — Ela examinou a cabeça de madeira da estátua. — Acho que esta parte foi esculpida com uma serra elétrica, em um toco arrancado de algum pântano das redondezas.

Maddie acompanhou os olhos críticos da tia enquanto iam do braço levantado, que parecia ter sido feito de isopor, até as mãos segurando a tocha, que eram definitivamente uma luva de tamanho grande de um atacante de futebol americano. A peça inteira havia sido pintada com um verde levemente brilhante.

Madison piscou os olhos sob a luz do Sol, olhando fixamente para a estátua. Parecia que a estava vendo pela primeira vez, mas desta vez através dos olhos de alguém que não era de Walton. De repente, ela se sentiu da mesma forma que se sentira quando descobriu que o pai era o responsável por colocar coisas nas meias, não o Papai Noel.

— É muito ridícula, não é?

Cassie se sentou na pequena borda da base da Sra. Liberdade, a boca abriu e fechou inúmeras vezes antes de dizer qualquer coisa de fato.

— Quer saber, Madison? O que os homens que levantaram esta estátua não tinham em sofisticação, certamente tinham em entusiasmo. — Cassie ficou olhando o quadrilátero central na direção do fórum. — Eu me lembro de um velho veterano de guerra naqueles degraus ali discursando sobre o significado simbólico desta estátua e do quão orgulhosos todos estavam de ter um pequeno pedaço dela aqui em Walton. — Ela olhou de soslaio para Maddie. — Não se vê mais disso por aí.

Uma caminhonete conhecida estacionou numa das vagas do quadrilátero e Cassie se levantou.

— Hei, pelo menos não é aquela estátua de Plains. Sabe, o maior amendoim do mundo na forma de Jimmy Carter. Aquilo sim é constrangedor.

Maddie arreganhou os dentes e deu de ombros.

— É verdade, acho que poderia ser pior.

Ambas olharam para a caminhonete quando duas pessoas desceram dela. Cassie, com os olhos semicerrados, apoiou a mão na testa para bloquear o Sol e viu o Dr. Parker com uma mulher puxando uma enorme coroa verde da caçamba da caminhonete. O casal se aproximou de Maddie e de tia Cassie, os braços deles envolvendo as folhagens.

Ao chegarem mais perto, a mulher sorriu para Cassie.

— Aposto que não se lembra de mim.

Inicialmente, ela parecia em dúvida e, então, sorriu de volta.

— Mary Jane Harden, claro que me lembro. Acho que deve ser a covinha, apesar de seu cabelo estar mais curto. E mais loiro.

A Srta. Harden se moveu para abraçar Cassie, mas a tia de Maddie lhe estendeu a mão.

— Não faça isso, estou muito suada. Acabamos de passar correndo pela casa de seus pais e vimos uma menininha no balanço da árvore. É sua filha?

Mary Jane lançou uma rápida olhada para o Dr. Parker e fez que não com a cabeça.

— Não. Não tenho filhos. Não me casei ainda. É a filha do meu irmão. Ele e a mulher estão de visita por algumas semanas.

— *Stinky* se casou? Não acredito.

Mary Jane fez que sim.

— É verdade, mas não o chamamos mais de *Stinky*. Ele mudou muito, agora lê outras coisas além de livros engraçados de ação com heróis, e toma banho também.

Todos riram ao mesmo tempo em que Mary Jane e o Dr. Parker seguraram a coroa nas mãos. Com um olhar sério, a Srta. Harden falou:

— Sinto muito pelo seu pai, Cassie. Queria ter ido ao funeral, mas um de nós precisava ficar na clínica.

Cassie inclinou a cabeça, interrogativa, e a Srta. Harden sorriu.

— Sou a enfermeira de Sam e a responsável pelas tarefas gerais. Nós administramos uma clínica juntos em Monroe, com mais alguns médicos que revezam com a gente e algumas enfermeiras do Hospital Providence.

— Ah, entendo. — Tia Cassie puxou para frente do estômago a camiseta de correr. Maddie se perguntou se ela se sentia tão imunda quanto ela própria, de pé com as roupas molhadas de suor diante de duas pessoas que não só pareciam que tinham acabado de sair do banho, como também do ar-condicionado. Cassie prosseguiu: — É muito bom te ver. Espero que tenhamos tempo para conversar antes de eu partir.

A mulher franziu a testa.

— Você não está planejando partir logo, está?

Dr. Parker mudou de posição, mas tia Cassie não olhou para ele.

— Hoje não, de qualquer forma. Mas assim que resolver tudo.

— Você está na casa de seu pai?

Cassie fez que sim com a cabeça.

— Ótimo. Vou te ligar para almoçarmos juntas no *Dixie Diner*, como nos velhos tempos. Vamos colocar o papo em dia.

— Maravilha. Vai ser muito bom.

Pela primeira vez, Maddie se deu conta, decepcionada, do que o Dr. Parker e a Srta. Harden tinham tirado de dentro da caminhonete. Ela se abaixou e segurou um pedaço da videira kudzu.

Tia Cassie deu uma passo para trás.

— Madison, isso é o que eu estou pensando?

Sam se agachou e segurou um ponta, seus dedos longos mexiam uma folha grande em forma de coração.

— É kudzu. Com certeza você não se esqueceu do que se trata.

Ela trouxe o queixo para frente.

— Eu sei o que é. Só queria saber por que está aqui.

A Srta. Harden se intrometeu na conversa.

— É para o Festival Kudzu que está chegando. Eu e Sam fazemos parte do comitê de decoração. — Ela sorriu para o Dr. Parker e o tocou no braço. Maddie se perguntou se tia Cassie sabia que estava franzindo a testa ao olhar para Mary Jane ao mesmo tempo que examinava o short cáqui-claro dela, as sandálias e a camisa de algodão com botão até embaixo. Uma espécie de roupa para mães, sem a parte da mãe.

A Srta. Harden se voltou para Maddie.

— E agora que você está no ensino médio, todos os anos participará da competição para ser a rainha kudzu. Afinal, você é filha de sua mãe.

Maddie queria vomitar, mas, em vez disso, disfarçou com um sorriso. Rainha kudzu cabia em meninas como Lucy Spafford, com cabelos loiros e tipo miúdo, não em morenas e altas como ela.

Tia Cassie apontou para um ramo verde.

— Por que vocês já o colheram, não estará morto em duas semanas?

Dr. Parker respondeu, ríspido:

— Até parece que é fácil assim. Vamos plantar uma das pontas na terra, e o kudzu vai crescer como se sempre tivesse estado ali. Nosso único problema vai ser arrancá-la depois do festival a tempo de não ter invadido toda a cidade.

A Srta. Harden riu alto, parecia a coisa mais engraçada do mundo o que ele dissera. Ainda sorrindo, e com a mão sobre o braço de Sam, ela olhou para Madison.

— Sua mãe deve chegar num minuto para ajudar. Todas as ex-rainhas kudzu devem ajudar, e a Harriet é tão boa com decorações e tudo o mais que o Dr. Parker e eu a carregamos para trabalhar no nosso comitê. — Ela lançou um outro olhar enjoado para o médico, e desta vez Maddie quase vomitou.

A Srta. Harden se dirigiu a Cassie:

— Estamos tristes pela morte de seu pai ter sido tão recente, e chegamos a dizer a Harriet que ela não precisava vir, mas ela falou que queria. Acredito que ajude a distraí-la. — Seus olhos castanhos-claros julgavam tia Cassie superficialmente. — O mesmo efeito que a corrida deve ter sobre você.

O Dr. Parker enrolou vários ramos de kudzu em volta do pescoço e esfregou uma mão na outra.

— É melhor começarmos logo. Tenho que voltar para clínica às 13h, e temos muitas dessas folhagens para decorar. Madison, por que você e sua tia não ficam para nos dar uma mão?

Maddie, que preferiria lamber uma barata a participar da decoração do Festival Kudzu, olhou para tia em busca de ajuda. Cassie, por sua vez, olhou para os braços vazios.

— Sinto muito, adoraria, mas não posso. Tenho um encontro com um corretor às 11h30. Além disso, preciso desesperadamente de um banho.

Enquanto Maddie tentava encontrar alguma desculpa, o Dr. Parker parou com o kudzu em volta do pescoço e uma pequena ruga de perplexidade entre as sobrancelhas. Ficou olhando por um instante. Ia questionar tia Cassie sobre aquele encontro, mas mudou de ideia.

— É, você tem razão. Devia tomar um banho de mangueira, com água e sabão.

Cassie colocou as mãos na cintura:

— Você deveria correr qualquer dia desses para queimar um pouco dessas frituras que come.

Maddie olhou para a tia se certificando de que o calor não havia danificado o cérebro dela. Embora o Dr. Parker fosse bem mais velho que ela, até mesmo ela o achava bonitão. E se ela tivesse a mesma idade de Cassie, até poderia considerá-lo um charme. Sem as botas de cowboy, claro.

O Dr. Parker sorriu.

— Mas eu faço isso. Oito quilômetros por dia. Só que corro à noite, quando é mais fresco e não há chance de encontrar ninguém que possa sentir o meu cheiro. Deveria vir comigo algum dia desses.

Maddie notou quando sua mãe estacionou a van numa vaga do outro lado do quadrilátero e começou a descarregar o carrinho duplo.

Tia Cassie deu um sorriso afetado.

— Não, obrigada. Gosto de correr com alguém que possa me desafiar. Ou sozinha. Gosto de ficar sozinha.

O Dr. Parker nada respondeu e pegou mais kudzu do chão e o entregou sorrindo para a Srta. Harden. Sem olhar para Cassie, ele disse:

— Esse é um outro péssimo hábito que ela aprendeu no norte. Teremos que nos esforçar para acabar com ele enquanto estiver aqui.

— Não se preocupe — respondeu Cassie acenando com a mão no ar com desdém. — Não ficarei o bastante para absorver qualquer coisa.

A Srta. Harden limpou a garganta.

— Seu encontro é com Ed Farrell?

Cassie respondeu que sim.

— Fiquei surpresa em saber que ele tinha um emprego respeitável. Achei que ainda estivesse naquela fazenda velha onde cresceu. — Um sorriso cruel atravessou seu rosto. — Ei, Sam, você não era o saco de pancadas favorito de Ed Farrell no ensino médio?

O Dr. Parker sorriu, mas não era um sorriso sincero.

— Eu era magro como um palito e usava óculos grossos. Era o saco de pancadas de todo mundo. Mas é isso mesmo, era mais de Ed.

A Srta. Harden concordou com a cabeça.

— E os dois ainda se pegam, mas de uma maneira mais civilizada. Por falar nisso, ambos estão concorrendo pela vaga no conselho da prefeitura.

Tia Cassie enxugou uma gota de suor do nariz que estava prestes a pingar.

— Minha nossa, Sam. Você tem tempo de clinicar? Com todas essas atividades extras, é surpreendente que ainda arranje tempo.

— E arranjo. Essa foi uma das principais razões de eu ter saído de Boston para exercer minha profissão aqui. Posso ter uma vida e uma carreira.

Tia Cassie levou as mãos à cintura e ficou tão parecida com tia Lucinda que Maddie quase riu.

— Eu tenho uma vida!

O Dr. Parker se virou para o kudzu.

— Tenho certeza que sim, Cassie. Uma muito animada e glamorosa.

Tia Cassie largou as mãos e encarou a Srta. Harden.

— Falo com você depois. Mande meus cumprimentos a Stinky. — Sem olhar para Sam, ela lhe acenou com as mãos e se virou para atravessar o quadrilátero correndo e se juntar à irmã, gritando sobre os ombros: — Venha, Maddie. Vamos ver se sua mãe precisa de ajuda.

Ao chegarem à van, Amanda começou a chorar em sua cadeirinha.

A mãe sorriu, mas os olhos pareciam só meio acordados, o que fez Maddie se lembrar de como sua mãe ficara logo depois do nascimento de todos os seus irmãos. Mas a bebê já estava tomando leite artificial e há meses dormia a noite toda, então não havia sentido sua mãe estar tão exausta.

— Estou tão feliz por tê-las encontrado. Minha babá cancelou no último minuto e não consigo fazer nada estando com Knoxie e a bebê. Pelo menos Joey e Sarah Frances têm escola de férias sobre a Bíblia esta semana. Do contrário, eu poderia me amarrar com uma fita adesiva na pia da cozinha, já que não conseguiria me mexer mesmo.

Mamãe entregou Knoxie para Cassie.

— Coloque-a na parte de trás do carrinho. Aprendi a não colocá-la na frente porque Amanda se agarra no rabo de cavalo dela e ela fica muito irritada.

Knoxie sorriu para a tia enquanto ela a pegava, segurando-a sobre o carrinho feito um saco de lixo fedido. Cassie reparou nos dois orifícios próprios para os pés e começou a baixar a bebê, que mexia as perninhas sem parar. Knoxie acabou com a perna direita no orifício esquerdo e o pé esquerdo no assento da frente e começou a choramingar.

— Deixa comigo — disse Harriet, entregando Amanda para Maddie. Ela removeu Knoxie e a ajeitou no carrinho sem que ela derramasse uma lágrima. Com calma, ela pegou a bebê e a sentou no banco da frente. — Viu? Com um pouco de prática, é fácil. Você não terá problemas.

Tia Cassie arregalou os olhos dando-se conta da situação.

— Espere um minuto. Não entendo nada sobre bebês. Além disso, eu tenho um compromisso às 11h30 e preciso de um banho. — A criança fez um murmúrio e Cassie a olhou com uma expressão bem assustada.

A mãe acenou a mão no ar.

— Não seja boba. Você cuidou de mim quando eu era pequena, é como andar de bicicleta: nunca se esquece.

Maddie deu um passo para frente.

— Eu ajudarei. Tenho aula de tênis às 11h, mas até lá posso ajudar.

A mãe estendeu o braço para dentro da van, pegou uma enorme sacola de fraldas e colocou na alça do carrinho.

— Tudo de que precisa está aqui, e têm algumas mamadeiras já prontas na geladeira de sua casa. Ela provavelmente vai sentir fome daqui uma hora.

— Mas e o meu compromisso?

Harriet fechou a porta da van com uma batida.

— Tentarei estar de volta até esse horário, mas se eu não conseguir, leve-as com você. Todos na cidade as conhecem e ficarão felizes em cuidar das crianças enquanto você resolve seus negócios. — Ela acenou e saiu rapidamente na direção do Dr. Parker e da Srta. Harden.

— Mas... — As objeções de tia Cassie desapareceram quando uma mãozinha a puxou pelos dedos. Ela olhou para o carrinho e Knoxie lhe sorriu radiante.

— Viu, é fácil. — Maddie sorriu. — E graças a Deus que não tenho que colocar vinhas de kudzu. Se eu ouvir mais alguma coisa sobre minha mãe ter sido rainha kudzu ou sobre minhas chances de me tornar uma também, vou vomitar, com certeza.

Tia Cassie empurrou com força o carrinho, mas ele não saiu do lugar. Maddie se agachou e o destravou e começou a caminhar do lado da tia.

— Quando eu tiver sua idade, também não vou ter filhos. Mamãe ficou grávida de mim nove meses depois de seu casamento, e desde então não parou mais. — Maddie ergueu seu rabo de cavalo do pescoço e enxugou o suor. — Vou viver em Nova York, Londres ou Paris e ter uma carreira interessante como a sua. Não quero saber de fraldas e mamadeiras. Já tive o bastante disso por uma vida toda.

Cassie ergueu uma sobrancelha.

— Eu nunca disse que não queria filhos... — Ela parou. — Quero dizer, eu nunca conversei sobre isso com Andrew, mas isso não significa... — Ela acenou a mão no ar. — Meu apartamento não está adaptado para um bebê, digamos assim.

Knoxie estava cantando baixinho para si mesma, mas parou de repente e virou o corpinho para cima, o cabelo ruivo quase dourado à luz da manhã.

— Não sou um bebê. Você gosta de mim?

Cassie enfiou a cabeça ao lado do carrinho.

— Claro que sim. Você é lindinha.

De repente, Knoxie gritou bem alto:

— Preciso fazer xixi. Agora!

Amanda despertou de seu cochilo e começou a chorar.

— Minha nossa. Quando ela diz agora, é agora mesmo. — Maddie pegou a bebê no colo e a entregou para Cassie, então arrancou Knoxie do carrinho. — Volto em um segundo.

Madison correu com a irmã para a porta da frente da casa mais próxima. Ela conhecia uma das crianças que moravam ali da escola dominical. Quando uma mulher respondeu, Madison explicou a situação e entrou com Knoxie. Quando acabaram, elas saíram, cada uma com uma bolacha de chocolate fresquinha na mão.

O choro de Amanda havia se transformado em gritos, até Cassie se dar conta de que a menina gostava de ser embalada. Quando Knoxie e Maddie as alcançaram, Amanda havia se acalmado e estava acomodada nos braços da tia.

Maddie colocou Knoxie no carrinho e Cassie continuou o resto do caminho com a bebê nos braços, parecendo não se incomodar com a baba que escorria nela.

Ao chegarem em casa, Madison segurou a porta aberta para que a tia passasse. Knoxie correu para a cozinha para pegar um copo-d'água enquanto Maddie e Cassie subiam devagar as escadas com Amanda, que agora dormia. Tia Cassie abriu com o pé a porta do antigo quarto de Harriet e olhou para o berço portátil no canto. Devagar, ela deitou a criança lá e elas ficaram observando seu pequeno bumbum cheio de pregas se mexer até se acalmar de novo.

Elas permaneceram no quarto silencioso por um longo tempo, enquanto os olhos de tia Cassie percorriam o antigo papel de parede e os móveis brancos.

— Mudou alguma coisa? — sussurrou Maddie.

A tia fez que não com a cabeça.

— Parece que foi ontem que eu e sua mãe estávamos sentadas de pernas cruzadas naquela colcha falando sobre paqueras, danças e brigas com amigos. Claro, grande parte do tempo eu só ouvia, já que Harriet era quem tinha vida social.

A bebê suspirou em seu sono, e os olhos de Cassie se arregalaram. Ela olhou para o braço, desesperada.

— Que horas são? Nossa, meu Deus, não acredito que esqueci o meu relógio. Nunca me esqueço dele.

Ela saiu do quarto e estava na metade do corredor quando se voltou para Maddie.

— Obrigada por sua ajuda. E obrigada pela corrida, também. Vamos fazer isso de novo alguma outra hora, está bem?

— Claro. — Maddie sorriu, e esperou a tia retornar ao próprio quarto e fechar a porta. Ela ficou olhando para o seu pulso vazio. Nunca teve relógio, nem nunca o quis. Mas talvez fosse hora de ter um.

Maddie caminhou até a escada e a desceu de dois em dois degraus, desviando dos rangidos e estalos que memorizara desde a infância, sentindo, como sempre o fez, os olhos atentos de todos os seus antepassados Madison.

Capítulo 7

O carrinho bateu na guia e voltou, passando por cima do pé de Cassie. Ela estremeceu de dor, depois sentiu outra dor novamente quando reparou no arranhão na ponta do sapato. Empurrou-o com mais força desta vez, levantando-o sobre a guia, e conduziu a criança pela calçada até o lugar onde Ed Farell dissera que ficava seu escritório. No passado, o prédio abrigara a padaria Heavenly de Hal. Parada diante da enorme janela da frente, ela teve uma breve lembrança de si mesma sobre os ombros do pai, comendo rosquinhas no caminho da igreja para casa. Lembrava também de sua mãe segurando Harriet com um largo sorriso no rosto e estendendo os braços para acariciá-la na face.

Cassie ficou olhando para o prédio de tijolos de três andares, espremido entre o salão de beleza Bitsy's House of Beauty e a farmácia Walton's Drug Emporium, e piscou os olhos intensamente, tentando apagar as lembranças, que chegaram intensamente, como se fossem uma pancada no estômago. Empurrando a porta com os pés, conduziu o carrinho duplo para dentro do escritório. O cheiro forte de carpete novo e a sensação fresca de ar-condicionado atingiram-na com força.

Ela fez uma breve pausa enquanto tirava seus óculos de sol e tentava guardá-los em sua elegante bolsa de couro, agora lotada com duas chupetas, um brinquedinho barulhento e um pacote de cereal, sobrando pouco espaço para algo mais. Com um suspiro, colocou os óculos sobre a cabeça, como se fossem uma tiara. Erguendo os olhos, reparou de relance numa sala de espera ricamente mobiliada, com pisos de madeira escura, tapetes orientais, sofás de couro e pinturas a óleo originais na parede. Nada lembrava a padaria Hal, nem mesmo a remanência de um aroma de pão. Seu primeiro pensamento foi o de sair e se certificar de que estava no lugar certo.

Um grito vindo do canto saiu de uma mulher que se levantava atrás de uma bela escrivaninha de mogno. Uma larga faixa cor-de-rosa atravessava um penteado armado sobre um cabelo loiro, parecendo um sorriso com batom.

— Cassie Madison! Mal posso acreditar que você está aqui de pé na minha frente. — A mulher a envolveu em seus braços e peitos flácidos e a segurou a quase um metro de distância para olhá-la melhor.

Cassie encarava a mulher em seu terno de tricô cor-de-rosa, com mais decotes do que o necessário para uma recepcionista de imobiliária. Ela tentou não rir ao pensar o quanto aquela mulher se assemelhava a uma esponja de lavar louças.

A mulher falou de novo e dentinhos brancos surgiram entre os lábios de tons brilhantes.

— Você não se lembra de mim, não é mesmo?

— É claro. Você é... — Cassie se inclinou sobre a bebê para lhe cobrir com a manta, quebrando a cabeça para lembrar quem era aquela estranha.

— Sou Laura-Louise Whittaker. — Ela fez uma pausa, claramente esperando por uma vaga lembrança. — Você provavelmente se lembra de mim como Lou-Lou, eu fui do mesmo time de animadoras de torcida de Harriet durante todo o ensino médio.

Cassie arregalou os olhos ao reconhecê-la.

— Claro, não a tinha reconhecido por causa do cabelo. Está, é... você o está usando de um jeito diferente, não é?

Lou-Lou bateu de leve nele com a palma da mão.

— Sou loira agora. — Ela se inclinou para frente com um ar conspirador. — E é verdade, nós nos divertimos mais. — Ela deu uma risadinha afetada, a mesma que fazia Cassie se arrepiar de desprazer no colégio. Algumas coisas nunca mudam.

Lou-Lou endireitou a postura e arrumou a saia.

— Nossa. Onde está o meu profissionalismo? Vou avisar Ed, quer dizer, Sr. Farrell, que você está aqui. Mas precisamos conversar mais depois. Estou muito curiosa para saber de Nova York.

Ela escorregou para trás da escrivaninha, apertou um botão de intercomunicação com uma unha rosa e comprida e piscou para Cassie.

— Sr. Farrell, a visita das 11h30 está aqui.

Cassie lançou para Lou-Lou o sorriso mais doce que conseguiu fazer.

— Lou-Lou, espero que não se incomode, mas será que poderia olhar as minhas duas sobrinhas enquanto converso com Ed?

Lou-Lou jogou as mãos para o alto numa cena de puro deleite.

— Claro, eu adoraria! Eu e Harriet somos quase irmãs e adoro os filhos dela, os cinco! Como se fossem meus. Pode deixar o carrinho aí mesmo, e tia Lou-Lou vai cuidar dessas coisinhas fofas enquanto você cuida de negócios.

Naquele momento, uma porta se abriu ao fundo da sala e um homem apareceu na entrada. Primeiro, Cassie reparou na altura dele. Os cabelos alisados para trás, repartidos ao meio, quase encostavam no topo da porta. Ela se lembrava de que Ed Farrell jogara no time principal de basquete júnior do colégio, no seu segundo ano de ensino médio, mas desistiu do esporte por alguma razão que ela já esquecera.

Ele se aproximou dela com a mão estendida e o seu sorriso largo atravessava quase todo o rosto magro. Olhou de novo para o cabelo dele. Lembrava-se de que era da mesma cor castanho opaco que o dela, e se perguntou, distraída, se ele o havia pintado. Seu terno de abotoadura dupla, cujo brilho sob as luzes fluorescentes convenceram Cassie de que não era feito de fibras naturais, farfalhava de leve quando ele andava. Ela se repreendeu em silêncio por ser tão esnobe. Parecia que Ed Farrell havia progredido muito na vida, e ela deveria admirá-lo por isso e não diminuí-lo pela escolha infeliz da roupa.

Ele lhe apertou a mão ao mesmo tempo em que a afagava com a outra. A pele era áspera, uma triste lembrança dos anos puxando a enxada. Percebendo os pensamentos dela, Ed retirou as mãos um pouco rápido demais.

— Você está linda, Cassie. Há muito que não nos vemos, hein?

Sua voz rouca era típica de fumante: como piche quente sobre pedregulhos. Quando ele falava, ela podia sentir um cheiro de nicotina misturada com menta.

— Obrigada, Ed. É verdade, faz bastante tempo. Mas não seria delicado de sua parte recordar o quanto tempo faz exatamente. — Cassie se controlou para não dizer mais nada, perguntando-se por que, de repente, estava falando feito Scarlett O'Hara.

Ele piscou e a tocou no cotovelo.

— Vamos para o meu escritório, onde podemos nos sentar e conversar.

Cassie olhou de relance para Lou-Lou, que parecia estar se divertindo muito, chacoalhando um guizo e fazendo caretas para as meninas, e reparou quando ela lançou um olhar luminescente para Ed.

— Já vou levar um cafezinho, Sr. Farrell.

Ele assentiu com um piscar de olhos e conduziu Cassie para a sua sala.

A decoração daquele ambiente era ainda mais sofisticada do que a da sala de espera. Prateleiras embutidas com luzes indiretas iluminavam pequenos objetos de arte. Um grande lustre de cristal pendia do teto, cujos ornamentos eram pintados de ouro na ponta. Um mapa da cidade, quase do tamanho da enorme escrivaninha de mogno, estava pendurado numa moldura dourada sobre a lareira. Cassie estava prestes a se sentar no sofá quando se viu atraída por ele.

Devagar, caminhou até o mapa, examinou-o com cuidado e apontou para um pequeno retângulo na base do lado direito do papel.

— Esta é a minha casa.

Ed se aproximou dela com um leve sorriso e esticou os dedos ásperos sobre o quadrante a noroeste do papel, que estava coberto com cerca de duzentos quadrados azuis. No dedo mindinho havia um anel de brasão de ouro.

— É verdade. E esse é o meu loteamento. Ali costumava ser a sua plantação de algodão, agora está rapidamente se transformando no complexo Farrellsford, com piscina e quadra de tênis. Comprei de seu pai.

Cassie só conseguia concordar com a cabeça. Depois de um tempo, ela disse:

— Não tinha me dado conta de como era grande e perto da casa.

Ed a conduziu de volta ao sofá e fez sinal para que ela se sentasse, sentando-se na outra ponta.

— Não se preocupe com sua privacidade. Temos planos de plantar pinheiros ao redor do terreno, o que acabará por bloquear totalmente a vista da sua casa. — Ele sorriu e ela notou o como os seus dentes estavam brancos.

Cassie esperou um pouco para ele prosseguir e, como ele não o fez, ela disse:

— Parece que você está tendo bastante sucesso, Ed.

Ele deu de ombros.

— É verdade. Bem, não havia outro lugar para eu ir senão para cima, você me entende?

Ela olhou para as próprias mãos no colo, sem saber o que responder.

Ele falou primeiro.

— Então, você quer vender a casa. Com certeza veio ao lugar certo.

Ela sorriu para ele, feliz pela mudança de assunto.

— Sim, gostaria de colocá-la no mercado o quanto antes. Tenho que tirar algumas coisas de lá, coisas do sótão e de todos os *closets*. Mas tenho um emprego e um noivo me esperando em Nova York e estou muito ansiosa para voltar logo.

— Um noivo, é? Você vai se casar com um ianque? — Ele piscou para ela, mas deu a impressão de que queria muito uma resposta.

Cassie abriu as mãos sobre o colo.

— Ele não é de Nova York. Nasceu e foi criado na Califórnia, mas está na cidade desde a faculdade. Ele é dono de uma agência de publicidade, e eu trabalho para ele.

Ed fez um gesto com a cabeça.

— Entendo. Bem. Espero que sejam pessoas pacientes, porque pode demorar um século para limpar uma casa como a sua. As pessoas hoje em dia, com tanto dinheiro para gastar, preferem algo novo, como o que estou oferecendo no Farrellsford. Claro, uma casa antiga é interessante de olhar e tudo o mais, mas é carente em muitas comodidades modernas que os compradores sofisticados de hoje querem. — Ele se levantou, com uma ruga entre as sobrancelhas, pensando em algo muito sério.

— Se você não tem uma banheira de hidromassagem no banheiro do casal ou um piso de granito e uma cozinha enorme de aço inoxidável... — Ele parou, pressionando os lábios. — Digamos que será uma venda difícil. Mesmo que coloque todas essas coisas, ainda estará competindo com casas novas na mesma faixa de preço.

O rosto de Cassie murchou.

— Nunca vendi uma casa antes, e não tinha ideia de como era. Quanto tempo acha que pode demorar?

Ele deu de ombros.

— Um mês. Dois meses. Um ano. Sabe-se lá. — E sorriu, carinhoso. — Agora, não me leve a mal. É uma casa linda, e tenho certeza de que há um comprador para ela em algum lugar. Mas pode demorar um tempão. A menos que esteja aberta a outras opções.

Cassie se recostou no sofá.

— Como o quê?

Ed se apoiou na ponta da escrivaninha, concentrando-se num globo de metal sobre o tampo.

— Bem, você sempre tem a opção de vender a terra. É muito mais valiosa que a casa. Ou transformar a casa em apartamentos, ou começar do zero, como um espaço para locação. Ou, se você vender para uma incorporadora, a casa pode ser usada como sede durante a construção de um condomínio.

Os olhos dela se arregalaram, e ela sentiu um frio na barriga.

— Uma sede?

O terno farfalhou de novo quando Ed cruzou os braços sobre o peito. Com uma sorriso compassivo, ele disse:

— Eu sei. Não é o que desejávamos, mas queria lhe mostrar que havia alternativas. — Ele ergueu as sobrancelhas. — E gostaria de te agradecer por ter vindo procurar a mim, não ao Roust Development. Foram eles que compraram a propriedade do lado oposto ao seu. Querem construir um *shopping center*, dá para acreditar? Imagina o barulho e tráfego, e tudo isso nos nossos quintais. — Sua língua fez um estalo. — É isso o que acontece quando pessoas de fora se mudam para cá. Elas não se importam com o que havia aqui antes. — Ele balançou a cabeça de modo solene. — Então estou contente por ter vindo até mim. Seja qual for o futuro de sua propriedade, me assegurarei de que seja para seu benefício e o da cidade de Walton.

Ele caminhou até ela de novo e se sentou.

— Estou aqui para te ajudar a tomar a decisão certa.

Cassie se levantou, pois precisava se mexer.

— Gostaria de que começasse buscando uma família para comprar a casa. Se isso não der certo, então poderemos conversar sobre o plano B. E, claro, sabendo que não estarei aqui para supervisionar a venda. Eu realmente preciso voltar para Nova York.

Ele concordou com o rosto sério.

— Compreendo. E farei de tudo para encontrar uma linda familiazinha para sua casa. — Ele também se levantou e se moveu para a cadeira do outro lado da mesa, erguendo os olhos enquanto Lou-Lou entrava com uma bandeja de prata e o café.

Ed deu um largo sorriso de novo e seus dentes brancos e perfeitos, definitivamente uma nova aquisição desde os tempos de colégio, brilharam para ela.

— Só resta preencher alguns papéis e agendar uma hora para que eu possa ir até lá fazer a avaliação. — Ele olhou cheio de esperanças. — E precisarei de uma chave extra para colocar no cofrinho de chaves na porta da frente. Estou pressupondo que não precisarei ligar toda vez que tiver um cliente para mostrar a casa. Desse jeito, consegue-se um maior fluxo de gente.

Cassie concordou, então moveu a cadeira para mais perto da escrivaninha, tentando não fixar os olhos na raiz castanho-claro nascendo sob o cabelo preto liso de seu recém-contratado corretor.

Cassie se debruçou sobre a escrivaninha do pai, gavetas abertas e o conteúdo empilhado pelo chão, como um ursinho com o enchimento para fora. O relógio do corredor bateu seis vezes e ela esfregou os olhos. Não havia conseguido fazer quase nada. O dia inteiro, sem parar, visitas, amigos e vizinhos do pai ligaram para dar as condolências ou trazer comida. Lucinda fizera várias viagens até a enorme caixa de gelo que ficava dentro de uma garagem separada da casa, cujo caminho era marcado agora por uma trilha bem gasta. Havia comida suficiente para alimentar um quarteirão inteiro e mais um pouco: macarrão, caçarola de frango com limão e salsinha, escalope de berinjela.

Grande parte das pessoas eram rostos conhecidos e todos se demoravam na visita para se inteirarem sobre o que Cassie vinha fazendo durante a sua longa ausência. Sua garganta estava seca de tanto contar a mesma história várias e várias vezes: sim, ela vivia e trabalhava em Manhattan; e sim, os taxistas dirigiam como loucos; e não, ela ainda não fora visitar a Estátua da Liberdade, embora tivesse visto uma Parada Gay, mas somente porque o trajeto incluía a rua em frente ao prédio de um cliente, onde, por acaso, Cassie estava naquele momento.

A cadeira da escrivaninha rangeu quando Cassie se sentou e se alongou. Ela encontrou um pouco de conforto na cadeira do pai, larga e gasta. Invadiu-lhe uma doce lembrança do infindável amor e apoio dele, mesmo quando ela menos merecia, especialmente naqueles últimos 15 anos. O conhecido ardor de lágrimas a ameaçou outra vez, e ela esfregou os olhos com o dorso da mão.

Quase sem perceber, Cassie estendeu os braços na direção do prato com o famoso bolo de nozes da tia Millie. Ela ficou olhando horrorizada ao se dar conta de que, de pedacinho em pedacinho, havia comido quase metade dele. Suas coxas grudaram no couro da cadeira quando lhe ocorreu que provavelmente ele fora preparado com ovos e manteiga de verdade. Ela nem conseguia imaginar tia Millie, com seus braços flácidos e bochechas gorduchas, considerando a possibilidade de haver algum substituto para ovos e manteiga em sua cozinha. Cassie beliscou mais um pedacinho da lateral do bolo. Ela era obrigada a admitir que nada era mais saboroso do que o produto verdadeiro.

Cassie deu um suspiro e fechou a gaveta com uma batida. Antes, as gavetas estavam uma bagunça, cheias de cartas antigas, contas pagas, cheques cancelados, e um sortimento de papéis escolares e boletins da época em que ela e Harriet estavam no ensino fundamental. Não havia harmonia ou lógica no modo como os papéis foram organizados. Parecia que todos tinham sido jogados na gaveta com mais espaço livre e esquecidos lá. Até aquele momento. Agora, estavam em pilhas separadas, prontos para serem distribuídos conforme o desejo de Cassie. A pilha maior, com a sua foto de formatura no topo, tinha um encontro marcado com a lata de lixo.

Ela ficou de pé, pegou um pedaço enorme do bolo e o enfiou na boca de uma vez só. Ao atravessar a entrada, a campainha tocou e ela arregalou os olhos, apavorada, quando percebeu que Sam Parker já a havia enxergado através das bandas de vidro na lateral da porta. Ela tentou engolir o pedaço, mas aquela quantidade enorme estava entalada e só sairia dali com um copo de leite grande. Resignada, abriu a porta, as bochechas inchadas como as de um esquilo e, como um reflexo, ela passou as costas da mão sobre a boca.

Sam levantou as sobrancelhas.

— Você não limpou tudo.

— Hum? — Ela nem teve coragem de abrir a boca.

— Farelos. Está com farelo no rosto todo.

Ela deixou a porta aberta com Sam na soleira e correu para o lavabo ao final do corredor. Quando acabou, saiu e constatou, irritada, que Sam havia entrado, fechado a porta da frente, e se sentado confortavelmente numa cadeira de frente para a sala de visitas. Ele olhava fixamente para os detalhes no teto cujo pé-direito era de quatro metros, mas se levantou assim que ela entrou no ambiente.

— Nunca canso de me encantar com o madeiramento desta casa. Não fazem nada parecido com isso hoje em dia.

— Precisa de alguma coisa? — disse ela, pensando que devia ter checado se havia farelo nos dentes.

— Só de você.

Foi a vez dela de erguer a sobrancelha.

— Como assim?

— Harriet e Joe solicitam a honra de sua presença para o jantar desta noite. Sabem que Lucinda foi para Atlanta visitar a prima e não queriam que ficasse sozinha. Acham que vai morrer de fome se não tiver ninguém aqui para lhe dar comida. — Ela pôde perceber que ele tentava esconder um sorriso. — Como se a gentil população de Walton fosse deixar isso acontecer.

Constrangida, Cassie enfiou a mão na boca para ver se tinha mais farelos e, então, retirou-os irritada.

Sam sorriu radiante.

— Eles tentaram te encontrar quase o dia inteiro para convidá-la para o jantar, mas o telefone da casa só dava ocupado e ninguém sabe o número de seu celular.

Cassie deu de ombros.

— O número do celular não adianta porque eu não trouxe o carregador e a bateria acabou. O telefone da casa tirei do gancho. Todo mundo e a mãe de todo mundo ficava ligando para saber como eu estava e eu não conseguia fazer nada direito. Então, eu o tirei do gancho. — Ela não sabia por que, mas sentiu-se envergonhada de admitir isso.

Ele cruzou os braços, revelando os antebraços bem musculosos que saíam para fora da camisa de manga arregaçada. Vestia o seu jeans de sempre com as botas de *cowboy*, e Cassie se viu obrigada a admitir para si mesma que ele ficava bem naquele tipo de roupa, mesmo que não fosse o estilo dela. Ele a encarou com ar interrogativo.

— O que foi? — perguntou ela, questionando-se se ainda havia algo grudado em sua bochecha.

— Quando estiver pronta, é só avisar. A menos que tenha estragado sua janta com tanto bolo de nozes. — Apontou a cabeça na direção da escrivaninha do juiz e o bolo pela metade. — Eu estive espiando.

— Claro que não. Nem comi tanto assim. Ofereci à multidão de visitas que passou por aqui hoje. — Não se sentiu culpada porque isso não era totalmente mentira. Havia oferecido um pouco às pessoas, porém ninguém aceitara.

— Então, vamos.

Cassie tentou pensar numa desculpa, mas estava cansada de mexer nas coisas do pai e talvez uma comida caseira fizesse bem ao seu estômago. Percebeu também que queria falar com Harriet — conversar sobre o pai, trazê-lo à lembrança e assegurar-se de que ele ainda vivia no coração delas. Depois de se desfazer de tantas coisas da vida dele em pilhas encostadas na parede do escritório, ela precisava de recordações de sua existência.

— Tudo bem, espere um segundo. Preciso pegar meus sapatos. — Ela subiu as escadas correndo, sentindo que ele a olhava por trás, e desejou outra vez que suas saias não fossem tão curtas. Todas as mulheres a estavam usando em Manhattan, mas, desde que chegara em Walton, ainda não vira nada acima dos joelhos.

Ela acendeu a luz do *closet* de seu quarto e correu os olhos por vários sapatos, decidindo, por fim, pelos sapatos de salto bege. Enfiando os pés neles, fechou o *closet* e voltou à escada. Quase não resistindo à tentação de descer galopando os degraus de madeira como fazia quando criança, caminhou tranquilamente até a entrada, onde Sam estava.

O olhar dele correu devagar pelas pernas de Cassie e parou, por fim, nos sapatos.

— Saltos?

Ela olhou para baixo.

— Qual o problema?

— Nenhum. Na verdade, eles ficam muito bem em seus pés. Mas não se sentiria mais confortável com alguma outra coisa?

Cassie ergueu o queixo e passou por ele, abrindo a porta de tela antes que ele estendesse o braço e a abrisse para ela.

— Não, não me sentiria. Estou acostumada. Além disso, não tenho outra coisa senão os tênis de correr, e nem morta os calçaria com saia.

Ele a seguiu até a varanda, os saltos da bota fazendo ruído sobre o piso de madeira da entrada. Cassie parou, trancou a porta com suas chaves e em seguida puxou a maçaneta para se certificar de que estava bem fechada.

Sam se apoiou com o braço numa das altas colunas da varanda.

— Isso não é necessário, você sabe. Ninguém vai roubar a casa enquanto estiver fora. A menos que esteja querendo impedir que mais pessoas lhe tragam comida, claro, aí com certeza deveria trancá-la.

Ignorando-o, ela se virou e, ao descer os degraus da varanda, viu que a Mercedes de Andrew estava parada na entrada circular.

— Finalmente! Já estava me perguntando quando a veria de novo.

Sem responder nada, Sam bateu os dedos na sólida coluna de madeira.

— Esta casa é maravilhosa. Você não sabe a sorte que tem.

— Acha mesmo? Ed Farrell acredita que eu vá ter dificuldade em me desfazer de tudo que há dentro dela. — Jogou as chaves dentro da bolsa e a colocou sobre o ombro.

Ele parou por um instante e a olhou querendo dizer algo. Mas continuou pelo gramado em direção oposta a dela.

Cassie gritou:

— Aonde está indo?

— Pra minha caminhonete.

— Estou vendo, mas agora temos o meu carro de volta.

Ele deu a partida e uma música country saiu pela janela, bem alto.

— *Você* está com o seu carro de volta. Eu prefiro não ser visto nele. As pessoas daqui talvez pensem que recebi um paulada na cabeça.

— Não me provoque — murmurou ela. Colocando as mãos nos quadris, perguntou: — Então, como o trouxe até aqui?

Sam bateu a porta da caminhonete e se inclinou para abrir a do passageiro.

— Meu pai e o Sr. Anderson. Pareciam uns bobos na crise de meia-idade com vinte anos de atraso. Agora entre, senão nos atrasaremos para o jantar.

Cassie não se mexeu.

— Este carro é superbacana, sabia?! Eu poderia acabar com a porta do seu num piscar de olhos.

— Não dá para rebocar nada nele, e o terceiro passageiro precisa se deitar no banco de trás na horizontal. Acho que deveriam reduzir o preço pela metade, já que estão vendendo só metade do carro. Agora, suba aqui. — Ele deu uns tapinhas no banco ao seu lado. — Minha caminhonete foi até personalizada com um banco feito especialmente para o conforto das mulheres. Você vai ter a oportunidade de escorregar pro meu lado se quiser.

Ignorando-o, Cassie perguntou:

— Onde estão as minhas chaves? Poderíamos gastar gasolina e andar em dois veículos separados. — Ela virou os pés, sentindo já a transpiração melando sob os braços e não desejava ficar nem mais um segundo no calor. Ela se perguntou por que estava sendo tão teimosa com algo banal assim. Sim, é verdade, não era uma grande fã de caminhonetes, com banco duplo ou não, e temia subir nelas com uma saia curta. Mas era mais do que isso. Talvez fosse a atitude dele que a deixava tão arrogante. O que não era verdade. Não necessariamente.

Ele ergueu uma sobrancelha.

— No meu bolso.

Uma gota de suor escorreu por suas costas entre as escápulas.

— Pode me entregá-las, por favor?

Rindo alto, ele disse:

— Vai ter que pegá-las você mesma.

Ela puxou a blusa, que havia começado a grudar na região do peito, para frente. O ar-condicionado soprava no cabelo de Sam, tirando-o da testa, e ela chegava quase a sentir a brisa refrescante.

Cassie voltou a olhar para a Mercedes, parada sob o Sol quente e para a caminhonete de Sam. Sem mais palavras, subiu e se sentou no carro dele, sem se importar se estava se expondo.

Sam direcionou as saídas de ar para ela enquanto Cassie punha os óculos de sol.

— Só espero que ninguém me reconheça. — Ela sabia que estava sendo cruel, mas ele havia pedido por isso com aqueles comentários sarcásticos sobre o carro de Andrew. Talvez agora estivessem empatados.

Sam colocou a caminhonete em movimento.

— Há coisas piores do que ser reconhecida como uma garota do interior, sabe. Como, por exemplo, ser considerada um metida da cidade grande.

Aquilo havia sido demais. Os óculos de Cassie escorreram pelo nariz suado e ela os empurrou para cima com um dedo indicador cuja unha estava muito bem feita.

— Pelo menos eu não acho que "genitália" é uma companhia aérea italiana.

Sam resmungou ao conduzir a caminhonete para fora do caminho de pedras em direção à rodovia principal.

— Acho que você anda escutando muitas piadas de Jeff Foxworthy.

Enquanto Sam guiava devagar pelo quarteirão, Cassie tentou ignorar o motorista, mas o olhar dela não parava de se voltar para o lado dele no banco. Até mesmo o jeito de ele se sentar, o joelho esquerdo casualmente levantado, o cotovelo direito apoiado sobre o assento e a mão levemente colocada sobre a direção, gritava autoconfiança. Aquele homem, com sua caminhonete, botas de *cowboy* e um sotaque arrastado, parecia mais seguro de si do que qualquer outro que ela já conhecera. E isso a irritava muitíssimo.

— Você estudou mesmo em Harvard?

Ele lhe lançou um olhar rápido.

— Sim, mas durante a faculdade de medicina. Os primeiros anos fiz em Yale. Transferi para lá depois que você foi embora.

Ela ficou olhando-o por um momento.

— Então por que diabos você voltou?

Sam olhava para frente, as luzes do painel iluminando seus olhos.

— Porque aqui é minha casa. Descobri que a vida não era só trabalhar e ganhar dinheiro. Queria um lugar onde pudesse formar raízes. Fazer parte de uma comunidade. Criar uma família num ambiente tranquilo. — Ele lhe lançou um olhar.

— Você se esqueceu da culpa. Seus pais devem ter te pressionado sempre que puderam. Pelo menos eu não era filha única, então tive uma escolha.

Sam a encarou bem nos olhos.

— Culpa por causa do meu irmão, você está querendo dizer? Minha escolha não teve nada a ver com isso. Meus pais nunca me pediram para voltar. Fiz por conta própria.

Cassie estava surpresa com a impetuosidade dele e perguntava a si mesma quem ele tentava enganar de fato.

— Mas por que você não gostou de Boston? Há tanta agitação lá. Tanta coisa para fazer.

Sam deu de ombros.

— É legal... para visitar. Mas nunca me encaixei.

Ela lançou-lhe um sorriso sarcástico.

— Puxa, por que será, né? Será que era por causa do seu jeito de falar ou de se vestir?

Ele lhe lançou um olhar fulminante.

— E o que há de errado com o jeito de me vestir?

Discretamente, Cassie correu os olhos sobre a camisa xadrez enrolada nos antebraços fortes, o jeans apertando suas coxas bem musculosas e as botas de cowboy. Ela abriu a boca para dizer alguma coisa, mas engoliu seco.

— Deixa pra lá.

Ele deu de ombros.

— Fiquei sabendo depois, por meio de um amigo, que várias pessoas na faculdade achavam que eu era gay. Nunca entendi por quê.

— É mesmo? Você tinha uma caminhonete?

Ele respondeu que não com a cabeça.

— Não podia bancar o estacionamento de uma lá.

Ela riu alto.

— Então são as botas. Em Manhattan, elas te entregam.

— Hum. — Sam parou sob uma luz e apoiou o pulso sobre a direção. — Acho que não saía com muitas mulheres também, o que provavelmente jogou mais lenha na fogueira. Não tinha muito tempo, com tantas coisas para estudar e, além disso, as meninas da cidade pareciam, sei lá, resplandecentes demais para o meu gosto. Acho que prefiro algo menos brilhante. — Ele esticou o braço para o alto e arrumou o espelho retrovisor. — Sabe, alguém que não revele todos os seus segredos femininos nos primeiros quinze minutos.

Cassie ficou olhando para fora da janela com uma indiferença dissimulada. Como eram tolas aquelas garotas. Não era preciso conhecer Sam Parker para perceber que não havia nada de gay nele. Ele exalava masculinidade, e sentar-se assim perto dele na caminhonete a fazia se contorcer. Ela se moveu para mais perto da porta.

— Que pena que não tinha este veículo ainda. O banco as teria feito perder os sentidos. — Ela deu um fungada deselegante. — Você deve ter muita confiança em si se realmente fez seu banco pensando no conforto das mulheres.

— Na verdade, estava brincando. Precisava de um banco duplo porque às vezes transporto pessoas para o hospital ou caixas com apostilas e materiais para as várias conferências das quais participo. Razões de ordem prática, acho, mas você não pode me criticar por ter esperanças de que agrade às mulheres também.

Lembrando-se do enorme degrau que teve de subir para entrar ali, ela disse:

— Não tenha muita certeza disso.

Eles guiaram calados por alguns minutos até que Sam falou:

— Como foi seu encontro com Ed Farrell hoje?

Cassie ergueu a sobrancelha.

— Estou surpresa que você ainda não tenha lido a ata da reunião. Sem dúvida as notícias correm rápido numa cidade pequena.

Sam concordou, mas sem sorrir.

— Isso você pode ter certeza. Isso e várias competições de cuspe de semente de melancia no Festival Kudzu. É assim mesmo. Lou-Lou Wittaker é a maior fofoqueira do lado de cá do Mississippi.

Ele virou na rua de Harriet.

— O que ele tinha a dizer além de que vai demorar muito para vender a sua casa?

— Por que quer saber?

Sam entrou na estradinha com uma casa colonial muito simpática, de dois andares e tijolinho à vista. Bicicletas, capacetes e patins decoravam a grama muito bem aparada. Ele estacionou a caminhonete e desligou o motor antes de se virar para ela.

— Há muita gente nesta cidade que acredita que Ed Farrell está nas mãos das incorporadoras. A antiga fazenda dos pais dele foi a primeira coisa a ser destruída. Estão construindo um abatedouro de aves no lugar. Não há problema nenhum nisso, mas agora ele está atrás de outros pedaços de terra na comunidade.

A porta de tela da frente se abriu e Sarah Frances e Joey vieram pulando e desceram a escada correndo em direção à caminhonete.

Sam prosseguiu:

— Um a um, estão acabando com tudo e Ed está embolsando um bom montante como corretor desses negócios. Todos o têm como um igual e confiam nele. Tudo que sei é que se não tomarmos cuidado, daqui a uns anos nos tornaremos um centro comercial. Seremos apenas fábricas, centros industriais e bairros enormes cheios de casas iguaizinhas. Sem personalidade, sem história. Nada daquilo que torna esta cidade tão especial sobrará. — Ele arrancou as chaves da ignição. — E não acredite nele quando lhe diz que é um de nós e não um daqueles incorporadores ávidos por acabar com nossa cidade. Ele é farinha do mesmo saco.

Sarah Frances bateu de leve na janela e Cassie esticou os braços para segurar na maçaneta.

— Acho que compreendo o que está querendo dizer, mas não tem nada a ver comigo. Ed apenas vai me ajudar a encontrar alguém para comprar a casa, até mencionou uma família que tinha em mente. — Ela abriu a porta, brava com ele por lhe dar lições sobre um assunto que não lhe dizia respeito. — Mas mesmo que eu a vendesse para uma incorporadora, seria minha decisão. A opinião dele não me influenciaria.

Sam segurou no antebraço de Cassie, impedindo-a de sair da caminhonete.

— Você está enganada. A decisão não é apenas sua. A casa faz parte da história de Walton. Há muitas pessoas aqui que se importam muito com o destina dela. Inclusive eu.

Ela arrancou o braço das mãos dele e saiu da caminhonete. Quatro bracinhos a envolveram na cintura e um sentimento de ternura aflorou de dentro dela, surpreendendo-a. Ainda mais surpreendente foi o fato de não ter se preocupado com as marcas de dedos que fatalmente manchariam sua saia.

Cassie abraçou os dois, bagunçou o cabelo deles e depois esticou o braço para segurar em suas mãozinhas, mas eles as tiraram e correram na direção de Sam.

— Dr. Parker! — gritaram em uníssono, correndo e pulando até ele. Ele os pegou, alegre, arrumou-os com facilidade em cada lado do quadril e caminhou até Cassie.

Ela lhe deu as costas e subiu os três degraus de tijolo da porta da frente, onde Harriet estava. Quando Cassie se aproximou, o sorriso de animadora de torcida da irmã se desfez. Harriet estendeu a mão e com cuidado tocou o colar no pescoço de Cassie, fazendo que os pingentes deslizassem devagar por seus dedos.

Com uma voz suave, Harriet disse:

— Eu me lembro disso. Guardiã de corações, não é mesmo?

A lembrança da voz de sua mãe proferindo aquelas mesmas palavras paralisaram o coração de Cassie. Mais do que ver, ela sentiu Sam passar por elas com as duas crianças. Ela estendeu os braços para pegar nos pingentes e tocou os dedos da irmã.

— Guardiã de corações. — As palavras mal saíram de sua boca. Antes de se dar conta do que estava fazendo, ela abraçou a irmã e a apertou com força.

— Mamãe! Sarah Frances não quer me ajudar a arrumar a mesa. — A voz de Maddie veio do fundo da casa, entre gritos e barulho de pezinhos sobre os pisos de madeira.

Cassie sorriu e afastou-se sem jeito. O silêncio de 15 anos ainda pesava sobre elas, mas a ligação que se formara após a morte do pai as reaproximava aos poucos. Ela seguiu Harriet até a cozinha, as mãos ainda agarradas aos pingentes de ouro no pescoço.

Capítulo 8

Harriet encontrou Sam na cozinha, inclinado sobre uma panela que fervia no fogão.

Ele sorriu quando ela se aproximou dele.

— Tem alguma coisa cheirando muito bem. Se não tomar cuidado, Harriet, você vai acabar me vendo por aqui todos os dias na hora do jantar.

Ela lhe deu uns tapinhas de leve no abdômen.

— É isso que gosto em você, Sam. É muito fácil agradá-lo.

Cassie balançou a cabeça de um lado para o outro e todos se viraram em direção à mesa.

Maddie estava ocupada colocando, enérgica, jogos americanos, guardanapos e talheres sobre a mesa com uma cara zangada. Uma pilha grande de pratos a aguardava no canto, mas quando viu sua tia, falou radiante:

— Oi, tia Cassie!

Harriet ficou observando os dois rostos, tão misteriosamente similares, sorrirem um para o outro. Ela e Maddie sempre estiveram em sintonias diferentes, sobretudo agora que a filha chegara à adolescência. Harriet se apoiou no balcão, fechando os olhos e sentindo-se, de repente, exausta. Talvez as constantes brigas com Maddie estivessem consumindo todas as suas energias. Abriu os olhos e sorriu para a irmã, feliz por ter encontrado uma tradutora que a ajudaria a se comunicar com a filha mais velha. Com uma pequena pontada de culpa, não pôde deixar de ter esperanças de que a crescente intimidade que via entre as duas pudesse ser um incentivo a mais para Cassie voltar a fazer parte de suas vidas.

Cassie estendeu o braço e mexeu nos cabelos de Maddie.

— Gostei do que fez com seu cabelo.

Madison deslizou uma colher e um garfo pela superfície da mesa, jogando-os quase para fora.

— Eu o enrolei pra cima para ver se gosto dele mais curto. Talvez eu o corte. — Ela fez um movimento de tesoura com os dedos, indicando um corte Chanel. — Assim. — Lançou um suporte na frente dela antes de colocar sobre ele os talheres. — Estou tentando encontrar uma fotografia para mostrar à Sra. Bitsy, para que ela possa fazer o corte certo.

Harriet e Cassie se entreolharam e sorriram uma para outra, dando-se conta de que o corte de cabelo que Maddie queria lembrava muito o da tia.

Com um desinteresse dissimulado, Cassie pegou uma pilha de pratos e começou a distribuí-los ao redor da mesa. Depois, pegou os talheres desarrumados e os ajeitou perto de cada prato.

— Talvez eu possa ir com você até o *Bitsy's*.

Harriet reconheceu no rosto da filha a expressão que dizia: "Estou ouvindo atentamente, mas preciso fingir que não ligo". E se virou por um instante para esconder o sorriso.

Maddie começou a colocar os copos com cuidado sobre cada suporte do jogo americano. Sem erguer os olhos ela disse:

— Tudo bem. Pode ser. — Em seguida, virou o rosto, mas não antes de sua mãe notar uma vermelhidão de alegria cobrir as faces da filha.

Cassie balançou a cabeça.

— Não posso acreditar que a Bitsy ainda corte cabelos. Ela fez o meu primeiro corte.

Com um olhar de espanto zombeteiro, Sam disse:

— Era um corte tigela horrível, se me lembro bem. E você usou um lenço na cabeça por uma semana.

Cassie parou por um instante com um garfo na mão. Sua expressão era um misto de surpresa e irritação.

— É verdade. E você tem minha permissão para se esquecer disso também.

A porta de correr de vidro se abriu e Joe entrou trazendo um cheiro de churrasco para dentro. Harriet sorriu, perguntando-se se o seu coração ficaria acelerado toda vez que visse o marido, mesmo quando já estivesse velhinha.

Cassie ergueu os olhos e congelou. Seu olhar se concentrou em algum ponto entre a ponta do nariz de Joe e a orelha esquerda, incapaz de encará-lo. Pareciam ainda não saber de que maneira se comportar na frente dos outros, agindo como cães do mesmo bairro que cheiram todos os cantos para marcar território e estabelecer as regras de convivência. Harriet sabia que iria demorar para que os dois estabelecessem uma amizade, e não havia nada a ser feito a não ser deixá-los se cheirarem até que se sentissem confortáveis.

— Oi, Cassie. — Joe acenou com a cabeça na direção dela. — Oi, Sam. Por que não pega umas duas cervejas e me acompanha aqui fora? Quero te mostrar a nova churrasqueira a gás. Depena o frango e lava a louça.

Sam assobiou.

— Esse sim é um convite irrecusável para um homem.

Sam pegou duas latas de cerveja na geladeira e saiu da sala com Joe, fechando a porta de correr atrás deles. Harriet suspirou, exasperada.

— Homens e seus brinquedos. Eles nunca crescem, não é verdade? — Ela se virou para o balcão e começou a rasgar a salada dentro de um vasilha, ciente de que não havia nada que ela desejasse mudar. Sobre os ombros, disse: — Por favor, depressa com essa mesa, Maddie. Você está mais lenta do que um grupo de tartarugas atravessando o melaço. Preciso que finalize a salada para que eu possa cuidar do resto do jantar.

Cassie falou alto:

— Não sou mais tão hábil na cozinha, mas posso ajudar a picar os ingredientes. — Ela foi para o lado de Harriet, pegou uma faca e um pepino. Os braços delas se tocaram e elas se olharam simultaneamente, lembrando-se de quando ajudavam tia Lucinda a preparar o jantar na casa do pai.

Harriet riu:

— Lembra-se de quando tia Lucinda só queria saber de comida saudável?

— Como posso esquecer? Foi quando papai quase botou fogo na casa tentando fritar um frango no meio da noite para comer algo decente. — Cassie balançou a cabeça. — Ele disse que por ser sulista, Deus lhe havia dado aquele direito de comer frituras. — Ela cortou em quadradinhos alguns pedaços de pepino e disse com a voz cada vez mais baixa: — Ele ainda tinha aquelas marcas de queimadura com óleo na mão, não é? Mas acho que nem ligava. Nossa, como amava frango frito.

Elas ficaram um pouco em silêncio enquanto lágrimas escorriam dos olhos de Harriet. Cassie desviou o olhar. Harriet não sabia se as lágrimas eram por causa do pai ou por causa de todos os anos perdidos que a separavam da irmã. Ela inclinou o peso do corpo sobre o balcão. A exaustão tomava conta dela novamente e ela prometeu a si mesma ir para cama mais cedo.

Cassie olhava para baixo, para o pepino.

— Nem pense em começar com essas lágrimas ou eu também vou começar e não pararei mais. E o jantar nunca vai ficar pronto.

Harriet fungou e concordou com a cabeça, rasgando mais uma folha de alface em pedaços pequenos dentro da vasilha e se consolando com a presença da irmã trabalhando ao seu lado.

Por fim, os homens voltaram para dentro. Quando o choro de Amanda soou através da babá eletrônica, Joe subiu para pegá-la. Ele a colocou na cadeirinha de balanço no canto da cozinha e começou a ajudar Harriet na preparação do jantar, tudo acompanhado da habitual confusão de uma família grande. Crianças corriam para lá e para cá, a porta abria e fechava em curtos intervalos de tempo enquanto todos os tipos de conversa eram gritados pela sala e para as costas de crianças desaparecendo de vista.

— O jantar está quase pronto. Não vá para muito longe, escutou?

— Tire o dedo no nariz, Joey. Vá lavar sua mão agora e fique pronto para o jantar.

— Vá praticar suas escalas musicais, Sarah Frances, até a hora do jantar.

Harriet tinha consciência do quão estranho e barulhento aquilo deveria ser para Cassie. Mas, quando olhou para a irmã, ela estava sorrindo.

Enquanto trabalhavam lado a lado, Harriet sentiu Joe se aproximar por trás dela e lhe dar um beijo na face. Quando recuou, notou Cassie observando-os com uma expressão de perda, encantamento e esperança escancarada no rosto. Ao mesmo tempo, Harriet não pôde deixar de reparar que Sam observava Cassie com igual expressão.

Todo mundo, com exceção da bebê Amanda que estava ocupada mordendo um chocalho em sua cadeirinha, sentou-se lado a lado ao redor da enorme mesa de pinheiro na cozinha, e Harriet ficou um pouco emocionada só de ver todos juntos pela primeira vez. De propósito, ela colocara

Sam do lado direito de Cassie, e sentiu certa satisfação toda vez que o braço dele encostava no da irmã. Harriet lhe enviou um olhar de desaprovação quando Cassie moveu a cadeira o mais longe que conseguiu sem sair completamente da mesa.

Harriet disse as preces, encorajando todos a darem as mãos. Cassie esticou a mão tímida na direção dos dedos de Sam, mas a mão dele rapidamente engoliu a dela. Assim que as preces terminaram, ela retirou a mão e a direcionou para a couve.

Para imenso alívio de Harriet, as crianças estavam impressionantemente civilizadas à mesa, sem discutir e lembrando-se dos "não, mamães" e "sim, senhores", quando os pais e os outros adultos se dirigiam a elas.

Harriet observava atentamente Cassie e Sam: como ambos tentavam ignorar a presença um do outro e como cada movimento de um era acompanhado de um olhar furtivo do outro.

Alisando o guardanapo sobre o colo, Harriet sorriu para si mesma. Desde os tempos de colégio sabia do interesse de Sam pela irmã. Mas Cassie estivera tão ocupada em atrair atenção que não fora capaz de perceber que já tinha um admirador. Agora que ela havia voltado, seria interessante assistir ao desenrolar de tudo. Harriet não sabia nada sobre esse sujeito, Andrew de Nova York, mas apostava que ele nem chegava perto de Sam Parker em nenhum quesito, e se perguntou quanto tempo demoraria para Cassie se dar conta disso. Recostando na cadeira, Harriet se preparava para assistir ao espetáculo.

Cassie havia acabado de dar um mordida num pedaço de carne quando Sam trouxe à baila o assunto Ed Farrell. Harriet suspirou por dentro.

Dirigindo-se a Cassie, ele perguntou:

— Você entregou a chave de sua casa a Ed?

Cassie engoliu a comida com um rápido gole de chá doce.

— Sim, entreguei. Como ele vai mostrar a casa se não puder entrar?

Sam não respondeu de pronto. Em vez disso, ele se envolveu numa conversa com Joey sobre a melhor época de pescar no riacho do senador Thompkin. Em seguida, a atenção de todos se voltou para Knoxie, que pedia mais um copo de leite. Cassie fez sinal para Harriet continuar sentada. Ela foi até a geladeira e pegou o litro de leite, colocando-o no centro da mesa depois de encher quatro copos.

A família prosseguiu comendo em relativa tranquilidade, e Harriet tinha esperanças de que o assunto Ed Farrell tivesse sido deixado de lado. Ela tentou envolver todos em conversas sobre antigos amigos em comum, mas qualquer assunto parecia levar à fuga de Joe e Harriet ou a Ed Farrell. Quando a conversa aquietou, Sam se dirigiu a Cassie de novo.

— Não acho que seja uma boa ideia deixar Ed entrar em sua casa. — Ele começou a besuntar com manteiga um enorme pedaço de pão.

Baixando o garfo, Cassie o encarou:

— Como assim?

Com cuidado, ele apoiou a faca na borda do prato.

— Não acredito que uma pessoa como Ed deveria ter livre acesso à sua casa.

— É mesmo. E depois eu que sou a esnobe. Você é igualzinho. Só porque o cara era pobre quando criança, ele vai nos passar a perna. Deixe-me te contar uma coisa, Dr. Parker: se o escritório dele foi um indício de como ele está bem, então ele não precisa de nada meu, nem seu, nem de ninguém.

Sam deslizou a cadeira um pouco para trás, para assim se virar e olhar para ela. Harriet notou quando um tique nervoso começou a despontar na face esquerda dele.

— Ele não foi o único a nascer pobre, Cassie, caso não se lembre. Mas com certeza ele... — Com uma expressão de culpa, ele olhou para o outro lado da mesa, na direção das três crianças mais novas que o encaravam com olhos arregalados. — Hum, bem... não chegou ao seu atual padrão de riqueza respeitando as regras do jogo. E não estou dizendo isso apenas com base na maneira como ele me perseguia na escola. Estou me referindo a ele permitir que negócios e prédios horrendos sejam erguidos em qualquer lugar. O conselho da prefeitura não quer se opor, pois acredita que ele esteja preocupado com a cidade quando injeta todo aquele dinheiro nos clubes das escolas e no concurso de beleza de Walton. Ele chegou a plantar por conta própria mil mudas de petúnias no quadrilátero do centro só para convencer as pessoas de sua sinceridade. — Sam balançou a cabeça de um lado para o outro e tomou um enorme gole do chá.

Harriet sabia que não devia interrompê-lo quando falava de um assunto importante para ele e o deixou concluir.

— No dia seguinte, ele vendeu a casa do Northcutts em Willow. Agora, os novos proprietários estão vendendo peças de carro velho no gramado da frente. Então, diga-me, como ele conseguiu a mudança no zoneamento?

Cassie abriu a boca para falar, mas foi subjugada pelo olhar severo de Sam.

— E agora, Ed está concorrendo a um lugar no conselho, alegando que preza pelos interesses de Walton. — Sam bufou. — Ele não liga pra nada, a não ser encher o bolso de dinheiro.

Cassie aproveitou a oportunidade para falar quando Sam deu um outro gole.

— Mas o que tudo isso tem a ver com o fato de eu lhe entregar a chave? Eu o contratei para vender a casa e confio que ele fará o trabalho da melhor forma possível. Claro que ele sabe muito sobre o mercado.

Sam largou o pedaço de pão de milho no prato.

— Sinto muito, mas eu não confio nada nele. Tem uma pergunta que não sai da minha cabeça: como ele conseguiu dinheiro para estudar na faculdade e começar o próprio negócio? Há algo de estranho e isso não me agrada. Ele é a última pessoa no mundo para quem você deveria entregar as chaves de sua casa.

Cassie pegou o garfo de novo, e Harriet percebeu que ela estava rangendo os dentes, um antigo gesto indicando que ela estava tentando controlar a raiva.

— Tudo o que quero é que ele venda a casa o mais rápido possível. O que ele quiser que eu faça para facilitar isso, vou fazer. Mesmo que no final eu tenha que transformar a casa em apartamentos para vender.

Sam apoiou as mãos na mesa por um instante e ficou olhando para o prato. A pulsação em seu rosto estava mais rápida. Por fim, depois de limpar a boca com um guardanapo, ele arrastou a cadeira para trás.

— Obrigado, Harriet e Joe. Estava uma delícia. Mas peço a licença de vocês por um instante para ir até a caminhonete checar minhas mensagens e fazer umas ligações.

Sem olhar para Cassie, ele arrastou a cadeira para mais longe ainda e saiu. Harriet e Joe trocaram olhares quando Sam se afastou de Cassie.

— O que deu nele? — perguntou Cassie, colocando uma enorme garfada na boca.

Joe falou devagar:

— Acho que está estressado com a eleição. Ele sempre odiou perder, especialmente agora que acredita haver tantos interesses em jogo.

Estendendo o braço para pegar o copo, Cassie perguntou:

— Eleição? Que eleição?

Harriet tocou de leve um guardanapo na boca.

— Sam e Ed estão concorrendo a uma vaga no conselho da prefeitura. Sam acredita que se Ed ganhar ele transformará Walton numa Trenton ou numa Nova Jersey dentro de poucos anos. — Ela deu um sorriso torto para Cassie. — Não sei. Sei que Sam é um homem bom, mas ao mesmo tempo acho que um pouco de progresso é positivo. Sam não quer nenhuma mudança, mas se não abrirmos negócios aqui para atrairmos as pessoas de Atlanta para cá, esta cidade vai decair.

Joe se recostou na cadeira, levantando as pernas do chão.

— Sei não. Concordo com Sam. Ed progrediu e contribui financeiramente para a cidade, mas há algo de errado nisso. Onde conseguiu todo aquele dinheiro para começar o seu negócio? Os pais morreram alguns anos depois que ele terminou o ensino médio, mas não tinham onde cair mortos. É um mistério, tudo bem, e estou propenso a concordar com Sam sobre esse dinheiro vir de algum lugar não tão honesto assim.

Cassie balançou a cabeça.

— Vocês nunca ouviram falar sobre empréstimo bancário? As pessoas fazem isso o tempo todo. Ele não me causou nenhuma má impressão e parece ser um homem de negócios sério, que quer ganhar dinheiro, e até onde eu sei, não há nada de errado nisso.

Harriet e Joe se entreolharam espantados, mas Cassie deixou de notar a expressão deles quando se abaixou para pegar o chocalho que Amanda havia jogado no chão.

Harriet apoiou as mãos no queixo.

— Confesso que estou surpresa por Ed ter se dado tão bem na vida. Lembra-se de como as outras crianças costumavam gozar dele por causa da sujeira sob as unhas?

Cassie mastigou, pensativa, por um instante.

— É, e também me lembro de você o defendendo. Eu nunca caçoei dele, mas também nunca tive coragem de enfrentar todo mundo por causa dele. — Ela deu um gole no chá. — Você acha que ele vai se lembrar de tudo isso?

Joe se recostou, esfregando o estômago com uma mão.

— Não acho que Ed Farrell seja o tipo de homem que esquece alguma coisa. Como aquela vez em que o pai atravessou a quadra de basquete no meio do jogo para arrastá-lo para casa. Disse que precisava de ajuda com o arado e ponto, e Ed deveria ajudá-lo, havendo ou não jogo de basquete. Acho que Ed nunca mais retornou à escola depois daquilo.

— Me passa o pão de milho, por favor — gritou Joey, com os lábios e as bochechas cobertos com migalhas do pedaço anterior.

Madison esticou os braços na direção da cesta de pão.

Harriet concordou com a cabeça.

— Lembra-se de como ele costumava xingar? Ainda não sei o significado de algumas daquelas palavras. Parecia até que tinha crescido na cidade ou algo do gênero.

Os dedos de Madison tocaram a ponta da cesta, virando-a na direção oposta.

Joe se levantou.

— Ah, Harriet, sei lá. As pessoas na cidade não xingam mais do que as daqui. Não sei onde você encontra todos esses estereótipos sobre as pessoas urbanas.

Maddie estava se esticando para pegar o pão de milho e conseguiu colocar o cotovelo sobre a mesa, bem no lugar onde estava uma tampa de caçarola de vidro. A força empurrou a tampa para o alto numa cambalhota perfeita antes de estatelar no chão e se rachar ao meio.

— Puta merda! — gritou ela, calando a todos, com exceção da bebê, que balbuciava, e de Knoxie, que teve o repentino impulso de imitar a irmã.

— Buta merda! — gritou ela, alegre.

Harriet se levantou de pronto, sentindo que iria desmaiar.

— Madison Cassandra Warner! Vá já para o quarto. Você nunca escutou esse tipo de linguagem aqui em casa, e certamente não quero escutá-lo de sua boca. É bem provável que eu lave sua boca com sabão!

Cassie olhou para o prato tentando disfarçar o rubor.

Madison saiu devagar da cadeira.

— Não quis dizer isso. Saiu sem querer...

Madison olhou para a tia e Cassie engoliu antes de falar:

— Eu... eu devo ter dito isso sem pensar, Harriet. Peço desculpas. Não tinha me dado conta de...

Harriet balançou a cabeça, interrompendo-a.

— Não tem problema. Maddie já tem idade para saber o que uma mocinha não deve falar. — Ela se voltou para a filha novamente. — Mais tarde conversaremos sobre isso. Suba para o quarto, por favor. E nada de sorvete de pêssego para você hoje à noite.

— Mamãe... — Todo o corpo e a voz de Madison se lamentavam. Por um momento, Harriet se lembrou da filha gorducha, com 2 anos de idade, e, de repente, isso não lhe pareceu ter sido há tanto tempo.

Joe falou com palavras suaves, mas firmes.

— Faça o que sua mãe está mandando, e sem reclamações, caso contrário haverá uma punição pior do que ser enviada para o quarto.

Madison bateu a cadeira na mesa e correu escada acima. Cada pisada forte reverberava no coração de Harriet, causando uma dor quase tão forte quanto a do parto. Ela segurou o fôlego, escutando os passos pesados serem interrompidos pela batida da porta do quarto da menina.

A porta da frente se fechou devagar e Sam retornou à cozinha.

— Foi uma adolescente ou um tornado que vi se lançando com ímpeto pela escada?

Joe balançou a cabeça e se levantou.

— Não vá lá, Sam. Nem tente ir. Só Deus pode me explicar por que Ele me deu quatro hormônios femininos e só um garoto com a cabeça no lugar.

Ele esticou os braços sobre a mesa e começou a empilhar os pratos.

Harriet também se levantou e tentou fazer cara de séria.

— Escute aqui, amigo. O sofá na sala não é tão confortável assim.

Joey largou o garfo e o prato com um ruído.

— Vamos caçar vaga-lumes!

Seu anúncio foi seguido pelo barulho de três cadeiras sendo arrastadas.

Harriet balançou as mãos no ar.

— Não pensem que isso os livra das obrigações de depois do jantar. Elas estarão esperando por vocês quando voltarem.

Ela foi até um armário e pegou quatro potes vazios de pasta de amendoim, todos com tampas cheias de furinhos, e cada um com uma inicial diferente pintada na frente.

Sarah Frances agarrou duas, segurou na mão de Knoxie e seguiu Joey para fora. Harriet se agachou, esticou o braço bem no fundo do armário e pegou mais dois potes que estavam velhos, com a tampa amarela pálida e gasta. Ela se aproximou da mesa novamente, segurando os potes virados para fora para que Cassie pudesse ler "C" e "H" nas laterais.

— Lembra-se destes aqui? — perguntou ela, entregando à irmã aquele com a inicial "C".

— Não acredito que você os guardou — disse Cassie enquanto corria o dedão sobre o lado sulcado da tampa.

— Como poderia jogá-los fora? — Harriet observava Cassie examinando o pote bem de perto. Ela parecia estar se recordando de todas as coisas da infância que há 15 anos tinha descartado sem nem mesmo pensar duas vezes.

Por fim, Cassie ergueu os olhos.

— Obrigada. Obrigada por tê-los guardado. — Ela até parecia estar falando sério.

Madison estava na porta do quarto.

— Posso descer agora?

Harriet se dirigiu à filha.

— Você está pronta para se desculpar?

Maddie respondeu que sim com a cabeça e murmurou:

— Desculpe, nunca mais falarei isso de novo.

Harriet ficou parada, olhando para a menina com um misto de amor e incredulidade, tentando se lembrar do bebezinho lindo que um dia ela embalara para dormir. Então se aproximou dela e lhe entregou um pote com "M" na frente.

Um leve sorriso despontou no canto da boca de Madison.

— Obrigada, mamãe. Posso comer sorvete de pêssego também?

Harriet franziu a testa para não rir. Mesmo quando bebê, Maddie sempre testou seus limites.

— Não exagere, mocinha. Agora vá para fora e mantenha suas irmãs longe das poças de lama.

A porta de tela se abriu com uma batida e Joey colocou a cabeça para dentro da cozinha.

— Dr. Parker, venha! Nós, meninos, contra as meninas, para ver quem pega mais.

Sam olhou para Harriet e piscou os olhos antes de se dirigir ao menininho.

— Espere um minuto. Vou precisar de outro pote e de sua permissão para apoderar-me de uma fêmea para o nosso time.

Joey franziu o nariz.

— Hã?

Sam riu.

— Tudo bem. Que tal tia Cassie fazer parte de nosso time? Ficaria mais equilibrado.

Uma cadeira foi arrastada da mesa e Cassie se levantou.

— Sinto muito, mas não posso. Não só estou muito fora de forma, como também preciso ajudar sua mãe a limpar esta bagunça. — Cassie deu um último gole em seu chá doce, fazendo os gelos tilintarem contra o vidro.

Harriet empurrou a irmã de brincadeira.

— Ah, vai, Cassie. Eu e Joe damos conta disso aqui, e as crianças vão ajudar quando voltarem. Eu faço questão.

Cassie olhou para os rostos à sua volta como um animal enjaulado.

— Mas tenho pilhas de trabalho para fazer quando voltar para casa e realmente preciso ir embora.

Sam lhe lançou um olhar calmo e confiante.

— Como você vai chegar lá?

— Vou guiando pela... — Ela parou. — Está bem. Acho que não dá para ir andando com estes sapatos.

— Prometo te levar para casa assim que conseguirmos pegar mais vaga-lumes que o time das meninas.

— Eu realmente não estou vestida para ficar correndo aí fora. — Cassie olhou para sua saia curta e os sapatos. — Que tal eu ficar aqui dentro torcendo pelo seu time?

Madison se jogou ao lado da tia à mesa.

— Estamos velhas demais para este tipo de brincadeira. Vamos ficar aqui.

O coração de Harriet ficou um pouco apertado, mas Cassie se pronunciou antes que ela falasse qualquer coisa.

— Entenda, Maddie. — Cassie parou, se questionando por que era tão importante para ela que Madison fosse lá fora se divertir ao invés de ficar ali dentro. — Olha, não é porque estou velha demais, mas é muito difícil correr de salto alto.

— Vou te ajudar. — Sam se inclinou e pegou o pote com o enorme "C" na frente.

— E quem ficar para atrás tem que esfregar os potes. — Harriet sorriu, radiante.

Maddie se levantou e, na pressa, fez a cadeira balançar.

— Venha, tia Cassie. Por favor.

Divertindo-se com a sobrinha, e parecendo só um pouco relutante, ela seguiu Sam e Madison lá para fora na noite úmida.

— Estão se divertindo — Harriet baixinho antes de se virar para a pia, onde Joe já havia começado a encher as vasilhas com água quente e sabão.

Ele piscou para ela e lhe estendeu a mão.

— Venha, Har. Vamos mostrar a eles como se faz.

Ela se permitiu ser abraçada por ele, sentindo que o amava, e fechou os olhos, só por um instante.

Um coro de centenas de sapos coaxava e murmurava nos altos pinheiros no extremo da propriedade. Luzes brilhantes das casas no Farrellsford podiam ser vistas pelas enormes fendas nas árvores. Cassie pisou para fora do caminho, hesitante, sentindo que seus saltos se agarravam em solo firme. Até então, tudo bem.

— Lá, olhe! Perto das árvores. — Madison correu, os cabelos esvoaçantes em suas costas. Joey correu atrás dela, gritando:

— Não pegue todos, Maddie. Deixe alguns para mim.

Um amontoado de luzes piscantes pulsava sob uma magnólia enorme, e Cassie correu para aquela direção, seus pés fazendo barulho sobre o chão coberto de folhas caídas. Com rapidez, ela abriu a tampa e varreu o ar com o pote.

— Peguei dois! Peguei dois! — Colocou a tampa de volta e segurou o pote no alto com orgulho para mostrar a Sam. Quando começou a andar na direção dele, seu salto ficou preso num buraco e ela torceu o tornozelo, caindo estatelada sobre as folhas com o rosto para baixo. Seu pote de insetos rolou alguns centímetros para frente, parando ao lado da magnólia. Lá dentro, os vaga-lumes piscavam para ela.

— Diacho! — gritou, esforçando-se para se sentar.

— Não tente se levantar. — A voz de Sam estava cheia de preocupação quando ele a levantou pelos braços e a apoiou gentilmente no tronco da árvore.

— Estou bem, é verdade. — Atormentada por sua falta de jeito, ela apoiou o pé no chão e tentou ficar de pé, mas foi premiada com uma dor aguda vinda do tornozelo direito.

— Ai — resmungou ela.

— Te avisei para não ficar de pé. — Sam se ajoelhou na grama diante dela e pegou-a pelo pé. Com estudada concentração, ele sentiu delicadamente o tornozelo, o pé e a panturrilha. A mão deslizou pela panturrilha de Cassie. Ela mordeu o lábio tão forte que até sangrou, pois fazia qualquer coisa para se distrair. E isso não tinha relação alguma com o seu tornozelo. Ele pediu para que ela girasse o pé enquanto ele segurava sua perna, os dedos tocando-lhe a coxa, e ela se esforçou para pensar em vaga-lumes, ferrões no gramado e nas crianças gritando por todos os cantos no escuro. Cassie pegou seu pote e o segurou com força, pensando que era capaz de sentir a energia interna que fazia com que os corpinhos se acendessem com o calor.

Ela precisava falar para não enlouquecer.

— Esta árvore lembra aquela magnólia enorme no quintal da casa de papai. Você sabia que minha mãe a plantou quando eu nasci? Não posso acreditar que ainda está viva. E enorme.

Os movimentos de Sam pararam brevemente e ele olhou para ela.

— A raiz dessas árvores é bem profunda. Não vão a lugar nenhum por um bom tempo.

Ela desviou o olhar, sem ter coragem de encontrar o dele. Uma grama espinhosa cutucava a ponta de seu pé e ela percebeu que ele o havia colocado no chão.

— Não quebrou. É bem provável que tenha distendido um pouco. Vou levá-la para dentro e colocar gelo em volta.

Cassie concordou com a cabeça, ciente de que um banho gelado talvez fosse ainda mais terapêutico para o que lhe afligia. Ela percebeu que ainda não conseguia olhar para ele e propositadamente encarou o pote.

— Por que fazem isso?

— Piscam? — Sam se mexeu na grama, apoiando o corpo sobre os quadris. — É para se acasalarem. A fêmea do vaga-lume faz isso para atrair um pretendente. O macho acha esses traseiros brilhantes muito atraentes, e acendem a própria retaguarda para mostrar que estão interessados. — Ele olhou para ela com um sorriso. — É o mundo dos insetos, equivalente a saias curtas e saltos altos.

Ela jogou o pote na direção dele, fazendo que Sam perdesse o equilíbrio e caísse de costas ao pegá-lo.

— Essa não é a razão de eu me vestir assim. Chama-se *moda*, uma palavra com qual você não está muito familiarizado, tenho certeza.

Levantando-se e usando o tronco como apoio, ela resistiu à oferta de ajuda de Sam.

— Só mostra como os machos são iguais em todas as espécies. Só querem uma coisa... e contam com superficialidades para encontrar uma parceira.

Sam a segurou com força pelo cotovelo, deixando bem claro que não a soltaria. Ele estava tão próximo que ela podia sentir seu cheiro, um leve aroma de água de colônia e ar fresco. Seu hálito roçava as bochechas de Cassie enquanto ele falava.

— Nem todos os homens são iguais, Cassie. Alguns fazem questão de retirar toda essa parafernália externa para descobrir a verdadeira mulher que há por trás. É suado, mas vale o prêmio. Basta ser paciente.

Cassie se apoiou nele, aliviando a pressão de seu tornozelo.

— E você é um homem paciente, Dr. Parker?

Os olhos dele brilharam com a luz da varanda, lembrando a ela dos vaga-lumes.

— E como.

Segurando o riso, ela se deixou ser carregada para dentro.

A volta para casa com Sam se deu em silêncio, exceto pelo som metálico do CD de Dwight Yoakam no rádio. Cassie não se lembrou de enjoar dele até quase estarem chegando à casa de seu pai.

Sam caminhou até o lado de Cassie na caminhonete e a tirou de lá no colo, fechando a porta com o salto da bota. Sem esforço, ele a carregou pela garagem até os degraus da varanda. Uma Lua cheia atravessava devagar as árvores, sarapintando com luzes a varanda e a porta da frente e iluminando a atadura em volta do tornozelo de Cassie. Ela tentou ao máximo manter a cabeça longe de Sam, mas a superfície robusta de seu peito sob a camisa de algodão macia era o lugar ideal para apoiar o rosto. Com mãos aparentemente relutantes, Sam a colocou no chão, mas sem soltá-la.

Ele olhou fixamente para o pescoço dela.

— Eu me lembro deste colar.

A mão de Cassie instintivamente correu para os quatro pingentes.

Um breve brilho branco apareceu no rosto dele quando sorriu.

— Lembro que você sempre se agarrava nele quando estava nervosa. É um gesto que te entrega, mas é encantador.

Sua atitude defensiva fora provocada pela observação dele sobre esse seu hábito, e, nesse momento, como Andrew já havia feito, mas de forma negativa, Sam disse a mesma coisa e ela começou achar Sam agradável; e deu um leve sorriso.

— Minha mãe me deu isto.

Ela tirou as mãos e ele tocou os pingentes, hesitante, com seus dedos encostando na pele macia sob o colar.

— Qual o significado deles?

Um inseto zuniu sem ser visto, importunando o clima entre os dois. Cassie respirou fundo.

— Os três corações se referem a mim, meu pai e Harriet. — Ela espanou o ar com a mão, escutando o zunido que perdia a força. — A chave é para mim: a guardiã dos corações. — Engolindo seco, ela prosseguiu. — Minha mãe me deu isto pouco antes de morrer.

Ele ficou encarando-a, sem piscar. Cassie baixou a cabeça, sem querer que ele visse o constrangimento em seus olhos. Ele ergueu o queixo dela com o dedo, obrigando-a a encontrar os olhos dele.

— Guardiã dos corações.

Ela piscou os olhos rapidamente.

— Sim. É meio bobo. E poderia até rir se eu não tivesse sido um fracasso total na única coisa que minha mãe me pediu para fazer.

Ele largou o queixo de Cassie e, de leve, acariciou-lhe o rosto antes de tirar a mão. Uma brisa úmida, rica em cheiros de verão, grama, jasmim e glicínia, levantou o cabelo dela.

— Eu não acho. Você pode ter pegado um desvio, mas não fracassado.

Aquele homem, com suas botas de *cowboy* e olhos brilhantes, estava perto demais. Demais. Ela baixou a cabeça e começou a procurar, desajeitada, as chaves.

— Preciso ligar para Andrew.

Sam não disse nada, mas continuou a olhá-la calmamente.

— Meu noivo.

A expressão dele não se alterou.

— Dê-me sua chave. Não quero que caia e se machuque ao tentar abrir a porta. — Ele pegou a chave e se virou, parando de repente. Um cofrinho para chaves estava pendurado na maçaneta da porta.

— Minha nossa. Nosso amigo Ed Farrell age rápido, não é? — Ele franziu a testa diante do segredo de metal pesado contendo uma chave da casa.

Ela pulou na frente dele e se inclinou contra a luz da lateral da porta.

— No lugar de onde venho, isso se chama não perder tempo. Estou feliz em ver que ele tenha tomado a iniciativa.

Sam ergueu a sobrancelha, mas não disse nada. Enfiou a chave na fechadura e a virou, empurrando a porta e abrindo-a.

— Você gostaria que eu a carregasse até lá em cima, no seu quarto?

A expressão dele era tão inocente que ela não compreendia por que aquela pergunta fizera seu coração saltar como os vaga-lumes do pote.

— Não, obrigada. Eu consigo sozinha.

Ele lhe entregou a chave e um cartãozinho retangular.

— Tudo bem. Mas me ligue no celular caso precise de mim. A qualquer hora, dia ou noite. Aqui está o número.

Ela pegou o cartão de visitas.

— Certo, está bem. Obrigada.

— Bem, então, é melhor eu deixar você ligar para o Andy.

— Andrew.

— Ah, tanto faz. Boa noite.

— Boa noite. Obrigada por ter sido meu médico. Se quiser, pode mandar a conta.

Ele acenou com a mão para ela antes de se virar e caminhar em direção aos degraus.

— É por conta da casa.

Ele acenou outra vez e ela gritou boa noite e fechou a porta. O som da fechadura ressoou com força e determinação. Ela largou a bolsa na mesa da entrada, mas trouxe o pote de insetos para cima com ela. Soltaria os vaga-lumes na manhã seguinte, mas, naquela noite, sentiu necessidade de mantê-los perto de si.

Tirou a roupa e a deixou no chão, cansada demais para pendurá-las. Depois de colocar uma camiseta, ela caiu na cama e apagou a luz. Andrew ficaria irritado, mas teria que esperar até o dia seguinte para falar com ela.

A luz piscante do pote sobre o criado-mudo iluminava o quarto brevemente antes de lançá-lo à escuridão de novo. Ela pensou no pai e se concentrou para ouvir os passos dele subindo os degraus de madeira, da mesma maneira que fazia quando ela era criança. Mas a casa continuava quieta, os passos dele silenciados para sempre.

Lá fora, os sons dos sapos e dos grilos entravam devagar em seu quarto, cantando para ela como uma canção de ninar esquecida. Aquele lugar havia se congelado no tempo e ela se sentia um menininha de novo, salva no casulo daquela casa e no amor da família. Aconchegou-se no travesseiro, a luz pulsante do pote ficou cada vez mais fraca, seus olhos se fecharam e ela adormeceu.

Capítulo 9

Um estrondo lá embaixo fez Cassie pular da cama. O Sol atravessava a veneziana aberta, iluminando o relógio de cabeceira no quarto. Dez horas. Ela nunca dormia até tarde. Nunca. Mesmo nos finais de semana, ela chegava ao escritório por volta das oito da manhã.

Um estrondo seguido de um ruído de algo sendo arrastado veio de novo lá de baixo. Com os olhos lacrimejantes e turvos, ela procurou uma arma. Lucinda estava fora a semana toda, visitando um primo que se recuperava de uma cirurgia, e Cassie estava sozinha na casa. Ela agarrou um atiçador de lareira, abriu uma fresta na porta e ficou esperando. O sangue latejava nas orelhas enquanto aguardava com o atiçador sobre os ombros. O som furtivo de uma chave virando no trinco e o de uma porta se abrindo veio lá de baixo. Cassie se moveu rapidamente para o topo da escada e espiou o vestíbulo. O cabelo de dois tons que ela via claramente do alto da escada onde ela estava era inconfundível.

— Ed? O que está fazendo aqui?

Ele olhou para cima, os olhos arregalados. Um largo sorriso substituiu de pronto seu olhar surpreso.

— Cassie, querida. Desculpe. Eu bati, mas como ninguém respondeu, pensei que a casa estivesse vazia. — Os olhos dele passaram rapidamente pela camiseta de Cassie e, então, ele virou a cabeça para o outro lado, constrangido. — Eu... é... vim aqui para a avaliação.

— Mas achei que fosse me ligar esta tarde para me dizer quando viria.

Os olhos dele iam do corrimão para a luminária e voltavam, evitando de propósito olhar para ela. Percebendo que eram os seus trajes que o estavam incomodando, ela entrou no quarto e pegou seu roupão de banho. Só vinha até metade da coxa, mas era melhor do que a camiseta transparente. Ela largou o atiçador no chão, sentindo-se uma tola.

Seus pés descalços batiam contra os espelhos dos degraus da escada enquanto ela saltitava até o vestíbulo. O tornozelo, ainda enfaixado, parecia distendido, mas não doía mais.

— Por que não ligou antes?

Ele não titubeou no sorriso.

— Queria começar logo o trabalho, o quanto antes. Sei como está ansiosa para vender a casa.

Mais calma, Cassie relaxou.

— Como já está aqui, acho que pode começar, então. — Ela bocejou. — Mas preciso de um café antes. Posso te preparar um?

Ed parecia absorto em avaliar tudo ao seu redor e não deu sinal algum de que escutara.

— Ed?

Ele se moveu, assustado, e olhou para ela.

— Desculpe-me. Você falou alguma coisa?

— Sim. Te perguntei se quer um café.

Ele piscou os olhos, se questionando por que ela estaria ali.

— Ah, sim. Café. Seria ótimo. E se não se incomodar, enquanto estiver fazendo isso, prefiro já dar andamento ao trabalho.

Cassie se virou para a cozinha, perguntando-se onde ele havia aprendido aquela atitude proativa. Pelo que se lembrava da família e da infância dele, ele certamente não nascera com essa característica.

Quando voltou com duas canecas de café fervendo, ela não o encontrou. Chamou o nome dele duas vezes até Ed responder e encontrou-o no escritório de seu pai, sentado à escrivaninha e olhando fixamente para as fotos dela e de Harriet.

— O que está fazendo? — Sua voz ainda tinha uma rouquidão matinal.

Ele parecia estar tentando arrumar as coisas da escrivaninha e rapidamente tirou seu caderno e caneta da mesa.

— Só estava tentando sentir a atmosfera desta casa. Comprar uma casa dificilmente está fundamentado em algo que se pode pegar. E se eu conseguir transmitir aos compradores interessados a atmosfera do ambiente, terei mais chance de vendê-la, mesmo com todos os seus problemas.

Ela entregou a ele a caneca de café.

— Problemas? Como o quê?

A pergunta pareceu pegá-lo de surpresa.

— Ah, bem, é... — Os olhos dele brilhavam. — Não há ar-condicionado central. Isso é uma grande desvantagem no mercado. Especialmente com esses tetos altos. Aposto que esta casa pega fogo em meados de julho. — Ele riu com o corpo todo com sua piada.

Cassie se lembrava dos dias em que eles não tinham nem os ares-condicionados nas janelas, os dias em que seu pai as levava, ela e Harriet, para andar de carro com as janelas abertas só para sentir uma brisa. Mas nunca considerou aquilo um problema. Era uma daquelas recordações que traziam de volta um sentimento agradável, uma lembrança feliz, embora há tempos esquecida.

Cassie fez uma careta.

— Não é tão ruim, Ed. Ontem estava fazendo quase 37 °C com 90% de umidade e eu estava bem confortável dentro de casa. — Não foi exatamente assim, mas ela estava quase certa de que qualquer sensação de melado que sentira, apenas por mudar de ambiente, era devido ao fato de não estar ainda aclimatada. Ela afastou dos pensamentos uma lembrança de infância, tia Lucinda fazendo suas tarefas pela casa com um pano que fora umedecido no *freezer* em volta do pescoço.

— Hum. — Ed caminhou em direção às cortinas de veludo e tocou uma delas com respeito. — Você vai deixar alguma mobília?

Ela deu um outro gole no café.

— Ainda não pensei sobre isso. Não tem espaço em meu apartamento, mas acredito que Harriet e Lucinda queiram algumas coisas. Talvez possa leiloar o resto.

Ele segurou a cortina com força e depois a soltou.

— Essa é uma boa ideia, Cassie. Tenho certeza de que não quer ficar entulhada com nenhuma dessas coisas velhas.

Os olhos dele vasculharam a sala registrando todos os mognos lustrados e as antiguidades de cerejeira, e um sentimento de propriedade tomou conta dela.

— Não são só coisas velhas, Ed. Esses móveis estão na família há várias gerações.

Ele concordou, seus olhos se encheram de uma compaixão premeditada.

— Bem, heranças de família para você, mas, para as outras pessoas, apenas quinquilharias. Pessoalmente, eu adoro. Assim como adoro tudo nesta casa. Contudo, um comprador talvez não dê a mesma importância à sua história que nós damos.

Ela deu um outro gole no café e se viu reparando no terno dele — um paletó de seis botões com uma gravata que esteve no auge da moda há uns cinco anos. Sentimentos de insegurança a invadiram. Apesar de ele ser o único corretor na cidade, ela precisava realmente dele? Claro, os dois queriam manter a casa intacta, mas seria ele astuto o suficiente para atrair um bom comprador? Cassie olhou para os pés descalços sobre o piso de madeira. Ela lhe daria uma chance só por acreditar que todos a mereciam e para mostrar o quanto são capazes. Caso não desse certo, procuraria um novo corretor em outra cidade, se preciso fosse.

— Você quer que eu te mostre a casa?

Ed fez que não com a cabeça.

— Não, já estive aqui antes. Pode cuidar de suas coisas e não se preocupe comigo. Estou bem.

Ele a olhou com uma expressão perplexa.

— Quando...?

— Seu pai me mostrou tudo. Quando estive aqui conversando com ele sobre a venda daquelas terras.

— Ah, sim. Bem, estarei no escritório. Se precisar de mim, é só gritar. — *Gritar*? Por que estava usando aquela palavra? — É, bem. Estarei aqui. — E erguendo a caneca num cumprimento, ela se dirigiu à escrivaninha.

Ao se sentar, os aromas de couro e de fumo de cachimbo tomaram conta dela, fazendo-a sentir a presença do pai, mesmo que só por um instante. Ela olhou para trás, um pouco esperançosa de vê-lo ali de pé com a expressão de apoio, compreensão e paciência. Ela teve muita vontade de ligar para Harriet e saber se ela também sentia a presença dele. Em vez disso, porém, discou o número de Andrew.

Se passaram alguns minutos até que a recepcionista a conectasse com o escritório do noivo. Mantendo os pés sob o próprio corpo na cadeira da escrivaninha, ela esperou.

— É Andrew Wallace.

— Oi, Andrew. É Cassie, Cassandra. Desculpe não ter te ligado ontem à noite.

Ele a interrompeu.

— Estou feliz que tenha ligado. Estava tentando te encontrar. Onde está o seu celular? Deixei bem claro para ninguém perturbá-la enquanto estivesse fora, mas eu agradeceria se você retornasse minhas ligações ou até mesmo me enviasse um e-mail. E o que acontece com o telefone da casa que só fica tocando sem parar? Por favor, diga-me que ao menos você tem uma secretária eletrônica.

Ela mordeu os lábios, perguntando-se se devia lhe contar que não só não tinha uma secretária, como também todos os telefones da casa eram com fio. O pai se considerava um "tradicionalista", mas Cassie sempre teve a impressão de que ele não tinha paciência de aprender novas tecnologias.

— Sinto muito, Andrew. Minha bateria acabou e esqueci o carregador e ainda não tive tempo de ir atrás de um novo.

Cassie quase podia ver sua cara de bravo.

— Bem, estou com Joan Dorfman do BankNorth bem aqui no escritório neste momento. Temos um problema.

Ela fechou os olhos um tanto desapontada. Não era bem aquilo que desejava naquele momento. Queria palavras doces de carinho e amor, não as frias palavras do mercado financeiro e do custo de uma página inteira de quatro cores de um anúncio na revista *Time*. Ela quase se sentiu impelida a lembrá-lo de que acabara de enterrar o próprio pai. Em vez disso, abriu uma gaveta da escrivaninha e tirou de lá um bloco de anotações e uma caneta.

— Pode falar, Andrew. Qual é o problema?

Deixando de lado a decepção, ela permitiu que o reconfortante e conhecido embalo do trabalho recaísse sobre ela, suprimindo todos os aborrecimentos com a família, a casa e Sam. A caneta escrevia às pressas sobre o papel amarelo: uma página, duas páginas. A parte de trás da terceira estava coberta de cálculos com preços de ações. Por fim, ela se recostou na cadeira e começou a lidar com o que melhor fazia: negociação. A voz dela acalmou e bajulou o cliente no outro lado da linha. Cassie estava tão absorta no que fazia que nem olhou quando bateram de leve à porta. Ela ignorou a batida e girou a cadeira, ficando de costas para a entrada.

Cassie continuou ao telefone.

— Joan, é uma pena que não tenha gostado do comercial de 60 segundos. Tínhamos nossos melhores funcionários trabalhando nele e estávamos satisfeitos. Não sabíamos sobre seus sentimentos negativos com relação a Ryan Seacrest. Vamos ter que rebolar um pouco para substituí-lo, mas pode ser feito.

Ela virou a cadeira de novo para que pudesse apoiar os cotovelos na mesa. Enquanto o cliente falava, Cassie rabiscava no bloco à sua frente, sem prestar atenção no que estava desenhando. As gêmeas Sedgewick, com vestidos de verão iguais, surgiram na frente da escrivaninha, fazendo-a pular, surpresa.

— Trouxemos alguns ramos de rosas vermelho-brilhante para plantar no roseiral de sua mãe e um pouco de violeta para o jardim da entrada. Estávamos podando as nossas plantas hoje cedo e pensamos que talvez esses ramos pudessem ser úteis para você.

Cassie ficou olhando para elas horrorizada, os dedos sobre a boca para que se calassem. As velhas mulheres a olharam como uma criança de 2 anos castigada.

Com a mão sobre o telefone, Cassie sussurrou:

— Desculpe-me, mas estou numa ligação importante.

Selma sorriu.

— Com a Lucinda? Por favor, cumprimente-a por nós e diga-lhe que o encontro de *bridge* mudou de quarta para sexta-feira.

Thelma se intrometeu.

— E por favor, lembre-a de que precisamos da receita de geleia de groselha. Vamos servi-la na terça-feira no encontro da Associação das Mulheres.

Sem tirar a mão do fone, Cassie balançou a cabeça com força para elas.

Thelma se aproximou da escrivaninha, estendendo o braço para pegar o telefone.

— Ué, essa é boa! É só uma receitinha fácil de geleia. Por favor, diga-lhe que eu gostaria de falar com ela.

Cassie balançou a cabeça de novo, e apertou o telefone mais perto do peito. Thelma se esticou para pegá-lo.

— Não!

Joan Dorfman, diretora de marketing de um dos maiores bancos do país, interrompeu seu discurso crítico.

— Como assim?

A porta de frente se abriu outra vez e Harriet e Sam apareceram no vestíbulo carregando uma variedade de caixas enormes para mudanças. Sam colocou as suas no chão para escorar a porta e mantê-la aberta e se esticou para pegar as de Harriet. Ele acenou para as duas mulheres.

— Thelma. Selma. Como estão passando?

Cassie ficou mortificada ao notar que Selma tinha lágrimas nos olhos.

— Joan, sinto muito, não estava me dirigindo a você. Preciso te ligar outra hora.

Joan continuou a falar, ignorando o pedido de Cassie.

Ed Farrell desceu a escada e se juntou à confusão no escritório. Sam, com o braço sobre os ombros de Selma, olhou-o de modo estranho. Cassie baixou a cabeça numa tentativa de escutar melhor o que Joan falava, e seu olhar se concentrou nos seus rabiscos. O nome de Sam em letras garrafais estava espalhado por todo o papel em tinta preta grossa. Corações desenhados em vários tamanhos cobriam o resto da folha.

Num susto, ela ergueu a cabeça para ver se mais alguém havia reparado, e os olhos dela encontraram os de Sam arregalados. Ela não sabia se ele estava surpreso com o desenho dela ou se perguntando o que ela fizera para Selma Sedgewick chorar.

— Sim, Joan. Ainda estou aqui. Vou conversar com Andrew sobre isso, mas agora realmente preciso ir...

Sua voz foi cortada pelo movimento de um animal enorme; ela não tinha certeza se era um cachorro ou um pônei que entrou no escritório. Ele pulou sobre a mesa e, em seguida, no colo de Cassie, caindo sobre ela e a cadeira, arrancando o fio de telefone da tomada.

— George, sente-se!

Sob a ordem de Sam, o animal se afastou de Cassie e se sentou. Ela se contorceu para cobrir as coxas com a camiseta e com o roupão, enquanto se levantava. Sam foi para o lado dela numa passada larga.

— Você está bem?

Furiosa, com o telefone desconectado ainda em suas mãos, ela gritou:

— Que diabos foi isso? E por que vocês estão todos aqui? Uma porta fechada não quer dizer nada para vocês?

Selma e Thelma, com os queixos sacudindo como um par de perus idênticos, se viraram e saíram do escritório. As gentis senhoras não bateram a porta ao sair, mostrando a Cassie que, embora ela não tivesse educação, elas certamente tinham.

Sam olhou zangado para ela.

— Espero que saiba que você acabou de insultar as duas pessoas mais distintas que já conheci na vida. Seu pai se envergonharia disso.

As palavras dele a feriram. Uma coisa era se sentir envergonhada, e ela se sentia assim com frequência. Outra era se sentir culpada, o que a deixava ainda mais brava. Ela o encarou de cabeça erguida.

— Você não respondeu à minha pergunta. O que está fazendo aqui?

Um tique nervoso havia começado no rosto de Sam e agora estava mais intenso. Harriet entrou na frente deles.

— Nós viemos para ajudar com o sótão. Lembra-se? Conversamos sobre isso na noite passada, quando Sam estava enfaixando o seu tornozelo. Sam mencionou que tinha algumas caixas na clínica e se ofereceu para trazê-las para cá.

Como uma resposta à ingratidão de Cassie, a caixa no topo da pilha deslizou e caiu no piso de madeira com um leve baque. O animal peludo deu um forte e alto latido e bateu seu rabo gordo sobre o tapete, intensificando o efeito.

Desacorçoada, tudo que Cassie conseguiu dizer foi:

— Nossa.

Ela colocou o telefone sobre a mesa, mas parou a tempo de ver de relance o vira-lata peludo.

— O que é essa coisa?

Sam não respondeu, mas parecia intencionado a encarar o corpo dela com trajes menores. A expressão zangada reapareceu no rosto dele.

— E por que Ed Farrell está descendo a escada de sua casa às 10h30 da manhã com você praticamente sem roupa?

Ed arregalou os olhos e sorriu com malícia.

— Vamos lá, Sam. Não estamos mais no colegial. Não é da sua conta o que Cassie decide fazer com ela ou com a casa.

Sam cruzou os braços na frente do peito, cerrando os punhos. Seu rosto pulsava vigorosamente.

— É mesmo. E desde quando Cassie lhe deu permissão de falar no lugar dela?

— Chega! — Cassie se moveu para se colocar entre os dois. — Sam Parker, como ousa questionar Ed ou qualquer outra pessoa na minha própria casa? Não é da sua conta. Além do mais, não era ele quem estava me comendo com os olhos porque estou com camisola de dormir e roupão. — Ela acenou com a mão entre eles impedindo-o de falar. — Olhe, vou tomar meu banho, depois vou fazer uma ligação com a esperança de consertar uma relação terrivelmente danificada com um cliente. — Ela deu um profundo suspiro. — Nesse meio-tempo, gostaria que você acabasse com a avaliação, Ed. — Dirigindo-se a Sam, ela disse: — E gostaria que você carregasse aquelas caixas até o sótão. — Ele fez uma careta, impelindo-a a introduzir um "por favor", sem perceber.

Esfregando as mãos no rosto, ela se virou para a irmã.

— Obrigada pela ajuda, Harriet, mas acho mesmo que posso fazer tudo sozinha. Se quiser subir até o sótão para checar se há algo que deseja, pode ir. Sinta-se à vontade para pegar tudo, acho que eu não quero nada. Meu apartamento não tem espaço para guardar mais nada.

Reunindo toda dignidade possível, levando-se em conta que ela estava praticamente sem roupa e ainda não havia escovado os dentes, pulou o animal peludo e caminhou até a escada.

— Quando saírem, por favor, tranquem a porta atrás d'ocês. E não se esqueçam de levar esse... esse... ele — ela apontou para o cachorro que a estudava calmamente do chão — com vocês.

Ao subir os degraus, uma expressão de perplexidade tomou conta de seu rosto. *D'ocês*? Ela disse isso mesmo? *Meu Deus*. Já estava em Geórgia há tempo demais.

Harriet se sentou sobre os joelhos na frente do baú, seus pés descalços sob o corpo, ignorando a poeira do sótão. Havia muitos anos que estivera ali pela última vez para visitar seu passado. O espaço enorme com teto inclinado e portinhola à guisa de janela fora seu santuário — seu e de Cassie. No começo era o lugar de brinquedos e, mais tarde, quando as meninas ficaram mais velhas e Lucinda resolveu que estava velha demais para subir a escada tantas vezes, tornou-se o refúgio delas. As paredes do sótão guardavam todos os segredos da adolescência e as lágrimas de frustração, decepção e perda como somente uma mocinha poderia expressá-las. Agora, sentar-se naquele lugar era como abrir um álbum de recortes coberto de poeira e teias de aranha. Com um suspiro profundo, ela abriu a tampa do baú.

Sam se inclinou sobre o ombro dela.

— Espere, parece pesado. Deixe-me fazer isso.

Sem contestar, Harriet saiu da frente e o deixou erguer a tampa, cujas dobradiças há muito sem uso rangeram em protesto.

— Obrigada, Sam. Não sei onde foi parar toda minha força nesses dias.

Ele lhe olhou com carinhosos olhos azuis.

— Joe disse que você ainda está amamentando Amanda. Talvez seja hora de desmamá-la, para que você possa recobrar as forças.

Harriet se sentou, forçando um sorriso enérgico sem praticamente senti-lo.

— Acho que vou. Só estou amamentando-a à noite agora, mas ela toma mamadeira com igual entusiasmo, então é bem provável que eu pare mesmo.

Sam continuou a olhá-la de perto.

— Há algo mais que não está me contando? Você está dormindo bem?

Ela deu uma risadinha.

— Sam, tenho cinco filhos. A mais nova ainda usa fraldas. Claro que não durmo o suficiente. Faz parte.

Sam afastou-se um pouquinho.

— Sei. Bem, tente se cuidar.

Harriet esquadrinhou o interior do baú. Seu olhar se fixou em dois objetos brancos conhecidos.

— Eu sei, e prometo que vou tentar. Mas agora estou mais interessada em saber como você está se sentindo.

Ele esticou o braço dentro do baú e levantou duas bolas brancas macias.

— Eu? Estou bem. Por que a pergunta?

Ela tocou a mão dele, obrigando-o a encará-la.

— É com o seu coração que estou preocupada, e com seus sentimentos por Cassie.

Ele ficou examinando o cadeado do baú um bom tempo.

— Meus sentimentos por Cassie deviam ter sido trancados aqui neste sótão, com o resto destas coisas, há muito tempo. Não são mais relevantes.

Ela está noiva, tem uma carreira importante em Nova York e as pessoas acham que estou quase noivo de Mary Jane. Cassie e eu somos de dois mundos muito distintos e temos objetivos diferentes na vida. Acho que continuarei a admirá-la de longe e seguirei com a minha vida.

Ele se agachou e Harriet puxou a manga da camisa de Sam para chamar sua atenção de novo.

— Para alguém que estudou em Yale e Harvard, você consegue ser bem idiota. Do meu ponto de vista, você e Cassie têm muito mais em comum do que pensam. Acho que ela ainda está passando por um choque cultural, tudo o que precisa é de tempo. — Ela semicerrou os olhos na direção dos dois objetos que estavam na mão dele, fazendo força para se lembrar. — E deve haver uma razão para você ter namorado Mary Jane durante todos esses anos e nunca ter ficado noivo dela. Pense nisso.

— Cassie nunca soube que eu existia. E agora me pergunto se a Cassie que conheci ainda é a mesma. Ela se esforça bastante para nos provar que não é.

— Mas ela te fez rir quando você não tinha muitos motivos para isso.

Sam expirou profundamente: anos de saudades estavam sendo liberados em um único suspiro.

— Ela estava sempre fazendo maluquices para chamar atenção, acreditando ser essa a única maneira de fazer as pessoas repararem nela. E a lealdade visceral a você e àqueles que amava. Não se encontra isso em muitas pessoas, e essa combinação é irresistível.

— Nós éramos seus maiores fãs, mas acho que fizemos um péssimo trabalho ao mostrar nosso apreço.

Sam abriu a boca para responder, mas foi interrompido quando Harriet riu alto, dando-se conta do que ele segurava nas mãos.

— Eu me lembro desses objetos!

Ele ficou olhando para as mãos e seus olhos se iluminaram quando também os reconheceu. Jogou a cabeça para trás e riu junto com Harriet.

Um espirro alto vindo da direção da escada fez com que ambos virassem a cabeça.

— Deus te abençoe — disseram em uníssono. Harriet lançou um olhar cheio de culpa para Sam e rapidamente enfiou as bolas almofadadas de novo no baú.

Cassie estava no topo da escada do sótão em seus saltos altos, encarando-os, curiosa, com as mãos na cintura.

Sam se levantou.

— Não acho que deveria usar saltos com seu tornozelo, Cassie.

— Meu tornozelo está bem. — Ela deu alguns passos na direção deles. — O que vocês estão olhando? — Cassie atravessou o sótão saltitando.

— Ah, nada. Apenas algumas coisas antigas do colégio.

Cassie espiou dentro do baú.

— O que estava tão engraçado? — Ela olhou para as mãos de Harriet, que tampavam a evidência. — O que é isso? — perguntou ela ao enfiar as mãos sob os dedos de Harriet e tirar de dentro do baú as duas bolas brancas macias.

— Nossa... meus... — Os enchimentos de sutiã que tinha nas mãos ainda estavam em boas condições: brancos, macios e perfeitamente redondos, como bolas de tênis do tamanho grande. — Não posso acreditar que alguém tenha guardado isso.

Harriet não estava conseguindo esconder sua risada.

— Acho que é coisa da tia Lucinda. Ela não gosta de jogar nada fora.

Sam nem tentou esconder sua alegria.

— Estávamos lembrando quando você, de uma noite para outra, passou de um sutiã tamanho 40 para um 44, no primeiro ano de ensino médio, como se ninguém fosse notar.

Os dois desistiram de qualquer tentativa de esconder o divertimento e soltaram verdadeiras gargalhadas.

Cassie ficou parada de pé com os enchimentos ainda em suas mãos, seu ultraje escancarado no rosto. Ela olhou para baixo, para as almofadas brancos por um bom tempo, e seu lábios se contraíram.

— Nossa, dane-se. — Ela conseguiu dizer antes de jogá-los de novo no baú e começar a rir até as lágrimas rolarem na face.

Quando Cassie se recompôs, deu um cutucão em Harriet.

— Foi tudo culpa sua, sabe. Era constrangedor ter uma irmã mais nova com seios maiores. Estava apenas tentando equilibrar o campo de batalha.

Sam ergueu seus olhos reluzentes para ela.

— Em vez disso, ficou parecendo que você tinha tirado algo do campo de batalha e enfiado dentro da camiseta.

Os três se curvaram de tanto rir de novo, e Harriet sentiu um pouco de sua exaustão diminuir. Talvez todos os anos sem a irmã haviam se congelado em suas veias, arrancado um pouco de sua alegria. Harriet ficou observando quando Cassie golpeou Sam nos ombros e se inclinou para retirar do baú alguma coisa que farfalhava como tafetá. Contudo, qualquer que fosse o tecido, estava revestido com folhas verdes kudzu de plástico, costuradas bem próximas umas das outras. As únicas coisas que denunciavam se tratar de um vestido eram o pescoço e as cavas debaixo do braço.

— Meu vestido de rainha kudzu! — Harriet estendeu o braço para pegá-lo e Cassie o largou sobre o braço à espera.

Enquanto Cassie vasculhava o baú, ela disse:

— Eu não usaria isso como modelo para Maddie, se eu fosse você. Acho que o Festival Kudzu não tem a cara dela.

Harriet estava de pé, segurando o vestido na frente dela e se lembrando.

— Eu sei, mas não é só culpa minha. Lucy Spafford é a maior culpada.

Cassie examinou um monte de bonecas Barbies, todas amarradas juntas com elásticos no pescoço, e as jogou no chão do lado de fora do baú.

— Você pode ficar com elas. — Ela limpou as mãos na saia. — Quem é Lucy Spafford?

Harriet suspirou franzindo a testa.

— O carma de Maddie. Desde o começo do ensino fundamental, Lucy faz parte do time de animadoras de torcida e Maddie não. Não seria tão ruim se ela fosse uma menina legal. No entanto, ela fica se exibindo para Maddie, que fica furiosa de vê-la com a saia de animadora. Minha filha jura que isso tudo é por causa da mãe de Lucy, lembra-se de Doreen Cagle? Ela era a líder do grupo. — Harriet colocou o vestido verde sobre o braço e se esticou para pegar as Barbies.

Cassie e Sam se entreolharam com as sobrancelhas erguidas.

— Mas o que isso tem a ver com seu vestido kudzu?

Harriet se ajoelhou na frente do baú ao lado de Cassie.

— Lucy é a rainha kudzu deste ano. Acho que Maddie está planejando pegar uma pneumonia no dia da festa para não precisar vê-la no carro alegórico. — Não que ela acreditasse que Maddie fosse realmente fazer isso. A filha era feita do mesmo material resistente que a tia. E Harriet sabia, com certo receio, que Maddie encontraria uma maneira não só de estar lá, como também de se divertir com o evento.

Sam se levantou, limpando a poeira da calça jeans.

— Eu me lembro do ano em que você foi rainha, Harriet. Foi quando alguém colocou sutiã e calcinha na Estátua da Liberdade e encheu o chafariz de espuma de banho. Eu ri muito. Mas quando Cassie apareceu de trás de seu carro alegórico com um porco vestido de kudzu, quase me matei de rir. — Ele balançou a cabeça com um largo sorriso no rosto. — Eles nunca descobriram quem fez aquilo com a estátua e o chafariz.

Tanto Harriet quanto Sam olharam para Cassie, mas ela continuou em silêncio, examinando propositadamente o interior da tampa do baú. Ela jogou os sapatos de lado e se agachou sobre os pés enquanto fuçava em uma pilha de bichinhos de pelúcia. Com um leve franzido na testa, Harriet notou quando Cassie puxou um objeto pequeno de madeira. Harriet se aproximou para olhar o objeto nas mãos da irmã. O velho cachimbo ainda tinha o aroma de fumo, e Cassie fechou os olhos, lembrando-se do homem que um dia fumara aquilo. Harriet também fechou os olhos, certa de que podia sentir a presença do pai ali no sótão.

A voz de Harriet saiu entrecortada quando falou:

— É o antigo cachimbo de papai. Lembra-se de quando você o escondeu aqui para tentar fazê-lo parar de fumar? — Ela sorriu gentilmente, pegou o cachimbo de Cassie e correu os dedos pelo cabo macio. — Acho que ele tentou parar por cerca de uma semana, mas acabou comprando um novo. — Ela o devolveu à irmã, tentando uma vez mais estabelecer uma conexão com ela. — Pode ficar com ele se quiser.

Cassie concordou com um sinal de cabeça. Seus olhos estavam cheios de lágrimas não derramadas. Ela pegou o cachimbo e o segurou perto do peito.

— Obrigada — conseguiu dizer, e Harriet ficou aliviada de ver a velha Cassie, mesmo que fosse por um instante. Pelo menos significava que a sua irmã não havia desaparecido por completo. Harriet tinha esperanças de que Sam o tivesse notado também.

— Ei, o que é isso? — Sam atravessou a área iluminada por lâmpadas no teto e puxou uma caixa de madeira de um canto escuro do sótão. — Parece uma escrivaninha antiga.

Ele caminhou até Harriet e Cassie e a colocou sobre o chão na frente delas, levantando uma nuvem de poeira. Era feita de madeira escura, provavelmente cerejeira ou mogno, com dobradiças de aço manchadas e uma placa identificadora na frente. O topo era inclinado e na base havia uma prateleira, talvez para guardar material de leitura. Sam apontou para uma chave presa no trinco.

— Não deve ser muito difícil, não é mesmo?

Cassie se moveu para olhar melhor a placa.

— "HRM". Certamente essas iniciais dizem respeito a pelo menos 50 pessoas. Em todas as gerações de nossa família houve um Harrison Robert Madison, exceto na nossa. Papai não teve um filho para dar-lhe este nome.

Harriet interrompeu.

— Eu que o acabei recebendo. Sempre quis um nome bonito de menina como o seu, Cassie, e em vez disso me deram Harriet. Por favor, dê-me crédito por não ter imposto tamanha tortura a meus filhos.

Distraída, Cassie esfregou a placa.

— Acho que ele estava esperando uma de nós usá-la.

Ela olhou para Harriet.

— Bom, pode ter pertencido a papai, embora nunca a tenha visto antes. Quer abri-la?

Harriet fez que não com a cabeça.

— Não, você é a mais velha, pode abrir.

Ajoelhando-se na frente da escrivaninha, Cassie virou a chave com cuidado e um leve clique soou pelo sótão silencioso. Ela parou antes de abri-la.

— Eu gostaria que houvesse um pouco mais de mistério até encontrarmos uma caixa de cartas trancada no sótão. Foi um pouco fácil demais, parece que queriam que a achássemos.

Com uma última olhada para Sam e Harriet, ela abriu a tampa. O cheiro de madeira velha e bolor exalou para fora da caixa. Os três espiaram o seu interior. Espalhados no fundo, havia envelopes selados com letras elegantes na parte da frente. As letras maiúsculas eram enormes e rebuscadas, e só uma mulher poderia tê-las escrito. No topo do envelope, havia uma velha fotografia, em branco e preto, de um homem e uma mulher diante de um pequeno carro esporte de duas portas.

Com cuidado, Cassie levantou a foto e a mostrou a Harriet.

— Olha, é papai e seu antigo carro. Essa não é mamãe, tenho certeza. — As duas examinaram de perto a mulher, que tinha a cabeça envolta num xale de *chiffon* que terminava num nó no queixo e óculos de sol de gatinho sobre os olhos.

Harriet pegou a foto e ficou olhando para ela por um momento.

— Com certeza não é mamãe. — Seu olhar encontrou o de Cassie com uma pergunta calada entre elas.

Harriet esticou os braços para dentro da caixa e espalhou alguns envelopes que estavam por cima da superfície para ver se encontrava embaixo outro igual àquele. Todos estavam endereçados ao pai, para aquela casa. Ela checou os carimbos postais, e só encontrou os de Walton, com exceção de um, que veio de Atlanta. Todas as datas estavam entre 1973 e 1974. Ela fez um cálculo mental e ergueu os olhos animada.

— Essas talvez sejam de mamãe!

Ela ficou observando Cassie pegar aquela com o carimbo de Atlanta, com uma ruga na testa, e abrir com cuidado a fenda da superfície e tirar de dentro uma carta. Inclinando-se sobre o ombro da irmã, elas a leram em silêncio.

10 DE ABRIL DE 1974

Meu querido Harry,

Nossa criança nasceu nesta manhã às 2h38 pesando apenas um quilo e meio, e eu soube, sem o doutor precisar me falar, que o destino dela não estava neste mundo. Nosso bebê morreu às 4h10 em meus braços, tendo conhecido apenas amor e segurança naquelas breves duas horas de vida. Esse pensamento me trouxe de certa forma algum consolo, e tenho muita esperança de que traga o mesmo para você. Meu pai tentará fazer com que o bebê tenha um enterro cristão, e um dia terei forças para visitar o túmulo.

Decidi que seria melhor você não saber se teve uma menina ou um menino, assim seus sonhos com nossa criança terminarão na infância e você não a imaginará se tornando um moço ou uma moça. Contudo, espero que sempre a tenha em seu coração, assim como eu, e lembre-se do amor que compartilhamos e que foi responsável por gerar uma vida humana.

Conformei-me com o fato de seu coração pertencer a outra pessoa e, mesmo que suas intenções fossem boas ao se oferecer para me transformar numa mulher honrada e ser o pai do meu filho, eu estava ciente de que eu não poderia ficar no meio de sua felicidade. A amargura encontraria o caminho até nossa casa e destruiria todo amor que ali existisse. Prefiro ver esse amor morrer agora, quando ainda apaixonado e incipiente, a vê-lo minguar e desaparecer. Desta forma, posso me agarrar às minhas belas recordações e nunca ter que encarar a perda. Talvez eu seja covarde, ou talvez orgulhosa demais, mas, para a segurança de ambos, essa é a maneira como tudo deve acontecer.

Assim como desejei que nosso filho sobrevivesse, não posso deixar de ter fé de que tudo aconteça conforme o destino. Você seguirá com a sua vida e eu com a minha, em caminhos separados. Eu me contentarei em saber que um dia te amei e que esses foram os dias mais felizes de minha vida. Sempre os estimarei.

Por favor, não tente me encontrar. Meus pais estão me mandando para Atlanta por dois meses, para visitar alguns parentes, e depois para a Europa, para uma longa viagem. Quando eu voltar, tudo isso fará parte de nosso passado. Você nem precisará me cumprimentar quando me vir passando na rua. Entenderei.

Desejo-lhe apenas felicidade e alegria para o resto de sua vida. Te amo.

Para sempre, E.

Harriet ficou olhando para a carta com a garganta seca.

— Nossa mãe se chamava Catherine Anne. Se isso não é dela, então...? — O olhar dela se voltou para a mulher na foto.

Sam fez uma pergunta e as duas olharam assustadas, esquecendo-se de que ele ainda estava lá.

— O que é?

Harriet pegou a carta, o papel macio sob os dedos.

— Você acha que ele devia ver isto? Talvez... saiba de alguma coisa.

Cassie olhou para Sam com uma expressão indecifrável.

— Vai manter segredo?

— Claro.

Ele pegou a carta de suas mãos e a leu.

Cassie largou o corpo, recostando-se no enorme baú.

— Não posso acreditar nisso.

Sam se agachou na frente de Harriet e lhe devolveu a carta. Sentindo que tinha invadido a privacidade de alguém, ela colocou rapidamente a carta e a foto no topo da pilha e fechou a tampa da caixa.

Harriet se sentou ao lado da irmã.

— É tão triste a parte da morte do bebê, mas mais triste ainda é a história dessa pobre mulher.

Cassie colocou a caixa sobre o colo e a abraçou com força com uma expressão dura no rosto.

— A mulher dormiu com papai e teve um filho na mesma época em que ele devia estar namorando mamãe. Não consigo sentir pena dela.

Sam passou a mão sobre a caixa de cartas, encostando nos dedos de Cassie.

— Isso foi antes de seus pais terem se casado, o que dá a entender que seu pai era fiel à sua mãe. Essa carta parece mais um prova do quanto ele a amava. Essa "E.", seja lá quem for, sabia que o que havia entre seus pais era um sentimento verdadeiro e, corajosamente, saiu de cena.

Harriet sorriu pálida.

— É até meio romântico, na verdade.

Cassie se virou para ela com um olhar severo.

— Aposto que acharia romântico ler sobre um triângulo amoroso em que alguém é descartado. Acredite em mim quando digo que não há nada de romântico em ser posta de lado.

Harriet sentiu arrancarem o ar de seu pulmão.

— Você tem razão, desculpe-me.

Com uma expressão de arrependimento no rosto, Cassie colocou a mãos sobre o braço da irmã.

— Não, eu que peço desculpas. Não devia ter dito isso. Não quis dizer isso. Só acho que estou um pouco chocada...

Sam se levantou, esfregando as mãos na calça. Com um olhar de reprovação para Cassie, ele se dirigiu a Harriet, oferecendo-lhe a mão para levantá-la.

— Concordo, vocês acabaram de ter uma enorme surpresa e vai demorar um pouco para se acostumarem. Vocês acham que vão ler o resto das cartas?

Cassie fez uma cara de dúvida.

— Por quê?

— Bem, essa senhora "E." mencionou passar por ele na rua, portanto, ela deve ter vivido em Walton. Ou talvez ainda viva. Não acho que consiga se esquecer disso antes de descobrir tudo. Você costumava ser como um cachorro atrás do osso quando tinha um problema ou alguma coisa para resolver.

Ela o encarou por um momento, então balançou a cabeça devagar.

— Alguém deveria lê-las, acho. — Ela olhou para Harriet. — Você gostaria de fazer as honras?

Harriet fez que não com a cabeça.

— Não. Acho que você deveria fazer isso primeiro e depois compartilhá-las comigo. Mais ou menos como você costumava fazer, sempre me protegendo de algo que pudesse me magoar.

Com uma risada torta, Cassie teve dificuldade em se levantar, ainda agarrada à caixa de cartas.

— Eu sabia que não devia ter subido até o sótão. É verdade. Esta casa é como areia movediça, quanto mais tento me livrar dela, mais difícil fica para sair.

A voz de Sam estava serena, cuidadosamente controlada.

— Com medo, Cassie?

Cassie se virou a tempo de sua irmã perceber o olhar atormentado no rosto dela. Harriet se magoou ao vê-la daquele jeito. O que Cassie tanto temia? Será que ela temia se esquecer da pessoa na qual havia se transformado, ou será que ela estava se dando conta de que, na verdade, não havia mudado tanto assim? Ou talvez temesse que as punhaladas que estava sentindo não fossem no pé, mas no coração...

Cassie passou por Sam sem olhar para ele e seguiu em direção à escada.

— Não, não estou. Mas estou triste. Como se sentiria se descobrisse que seu pai tinha uma amante antes de se casar com sua mãe? — Ela balançou a cabeça respirando profundamente. — Nunca deveria ter subido aqui.

Sam a segurou com a mão.

— Talvez esta seja uma oportunidade para conhecer melhor seu pai. Mesmo agora, que ele já se foi.

Ela se soltou.

— Esse pedaço dele eu não quero conhecer. — Endireitando os ombros, ela encarou Harriet.

— Fique aqui em cima o quanto quiser. Tenho alguns negócios para resolver.

Harriet se recostou no baú, sentindo-se completamente esgotada.

— É bem provável que eu olhe algumas outras caixas antes de parar. Sei como está ansiosa para acabar com tudo isso. — Ela fez um leve aceno e Cassie concordou fazendo um gesto com a cabeça.

Harriet ficou olhando a irmã descer a escada com a caixa enfiada sob o braço e a mão livre tocando os corações de ouro que balançavam na delicada corrente em volta do pescoço.

Capítulo 10

— Cabra-cega!

As crianças de Walton haviam se reunido na Madison Lane e estavam agora paradas em duas filas, cada uma numa guia. Sarah Frances, com os olhos vendados, era a cabra que ficava no meio da rua, enquanto as outras crianças tentavam atravessar o vão entre as filas sem serem pegas.

Os gritos agudos delas na atmosfera escura fez com que Cassie diminuísse a velocidade. Correr à noite era certamente mais fresco, se não menos úmido, e ao menos ela não tinha de topar com nenhum conhecido enquanto suava como um cavalo. Ou "brilhava", como tia Lucinda costumava dizer.

Ela parou para assistir às crianças e escancarou um sorriso no rosto. Era tão similar aos verões de sua infância! Os verões de quando se preocupava apenas com economizar a mesada para o cinema de sexta-feira à noite e correr mais rápido que a cabra-cega no meio da rua. Cassie respirou fundo, sentindo o cheiro de grama recém-cortada em seu próprio suor. As coisas não mudaram muito em Walton. De certa forma, entretanto, isso não lhe pareceu tão ruim assim naquele momento.

Passos pesados vinham atrás dela. Ela se virou e viu Sam se aproximando numa corrida lenta. Ele parou, bastante ofegante, as mãos na cintura.

O coração de Cassie pareceu acelerar um pouco e ela se voltou para as crianças de novo. Sarah Frances havia pegado o rabo de cavalo de alguém, e a menina estava gritando para que a largasse.

— Vejo que aceitou o meu conselho de correr à noite. É bem melhor, não é?

Cassie se recusou a discutir com ele. Ela inclinou a cabeça na brisa quente, lembrando-se das mesmas visões e cheiros que chegavam até seu quarto através da janela de tela há tantos anos. Sua respiração ficou mais lenta e entrou num ritmo harmonioso com as cigarras e os grilos.

— Como seu médico, não me lembro de dizer que você já podia correr com esse seu tornozelo. Deveria esperar ao menos uma semana.

Relutante, ela direcionou sua atenção a Sam.

— Certo. E eu ficaria enorme como uma porca se não queimasse todas as calorias daquelas comidas que todo mundo vem me empurrando. A cidade está numa conspiração para me engordar, juro. É isso ou estão querendo me enfartar. Nunca vi tanta fritura em toda a minha vida. Parecem saber como me tentar. — Ela virou os pés para assistir às crianças de novo. — Além do mais, o tornozelo está bom. Parece novo.

Sam assistia com ela às crianças. Achou certa graça quando Joey cutucou Sarah Frances no bumbum ao passar correndo pela irmã. Ele limpou a garganta.

— Já que perguntou, fico muito feliz em te dizer em primeira mão que eu ganhei a eleição hoje. Sou o mais novo membro do conselho da prefeitura.

— Hã? — murmurou Cassie, encantada com as batidas de pés descalços sobre o asfalto quando as crianças corriam de um lado para outro das filas. Sem pensar, ela disse: — Nossa. Parabéns.

Ela continuou a observar as crianças, agora com um sorriso saudoso na face.

— Lembra-se de brincar disso quando éramos crianças? Acho que nunca fui pega. Provavelmente era rápida demais para os outros.

Sam a olhou de canto de olho.

— É mesmo? Eu lembro de as pessoas terem medo de te pegar porque quando o faziam você batia nelas com força.

Cassie se virou para olhar para ele.

— Como pode saber? Nem me lembro de você brincar com a gente.

O sorriso dele murchou um pouco. Quando falou, sua voz saiu arrastada e baixa.

— Nossa, eu brincava. Você estava muito ocupada atrás de Joe Warner para notar qualquer outra pessoa.

Ela o encarou sob a luz fraca.

— Isso é passado. Todo mundo parece já ter se esquecido disso, por que você não se esquece? Parece que se lembra de um monte de coisa ruim sobre mim. Espero que sua memória seja boa para as coisas importantes.

Ele chegou mais perto dela, fazendo-a pensar desesperadamente se tinha passado desodorante suficiente. Ela tentou voltar a atenção para o jogo, mas a proximidade com ele a enervou. Inclinando-se para frente, Cassie começou a alongar os tendões da perna, em busca de uma desculpa para se distanciar.

— Depois de votar, fui até a prefeitura para ver quem estava ganhando e o Sr. Harmon disse que você tinha passado por lá.

Cassie deu de ombros.

— É. Achei que seria um boa ideia checar os registros de nascimento e morte do início dos anos 70. Achei que um nascimento ilegítimo facilmente escaparia dos registros públicos, principalmente se a criança morreu. Duvido que tenham dado o sobrenome de meu pai ao bebê. Mas achei que deveria tentar assim mesmo. — Ela olhou para ele, cruzando os braços na frente do peito. — Vai ver que sou como um cachorro atrás do osso.

As risadas ecoavam da rua quando a mãe chamou os filhos para o jantar. Aqueles sons transmitiam à Cassie segurança e consolo. Ela virou a cabeça de novo para Sam.

— Acredito que meu próximo passo será ir até a biblioteca para buscar nos jornais antigos os registros de nascimento de abril de 1973. É um chute, mas não tenho ideia de onde mais ir. A carta estava com o selo de Atlanta, então também vou verificar os jornais de lá. Mas tenho um pressentimento de que essa mulher, seja lá quem for, priorizava manter sua vida particular em segredo.

— Isso é uma boa ideia. Você já teve a oportunidade de olhar as coisas de dentro da caixa?

Cassie balançou a cabeça sentindo-se criticada.

— Não. Ainda não. Não tive tempo. Mas vou dar uma olhada.

Ele concordou com um sinal de cabeça, observando-a de perto por um momento.

— Caso não encontre nada nas cartas e na biblioteca, estou indo para Atlanta no final do próximo mês para uma congresso médico. Posso dar uma olhada em registros médicos enquanto estiver por lá, se quiser. Devo ter um tempinho livre.

Duas marcas de ruga se formaram entre as sobrancelhas de Cassie.

— Por que você está me ajudando? O que quer de mim?

Um pouco de suor se formou em sua testa e escorreu pela face, mas ele não enxugou.

— Chama-se ajudar uma amiga. E não, não espero nenhuma retribuição. Gosto de desafios. — E lhe lançou um olhar penetrante.

— Ótimo. Porque eu já sou noiva. — Por que ela disse isso? Ele não disse nada que pudesse ser interpretado como um interesse numa relação mais íntima, e ela deixou escapar aquilo. Misericordioso, ele apenas ergueu as sobrancelhas, o que lhe conferia aquele olhar marcado que ela passara a admirar a distância.

Com uma última olhada para as crianças que se dispersavam, ela começou a ir embora.

— Preciso voltar. Harriet quer conversar sobre planos para uma festa de noivado. Ela não parece aceitar não como resposta.

Sam começou a andar com ela.

— Mas você poderia dizer obrigada, supondo que se lembre como.

Ela parou, colocando as mãos nos quadris. Parou tão de repente que Sam esbarrou nela, agarrando-a pelos braços para impedir que ambos caíssem, e não a soltou.

— Obrigada, Sam, por ter se preocupado comigo. Estou muito agradecida. — Gentilmente, ela se desvencilhou dele e continuou a andar.

Sam caminhou ao lado dela.

— É uma história muito interessante. Sei que é fácil falar por não se tratar de meus pais, mas até eu estou curioso para descobrir o que aconteceu a "E.".

Cassie olhou para os pés, tomando cuidado para não pisar nas rachaduras da calçada, lembrando-se do versinho que ela e Harriet cantavam no caminho para escola: "Pisa na sarjeta e derruba sua mãe da lambreta". De propósito, ela pisou no espaço entre dois quadrados, silenciando as vozes que cantarolavam em sua cabeça.

— Bem, você e Harriet. Ela acha que é uma história muito romântica. E eu não sei se deveria estar brava com meu pai ou com esta mulher, ou nenhum dos dois. Ela perdeu o homem que amava e a criança que geraram e, mesmo assim, ela lhe deseja alegria e felicidade para o resto da vida. E depois lhe diz que o amará para sempre. — Sua voz hesitou e ela tossiu para disfarçar. — Não posso deixar de questionar se ela encontrou outra pessoa, se teve filhos.

Ela parou em frente a casa e olhou para o céu. O mesmo céu de sua infância, com faixas cor-de-rosa diluídas e manchas vermelhas no horizonte, contornado por graciosos galhos de carvalhos. Esse céu era tão consolador para ela quanto o beijo de uma mãe.

— Até mesmo o meu lado cético quer acreditar que sim.

Sam se pôs perto dela, e Cassie pôde sentir o calor de seu corpo. Quando ele falou, seu hálito roçou em seus cabelos.

— Talvez haja somente um amor para cada um na vida. E, quando se perde esse amor, acabou. Não há outra chance. É possível esperar a pessoa estar livre de novo e ter esperanças de que ela retribua o amor. Mas isso é apenas uma possibilidade.

Cassie inclinou a cabeça para encará-lo.

— Você não acredita mesmo nisso, acredita? Que, em meio a milhões e milhões de pessoas no mundo, há somente uma para cada um de nós?

O som do ar-condicionado veio de novo da janela do quarto acima deles. Na semiescuridão, o rosto de Sam estava calmo enquanto ele falava.

— Peixes-anjos têm uma única fêmea na vida. Quando um dos dois morre, o outro se lança até o fundo do oceano e morre também.

Cassie tentou acrescentar certo tom de brincadeira em sua voz, mas não obteve muito sucesso.

— E viúvas-negras, que, depois de copularem, comem seus machos. — Ela tentou rir, mas não conseguiu. — Sendo assim, estou feliz por não ser um peixe-anjo. Talvez eu tivesse me encolhido e morrido depois de Joe. — Ela se arrependeu de ter dito isso, mas Sam parecia arrancar-lhe confissões. Nenhum dos psiquiatras que frequentara em Nova York exercera esse efeito sobre ela. E eles lhe cobravam pelo atendimento.

Sam se sentou no último degrau, cruzando suas longas pernas no tornozelo. Cassie o acompanhou como se fosse a coisa mais natural no mundo.

— Talvez o tenha. Há inúmeras maneiras de morrer que não envolvem morte física.

Ela esticou as pernas e se inclinou sobre os dedos do pé para alongar os tendões.

— Bem, você está enganado quanto a isso. Estou vivinha da silva.

Sam continuou em silêncio, observando-a.

Ela abanou a mão na frente do rosto dele.

— Escutou? Estou aqui. E muito bem. E vou me casar.

Finalmente, ele falou:

— Eu sei. — Seu tom de voz não era convincente. — Então, talvez Joe não fosse o seu grande amor.

Recostando-se, Cassie apoiou os cotovelos no degrau de cima. Séria, ela inclinou a cabeça para trás e ficou observando a explosão de estrelas noturnas na crescente escuridão.

— Eu sei disso agora. Basta olhar Joe e Harriet juntos para saber que há algo de muito especial entre os dois. Mas tente dizer isso a uma menina de 20 anos. — Ela deu um belo suspiro, cuja tristeza surpreendeu até ela própria. — Ah, ter a sabedoria de 35 com a juventude dos 20!

Sam se inclinou para trás também.

— Mas por que tudo isso? Por que demorou tanto tempo para você perdoar e esquecer?

Cassie endireitou as costas, encarando-o.

— Não é da sua conta, Sam. Você tem o péssimo hábito de enfiar o nariz em assuntos que não lhe dizem respeito. — Terapia grátis era um coisa, mas querer saber de seus pensamentos mais íntimos era outra completamente diferente.

Sam permaneceu onde estava, observando-a discretamente.

— Não foi por causa de Joe, não é? Tinha mais a ver com orgulho ferido. E vocês, Madisons, têm orgulho suficiente para fertilizar uma plantação.

Ela se levantou num salto e se pôs na frente dele com as mãos na cintura.

— Você é mesmo muito ousado. Não sabe nada sobre mim. Nada sobre a minha vida atual. Estou muito feliz com o desenrolar de tudo.

Ela começou a subir a escada com passos pesados. Contudo, ele colocou o braço na frente dela, esticando-o até o corrimão do outro lado.

— A verdade dói, não é mesmo? Eu sei muito mais sobre você do que imagina.

— Dá licença, por favor. — A voz de Cassie estava bastante sarcástica.

Ele se levantou devagar, mas sem sair do caminho dela. Os rostos estavam apenas a alguns centímetros de distância.

— Eu tenho uma pergunta. E é a mesma que fiz ao seu pai, mas nunca obtive uma resposta. Por que, em todos esses anos, ele nunca foi te visitar em Nova York?

Surpresa, Cassie deu um passo para trás.

— Não porque não tenha pedido isso a ele. Pedi em todas as cartas e em todos os telefonemas. Mas ele queria que *eu* voltasse para casa para visitá-lo, e isso eu não faria. Então, nós apenas conversávamos ao telefone e nos encontrávamos uma vez ao ano em Atlanta. Era um lugar neutro para os dois, imagino.

— Acho que isso significa que você é guiada por sua enorme teimosia.

Ela ignorou a zombaria dele.

— Posso passar agora, por favor?

Quando ele saiu da frente, disse:

— Ah, acho que você deveria saber de só mais uma coisa antes de eu ir embora. Uma das minhas primeiras medidas como membro do conselho da prefeitura será buscar apoio para uma lei que proteja mais de vinte prédios históricos da cidade. Também pretendo dar início a uma moratória em todos os empreendimentos futuros até que possamos colocar em vigor um plano de uso do terreno. Além disso, estou preparando os alicerces para colocar grande parte da cidade, incluindo a sua casa, no Registro de Tombamento. Não vai te afetar em nada, a menos que decida fazer alguma coisa que altere a sua arquitetura. Como terraplanagem. Ou convertê-la em apartamentos.

Ela ficou olhando para ele, incrédula.

— Você só pode estar brincando. Esta casa é *minha*, e não é da conta de ninguém o que eu decido fazer com ela. Agora saia da minha propriedade e não volte mais aqui. Nem fale comigo. Ninguém — ela apontou o dedo para ele –, nem você, nem ninguém de sua cidadezinha, de pessoas com cabecinha, vão me dizer o que eu posso ou não fazer com a minha casa.

Ele parou por um instante, mordendo o canto da boca. Devagar, ele se virou, falando arrastado enquanto se distanciava.

— Boa noite, Cassie. Foi um prazer, como sempre.

A única resposta que ela deu foi bater a porta na sua cara.

Maddie virou a maçaneta da porta da frente da casa do avô, embora achasse que devesse pensar nela como a casa da tia Cassie agora — algo a que definitivamente levaria um tempo para se acostumar. Desde que nascera, ela havia frequentado aquela casa todas as semanas para a refeição de domingo. Era difícil imaginar a tia recebendo todo mundo para comer semanalmente. Na verdade, quando a imaginava, só conseguia ver saltos altos e vestidos de estilistas, que, com certeza, não eram o tipo de roupa que alguém vestiria para fritar frango ou colocar bebês para arrotar.

Maddie virou a maçaneta de novo e percebeu, um pouco surpresa, que estava trancada. Ninguém trancava as portas em Walton. Seu pai algumas vezes brincava que as pessoas naquela cidade colocavam coisas dentro da casa de quem deixava a porta aberta. Com as juntas dos dedos, ela bateu forte na porta e esperou um segundo antes de dar alguns passos para trás na varanda.

Tia Cassie dissera para aparecer depois da escola e ver se queria alguma coisa do sótão. A tia também dissera para ligar antes, no caso de ela estar ocupada com algum afazer, mas Maddie não havia dado nenhuma atenção àquilo, pois achava que a maldita porta estaria aberta.

Havia uma espécie de caixinha balançando na maçaneta, mas estava trancada também, e a chave não estava sob o tapete, onde deveria estar. Pareceu desleal, mas até mesmo Maddie achava a tia um pouco fora da realidade.

Ela ergueu as sobrancelhas ao se lembrar da janela na lavanderia nos fundos, que nunca se fechava completamente e era impossível trancar. Saindo aos pulos dos degraus da varanda, correu para trás da casa. Depois de puxar uma cadeira da varanda dos fundos, conseguiu abrir a janela e entrar por ela lentamente. Para descer, apoiou-se na máquina de lavar.

— Oi! — gritou Maddie ao entrar na cozinha. Era estranho estar completamente sozinha naquela casa. Principalmente porque a casa parecia vazia. Ela sempre imaginou como seria maravilhoso morar num apartamento sem todo aquele barulho e bagunça de sua família. Contudo, ela se viu procurando ouvir passos e até mesmo chamarem o seu nome. Estava tudo quieto, e quando Maddie subiu a escada até o segundo andar e passou por todas as fotografias de seus antepassados, chegou a imaginar que a casa também aguardava pelo som de pés correndo.

Ela subiu até o sótão, onde pilhas de todo tipo de coisas haviam sido feitas por sua mãe e por sua tia Cassie. Havia pilhas de coisas a serem guardadas, descartadas e doadas — como explicado pela tia — e duas bem pequenas de itens que pertenciam à sua mãe e à tia Cassie. Uma pilha continha apenas livros velhos e um porta-retratos virado para baixo. Maddie supôs que aquela pilha pertencia à tia. Mas, ao parar para olhar a segunda pilha, uma bem maior, viu um vestido verde de seda coberto de folhas kudzu.

Sem saber exatamente por que estava fazendo aquilo, Maddie se inclinou e pegou o vestido longo, aparentemente feito para alguém que vestia tamanho 38 ou menor. Ela o colocou na frente do corpo e queria rir, mas não conseguiu. Era tão minúsculo que cobriria talvez apenas uma de suas coxas, e não havia como fazê-lo entrar nos quadris. Talvez fosse uma coisa boa nunca ter sido a rainha kudzu, pois podia sentir a decepção de sua mãe por ela não caber naquele vestido.

Maddie largou o vestido sobre a pilha e voltou ao monte de livros de tia Cassie, erguendo o porta-retratos. Era uma fotografia velha, colorida, as cores já estavam tão gastas que o vermelho parecia laranja e o verde, amarelo. Mas não havia como confundir do que se tratava.

A parte final do carro alegórico da rainha kudzu, que levava o trono dela também, aparecia exuberante na foto. Maddie mal reconheceu sua mãe com aquela coroa cheia de brilho, decorada com folhas, e usando uma maquiagem bem carregada e o vestido verde. Era óbvio que o fotógrafo não havia focado a rainha, pois no centro da fotografia havia a imagem de uma menina alta, vestindo um macacão verde-limão, andando atrás do carro e segurando uma coleira. A menina estava olhando para o lado e Maddie não conseguiu ver o rosto dela, mas soube, sem sombra de dúvida, que era tia Cassie puxando uma porca gorda com um vestido kudzu igualzinho ao da rainha.

Desta vez Maddie riu. Não apenas porque era engraçadíssimo ver uma porca num vestido de gala, mas porque lhe pareceu evidente que a mãe tinha achado engraçado também e que estava tranquila quanto ao fato de a tia Cassie desfilar à maneira dela.

Maddie se sentou sobre a tampa do baú, ainda com o porta-retratos na mão. Era triste pensar que tudo aquilo havia mudado por causa de um menino estúpido — mesmo sendo ele o seu pai. Apesar de tudo, tia Cassie se dera bem, e sua mãe talvez estivesse certa quando dizia que as coisas sempre acabavam bem no final.

Ela estava prestes a colocar a foto de volta quando parou, com o porta-retratos no ar. Ela não seria a rainha kudzu naquele ano e, provavelmente, nem nos próximos três. Contudo, sua mãe e sua tia lhe haviam mostrado que há mais de uma maneira de brilhar num desfile e deixar a própria marca no mundo.

Com um sorriso, ela escorregou do baú e o abriu, mal enxergando o que havia dentro dele de tão absorta que estava em seus pensamentos. Provavelmente era tarde demais para fazer um vestido para uma porca, mas havia muitas outras possibilidades. Olhou para a fotografia, sabendo, no fundo, qual das duas meninas ela preferiria ser. Deu um silencioso agradecimento à tia por lhe ensinar que não havia problema algum em não ser a rainha kudzu, mesmo quando se desejava muito a coroa.

Cassie se sentou sob a enorme janela redonda da biblioteca, tentando proteger da luz direta do Sol a tela da antiga máquina de microfichas. Suas costas a estavam incomodando e sua cabeça começava a doer de tanto ficar com os olhos semicerrados diante das palavras borradas na tela. Registros computadorizados pertenciam ainda ao futuro para a Biblioteca Pública de Walton. Cassie xingou baixinho do vexame de ter de usar algo tão arcaico quanto microfichas. Aquela coisa maldita deveria pertencer a um museu.

Ela havia checado todos os registros de nascimento e morte do mês de abril de 1973 não apenas no jornal *Walton Sentinel*, como também no *Atlanta Journal-Constitution*. Tomou nota de todas as informações pertinentes para as mães cujo primeiro nome começava com a letra "E.", mas percebeu que precisaria de ajuda para checar cada um deles. Não que esperasse descobrir alguma coisa nessas declarações voluntárias: apenas não tinha outra ideia. Suspirando, abriu a bandeja que continha o filme e começou a rebobiná-lo. Que perda de tempo! Para começo de conversa, ela deveria ter contratado um investigador particular. Andrew e a vida dela a esperavam em Nova York. Além disso, estava errada em permitir que seu pé se fincasse na terra barrenta da Geórgia. Parecia, porém, não conseguir evitar isso. Cassie não estava protelando nada, claro. Parecia apenas que muitas coisas — como se envolver com os filhos de Harriet, vasculhar anos de lixo acumulado e procurar pela antiga amante de seu pai — estavam interferindo em sua tarefa de deixar tudo organizado e voltar para Nova York. Não havia saída.

Agarrando-se ao seu computador, Cassie desceu saltitante os degraus da biblioteca em direção ao meio-fio, onde a sua Mercedes estava estacionada. Havia uma coisa boa sobre aquela cidade — não era necessário caçar uma vaga de estacionamento. Ou pagar por ela.

Sentando-se devagar no banco do motorista, colocou a chave na ignição e deu a partida. No lugar do suave ruído do motor, ela ouviu o carro afogar e fazer um barulho semelhante a uma tosse seca. Sucessivas tentativas resultaram no mesmo efeito, com o único acréscimo dos xingamentos de Cassie, que pioravam exponencialmente a cada virada da chave.

Uma caminhonete conhecida parou ao lado do carro. Com um aceno e uma buzinada, Sam conduziu o veículo para a vaga na frente da dela. Cassie o ignorou e virou a chave uma vez mais. O motor rangeu, cuspiu, falhou e falhou.

Sam se aproximou do lado do passageiro e, pensativo, ficou observando a fumaça espessa sair do escapamento.

— Cassie, sinto dizer, mas acho que ele não funcionará.

Ignorando-o, ela tentou dar a partida outra vez. Uma terrível pancada veio do capô, seguida de uma grande nuvem de fumaça que vinha do escapamento.

— Vou chamar meu pai para ele rebocar o carro até o posto e dar um olhada nele. — Antes que ela pudesse se opor, ele havia ligado o celular e estava falando com seu pai. Sam usava um boné do time de beisebol Atlanta Brave. A borda da frente fazia sombra em seu rosto enquanto ele falava. Ela sempre odiara bonés de beisebol em homens, queria saber qual era a graça. Até aquele momento. Havia algo estranhamente atraente na maneira como Sam Parker se apresentava num estúpido boné daquele tipo.

Cassie saiu de rompante do carro e bateu a porta.

— O que há de errado com ele? — Sua voz saiu alta e em pânico. Ela teria de se lembrar de baixá-la quando contasse a Andrew sobre o seu bebê doente.

Sam desligou o celular e deu um peteleco na borda do boné.

— Não sei. Esses carros estrangeiros podem ser bem temperamentais e costumam dar ataques para provar quem é o chefe. Não sei por que as pessoas os compram. — Um sorriso de canto de boca o iluminou. — Ei, achei que você não estivesse falando comigo.

— E não estou. Vou ficar aqui esperando pelo reboque. Pode ir.

Ele olhou para ela, pois encontrara algo muito divertido. Seu sorriso murchou ao ver Ed Farrell vindo na direção deles na calçada.

A fala arrastada de Ed quase escondia a animosidade em sua voz.

— Ora, ora, é o próprio rei de Walton contra o progresso. Perdoe-me se não o parabenizo, Sam. Mas não posso deixar de ver a sua vitória como o princípio da morte precoce desta cidade. Me avise quando for o funeral, pois virei com certeza.

O rosto de Sam se fechou, todos os vestígios de humor rapidamente sumiram.

— Farei isso. — Sem dizer mais nada, ele deu as costas para Ed e olhou para Cassie. — Acho que você vai precisar de uma carona. Para onde posso te levar?

Ed deu a volta no carro para se colocar ao lado de Cassie.

— Problemas com o carro, docinho? Estou com o meu belo Cadillac com ar-condicionado estacionando bem na esquina, caso queira uma carona. É o mínimo que eu poderia fazer por um cliente. — E escancarou um sorriso. — E por sinal, uma linda cliente.

Ela estava velha demais e não era boba de cair naquele tipo de cantada, mas não havia saída. Estava com calor, suando e sentindo-se incomodada com o carro e Sam. Sorrindo para Ed, ela disse:

— Obrigada, Ed. Estou indo para casa, se não for nenhum incômodo para você. — Ao se virar para ver a expressão de Sam, seu sorriso de satisfação havia sumido. Ele não estava nem olhando para ela, mas para Mary Jane Harden, que vinha pela calçada com as mãos cheias de pacotes da farmácia Walton's Drug Emporium.

— Olá, pessoal — ela cumprimentou a todos radiante, com seu sorriso mais carinhoso direcionado para Sam.

Ele pegou os pacotes e os colocou na caçamba de sua caminhonete.

— Te dou uma carona até a clínica.

— Obrigada, Sam. — Ela olhou para Cassie. — Você já tem seus ingressos para o Festival Kudzu? Estamos vendendo bastante, é melhor se apressar. Não se esqueça, este ano daremos um prêmio para o casal mais bonito. — Ela indicou Ed e Cassie com o dedo. — Vocês vão juntos?

Ed segurou Cassie pelo cotovelo.

— Bem, ainda não tive a chance de perguntar, mas agora é um ótimo momento. Você me daria a honra, Cassie?

Confusa, só conseguiu balbuciar:

— É... bem... hum... é provável que eu não esteja aqui. Quando vai ser mesmo?

Mary Jane se aproximou dela.

— É neste final de semana. Com certeza não irá antes disso.

— Ah, não, a menos que o sótão milagrosamente se esvazie sozinho.

— Maravilha! Então, adoraria que você fosse comigo à festa.

Acossada, só lhe restou concordar. Ela ficou observando enquanto Mary Jane completava sua tabela.

— Sam, você ainda não tem com quem ir, tem? Como nós dois temos de sair da clínica, por que não vamos juntos? — Ela estendeu as mãos sobre o antebraço de Sam e o apertou.

Sam estava com a cara fechada, os pensamentos indecifráveis, e sorriu gentilmente.

— Claro. É uma ótima ideia.

Cassie segurou Ed pelo cotovelo.

— Vamos, Ed. Vamos embora. Vou te ligar, Mary Jane, para almoçarmos. — Sem pensar, ela gritou por trás dos ombros: — Sam, diga a seu pai que lhe telefonarei para saber do carro.

Eles caminharam até o carro de Ed, um gigantesco Cadillac branco que monopolizava a esquina, como um urso polar enorme. Ed abriu a porta do carro e ela se acomodou sobre o estofado de couro vermelho-escuro. Só faltava ali um lustre de cristal no teto para completar o ambiente de um bordel.

Ed entrou devagar atrás da direção e conduziu o carro para a rua.

— Gostou, hein?

Cassie estava concentrada, observando o enorme anel de ouro no mindinho dele.

— Hã? Do anel? Sim, claro. Muito bonito.

Ele levantou o dedo e o ouro reluziu na luz.

— Sim, com certeza é bonito, mas estava falando do carro. Nunca imaginou que Ed Farrell guiaria um destes, não é?

O seu sorriso era tão grande que Cassie podia ver as obturações de ouro nos dentes do fundo.

— Você certamente progrediu, Ed, e contribui muito para esta cidade. — Seus sentimentos eram genuínos. Ele percorrera um longo caminho até chegar ali. Cassie olhou para as próprias mãos no colo, lembrando-se do menino com a roupa e as unhas sujas de terra, de como ele havia sido impiedosamente perseguido por motivos fora de seu controle. — Estou muito orgulhosa de você.

Sob sua pele escura, ela podia jurar que o vira enrubescer. Ela supôs que fosse de prazer, mas não podia ter certeza por que ele virou o rosto para a janela.

Depois de alguns minutos de silêncio, ele disse:

— Encontrei Lou-Lou por acaso saindo da biblioteca. Ela disse que você estava pesquisando alguma coisa.

Cassie se recostou no assento confortável.

— Está aí uma coisa que jamais esperava ver: Lou-Lou Whitaker numa biblioteca. Ela me disse que estava lá procurando livros para você sobre antiguidades americanas. — Ela parou antes de acrescentar que aquilo também havia sido uma surpresa.

Ed deu de ombros, virando à esquerda na Oak Street.

— É... bem, estou tentando me informar sobre coisas que não nos ensinam no curso técnico. Quero decorar minha casa à maneira do ricos, e algo me diz que visitar a seção de móveis da Sears não vai me ajudar muito.

Cassie sorriu para si mesma, questionando-se de novo onde ele aprendera ser assim tão proativo.

Ele virou na Madison Lane.

— Então, o que você estava pesquisando?

Seus dedos encontraram o colar em volta do pescoço. Se "E." ainda vivia em Walton, Cassie precisaria tomar muito cuidado para proteger sua identidade. Pelo menos por enquanto.

— Estou pesquisando a árvore genealógica de minha família. Está na moda agora e achei que poderia fazer algo produtivo enquanto estiver aqui.

Ed concordou com a cabeça enquanto estacionava o carro na entrada circular na frente da casa dela. A minivan de Harriet estava parada mais adiante. Ele saiu do carro e deu a volta para abrir a porta para Cassie.

— É só me ligar caso precise de carona outra vez. Ficarei muito feliz em fazer isso para a minha cliente mais bonita.

Estava claro que a onda do politicamente correto havia sido ignorada naquela região.

— Obrigada, Ed. Ah, a propósito, só para te informar. É provável que já saiba, mas Sam está requerendo no conselho da prefeitura uma moratória para as futuras construções. Não que eu ache que isso afetará a venda da casa, mas poderá fazer diferença a longo prazo, caso optemos por dar outro destino à propriedade. Existe algo que possamos fazer para deixar aberto o leque de opções?

O rosto de Ed foi tomado por um vermelho doentio.

— Aquele filho da... Diacho! Não, não sabia. — Ele pegou o celular preso ao cinto. — Com licença, Cassie, preciso fazer algumas ligações. Te dou um retorno.

Sem se despedir, bateu a porta do carro e saiu às pressas, deixando um rasto de poeira para trás.

Cassie ficou olhando aquela cena por um bom tempo antes de se virar e subir os degraus da varanda. Um sentimento de paz tomou conta dela ao se aproximar da porta da frente. Há muito tempo não tinha aquela sensação. O ritmo habitual de trabalho vinha sendo um bom substituto para ela. Pisou no último degrau e parou. O rangido das tábuas do chão, ou talvez o cheiro dos buxinhos, lhe trouxe recordações tão vívidas à memória que sua pele ficou arrepiada. Quase chegava a ouvir fragmentos de conversas atravessando as janelas com tela, lembrando-a das inúmeras noites em que ficara deitada na cama escutando a voz reconfortante de seus pais lá embaixo, e depois, mais tarde, de seu pai e sua tia Lucinda. A recordação era como alimento para a alma, e Cassie prendeu a respiração na tentativa de se agarrar a ela.

A porta da frente se abriu e Harriet parou à soleira com o telefone do escritório na mão, cujo fio estava esticado ao máximo. Colocando a mão sobre o telefone, ela disse:

— É um cara da revista *Preservation*. Ele está escrevendo uma matéria sobre construções históricas em risco e quer saber quando pode vir aqui tirar fotos da casa. Diz que Sam Parker lhe deu o seu nome e número de telefone.

Cassie arregalou os olhos, todos os pensamentos pacíficos a abandonaram completamente naquele momento.

— Ele o quê? — Pegou o telefone da irmã e apertou o botão "desligar" sem nem mesmo falar com a pessoa do outro lado da linha. Em seguida, largou-o na mesa da entrada. Ela podia sentir os olhos acusadores de seus ancestrais pregados nos porta-retratos da parede. Anos de MBA e de trabalho em Nova York lhe haviam ensinado a ignorar os remorsos.

— Aquele caipira desgraçado. Ele vai se arrepender de ter mexido comigo. — Ela entrou de rompante no quarto e começou a vasculhar a lata de lixo em busca do cartão de visita que Sam lhe dera. Era hora de mostrar ao Dr. Parker que ela também sabia jogar sujo. Pressionou, com os dedos trêmulos, os números com força no telefone, tentando apagar a imagem do olhar acusatório de seu pentavô Madison.

Capítulo 11

A voz de uma mulher mais velha do outro lado da linha pegou Cassie de surpresa. Ela se sentou no banquinho de frente para a sua penteadeira.

— Alô? Estou procurando Sam... quero dizer, Dr. Parker. Talvez tenha discado o número errado.

— Não, não. É a mãe dele que está falando. Ele encaminha suas ligações para cá quando vem fazer uma visita, e eu o estou esperando chegar a qualquer momento. Quem fala?

Cassie viu seu reflexo no espelho. Precisava desesperadamente acertar seu corte geométrico, e a raiz não estava mais combinando com o castanho do resto do cabelo.

— É Cassandra Madison. Talvez devesse tentar na clínica...

— Cassie Madison! Nossa, quanta honra. Sinto muito pelo seu pai. Que homem maravilhoso. Esta cidade certamente irá sentir muito a falta dele.

— Obrigada, Sra. Parker. — Cassie mal se lembrava da mãe de Sam. Ela costumava trabalhar na lanchonete da escola e era gordinha. Naquela época já tinha cabelos grisalhos, que usava bem presos num coque no topo da cabeça, e rugas nas faces de tanto ficar exposta ao Sol. Mas seu sorriso iluminava seu rosto sincero e preenchia o ambiente a sua volta. Cassie se lembrava muito bem de quando a Sra. Parker lhe dava porções extras de sobremesa sem lhe lançar um olhar admoestador ou direcionar os olhos para suas coxas. Ela a imaginou agora, vestindo um avental sem mangas com babados na bainha.

Cassie se sentou com as costas retas, empurrando os ombros para trás.

— Muito obrigada pela torta de batata-doce. Foi tão gentil de sua parte! Coloquei-a no *freezer* para quando tia Lucinda voltar. Lembro-me de que era a preferida dela. Preciso da receita antes de voltar para casa. — Receita? Ela nem se lembrava de que forma se acendia um fogão. — Queria escrever para a senhora um bilhete de agradecimento, mas tenho estado tão ocupada...

A Sra. Parker a interrompeu.

— Ah, não precisa se preocupar. Tome o tempo necessário para sofrer a perda e não se preocupe com agradecimentos. Fique sabendo que você está em nossos pensamentos e orações.

Os olhos de Cassie ficaram rasos d'água. Deus, de onde veio isso? Se apenas palavras amáveis bastavam para comovê-la naqueles dias, era preciso voltar para Nova York o mais rápido possível, antes que ficasse emotiva demais. Ela nem conseguia imaginar qual seria a reação de Andrew se ela se derretesse em lágrimas toda vez que um cliente dissesse que não havia gostado de sua ideia.

— Obrigada, Sra. Parker. Estou muito agradecida. Bem, será que poderia pedir para Sam me ligar assim que chegar?

— Ele está na clínica agora, gostaria do número?

Cassie deu uma olhada de novo no cartão de visitas.

— Ah, deixe-me ver... não. Acho que eu tenho, era para eu ter ligado lá, mas meus olhos me trapacearam.

A Sra. Parker riu.

— Acontece com todos nós conforme envelhecemos. Quisera que meus braços fossem maiores, assim poderia segurar um livro a uma distância que eu conseguisse ler.

Mais velha? Trinta e cinco anos não era velha. Bem, talvez fosse naquele lugar, onde a maioria das moças da escola não só já estavam casadas, como também com vários filhos.

— É. Pode ser. Bom, peço desculpas por tê-la incomodado.

— Problema algum. Estou feliz por ter ligado e gostaria de outra oportunidade para conversarmos. Por que não vem jantar com a gente hoje à noite?

Uma onda de pânico tomou conta dela.

— O quê? Hoje à noite? Não, não gostaria de dar este trabalho...

— Não é trabalho nenhum, quando faço frango frito, faço aos montes, haverá muita comida aqui hoje. Sam também virá. — Ela disse isso imaginando que Sam fosse a cereja do bolo.

Cassie ficou olhando para o seu reflexo no espelho de novo, seus olhos pareciam os daquelas mulheres condenadas.

— Sendo assim, obrigada. A que horas devo chegar?

Assim que terminou a conversa, ela ligou para a clínica enquanto tentava ressuscitar a sua raiva. Mary Jane atendeu.

— Cassie, oi. Você está ligando para combinarmos o nosso almoço?

— É, na verdade... você está livre amanhã? Talvez pudéssemos almoçar naquela lanchonete sobre a qual comentamos.

— Ótimo. Eu costumo almoçar à uma da tarde. Vou checar com Sam e te aviso.

Cassie engoliu seco.

— Falando em Sam, ele está? Preciso falar com ele.

Houve uma breve pausa.

— Na verdade, não. Ele acabou de sair. Quer deixar um recado?

Uma outra pausa enquanto Cassie mordia os lábios questionando-se sobre o quanto deveria falar com Mary Jane.

— É... não, obrigada. Vou vê-lo hoje à noite.

Ela não se dera conta do quão insinuantes eram aquelas palavras até tê-las dito. Com um certo prazer perverso, Cassie não entrou em detalhes.

— Está bom, então. Depois te respondo sobre amanhã. Tchau, Cassie.

Desligando o telefone, ela deixou os ombros caírem. Precisava voltar e fazer um curso para recapitular o treinamento em assertividade. Se continuasse assim, Andrew jamais a reconheceria quando voltasse. Olhou para o seu reflexo. Suas bochechas estavam mais macias, redondas e rosadas. As eternas marcas sob os olhos castanhos haviam desaparecido, deixando-os mais brilhantes. Ela se inclinou para frente sobre os cotovelos e suspirou. Talvez aquilo fosse uma coisa boa.

Ela viu a caixa de cartas sobre a penteadeira atrás dela e se virou para olhá-la. Não havia aberto aquela caixa nenhuma vez sequer desde que a trouxera do sótão. Parte dela acreditava que estaria invadindo a privacidade do pai ao fazer isso. No entanto, ele não havia propriamente escondido a caixa e, mais de uma vez, passou por sua cabeça que talvez ele quisesse que ela fosse encontrada.

Caminhando devagar, aproximou-se da caixa e abriu a tampa. Seu pai estava morto agora e, se ele teve uma vida antes de encontrar sua mãe, ela queria saber. Seus dedos gentilmente percorreram a pequena pilha de cartas sentindo a fragilidade de papéis antigos contra a própria pele, e ela examinou de novo a linda letra da mulher desconhecida.

Uma ponta brilhante se destacava da pilha, e Cassie a segurou entre os dedos para puxá-la para fora. Ela olhou para a fotografia, surpresa, reconhecendo-se na foto do sexto ano do ensino fundamental. Era ela de pé ao lado da Sra. Browning, as meias três quartos caídas sobre os tornozelos e o cabelo repartido numa linha torta. Harriet estava perto, na fila da frente, com uma aparência impecável, com uma tiara na cabeça que combinava com a roupa. Joe e Sam estavam juntos na fila de trás fazendo chifres um na cabeça do outro. Os olhos de Sam estavam invisíveis, pois a luz do sol refletia forte sobre a armação grossa de seus óculos. Cassie semicerrou os olhos e tentou se lembrar se conhecia Sam no sexto ano, mas isso lhe escapou à memória.

Estava prestes a enfiar a foto de volta na caixa quando reparou, no fim da fila, numa figura alta que estava um pouco distante das outras crianças. Ed Farrell. Ele repetira dois anos e aquela era a primeira vez que estudavam juntos numa série. Seu rosto estava sujo de terra, os olhos para baixo, para continuar invisível à câmera. Ela podia ver a ponta de seu jaleco manchado, e se lembrou com profunda vergonha de como os garotos na escola o perseguiam sem piedade por ser um autêntico caipira.

Largou a foto de volta na caixa, perguntando-se por que havia sido colocada ali em vez de lá embaixo na escrivaninha do pai, junto com as outras fotos da escola.

Hesitante, como uma borboleta curiosa, sua mão sobrevoou a pilha de cartas antes de posar e pegar o primeiro envelope amarelo. Levando-o até a cama, ela se sentou e o abriu.

25 DE SETEMBRO DE 1972

Meu querido Harry,

Meu pai me disse que te viu esperando por mim depois da missa do último domingo. Quando me perguntou por que você não estava lá na hora do sermão, respondi que era porque você é protestante. Pensei que a cabeça dele fosse explodir, pois ele ficou muito vermelho.

Eu sempre soube que isso seria um problema e foi por essa razão que insisti para permanecermos calados a nosso respeito. Mas parece que agora fomos descobertos. Papai me proibiu de vê-lo, o que é um tanto tolo, pois já sou bem adulta e estou muito além da flor da idade. No passado, muitos até me chamariam de solteirona. Acredito que as coisas entre nós já tenham avançado bastante para nos separarmos, não acha? Eu nunca desobedeci ao meu pai antes, mas o que sinto por você me faz esquecer todo o resto.

Todos os dias, uso o lindo colar que você me deu, mas tomo cuidado para mantê-lo sob a blusa. Gosto de senti-lo perto do meu coração, ele conserva você nos meus pensamentos até que eu possa vê-lo de novo.

Amor,

E.

Cassie ficou sentada durante um bom tempo com a carta aberta sobre o colo, suas emoções oscilando rapidamente entre culpa, desgosto e uma forte dose de romantismo. Por fim, ela se levantou, guardou-a de volta na caixa de cartas e fechou a tampa com cuidado.

Harriet estava inclinada sobre uma antiga mesa de costura tentando pegar uma caixinha em uma prateleira atrás dela quando Cassie entrou no sótão.

— Você vai se machucar, Har. Deixe-me pegá-la. Há vantagens em ser grande e corpulenta, sabe?

Harriet se moveu para o lado para que Cassie pudesse alcançar a caixa.

— Você não é grande nem corpulenta. Sempre imaginei você sendo a Mulher Maravilha da televisão. Você era tão alta e forte, queria ser igualzinha a você. — Ela se jogou sobre um velho baú de viagem.

Cassie fez uma careta.

— Não acredito nisso nem por um minuto, Har. Todos os meninos do Colégio Walton preferiam as loiras de tipo miúdo, não a morena grandalhona. Considerando a minha altura, eu era bem invisível.

Harriet balançou a cabeça devagar, inclinando-a para o lado, e desejou que Cassie fosse um de seus filhos para beijá-la até que a ferida passasse. Mas sabia que a ferida da irmã era mais profunda do que isso. Algumas vezes chegava a acreditar que Cassie nascera com toda aquela dor encravada nela.

— Era esperado que você fosse a mais inteligente, mas algumas vezes tenho minhas dúvidas. — Um suave sorriso se formou em seus lábios. — Então, você ainda está brava comigo?

Enfiando-se numa antiga caixa de papelão, Cassie ergueu os olhos.

— Sobre o quê?

— Sobre eu achar que papai e sua amiga tiveram um lindo romance.

Cassie deu de ombros, enterrando a cabeça de novo na caixa.

— Não, não estou brava. Até eu fui obrigada a admitir que havia algo de muito romântico naquilo tudo. Hoje li outra carta. Vou te mostrar mais tarde. — Ela coçou o nariz quando partículas de poeira subiram da caixa. — Não encontrei nenhuma carta com data posterior à daquela que lemos aqui, aquela sobre o bebê. Tenho de admitir que isso me deixou bem aliviada. Talvez o romance tenha mesmo acabado antes de papai se casar com mamãe.

Harriet se virou para olhar para fora da janelinha.

— Tenho esperanças de a encontrarmos. Gostaria de saber se tudo deu certo para ela.

Cassie esboçou um sorriso gentil.

— As coisas costumam dar certo, acho. Eu sobrevivi, apesar de tudo. — Ela enfiou a cabeça dentro da caixa de novo e tirou de lá uma bonequinha nua já sem utilidade que havia sido claramente decapitada em algum momento. Ela fuçou a caixa outra em vez em busca da cabeça perdida.

Harriet falou devagar.

— É verdade. Com certeza você conseguiu, não é mesmo? Dizem que viver bem é a melhor das vinganças.

Cassie tocou em uma boneca.

— Bebê Betsy! — Harriet estendeu a mão para segurá-la, mas não conseguiu se levantar, sentindo-se sem energia. Ela pegou a boneca que a irmã lhe entregava e enfiou a cabeça na ponta do pescoço. — Lembra-se de quando o primo Nathan cortou a cabeça dela com a faca de caça do pai dele? — Ela riu ao se recordar. — Você o perseguiu com a faca na mão até a tia Lucinda te alcançar. Depois você colou a cabeça de volta, mas nunca mais parou no lugar. — Saudosa, ela olhou para boneca e lhe deu um abraço suave. — Você sempre estava tentando consertar as coisas para mim e ficava brava quando não conseguia.

Cassie parou sua busca pela cabeça da boneca por um momento e se virou para a irmã. Seu olhar percorreu o sótão empoeirado, passando pelas pilhas de caixas, roupas e baús: todas as lembranças do passado compartilhado. Ela olhou de novo para a irmã.

— Acho que eu não queria que você soubesse como era viver sem mãe. Já bastava uma de nós saber, não precisava que as duas soubessem.

— Guardiã de corações, né? — O olhar de Harriet desviou para o colar de Cassie, o brilho do ouro era de alguma forma tranquilizador.

— É. Verdade. — Cassie se virou de novo para a caixa que estava fuçando.

— Você ainda sente saudades dela?

Cassie se sentou sobre os calcanhares.

— Sim. Sinto. Não todos os dias, como costumava. Só algumas vezes, como quando sinto o aroma do perfume que ela usava. — Ela jogou a cabeça para trás e riu. — Ou quando ando pelo apartamento vestida apenas com minha roupa íntima. Juro, acho que sou a única mulher em Nova York com menos de 60 anos que usa isso. Mamãe tinha cada uma mais linda que a outra, todas de seda e em várias cores. Ela costumava chamá-las de sua "feminilidade secreta". Lembro-me dela correndo pela casa antes da igreja, vestindo apenas roupa íntima e suas joias e tentando nos arrumar. Lembro-me de senti-las muito macias no meu rosto quando eu a abraçava.

Harriet curvou a cabeça.

— Não me lembro de tantas coisas assim. Mas ela me faz falta, especialmente naqueles momentos em que uma menina precisa da mãe. — Sentindo imensamente a perda, ela fechou os olhos. — Senti falta dela no dia do meu casamento. Queria que ela tivesse me ajudado a escolher um vestido e colocado seu colar de pérolas em meu pescoço. — Ela balançou a cabeça de leve. — Não que eu tenha recebido essas coisas, mas eu não podia nem sonhar com elas. Mais que tudo, ela me fez falta durante minhas gravidezes, principalmente a primeira. Precisava de sua orientação. — Ela olhou diretamente para Cassie. — E você também me fez falta. Queria que você tivesse passado aquilo comigo. Sempre vou lastimar o fato de você não ter estado aqui no nascimento deles. — Ela sentiu os olhos encherem-se de lágrimas e os limpou de leve com a ponta do vestido.

Cassie continuou em silêncio e Harriet compreendeu. Cassie sempre se sentira mais confortável em fazer alguma coisa para mostrar seus sentimentos a falar sobre eles.

— Sabe, Har, posso limpar este sótão sozinha. Só me dê uma ideia das coisas que quer que eu guarde para você e eu as colocarei na sua pilha.

Harriet queria responder, mas uma dor aguda em algum lugar de seu abdômen tirou as palavras de sua boca. Ela se sentou no baú, sem se mexer, e fechou os olhos, para fazer a dor sumir.

— Você está bem?

Harriet abriu os olhos devagar e forçou um sorriso para tirar aquele olhar preocupado do rosto da irmã.

— Sim, estou bem. Só muito... exausta. Parece que não estou me recuperando tão rápido do nascimento da Amanda como aconteceu com o dos outros. — Ela deu um fraco sorriso. — Talvez esteja ficando velha.

Cassie se esticou bem lá dentro da caixa.

— Tenho certeza de que cuidar da própria loja e criar cinco filhos não tem nada a ver com isso. — Seu sorriso afetado perdeu força quando as duas perceberam o que Cassie tinha nas mãos. Um tafetá roxo. Após 15 anos, a tonalidade vibrante mal tinha se apagado. Ela o levantou, o pequeno arco de luz balançava para fora e o fazia brilhar. Ela tentou guardar o vestido no baú para que ninguém o visse, mas Harriet a impediu.

— Espere, Cassie. Knoxie ou Sarah talvez queiram brincar de se vestir com ele.

Com um suspiro resignado, Cassie pegou o vestido de novo.

— Aqui. Pode ficar com ele. Com certeza ele não me serve para nada.

Ela virou o rosto, mas não antes de Harriet ver a antiga dor nos olhos da irmã. Era o vestido que Cassie usara no dia do baile de formatura. Era com ele que estava quando Sam lhe contou sobre Harriet e Joe.

Harriet se levantou e caminhou até Cassie, que havia se sentado sobre um cavalinho de madeira.

— Sinto muito, Cassie. Sempre quis te dizer isso. Sinto mesmo. Não por mim ou Joe, mas pela maneira como você descobriu tudo. E sua partida. Nunca quisemos que isso tivesse acontecido.

Sua voz falhou, mas Cassie não ergueu os olhos. Em vez disso, ela deu de ombros.

— É, bem...

Nenhuma delas conseguia pensar em alguma coisa para dizer. Harriet queria enterrar todo o triste passado no velho baú, juntamente com o vestido. Bastava Cassie deixá-la fazer isso. Para Cassie, olhar para o vestido era como tocar numa ferida: sensível ao toque, mas facilmente ignorada quando não se chega muito perto.

Harriet se ajoelhou ao lado da irmã sobre o chão empoeirado querendo, mais que tudo, que Cassie compreendesse, que perdoasse o imperdoável.

— Nós queríamos que você tivesse voltado desde que foi embora. Não é a mesma coisa sem você aqui. Queremos que faça parte de nossas vidas, parte da vida de nossos filhos. — Ela tocou o braço de Cassie. — Tínhamos esperanças de que esta visita te fizesse esquecer todos os sentimentos ruins e fizesse você recordar todos os bons que vivenciamos antes. E quem sabe fazer com que você quisesse voltar para cá.

Virando-se, Cassie olhou para Harriet, e Harriet viu tudo o que havia mudado na irmã naqueles 15 anos. Grande parte disso, a confiança, o olhar mais sofisticado, era muito bom de ver. Mas isso havia cobrado um preço alto demais. A garota engraçada, simples e alegre que um dia fora Cassie Madison havia sido enterrada sob todo aquele sofrimento para que uma mulher recém-inventada pudesse surgir dos escombros. De alguma maneira, Harriet perdera a irmã que um dia a amara e protegera como se aquela fosse a sua missão na vida, a mesma irmã para quem Harriet retribuíra seu amor com todo o coração. A irmã que Harriet magoara de uma maneira quase inimaginável.

Cassie olhou para os próprios dedos, examinando as unhas lascadas e com o esmalte saindo.

— Isso não tem mais importância, Har. Tenho uma vida nova, estou noiva. Mudar para cá de novo está fora de cogitação para mim. — Ela ergueu o rosto, encontrando o olhar da irmã. — Sempre quis ir embora desta cidade, e você me deu uma razão para partir. — Com uma risada forçada, ela acrescentou: — Talvez devesse te agradecer.

Harriet olhou séria para Cassie.

— Você ainda sente alguma coisa por Joe?

Cassie, devagar, balançou a cabeça.

— Não, definitivamente não. Posso até vê-lo como um amigo, um cunhado, mas, com certeza, não é o tipo de homem com quem eu me casaria.

Harriet moveu os lábios num sorrisinho, ainda em busca da velha Cassie.

— Bem, então, talvez devesse me agradecer.

Cassie jogou na irmã um chapéu de veludo com três penas de pavão.

— Não se fie muito nisso não, está bem? — Já mais controlada, ela olhou para Harriet com novos olhos, vendo a verdade pela primeira vez. — Quando não são cuidadas, pequenas feridas chegam a inflamar desproporcionalmente.

— Não foi uma ferida pequena.

— É mesmo. — Cassie tirou do baú um par de ceroulas de lã destruídas pelas traças e olhou para elas de perto, porém seus pensamentos estavam em algum outro lugar. — Mas eu não deveria ter punido papai e tia Lucinda também. Estava tão preocupada em tentar provar para mim mesma e para todo mundo que eu não estava me importando...

Harriet acariciou o veludo macio do chapéu e percorreu levemente as penas com os dedos.

— Não, acho que estava preocupada em provar para todo mundo que você não pertencia a este lugar.

Cassie se levantou, limpando os joelhos.

— É, não pertenço. É bom de visitar...

A dor a atingiu de novo, e Harriet se recostou na caixa com os olhos fechados.

— Você está bem? Está branca como um fantasma.

— Estou bem. Estou bem. Só muito cansada. — Harriet balançou uma mão pálida na frente dela. — Acho que preciso descansar um pouco, só isso. Mas preciso me arrumar para o inventário da loja...

Jogando a enorme ceroula na pilha de coisas a serem descartadas, Cassie se ajoelhou na frente de Harriet.

— Não seja ridícula. Está na cara que você não está bem. Vá se deitar e eu vou tentar encontrar Sam.

— Não, não precisa. Isso já aconteceu antes. Só preciso cochilar uns vinte minutos e estarei novinha em folha. Vou me deitar um pouco no meu antigo quarto, mas me prometa que não vai me deixar dormir mais que esses minutinhos.

Cassie ficou olhando para ela, incerta.

— Tem certeza?

Tentando não se esforçar muito, Harriet ficou de pé.

— Sim, tenho. — Cambaleante, foi até a escada e se agarrou firme ao corrimão. — Vinte minutos, está bem?

Ainda com a testa franzida, Cassie concordou.

— Mas só se me deixar ir até a loja com você e te ajudar lá.

Harriet esperava que seu alívio não fosse tão óbvio.

— Tudo bem. Mas só se realmente quiser.

— Quero. — Cassie lhe deu um sorriso tranquilizador.

— Obrigada. — Harriet desceu a escada e foi para o quarto onde havia crescido. Deitou-se sobre os travesseiros já quase dormindo e teve esperanças de que Cassie a deixasse dormir um pouco mais do que vinte minutos, e sabia, por alguma razão, que ela o faria.

Cassie ficou de pé na frente do Chevrolet Malibu cor-de-rosa, pensando que ele chegava até mesmo a cheirar pó de arroz. Tia Lucinda havia retornado de sua viagem a tempo de emprestar o carro para ela, do contrário, teria de andar dez quarteirões até os Parkers sob o calor. Ponderava se andar não seria uma alternativa melhor a ser vista num carro cor-de-rosa.

Ela ergueu os braços, já sentindo-os melados, e decidiu que, rosa ou não, o carro tinha ar-condicionado. Com uma última olhada para a placa onde estava escrito "Batom", ela se sentou atrás da direção. Quando ligou o rádio, ela se perguntou, despretensiosamente, quantos cremes de pele, máscaras de clareamento e rímel tia Lucinda teve de vender para as distintas senhoras de Walton a fim de conseguir aquele carro. Ela virou rapidamente uma esquina e escutou caixas e sacolas cheias de cosméticos se mexerem e fazerem barulho no banco de trás como crianças agitadas.

A casa na rua Orchard, no estilo de uma pequena chácara, continuava muito parecida com a casa da qual Cassie se lembrava. Nunca havia entrado na casa dos Parkers, mas todos os dias passava por ela na ida e na volta da escola. Seu aspecto mais notável era a varanda: quase tão profunda quanto larga, com muito espaço escondido atrás das enormes cadeiras de balanço de vime. Cassie descobrira isso sozinha na noite em que pintara a varanda do diretor Purdy, no outro lado da rua.

Depois de trancar a porta do carro e puxar a maçaneta para se certificar de que estava mesmo trancada, ela caminhou em direção à entrada da frente. Reconheceu a figura alta que estava de pé, atrás da porta de tela, e de súbito sentiu-se tomada de raiva.

— Sei que lhe parece estranho, Cassie, mas aqui você não precisa trancar o carro. Especialmente na nossa entrada. — Ele segurou a porta aberta para ela, e um sorriso indiferente lhe atravessou o rosto.

Cassie parou, olhando à sua volta, nervosa.

— Aquele seu bicho está aqui?

— Não, senhora. Em consideração ao seu capricho, eu deixei George na minha casa. Ele ficou bem decepcionado, no entanto. Parece que se apegou bastante a você.

Ignorando-o, ela pisou firme nos degraus da varanda.

— Você é muito descarado, Sam Parker. Como ousa ligar para aquele editor? — O pé dela ficou preso no tapete, lançando-a para cima do peito de Sam.

Eles estavam abraçados quando a Sra. Parker saiu da cozinha. Ela os viu e seus enormes olhos cinza brilharam, inicialmente de surpresa, mas depois se transformou em satisfação.

Depressa, Cassie se desvencilhou de Sam e se permitiu ser envolvida pelos braços macios da Sra. Parker. A mulher não havia mudado nada, estava tudo igualzinho, até o avental com babados nas bainhas.

— Você é tão linda quanto sua mãe, não é? É a cara dela. — Ela se inclinou na direção do cabelo de Cassie e o cheirou forte. — É aquele perfume *Saucy*, né? Acabei de comprar um de sua tia Lucinda no mês passado. Deixa Walter louquinho.

Ela deu uma risada gutural exatamente quando o Sr. Parker descia as escadas batendo os pés, arrumando as mangas sobre os antebraços ainda molhados, onde os pelos se enrolavam como tufos de algodão.

— É verdade, esse sou eu. Um homem apaixonado.

Ele pegou a mulher e lhe deu um enorme beijo na face. Suas mãos lhe fizeram algo por trás, arrancando dela um grito de colegial. Ela deu um tapa no braço dele.

— Walter! Tenha modos. Estamos com visita.

Os mesmos olhos azuis de que Cassie se lembrava do posto de gasolina a observaram sob densas sobrancelhas. O mesmo macacão de sempre cobria seu abdômen arredondado, e o Sr. Parker cheirava levemente à sabonete. Ela sentiu uma imensa vontade de rir ao imaginar aquele homem fazendo loucuras com uma mulher.

— Estou vendo. É bom te ver outra vez, Cassie. — Ele se inclinou para frente e lhe deu um beijo estalado no rosto. — Mal conseguirei comer meu jantar hoje, estarei ocupado demais olhando duas lindas mulheres sentadas à minha mesa.

A Sra. Parker deu uma risadinha de novo e bateu no braço dele.

— Preste atenção, Walter. Com tantos elogios, você acaba conquistando todo mundo.

Ele piscou para a mulher, e Cassie teve o mais estranho ímpeto de abraçá-los. Havia algo tão estimulante e autêntico neles! Tentou imaginar ela e Andrew como um casal mais velho, mas não conseguiu uma imagem nítida.

— Venha me ajudar na cozinha, Walter. Sam, por que não mostra a Cassie a varanda e lhe oferece algo para beber?

Cassie percebeu a leve piscadela que a Sra. Parker deu para o marido e imediatamente ofereceu a sua ajuda.

— Eu posso ajudá-la!

A Sra. Parker balançou uma mão gorducha.

— Ah, não, querida. Vá se sentar e conversar com Sam. Nossas visitas não trabalham na cozinha.

Em seu macacão, o Sr. Parker seguiu a esposa, fazendo alguns comentários divertidos sobre o trabalho das mulheres, e desapareceu na cozinha.

Cassie encarou Sam, com as mãos segurando os cotovelos.

— Por que sua mãe acha que eu prefiro conversar com você a picar salada?

Ele a conduziu para um ambiente fora do pequeno vestíbulo e fez sinal para que se sentasse numa namoradeira de veludo verde.

— Por que sou filho dela e ela acha que sou a coisa mais maravilhosa depois de pão fatiado e não consegue imaginar que alguém pense diferente disso.

Ele se sentou numa velha poltrona reclinável, em cujo braço estava o controle remoto. Ela apoiou a cabeça sobre uma colcha feita à mão que estava nas costas da namoradeira e ficou olhando para as estatuetas de anjinhos sobre uma toalha de mesa de renda na mesinha de centro. Sua ira a respeito das fotos da revista ainda não havia passado, mas ela estava relutante em demonstrá-la ali, aos ouvidos dos pais dele. A opinião deles sobre ela de repente passou a ter importância, e Cassie não queria ser interrompida antes de dar uma bronca em Sam.

Levantando-se de repente, Cassie se aproximou da lareira para olhar de perto alguns porta-retratos colocados entre antigos moldes de barcos a vela e sapatos de bronze de bebês sobre a cornija. A lareira de tijolo estava limpa, mas ainda dava para sentir o cheiro de cinzas velhas. Cassie se inclinou para frente para ver uma fotografia colorida de dois meninos, um com cerca de 11 anos e o outro com cerca de 1 ou 2 anos. Ambos usavam chapéu de *cowboy* e estavam fazendo palhaçadas para a câmera. A criança mais nova usava também botas de *cowboy* e um coldre estrategicamente colocado — e nada mais.

— Bela roupa — disse Cassie.

— Sou eu e Tom.

Cassie se virou e ficou surpresa ao notar Sam tão perto dela. Seus olhos cintilavam um leve azul-claro, fazendo-a temporariamente se esquecer de sua raiva. Ela deu um passo para trás e olhou para a fotografia.

— Seu irmão?

Sam fez que sim com a cabeça.

— Foi tirada um ano antes de ele morrer. Tínhamos comprado esses chapéus na feira de exposição, pensando que éramos dois clientes valentões.

Cassie correu o dedo sobre o vidro.

— Sinto muito, você deve sentir muita saudade dele.

Ele não respondeu nada, mas continuou a olhá-la de perto. Ela se afastou, os dedos brincando com os pingentes em seu pescoço.

— Imagino que haja razões piores do que a culpa por algo que não foi responsabilidade sua para desistir de tudo por que tanto batalhou.

Sam fez um som sibilante, puxando o ar para dentro, e Cassie soube que havia tocado numa ferida. Mas não havia como voltar atrás.

Com cuidado, ela colocou a foto de volta no lugar, encarando-a para não precisar olhar para ele.

— É por isso que está dificultando a minha partida? Por que tem inveja por eu ter uma escolha, e você não?

Longos dedos bronzeados se moveram na cornija dentro do campo de visão de Cassie, e, ao se virar, ela percebeu que estava presa pelo braço e corpo dele. A voz de Sam estava calma.

— Talvez seja o contrário. Talvez você tenha inveja de mim porque eu tive um motivo para ficar.

As palavras dele a feriram, mas ela estaria condenada se permitisse que ele o percebesse.

— Tenho mais motivos para voltar para Nova York do que você é capaz de imaginar. Assim que acabar de olhar tudo na casa e fizer a partilha da maneira como for possível, vou embora.

Ele ergueu a sobrancelha e devagar retirou o braço da cornija. Sam se virou, mas antes Cassie notou o maxilar dele se mexendo furiosamente.

Naquele instante, a Sra. Parker passou alvoraçada, carregando uma travessa quente com frango frito para a sala de jantar ao lado. O Sr. Parker vinha logo atrás, com uma vasilha cheia de purê de batata e uma molheira na forma de uma bola de futebol americano, em cuja lateral estava pintado o buldogue da Universidade da Geórgia.

Cassie esboçou um simpático sorriso no rosto e se sentou à mesa. Uma olhada rápida nos pratos foi o suficiente para perceber que havia mais colesterol e gordura ali do que seu corpo chegara perto em 15 anos. Ela fechou os olhos e respirou profundamente, ponderando que poderia correr alguns quilômetros a mais no dia seguinte. Quando a Sra. Parker deu a volta na mesa e se aproximou dela com a travessa de frango na mão, Cassie levantou o prato com um ávido sorriso.

Depois de todos se servirem, o Sr. Parker limpou a garganta enquanto enfiava o guardanapo na parte superior de seu macacão.

— Vamos fazer uma prece. — Todos baixaram a cabeça, e Cassie ficou aliviada por não ter de segurar a mão de ninguém.

Mais tarde, o Sr. Parker disse a Cassie:

— Espero que você não precise de seu carro até o final desta semana. Parece que a parte do motor de que preciso para que o carro volte a funcionar vem lá da Alemanha. Consegui acelerar um pouco comprando pela internet, mas, mesmo assim, demora bastante para chegar aqui.

Cassie engoliu um bocado de purê de batata antes de concordar com um sinal de cabeça.

— Tudo bem. Ainda tenho bastantes coisas para tirar da casa, não consegui limpar nem metade do sótão. Acho que nada dali foi jogado fora desde quando ela foi construída.

A Sra. Parker esticou o braço e tocou na mão de Cassie.

— Mais coisas para estimar, querida. Curta reviver todas aquelas lembranças.

Cassie fez que sim com a cabeça, e estava prestes a abrir a boca para concordar, quando percebeu o olhar de Sam sobre ela, e voltou atrás, calada, sem querer lhe dar aquela satisfação.

Depois do jantar, a Sra. Parker mandou que Cassie e Sam fossem para a varanda, ignorando os protestos de Cassie para ajudar com a louça.

— Vocês, jovens, vão lá para fora apreciar esta linda noite. Será noite de Lua cheia e vocês podem observá-la nascer sobre as magnólias. A visão dela irá destruir corações. — Com um tapinha no ombro de Cassie, empurrando-a na direção da porta, a Sra. Parker se virou para tirar da mesa a jarra de chá gelado. — Daqui a pouquinho, vou levar limonada e torta de maçã para vocês.

Cassie andou na frente de Sam sabendo que, se havia alguma coisa a ser destruída naquela noite, seria a cabeça dele. A luz azulada a pegou de surpresa, fazendo Cassie parar e olhar para a noite cintilante. Nunca mais havia reparado na Lua, e se alguma vez considerou fazê-lo, foi quando ela já estava escondida atrás dos prédios altos, longe de seus olhos. Cassie ficou parada por um tempo, banhando-se na sua luz etérea e ouvindo os sons da noite ao seu redor.

O rangido de um balanço na varanda a fez virar-se. Sam bateu de leve no assento ao lado dele, mas ela o ignorou e encontrou um canto confortável numa enorme cadeira de balanço.

Ela não se permitiu se mover. Ao contrário, fixou os pés no chão.

— Queria que você ligasse para aquela revista idiota e lhes informasse que, se aparecerem na minha porta, eu os processarei por invasão de propriedade. E depois vou te processar por assédio só para me divertir.

Ele nem se mexeu no assento, apenas lhe deu como resposta o lento e confortável rangido do balanço.

Irritada, ela perguntou:

— Você está me escutando? Estou falando sério. Você está se metendo na minha vida e não é da sua conta.

Sam continuou a balançar devagar.

— Como você pode não ter mudado a cor de seus olhos quando colocou lentes de contato?

Cassie arregalou os olhos e rapidamente levou os dedos à face.

— O que há de errado com a cor de meus olhos?

A luz azulada fez com que o sorriso dele brilhasse.

— Nada. Sempre gostei deles. Me lembram um belo copo de whisky contra a luz de uma lareira.

Cassie se recostou com os braços cruzados na frente do corpo, sentindo-se lisonjeada, mas relutante em deixá-lo perceber isso.

— Minha nossa. Temos também um poeta.

Ele deu de ombros e o balanço rangeu alto.

— Vai ver que sou um homem de muitos talentos.

Constrangida agora, ela perguntou:

— Então por que acredita que eu deveria tê-los mudado?

— Mudado o quê?

Ela bateu o pé no chão.

— A cor dos meus olhos. Tem certeza de que seu registro profissional de médico é legítimo?

Ao se levantar, Sam deixou atrás de si o balanço oscilando intensamente.

— Você mudou todo o resto que não precisava ter sido mudado, e me surpreendeu o fato de não ter mudado também a cor dos olhos.

Suas palavras a pegaram desprevenida. A voz dela baixou um tom.

— São da mesma cor dos de minha mãe, e sempre achei os dela lindos.

— Como os seus também são.

Sua face corou e ela agradeceu por poder se esconder na escuridão. Então, foi tomada por um pensamento sensato. Aquele homem estava tentando acabar com a vida dela.

— Não tente me adular, estou furiosa com você. E se não parar com esse assédio, terá que conversar com meu advogado.

Cassie se levantou tentando não reparar no quanto a Lua iluminava os olhos dele e se concentrou num ponto acima de sua cabeça.

— Por favor, peça desculpas para sua mãe por mim, diga-lhe que o jantar estava maravilhoso. — Cassie caminhou determinada em direção ao carro cor-de-rosa, que agora lembrava um *marshmallow* cintilante sob o brilho da Lua.

— E, sim, é legítimo — ele gritou.

Encarando-o de novo, ela colocou as mãos nos quadris.

— O quê?

— Meu diploma. Quando for me visitar, vou mostrá-lo para você. Está pendurado na parede de minha sala de estar.

— Não se fie nisso, Sam. Pensando bem, faça-o. Será uma irritação a menos com a qual me preocupar na vida.

Ela abriu a porta do carro.

— Cassie?

— O quê?

— A luz do luar realça a sua beleza.

Ela bateu a porta e ligou o motor, sentindo de novo o rosto corar. Olhou-se no retrovisor e parou com a mão na direção. Sua pele parecia pálida e macia, sem nenhuma sarda, como um lago no começo da manhã antes de a primeira linha de pesca ter sido arremessada. Seus olhos ardiam, e sua mão tocou a sua face. Havia tanto tempo que alguém lhe dissera algo tão... gentil. Fez com que se sentisse... mulher. Não uma mulher de negócios, apenas uma mulher. Feminina. Ela colocou o carro em marcha à ré, olhou-se no espelho outra vez e viu os olhos da mãe. No entanto, a aparência dos olhos de Cassie era mais dura e contida.

Conduzindo o carro para a rua, Cassie o colocou em movimento e dirigiu devagar, uma mão na direção e a outra para fora da janela. Seus dedos claros abriam-se ao máximo tentando apanhar um pouco do suave ar da noite e do desejo que parecia vir da estrada escura.

Capítulo 12

Maddie estava ao lado de Cassie, atrás do balcão da loja Harriet's Skirt 'n' Such, e ficou olhando quando a tia se encolheu. As gêmeas Sedgewick, com penas brilhantes de pavão enfiadas em idênticos chapéus de palha, aproximavam-se da loja.

Embora ainda fossem dez da manhã, era óbvio que o dia de tia Cassie ia de mal a pior. Maddie estivera na casa dela mais cedo para carregar o carro cor-de-rosa de tia Lucinda com roupas velhas que seriam enviadas para o Exército da Salvação. O telefone tocou quando ela estava arrastando, escada abaixo, uma sacola enorme, cheia de coisas dos baús do sótão, e parou quando a tia o atendeu e disse o nome Andrew. Cassie estava mexendo de novo nas coisas da escrivaninha e apertara o viva voz.

A voz de sua tia parecia mais alta do que de costume.

— Por que você não me ligou no celular?

— Quer dizer que finalmente comprou um carregador? — Ele não esperou por uma resposta. — Quando vai voltar? Não consigo cuidar desta empresa sozinho, as coisas estão saindo do controle. Preciso que volte. Agora. Entre no carro e venha.

Por um instante, Maddie temera que Cassie fosse concordar. Não que não achasse que a tia em seu macacão tinha coisas muito mais importantes a fazer do que organizar os papéis velhos do avô e as quinquilharias do sótão. Alguma coisa do que disse esse tal de Andrew deixara Maddie um pouco irritada. Entre todas as razões que ele deu para a tia voltar, nenhuma delas se referia a saudades de *Cassie*.

— Não, Andrew, não posso ir agora. Tenho responsabilidades aqui também. Você não pode mandar em mim.

— Como não? *Sou* seu chefe.

Houve uma pequena pausa e Maddie se inclinou sobre o corrimão para ver a tia pressionar os lábios com determinação.

— A propósito, Andrew, acho que preciso pedir uma licença do trabalho. Continuarei disponível a distância para lidar com problemas de clientes e sanar dúvidas, caso você precise. Mas tenho certeza de que Carolyn Moore ficaria muito feliz em assumir meu lugar enquanto eu estiver fora, ela é uma ótima puxa-saco. — Cassie parou um instante, e Maddie olhou de novo para o rosto dela para ver quem estava mais surpresa com suas palavras. Até para Maddie estava claro que aquela era a primeira vez que a tia havia considerado ficar e declarado isso.

Tia Cassie continuou:

— Não vou ficar longe por muito mais tempo, talvez mais um mês, mas você vai precisar de alguém para me substituir.

— Um mês? Você está brincando?

As mãos de Cassie pararam de mexer nos papéis sobre a escrivaninha e ela se sentou, endireitando a postura.

— Sim — respondeu dando um profundo suspiro. — Acho que sim. Não posso... ir embora.

— Por que não? Você nunca quis ficar aí antes.

Maddie respirou baixinho esperando tia Cassie responder.

— Sim, é verdade. Nunca tinha conhecido minhas sobrinhas e meu sobrinho. E está sendo bom conhecer de novo minha irmã. Quinze anos é bastante tempo. Com certeza você é capaz de entender isso.

Fez-se um completo silêncio do outro lado da linha.

— E meu carro? Como vou recebê-lo de volta?

Cassie simplesmente desligou o telefone sem lhe dar nenhuma resposta. O telefone da casa tocou, o celular de Cassie tocou várias vezes. Maddie percebeu que ele lhe enviara várias mensagens no celular, pois escutou a tia xingando horrores toda vez que checava seu celular. Mas ela apagou todas as mensagens.

A tia esteve de mau humor no caminho para a loja de sua mãe. E agora, enquanto Cassie observava as Sedgewicks se aproximarem, não parecia que seu humor iria melhorar. Bem na hora que Maddie se virou para lhe perguntar por que parecia tão amedrontada com duas senhorinhas, ela se escondeu atrás do balcão, encolhida como uma bola compacta. Ficou ali quando a campainha da porta soou e as gêmeas entraram na loja e trocaram cumprimentos com Maddie.

Tia Lucinda, que trabalhava na loja três vezes por semana, saiu do estoque e parou ao ver Cassie encolhida entre as caixas de cabides e de meias de seda. Cassie colocou o dedo sobre a boca e Maddie se virou para não rir.

— Deixou cair alguma coisa, querida?

Assustada, Cassie virou a cabeça de uma vez para encarar o rosto meigo de Thelma (ou Selma?) Sedgewick. A pena de pavão balançava para cima e para baixo, cumprimentando-a.

— O quê? Sim, peguei. — Tia Cassie agarrou um punhado de lenços de papel e se levantou, derrubando uma pilha de cabides, e escancarou um sorriso para as gêmeas. — Que prazer vê-las de novo. Como posso ajudá-las?

As duas irmãs olharam uma para a outra e depois, para Cassie.

— Viemos pedir desculpas. Vimos Harriet no Bitsy's e ela nos disse que você estaria aqui, e não conseguiríamos começar o nosso dia sem esclarecer as coisas, digamos assim.

Cassie piscou.

— Pedir desculpas? Para mim? Mas acho que sou eu que...

Selma balançou a mão.

— Não, querida. O mal-entendido foi culpa nossa. Nós nos descuidamos e esquecemos que você viveu sem a orientação de uma mãe por muito tempo. — Ela levou uma mão enluvada ao peito e rolou os olhos para cima. — E que você vive numa cidade grande onde ninguém te conhece ou sabe sobre sua família. Isso traz consequências danosas para uma menina. — Ela deu um tapinha de leve no braço de Cassie. — Mas temos quase certeza de que, agora que voltou para casa, sua boa família e educação vão logo despontar novamente.

Sem palavras, tia Cassie simplesmente piscou os olhos, enquanto Selma largava no canto um saco plástico para jardinagem que exalava um forte cheiro de terra úmida e plástico queimado.

— Então, estamos pedindo que nos perdoe. Trouxemos isso como um símbolo de nossa sinceridade.

Cassie olhou para Maddie por um instante, antes de levantar a boca do saco para ver melhor. Ali, abrigada numa bola de terra, havia uma planta.

— O que é isso?

Como resposta, dois pares de olhos idênticos encararam Cassie, indignados por ela não ser capaz de identificar aquela espécie, seja lá do que fosse.

— Parece gardênia — disse Maddie, tentando apagar a expressão confusa do rosto da tia.

— Isso mesmo, querida. É uma muda de nosso jardim. Nossa bisavó plantou a primeira e a gente vem distribuindo mudas desde sempre. Diria que a maioria das gardênias do município descende da nossa.

Cassie ergueu o saco devagar.

— O que, bem, o que eu faço com isso?

Uma vez mais, olhos incrédulos a encararam.

— Ora, você a planta, sua boba. Aqui, claro. Nem pense em levá-la para Nova York. É longe demais de seu *habitat* natural e ela iria murchar e enfraquecer, acho.

Ela estalou a língua, estendeu duas mãos envelhecidas sobre o saco e o fechou com um nó. Entregando-o para Cassie, disse:

— Leve-a para casa e plante-a. Se precisar de ajuda ou de dicas, sabe onde nos encontrar.

— Posso ajudar, tia Cassie. Eu sempre ajudo mamãe com o jardim.

Tia Cassie segurou o saco como se fosse uma fralda suja.

— Obrigada, Maddie. Certamente vou te cobrar isso.

A campainha da porta soou de novo e Mary Jane entrou. Era a vez de Maddie querer se enfiar atrás do balcão. A Srta. Harden estava encarregada da decoração do carro alegórico e Maddie conseguia imaginar apenas um motivo para ela vir até a loja.

Tia Lucinda foi a primeira a cumprimentá-la.

— Mary Jane, que prazer. No que posso te ajudar nesta manhã?

Mary Jane deu uma olhada em volta da loja, enquanto Maddie prendia a respiração. Ela notou a presença das gêmeas, e seu olhar voltou a se fixar em tia Cassie. Ela sorriu e a cumprimentou rapidamente antes de voltar sua atenção à tia Lucinda.

— Estava procurando alguma coisa, é... especial. Talvez algo que saltasse aos olhos.

Foi a vez de Maddie piscar.

Lucinda pestanejou como se aquilo fosse uma grande piada.

— Saltar aos olhos? Depende aos olhos de quem você está querendo que salte. Se for os de Ed Farrell, nós não trabalhamos com camisetas nem calças provocantes. Mas se for os daquele gerente do banco, bem, talvez consigamos...

A Srta. Harden falou tão baixo que foi difícil escutá-la.

— Não. É para hoje à noite. — Ela olhou de relance para tia Cassie, que fingia estar avaliando a costura de um sutiã com enchimento. — Vou sair com... é... Sam.

Maddie soltou o ar entre os dentes devagar.

Tia Lucinda acenou com a cabeça, um sorriso aumentando seus lábios vermelhos.

— Bem que desconfiava. E sei exatamente do que precisa. — Ela andou até uma arara cheia de blusas e puxou um top de seda de um vermelho vivo com decote. Os olhos da Srta. Harden brilharam.

— Vou levar.

Tia Lucinda se atrapalhou um pouco ao tentar soltar o top do cabide, e Maddie o tirou para ajudá-la.

— Você não quer provar?

— Não posso, preciso voltar ao trabalho. Se não servir, eu troco.

Tia Cassie saiu do balcão para que tia Lucinda pudesse registrar a compra e Maddie pudesse embrulhar a blusa e colocá-la numa caixa.

Enquanto a Srta. Harden se atrapalhava um pouco com o dinheiro na carteira, ela disse:

— Sinto muito por ter cancelado o almoço hoje, fiquei presa na clínica. Vamos marcar um outro dia, tudo bem?

— Claro. — Tia Cassie se despediu e Lucinda voltou ao estoque levando a gardênia no saco com ela.

As gêmeas saíram com a pena se movimentando para cima e para baixo sem parar e fazendo soar a campainha. Cassie abriu o livro de registro da loja.

— Tia Cassie?

Ela levantou a cabeça.

— O que foi, Maddie?

— Encontrei uma foto no sótão, mamãe no carro alegórico e você puxando uma porca de vestido.

Sua tia entortou o canto da boca para cima.

— E?

— Alguém sabia que você ia fazer aquilo?

Seu sorriso ficou maior.

— Não. Nem mesmo a porca. Peguei-a emprestada da fazenda dos Adlers e a devolvi antes mesmo de perceberem que havia sumido. Ou melhor, eles não teriam descoberto se eu tivesse me lembrado de tirar o vestido dela antes.

Maddie bufou.

— Você se deu mal?

Cassie fez que sim com a cabeça.

— Sim. Com certeza. Sem amigos, sem cinemas, nada de lanchonete Dixie Diner, nada de nada por um longo tempo.

Maddie balançou a cabeça pensativa.

— Valeu a pena?

Tia Cassie nem hesitou em responder.

— Sim. Cada segundo. Ninguém se machucou e fiz um monte de gente dar risada, até mesmo Harriet, então não pode ter sido tão ruim assim. — Ela semicerrou os olhos. — Por que está me perguntando isso?

Maddie pegou alguma coisa do balcão e fingiu estudá-la.

— Curiosidade, apenas. — Ela percebeu que estava segurando duas enormes calcinhas de vovó e rapidamente as largou. Colocando as mãos atrás das costas, disse: — Então, você vai ao Festival Kudzu com o Sr. Farrell?

Tia Cassie franziu a testa.

— Não vamos *juntos,* vamos apenas no mesmo carro. Diferente de um encontro.

Maddie riu.

— É, sei. — Ela olhou para os olhos da tia, admirando sua sobrancelha perfeita e a maquiagem que tampava as sardas. Antes de ela ir embora, precisava lhe perguntar como fazia isso. Maddie se lembrara do que escutara quando o Dr. Parker e a tia Cassie conversaram no gazebo no dia do funeral de seu avô e decidiu botar para fora uma pergunta que vinha lhe incomodando desde então: — Você está feliz de ter ido embora de Walton e nunca mais ter voltado?

A porta rangeu e as duas ergueram a cabeça e cumprimentaram duas moças que haviam entrado na loja. Tia Cassie se voltou para Maddie de novo e sorriu, mas seus olhos pareciam tristes.

— Não estou feliz por nunca ter tido a chance de conhecer você e seus irmãos. E não estou feliz por não ter tido seu pai e sua mãe na minha vida por tanto tempo. Mas gosto de onde estou agora. Tenho orgulho de tudo que conquistei e acho que nada disso teria acontecido se eu tivesse ficado aqui.

Maddie concordou, estudando as mãos da tia e o diamante no dedo anelar da mão esquerda.

— Então, você é feliz?

A tia ficou olhando para ela por um bom tempo. Parecia não ter compreendido a pergunta. Por fim, respondeu:

— Tenho uma vida maravilhosa, uma carreira que adoro e logo vou me casar. Está tudo certo. — Ela desviou rapidamente o olhar e bateu de leve a caneta no livro de registro. — Então, não quer atender as clientes? Preciso começar a trabalhar nisso aqui.

— Claro — disse Maddie enquanto se distanciava. Ela começou a arrumar as araras com anáguas e combinações e se questionou se a tia sabia que na verdade não respondera a sua pergunta.

Ed estacionou o seu motel móvel precisamente às 17h30. Ele havia ligado na hora do lanche para dizer a Cassie que queria chegar cedo ao festival para escolher a mesa.

Tocou a buzina do carro do lado de fora, fazendo que tia Lucinda marchasse até a varanda e insistisse para que ele viesse até a porta da frente. Com solenes pedidos de desculpa, ele dirigiu seu olhar para Cassie em sua calça capri de corte reto e cor preta e blusa de linho verde-esmeralda de barriga de fora. Ele lhe segurou a porta aberta e Cassie pôde senti-lo encarando o decote V nas costas da blusa.

— Que bela roupa, Cassie. É de Nova York?

— É, sim. Obrigada.

Ele abriu a porta do carro para ela, e se sentou no banco do motorista.

— Você sempre está tão bem-vestida, como uma daquelas modelos que a gente vê nas revistas de moda na Bitsy's House of Beauty. Talvez eu precise ir a Nova York também, para aprender a me vestir.

Ele sorriu para ela, mas ela percebeu que Ed aguardava sua resposta, ou talvez até mesmo um conselho. Ela se lembrou da criança alta na última fila em sua foto do sexto ano e se sentiu compadecida daquele menino sem amigos que ainda parecia existir sob a carcaça de Ed Farrell.

— Sabe, olhar aquelas fotos na revista é uma ótima maneira de aprender sobre o que está na moda e o que combina com o quê. Ficaria feliz de te acompanhar nas lojas algum dia, se você quiser.

Os olhos dele brilharam e as sobrancelhas se moviam para cima e para baixo, dando a impressão de estar fazendo um grande esforço para encontrar as palavras certas. Finalmente, ele deu a partida, mascarando o rosto de estudada concentração.

— Bom, obrigado. Talvez algum dia. Mas roupas são muito caras. Quer dizer, o que você está vestindo deve ter-lhe custado uma fortuna. Aposto que seu pai te mandava um monte de dinheiro, né?

Cassie ficou olhando para o perfil dele, questionando-se se ele realmente esperava uma resposta. Ele a olhou com a sobrancelha erguida, insinuando-lhe que sim.

— Na verdade, não. Ele me ofereceu, mas nunca precisei. Ganho muito bem. — Sua mão agarrou-se ao pingente de ouro no colar em volta da garganta.

Ed estreitou os olhos, dando a impressão de estar duvidando dela. Em seguida, voltou a atenção à estrada de novo.

Cassie se arrumou no assento, com o couro grudando em seus braços, e mudou de assunto.

— Adivinha quem me ligou hoje? Jim Roust, o próprio, da Roust Development. Queria conversar comigo sobre minha casa.

Ed arregalou os olhos.

— E o que você disse a ele?

— Que você já estava cuidando da propriedade e que não tínhamos nenhum plano de imediato senão o de mantê-la residencial. Ele queria muito se encontrar comigo, mas fui bem firme. Lembrei do que você me dissera sobre eles, e eu prefiro alguém da região cuidando desse negócio para mim. Eu lhe disse isso e ele pareceu bem zangado.

Ed concordou, desviando o ar-condicionado de seu cabelo.

— Bem, com certeza eu fico feliz por fazer essa transação. Na verdade, estou surpreso que Jim tenha demorado tanto para te ligar. Ele ou alguém de seu grupo costumam aparecer à porta da pessoa antes mesmo de a placa "Vende-se" ser colocada. Te contei que seu antigo vizinho está agora trabalhando para a Roust? Aquele cara, Richard Haney, com três garotos adolescentes que estão sempre aprontando alguma. Depois de ter vendido a propriedade, Haney decidiu ficar na região para ver que outro estrago poderia causar a Walton. Como se vender a casa para Roust e criar aqueles três adolescentes não bastasse. Inacreditável. — Ele limpou a terra da ponta do sapato no piso. — Claro que tenho um pouco de responsabilidade nisso tudo. Vendi para ele uma casa em Farrellsford depois de ele ter vendido a dele.

Cassie balançou a cabeça.

— Eu conheci os Harneys a vida toda e praticamente cresci com Richard, mesmo ele sendo alguns anos mais velhos do que eu. Não posso acreditar que esteja trabalhando com Roust. Talvez, com os meninos prestes a entrarem na faculdade, ele precisasse do dinheiro.

Ed deu de ombros. Seus olhos se fixaram na rodovia à frente. Eles entraram na ruidosa estrada de cascalho e levantaram uma nuvem de poeira quando Ed manobrou o carro numa vaga no campo atrás do estádio da escola. O Sol estava se pondo no horizonte, derramando o amarelo na grama como a gema de um gigantesco ovo.

Nuvens carregadas e escuras manchavam o céu a distância, sinalizando a chegada de uma tempestade. Cassie tirou o cabelo da nuca, já melada por causa da alta umidade do ar, que parecia se firmar sobre tudo e todos durante os dias de julho no verão de Walton.

A conhecida caminhonete parou depois deles, levantando uma nuvem de fumaça vermelha que pairou sobre suas cabeças por um momento antes de se desmanchar e aderir à pele molhada de suor.

Ed cruzou os braços sobre o peito.

— Ora, ora, ora, se não é a polícia antiprogresso de Walton.

Sam desceu de sua caminhonete, deu um leve aceno na direção deles e abriu a porta do passageiro para ajudar Mary Jane sair. O top vermelho balançava sobre seu peito arredondado e estava enfiado numa calça jeans preta justa. Pelo que Cassie lembrava, ela não se vestia daquele jeito na escola. Sam e Jane se aproximaram deles, um ao lado do outro, sem se tocarem, e o céu ressoou ao longe.

Sam sorriu amigável.

— Que bom encontrar vocês. Estava preocupado se seríamos os únicos aqui entre 18 e 60 anos de idade.

Achando a expressão dele contagiante, Cassie retribuiu o sorriso.

— Haverá ao menos seis de nós. Harriet, Joe e seu bando já chegaram. Não queriam perder o desfile. Até mesmo Maddie parecia ansiosa em vê-lo e provavelmente assistir Lucy quebrar a cara no chão.

Sam olhou para o seu relógio no pulso.

— O quadrilátero central fica na metade do percurso do desfile. Calculo que o pessoal passará por ali em cerca de vinte minutos. Se nos apressarmos, conseguiremos vê-lo.

Ignorando Sam, Ed puxou Cassie pelo braço, levando-a para a direção oposta.

— Primeiro vou pegar um daqueles bolinhos fritos, depois alcançaremos vocês.

Irritada, Cassie tirou o braço.

— Imagina, Ed. Não quero perder o desfile. Te prometo que assim que acabar, nós vamos buscar algo para você comer. — Ela lançou um sorriso ao qual ficou difícil ele se opor, e acabou cedendo.

Cassie não tinha certeza por que aquilo era tão importante para ela. Há anos não ia a um desfile como aquele. A última vez foi no verão anterior ao seu primeiro ano de faculdade, quando foi com Joe ao Festival Kudzu. Eles ficaram de mãos dadas, com as palmas escorregadias de suor, e comeram algodão-doce juntos. Ele ganhou para ela um enorme elefante cor-de-rosa de pelúcia, ao cair num barril cheio de água quando mordeu uma maçã. Sua camisa ficou encharcada e colada à pele, definindo pela primeira vez a palavra "desejo" para Cassie.

Havia sido apenas um dos vários momentos maravilhosos de sua juventude, maculados por todos os outros acontecimentos desde então. Suas lembranças decoravam seu quarto na casa do pai como um museu — pingentes, flores secas, convites amarelados e até o elefante cor-de-rosa. Muitas vezes desde a sua volta, ela foi até o quarto com um saco de lixo vazio para se livrar de tudo aquilo, mas ainda não conseguira retirar uma fita sequer. A velha Cassie talvez tenha ido embora, mas ela não estava preparada para ser varrida, encaixotada e esquecida.

Os quatro correram pelo campo aberto, passaram pelo estádio e vários quintais antes de chegarem atrás da prefeitura. A blusa suada de Cassie grudava na sua pele e ela não teve coragem de imaginar o estado de seu cabelo. Olhou para Mary Jane e viu que a antiga amiga não estava em melhor estado do que ela.

Eles logo visualizaram o cabelo vermelho brilhante de Knoxie. Ela estava sobre os ombros do pai. A cabeça parecia um verdadeiro farol sob a luz cada vez mais fraca.

Mary Jane acenou para chamar a atenção deles e Harriet acenou de volta. Eles abriram caminho na multidão a fim de chegar até Joe e Harriet, que haviam encontrado um lugar na guia em frente ao quadrilátero central — um lugar privilegiado para assistir ao desfile. Joey e Sarah sentaram-se na calçada para tomar sorvete de casquinha, que escorria pelos queixos e antebraços deles. A bebê Amanda dormia tranquila no carrinho, os lábios fechados num arco perfeito. Cassie olhou para Madison esperando encontrar nela uma expressão de desalento, mas se surpreendeu ao notar que a jovem estava saltitante de tanta animação.

Knoxie tinha restos de sorvete e de mais alguma outra coisa semelhante a mostarda e ketchup endurecidos por todo o vestido e rosto. Quando viu Sam, ela se esticou na direção dele.

— Pegue-me no colo, Dr. Parker!

Sem se importar com aquele artístico arranjo de comida na criança, ele abriu os braços e a menininha se jogou neles.

O sorriso dele aos poucos sumiu ao encarar Knoxie.

— Está tudo bem, pequenininha?

Ela respondeu que não com a cabeça.

— Minha barriga dói um pouquinho.

Um celular soou atrás deles e todos à volta se viraram para olhar. Sam tirou o aparelho do cinto e balançou a cabeça.

— Não é o meu.

Ed arrancou o seu do bolso da camisa jeans escura, enquanto Cassie reparava nas largas lapelas pela primeira vez. Ou Ed estava lançando uma nova tendência de moda ou havia guardado aquela camisa por mais de vinte anos.

Ele colocou o celular no ouvido.

— Ed Farrell.

Cassie reparou quando ele ficou cada vez mais corado nas bochechas.

— Ora, basta dizer a eles que já mandei inspecionar, é o maldito limite de propriedade. Mostre-lhes a documentação, pelo amor de Deus!

Ele continuou ao telefone por alguns minutos mais, balançando a cabeça de um lado para o outro e murmurando impropérios. Por fim, encerrou a ligação e jogou o telefone de volta no bolso.

— Preciso ir embora. Aqueles imbecis da fazenda McLaren estão ameaçando meu pessoal com arma, dizendo-lhes que é uma propriedade privada. Vou buscar o delegado e então veremos quem está certo.

Ele encarou Sam.

— E se eu descobrir que você é o responsável por isso, vou te arrastar para a cadeia também.

Sam não prestou atenção nele, estava ocupado demais observando Knoxie. Mary Jane havia se colocado ao lado deles e estava tirando grossos fios de cabelo vermelho do rosto da menina, cujas bochechinhas ficaram, de repente, nitidamente esverdeadas.

— Não me sinto bem. — De repente, ela se debruçou sobre Mary Jane e, com exceção da comida com a qual se lambuzara, vomitou tudo. O maravilhoso top de seda vermelho se parecia agora com um desenho de arte do ensino primário.

Milagrosamente, ninguém mais fora atingido. Sam colocou Knoxie no chão, enquanto os outros adultos, chocados, não se mexeram, e as crianças mais novas fizeram as típicas piadinhas escatológicas. Apenas Harriet, cuja destreza havia se aprimorado ao longo dos anos de maternidade, se pôs rapidamente em ação.

Enfiando a mão na bolsa de fraldas, que estava pendurada no carrinho de Amanda, ela puxou uma caixa de lenços umedecidos e um punhado de fraldinhas de pano. Deu vários lenços para que Sam limpasse a testa de Knoxie e, em seguida, começou a limpar a blusa de Mary Jane.

Sam deu um sorriso irônico para Cassie.

— Parece que é de família.

Cassie piscou, tentando compreender o que ele dizia, então lembrou-se da cena humilhante na varanda do pai na noite do baile de formatura. Claramente ignorando-o, ela direcionou sua atenção para Mary Jane, que estava com cara de choro, enquanto se aproximava para ajudar.

— Não se preocupe. Se você levar para lavanderia amanhã cedo, com certeza eles limpam. — O fedor de vômito misturado com o cheiro de lenço umedecido fez sua garganta contrair, mas ela engoliu seco e fechou os olhos.

Harriet mordeu os lábios.

— E, por favor, mande-me a conta. Estou tão sem graça.

— Não se preocupe. Acontece. — Mary Jane balançava a cabeça. — Preciso voltar para casa, estou cheirando muito mal.

Cassie se dirigiu à amiga.

— Mas você acabou de chegar aqui. Por que ao menos não fica para ver o desfile e depois decide.

— Não, não... perdi a vontade. Quero ir embora.

Sam tirou os olhos de Knoxie, que havia se recuperado rapidamente e já pedia mais sorvete.

— Se você quiser, eu te levo para casa. Harriet, levo você e Knoxie também, mas acho que ela já está bem. Só precisava esvaziar o estômago. E talvez, da próxima vez, deem menos algodão-doce para ela.

Harriet lançou um rápido olhar para o marido.

— É, eu já sabia que não era para Knoxie ter comido tudo aquilo, mas o pai pensava um pouco diferente. Eu a deixo ficar se ela prometer não comer mais nada.

Knoxie franziu a testa para a mãe, mas Harriet se dirigiu de novo a Sam.

— Mas é bobagem você ir embora. Parece que Ed precisa ir também, por que ele não leva Mary Jane?

Ed se mexeu impaciente, mas, em seguida, olhou Mary Jane de perto, com os olhos cravados na blusa dela.

— Claro, sem problemas. Só espero que não se importe se eu guiar muito rápido, tenho negócios a resolver. — Ele limpou a garganta. — E assim que eu acabar, passo na sua casa para te trazer de volta. Vai ter tempo de sobra para se embelezar de novo. — Ele deu uma rápida olhada para Cassie. — Tudo bem para você, docinho?

Cassie concordou com um sinal de cabeça, olhando, preocupada, para Mary Jane, que parecia prestes a se derramar em lágrimas.

Sam deu um passo para frente.

— É sério, Mary Jane. Deixe-me levá-la para casa.

Mary Jane fez que não.

— Você acabou de chegar. Seria bobagem perder o desfile e tudo o mais. — Ela se esforçou para sorrir. — Vou para casa, me troco e depois Ed pode me trazer de volta. — Endireitando os ombros, ela caminhou na direção de Ed com uma expressão estoica e disse: — Te vejo mais tarde. Venha, Ed, vamos. Então, seguiu-o pela multidão.

Cassie sentiu um cutucão nas costelas e, ao se virar, deparou-se com Harriet piscando para ela.

— O quê? — Cassie arregalou os olhos quando percebeu o que a irmã tentava lhe dizer.

Ela estava começando a repreender a irmã quando um enorme bramido veio da multidão no quadrado central. O leve som de uma banda marchando se aproximava. Todos sentados se levantaram naquele momento e pisaram na grama, pressionando a multidão para trás. Cassie se viu espremida ao lado de Sam Parker, mas não teve como se afastar.

Um carro conversível veio na frente, carregando o senador aposentado e sua esposa sentados, desconfortáveis, no banco de trás e acenando sem jeito. Cassie reconheceu o senador Billy Thompkins. Ele vivia numa antiga casa vitoriana na extremidade da cidade e criava frango no quintal. Ela se lembrava de ter sido perseguida por ele na infância, quando fora pega tentando misturar detergente na ração dos bichos. Ela queria vê-los soltar bolinhas de sabão pela boca. O senador Thompkins não achou aquilo nada divertido. Ela riu ao se lembrar de tudo e se viu respondendo ao aceno.

Mocinhas com *collant* vermelhos com listras brancas, as cores do colégio, marchavam com pernas finas descompassadas, mas o bastão prateado brilhava em conjunto conforme elas o lançavam e o rodopiavam sobre a cabeça e o corpo. Um bastão caiu e rolou para a sarjeta perto deles. A menina correu para pegá-lo e se deparou com o olhar de Maddie. Com uma piscada e um sorriso, ela voltou depressa para sua posição.

Em seguida, vieram as bandas marchando. Os integrantes suavam sob os enormes chapéus e pompons. E as capas erguiam-se, com resistência, no ar úmido. O eterno disco favorito "*Celebration*" irrompeu pela multidão, animando quase todos a cantar.

Por fim, o carro alegórico carregando a rainha kudzu se aproximou lentamente arrastado por uma velha caminhonete vermelho-brilhante, cujo motorista parecia tão antigo quanto o veículo. Lucy Spafford, usando uma coroa cintilante, estava sobre uma plataforma alta, acenando orgulhosa com um vestido de chiffon e penas que esvoaçavam como num sonho. Cassie sorriu para si mesma, pensando em como ela lembrava um algodão-doce. Ramos de kudzu, buquês de flores de plástico e balões estavam amontoados ao redor de Lucy, como nuvens, e sua expressão celestial intensificava ainda mais aquela cena. Fora do campo de visão dos ocupantes do carro alegórico, balões de cor creme estavam pregados na traseira do veículo, mexendo-se para cima e para baixo conforme ele seguia pela rua. Os balões pareciam duros e de um formato estranho, fazendo com que Cassie olhasse de novo para se certificar do que estava vendo. Ela quase teve um choque ao perceber do que se tratava.

Virou-se para Harriet, que estava semicerrando os olhos em direção à parte traseira do carro alegórico, onde uma completa linha de balões peculiares caía como um rabo pendurado.

— Mas o que é aquilo...?

Cassie notou de repente Sam olhando para ela sobre a cabeça de Harriet. Juntos, eles se viraram para encarar Madison, que estava agora curvada sobre o corpo, num ataque de tosse.

Harriet deu uns tapas firmes no meio das costas da filha.

— Você está bem, querida? Qual o problema?

Cassie se inclinou em direção à sobrinha e falou baixinho:

— Estou certa em supor que você era a encarregada da decoração do carro?

Madison conseguiu apenas concordar com um sinal de cabeça.

A mão de Sam segurou firme o ombro de Madison.

— Venha, Maddie, vamos pegar uma água para você. — Ele a retirou de perto de sua mãe bem no momento em que Harriet arregalava os olhos por ter compreendido tudo.

— Aqueles balões eram — Harriet baixou a voz a um mero sussurro — camisinhas?

Cassie se virou rapidamente e começou a sair dali.

— Vou checar se está tudo bem com Maddie. — Ela seguiu Sam e a sobrinha pela multidão tentando ao máximo manter-se séria.

Encontrou-os de pé, em frente à barraca de bebidas, Sam entregando a Madison um copo de água. O rosto dela estava muito vermelho e lágrimas lhe escorriam pela face.

Cassie segurou-se para não parabenizar a sobrinha pelo que fizera. A expressão severa de Sam a impediu de cumprimentar Maddie com a mão espalmada.

A expressão dele não se alterou ao falar com a mocinha.

— Quando Lucy vir aqueles, é, balões, ela vai ficar muito sem graça. E não acho que precise ir muito longe para descobrir quem está por trás de tudo.

Madison olhou para Sam, seu rosto agora estava rosa mais fraco, e deu um grande gole da água.

— Não, senhor.

— Como você acha que sua mãe vai se sentir ao receber uma ligação da mãe de Lucy?

Pela primeira vez, Maddie parecia mortificada.

— Só queria deixar Lucy sem graça, ela merecia. Mas minha mãe não precisa se envolver.

Sam endireitou os ombros.

— Acho que é um pouco tarde para isso.

Todos se viraram para ver Joe e Harriet se aproximando com passos pesados na direção deles, empurrando o carrinho como uma arma em punho e com uma expressão severa no rosto. Joey e Sarah Frances corriam atrás deles e Knoxie se agarrava com força aos ombros do pai. Todos pararam em frente a Madison. Sam e Cassie perceberam que deveriam sair, mas antes Cassie deu um aperto no ombro da sobrinha a fim de tranquilizá-la. Sam agarrou na mão de Cassie e a conduziu em meio à multidão.

— Aonde estamos indo?

Ele não respondeu, mas manteve a mão firmemente presa à dela.

Cassie perguntou de novo.

— Aonde vamos?

Quando ele não respondeu, ela parou de repente. Ao olhar para ele, Cassie percebeu que Sam ria sem parar e os olhos brilhavam de alegria. Quando recuperou o fôlego, ele falou:

— Aquilo foi uma das coisas mais engraçadas que já vi. Quase tão hilário quanto aquela porca que você pegou para o carro alegórico de Harriet quando ela foi a rainha kudzu.

Os lábios de Cassie se curvaram numa tentativa de não rir.

— Quer dizer que você não estava bravo com Maddie? Acho que quase a fez chorar.

Ele passou a mão sobre a face, tentando se recompor, mas não apagou completamente o sorriso.

— Bem, eu precisava ao menos fingir ser um adulto sem senso de humor. Tenho uma reputação a zelar nesta cidade.

Depois disso, Cassie, por fim, não conseguiu mais se conter e começou a rir sem parar. Segurou no braço de Sam para se apoiar e, olhando para o rosto dele, perguntou sem fôlego:

— O que está encarando?

Seu sorriso enfraqueceu, mas os olhos brilhavam com igual intensidade.

— Você. Sua risada. Sempre adorei o som dela.

Cassie sorriu ao reparar em algo piscando nos olhos de Sam. Lou-Lou Whittaker passou por eles, o cabelo loiro platinado arrumado todo para cima e dividido por uma tira vermelha, conferindo-lhe a aparência de uma bola de praia. Estava de braços dados com um *cowboy* alto que Cassie não reconheceu, mas ela praticamente vibrou ao passar por Cassie e, toda orgulhosa, deu-lhe uma piscadela.

Cassie engoliu a risada ao perceber que havia mais uma dúzia de olhos observando-os e provavelmente tirando a mesma conclusão de Lou-Lou. Ela tirou a mão do braço de Sam.

— Preciso beber alguma coisa. — Ela se dirigiu a uma barraca de aperitivos.

Sam entrou na frente dela.

— Deixa que eu pego. O que você quer?

Ela estalou os lábios.

— Quero um pouco do ponche kudzu. Nunca me deixaram experimentá-lo quando criança, mas agora é o momento.

— Um kudzu e uma água, por favor.

Enquanto esperavam pelas bebidas, Sam se virou e apoiou os dois cotovelos sobre o balcão.

— Eu te acompanharia se não estivesse de plantão hoje à noite. Você sabe que neste ponche praticamente só tem álcool, né?

Cassie olhou para ele com um sorriso sarcástico no rosto.

— Sou resistente. Temos álcool em Nova York. — Ela pegou o copo de isopor e encarou o líquido verde dentro. — Talvez nada nesta cor em particular, mas temos álcool, sim. — Ela deu um golinho e sorriu. — Tem gosto de limonada. Duvido que seja muito forte. — Dito isso, deu um enorme gole, ignorando os protestos de Sam, e colocou, com força, o copo vazio sobre o balcão. — Gostaria de mais um, por favor.

Erguendo a sobrancelha, Sam se inclinou sobre o balcão enquanto um outro copo era entregue a Cassie.

— Acho que você não deve ter escutado o falatório em volta desse ponche, então.

Cassie deu um grande gole.

— Que falatório?

Ele piscou os olhos.

— Isso é o que chamam de afrodisíaco. Nascem mais bebês em Walton nove meses depois do Festival Kudzu do que em qualquer outra época do ano. Nunca marco férias ou congressos no mês de abril.

Cassie largou o copo pela metade sobre o balcão.

— Abril? Nossa, Santo Deus, eu nasci em abril.

Sam endireitou os ombros e piscou.

— Eu também.

— Eca. Prefiro nem pensar nisso. — Ela balançou a cabeça, questionando-se por que as coisas pareciam rodar a sua volta. O estrondo e os gritos da montanha-russa chamaram sua atenção. — Vamos lá.

Sam a segurou.

— Talvez devesse pensar melhor. Não está um pouco zonza agora?

— Estou ótima. — Ela tropeçou num lixo no chão. — Quero ir na montanha-russa. É só uma voltinha, de toda forma.

Sam ficou olhando para ela por um momento.

— Tudo bem. Sei que não se deve entrar no caminho de uma mulher decidida. Venha, devemos ir agora antes que comece a chover. — Ele a agarrou pela mão e a conduziu pelo gramado até o brinquedo.

Os primeiros tremores de náusea não a atingiram até ela ouvir o barulho da instável trilha da primeira descida. Quando chegaram à segunda, Cassie estava com o rosto enterrado ao lado do ombro de Sam. Na terceira, ela tinha a mão sobre a boca e implorava para sair.

Quando a corrida acabou, Sam teve de ajudá-la a descer do carrinho e quase a carregou pelo campo aberto atrás dos prédios do festival. Sem avisar, ela parou de repente e se ajoelhou na grama. Incapaz de evitar, inclinou-se sobre o corpo e vomitou.

Com mãos gentis, Sam tirou os cabelos dela da face e colocou os dedos na nuca dela. Quando terminou, ela se sentou, mas continuou com o rosto para baixo.

Sam esfregou seu pescoço acariciando-o.

— Como nos velhos tempos, hein?

Ele enfiou a mão no bolso e lhe entregou um lenço. Cassie o aceitou e enxugou a face.

— Obrigada. Estou começando a colecionar esses momentos.

Sam não disse nada, mas continuou a esfregar a nuca e as costas dela.

Cassie suspirou.

— Sabe, se você não fosse uma pedra no meu caminho, diria que é um cara bem legal, Sam Parker.

— Obrigado, acho.

Algumas gotas começaram a cair do céu sobre eles. A Lua estava encoberta pelas enormes nuvens.

Sam se sentou sobre os calcanhares.

— Acho que não conseguiremos participar da competição de cuspe de semente de melancia.

Cassie olhou para ele de modo repentino.

— Eu não cuspo e não tenho intenção alguma de chegar perto dessa competição. — Ela segurou a cabeça e sentiu a pele escorregadia e pegajosa sob os dedos.

— Hum. Preciso te lembrar que você ganhou uma competição dessas na escola, no último ano. Esqueceu? Deve ter ainda o troféu em algum lugar no seu quarto.

E ela tinha. O troféu de bronze falso, uma réplica aumentada de uma semente de melancia, estava de fato ainda orgulhosamente exposto em sua penteadeira. Assim que conseguisse limpar o quarto, aquilo seria a primeira coisa a ir para o lixo. Por um breve instante, ela se imaginou levando-o para o seu apartamento em Nova York e o colocando na penteadeira preta laqueada em seu quarto e explicando o significado para Andrew. Aquele pensamento a fez rir alto.

Sam tinha uma expressão de dúvida no rosto.

— O que é tão engraçado?

Ela ficou olhando para ele antes de lhe responder. Minha nossa, como ele era bonito, mais bonito do que qualquer homem. E irritante, como ele tinha o direito de ser. Ele transmitia segurança ao falar e se mover. E na forma como se vestia. Não como a cuidadosamente orquestrada *persona* que Andrew criara. Sam era flanela de algodão e Andrew, linho, mas ela tinha de admitir que flanela era bem mais gostoso para se aconchegar.

Cassie balançou a cabeça. Ela precisava se livrar daquele homem. Agora.

— Preciso escovar meus dentes. Onde é o banheiro?

Sam jogou a cabeça para trás e riu.

— Deixe-me adivinhar. Você carrega na bolsa uma pasta e uma escova o tempo todo, em caso de se ver com espinafre no dente num jantar com clientes.

Ela ficou de boca aberta. Aquelas haviam sido as exatas palavras de Andrew quando ele lhe dera o estojinho de viagem de higiene bucal.

— Apenas me mostre onde é o banheiro.

Sam se pôs imediatamente de pé e a ajudou se levantar. O chão balançou um pouco e depois se nivelou.

— Vou te levar até o colégio. Conheço o vigia da noite e ele vai nos deixar entrar.

Ao atravessarem o campo, o céu se abriu e derramou água neles, encharcando-os completamente. Ela olhou para o céu, acolhendo a chuva fria sobre a face. Quando chegaram à escola, as roupas estavam grudadas ao corpo. Sam esperou do lado de fora do prédio enquanto Cassie tentava ficar apresentável.

Ela escovou os dentes com a escova e a pasta, gargarejando duas vezes, então jogou água da torneira no rosto. Depois de se olhar no espelho, deu-se conta de que parecia um rato ensopado e de que tentar melhorar o seu estado seria inútil. Estava mais do que na hora de voltar para casa, mas não tinha ideia de como encontraria Joe e Harriet em meio a tanta gente. E não vira Ed desde que ele partira com Mary Jane.

Cassie encontrou Sam do lado de fora, encostado no prédio de tijolinho, debaixo de um abrigo, mastigando uma palha comprida. Ela odiava ter de lhe pedir qualquer coisa, mas suas opções estavam bem reduzidas.

— Você se importaria de me levar para casa? Você ainda poderia voltar a tempo de tentar vencer a competição do casal mais bonito com Mary Jane, se a chuva der uma trégua.

Ele ficou estudando-a por um momento, ponderando seu pedido, depois simplesmente concordou com a cabeça e saiu do prédio.

— Vamos. — A chuva estava bem fraca agora, e eles caminharam pela grama encharcada em direção ao estacionamento enlameado.

Sua caminhonete ainda tinha o cheiro do perfume de Mary Jane. Apesar da chuva, Cassie abriu bem a janela e se recostou no banco. Fechou os olhos e logo caiu no sono no curto percurso de volta para casa.

Cassie acordou com a mão de Sam sobre seu rosto e abriu os olhos enquanto ele a ajudava a se desgrudar do banco. Ele fechou a porta, mas Cassie não se mexeu. Ficou onde estava, grogue e meio zonza, mas sentiu que tudo estava certo em seu mundo. A grama molhada cutucava a parte do pé que estava para fora da sandália de salto, mesmo assim ela permaneceu imóvel.

Lampejos de luz reluziam no céu enquanto as árvores despejavam o excesso de água sobre o chão já encharcado. Tudo à volta deles derramava água na silenciosa noite, um inebriante acompanhamento ao som do coro dos grilos que havia sido retomado. Vapor subia do caminho de cascalho, flutuando como aparições no clarão da luz da varanda.

Cassie ficou olhando como o cabelo encharcado de Sam caía-lhe sobre a face. Ela levantou a mão e o puxou para trás, os dedos relutaram em sair da pele macia de sua testa. Seus dedos percorreram a barba por fazer de seu rosto e depois o maxilar.

A mão dele agarrou-a pelo pulso e a afastou do rosto.

Sem jeito, ela disse:

— Desculpe. — As palavras saíram arrastadas e confusas, fazendo-a se sentir uma adolescente. — Sinto... sinto muito por ter passado mal. Já deveria saber sobre aquele ponche de kudzu. Quero dizer, não é que nunca tenha ido a uma festa de república na faculdade. — Ela tentou sorrir.

Ele estava tão perto que ela podia sentir o hálito dele sobre seu pescoço. Ela chegava quase a ver o vapor sair da camisa dele. Deveria dar um passo para trás.

— Nós todos erramos. — Não havia sorriso em sua voz, e seu maxilar parecia tenso.

Ela deveria entrar agora.

— Alguns erros são mais duradouros que outros.

Os olhos dele ficaram mais claros sob a luz fraca.

— Nada é duradouro, Cassie. Tudo muda.

O céu se abriu num clarão de luz iluminando Sam, a casa, a caminhonete, aquele lugar. Por um instante, as coisas ficaram tão claras como uma fotografia.

A cabeça dele se inclinou em direção à de Cassie e ela fechou os olhos, curvando-se em sua direção. Uma onda agitada de trovão reverberou no céu e ele não se mexeu para beijá-la. Ela abriu os olhos e se viu encarando esquadrinhadores olhos azuis. Colocou, então, as duas mãos atrás do pescoço dele e o puxou para si, acabando com a distância que havia entre eles.

Os lábios de Sam eram quentes, macios e correspondiam aos dela, fazendo seus joelhos amolecerem como manteiga numa frigideira. Uma de suas mãos a pegou pela cintura, enquanto a outra acariciava-lhe o cabelo na nuca, embalando a cabeça. O movimento era tão inesperado, tão diferente, que ela quase recuou. Fazia-a se sentir... desejada.

A chuva tamborilava agora com toda força. Cassie abriu a boca, saboreando a chuva quente e a pele de Sam. Ela chupou-lhe o lábio inferior até ele tomar o controle e abrir a boca, tocando a língua dela com a sua.

Uma luz piscou sob suas pálpebras, mas não eram os relâmpagos. No entanto, o ar carregado de eletricidade entre eles gerava uma tempestade particular. Ele a encostou na caminhonete e Cassie acolheu com prazer o seu corpo firme contra o dela.

A chuva caía sem parar sobre eles, escorrendo pelo pescoço e dentro da blusa de Cassie e batendo gentilmente sobre o capô da caminhonete. As mãos dela agarraram as costas da camisa de Sam e a puxaram para fora da calça.

Ele recuou e ela se viu ofegante. Ele não disse nada, mas ficou encarando-a, fios de água escorriam-lhe pelo rosto.

Cassie piscou para tirar a chuva dos olhos. O peito dele crescia e diminuía de tamanho enquanto seu olhar se voltava para o chão. A chuva estatelava-se e se espatifava no cascalho molhado na frente deles.

Ele balançou a cabeça antes de olhar para Cassie de novo.

— Você quer que eu entre?

Ela engoliu seco, questionando-se por que seu distanciamento nova-iorquino havia a abandonado de repente. Sussurrando, ela respondeu:

— Claro.

Sam estendeu os braços para trás do corpo e começou a colocar a camisa para dentro.

— Não.

Cassie o encarou e a humilhação crescente liquidou depressa o fogo de seu sangue.

— Não? — Ela engoliu seco outra vez. — Você praticamente me joga sobre o capô de sua caminhonete para abusar de mim e para de repente?

Ela sabia que estava sendo imoderada, mas humilhação não era um sentimento que ela conseguia suportar.

Sam simplesmente ergueu a sobrancelha e, em seguida, virou-se para apoiar as mãos sobre a caminhonete, prendendo Cassie entre elas.

— Acredite em mim, não é porque eu não queira.

Cassie se abaixou entre os braços de Sam e se desvencilhou dele. Seus pés pisavam ruidosos sobre a lama enquanto ela seguia na direção dos degraus da varanda.

— Quero mais de você do que apenas uma noite, Cassie. Comigo é tudo ou nada.

Ela abriu a porta com força.

— É melhor, então, se acostumar com "nada", Sam. — Já dentro de casa e prestes a bater a porta, ela o escutou dar uma risada.

— Abusar, hein? Acho que nunca tinha ouvido alguém usar essa palavra numa frase. É muito engraçado. Você não mudou nada.

Ela bateu a porta com força e se recostou nela, um leve sorriso querendo aparecer em seu rosto. Ela queria estar com raiva dele e tinha todo o direito de se sentir humilhada. Mas, por alguma razão, ela não estava. Ele agira como... bem, como um cavalheiro. Tão diferente da maioria dos homens que conheceu. Tão diferente de Andrew.

Andrew. As chaves caíram de sua mão, batendo contra o piso de madeira. Ela mal pensou no noivo desde o telefonema desagradável da manhã. De fato, longe dos olhos, longe dos pensamentos. Usava no dedo o anel que ele lhe dera e mesmo assim tocara no corpo do primeiro candidato disponível. Estava humilhada, tudo bem que sob o efeito do álcool. Mas isso não importava, foi tudo responsabilidade sua.

Tirando os sapatos, ela subiu a escada o mais rápido possível para ligar para Andrew. Ele precisava vir a Walton fazer-lhe um visita. O quanto antes.

Capítulo 13

Cassie ficou olhando para o teto em seu quarto, os relâmpagos formavam sombras curiosas no gesso. Ela se virou de lado e ficou escutando o barulho constante da queda da chuva, um barulho que costumava funcionar como sonífero. Mas não naquela noite.

Por fim, arrastou-se para fora da cama, vestiu o roupão e desceu as escadas com a esperança de que um lanchinho noturno talvez a ajudasse a cair no sono. Ficou surpresa ao ver a luz acesa sob a porta do quarto de tia Lucinda. Sem hesitar, ela bateu.

— Entre.

Tia Lucinda estava relaxada sobre uma *chaise longue* no canto do quarto, com o pé descansando sobre um travesseiro de *chiffon* cor-de-rosa. Todos os dedos do pé brilhavam por causa do carmesim cintilante do esmalte. O cheiro de unhas recém-pintadas pairava no ambiente. Uma bola fofa de algodão estava comprimida entre cada dedo, como pontos de exclamação. Bobes com cerdas cor-de-rosa cobriam a cabeça, e Cassie teria rido se não fossem as lágrimas brilhando no rosto da tia.

Cassie parou à soleira.

— O que foi, tia Lu? Quer que eu saia?

Lucinda fez que não com a cabeça.

— Não, querida, de jeito nenhum. É que acabei de ler um dos livros de D. Lena. Aqueles finais felizes sempre me fazem chorar. — Ela tirou o pé e bateu de leve sobre a *chaise*. — Venha, sente aqui, queridinha, e diga-me o que há de errado.

Cassie fez como lhe foi pedido.

— Não há nada de errado, só não conseguia dormir.

Lucinda inclinou o corpo e começou a retirar as bolas de algodão.

— Com quem estava falando ao telefone?

— Desculpe, não sabia que estava falando tão alto. Era Andrew. Tive de convencê-lo a vir para cá.

Sua tia bateu as duas mãos juntas.

— Nossa, que maravilha. Vou falar com Harriet para que enviemos aqueles convites para a festa de noivado. Faremos uma daquelas festas com o casal, talvez um churrasco ao ar livre, para que ele conheça a cidade inteira.

— Uma espécie de Donald Trump conhecendo a Família Buscapé. Legal, parece muito divertido. — A intenção de Cassie era fazer um comentário irreverente, mas, tarde demais, deu-se conta de como deve ter soado para a tia.

Lucinda lançou-lhe um daqueles olhares da infância de que Cassie se lembrava muito bem: o olhar destinado aos momentos em que merecia uma surra, mas conseguia se esquivar do alcance da tia.

— Não há por que ficar com medo, Cassie. Vamos nos comportar.

Cassie arregalou os olhos.

— Com medo? Por que ficaria com medo?

— Bem, você está sendo agressiva e isso sempre significou apenas uma coisa. Mas, docinho, se esse é o homem com quem vai se casar, tem que deixá-lo nos conhecer em algum momento. Não pode nos esconder para sempre.

— Não estava tentando esconder vocês. — Cassie olhou para o colo, questionando-se sobre quem ela estava tentando esconder de quem, e se levantou. — Ele disse que estará aqui na próxima sexta-feira. Não sabe que voo pegará, então ligará do aeroporto para nos avisar quando devemos buscá-lo. É bem provável que não dê tempo de Harriet organizar uma festa.

Lucinda arrumou um dos bobes que havia caído sobre a testa.

— Bobagem. Ela já tem metade da festa planejada e os convites já estão com os endereços. Só não sabia a data nem a hora. Acho que agora sabemos!

Cassie se inclinou sobre a penteadeira com os braços cruzados sobre o peito.

— Maravilha!

Lucinda olhou Cassie daquele jeito de novo, mas não disse nada. Ela tirou uma lixa e começou a lixar as unhas.

— Acho que nós duas deveríamos ajudá-la. Harriet não tem sido a mesma ultimamente. Anda sempre tão cansada. Você reparou como ela está pálida?

— Achei que fosse normal uma mãe de cinco filhos ter essa aparência. Ela deve estar exausta. Claro, ajudarei. Talvez eu possa trabalhar no controle de danos, sabe, avisar as pessoas no convite sobre não fazerem comentários "anti-ianques".

— Cassie, de verdade, do que tem tanto medo? Que ele fique tão aterrorizado com todos nós a ponto de não querer mais se casar com você? Porque se ele é esse tipo de pessoa, talvez não devesse mesmo se casar com ele.

Cassie olhou bem para a tia, mas Lucinda estava concentrada lixando as unhas.

— Não é isso. É que Andrew é tão... diferente de todos aqui. Tenho medo de que ele se sinta deslocado.

Lucinda sorriu.

— Querida, todos nós temos algo em comum: amamos você. E se ele te amar como nós, então ele não se sentirá deslocado de jeito nenhum.

Cassie se afastou da penteadeira.

— É. Acho que vou me deitar, você sempre me disse para ter revigorantes noites de sono. — Ela parou por um momento. — Tia Lu?

A velha mulher olhou para ela e ergueu a fina sobrancelha, expectante.

— Sim, docinho.

— Você se lembra de alguma antiga namorada de papai, as que ele conheceu antes de mamãe?

Lucinda ficou pensando por um momento, então balançou a cabeça.

— Não mesmo. Mas você se lembra, na época eu morava em Mobile, por isso jamais saberia. — Ela deu um leve sorriso. — A primeira mulher de que ele falou, pelo que me lembro, foi a sua mãe. Então eu soube que ele estava apaixonado mesmo. — Ela se curvou de novo para lixar as unhas. — Por que está perguntando?

Cassie, pensativa, comprimiu os lábios por um momento. Ela decidiu, então, que invadir a vida do pai já fora o bastante. Não seria adequado compartilhar as cartas com a irmã dele.

— Nada. Curiosidade apenas.

Lucinda aspirou o ar pelo nariz, a lixa parando sobre a unha do polegar.

— Sinto tanta saudade dele. Não estava... pronta... para ele partir ainda. É tão difícil perder um irmão, é como perder parte de meu passado.

Contendo as próprias lágrimas, Cassie lhe deu um abraço.

— Eu sei. Também sinto saudade dele. — Beijando-a no rosto, disse baixinho: — Boa noite, tia Lu.

A velha mulher não ergueu o rosto.

— Boa noite, querida. — Quando Cassie chegou à porta, Lucinda fungou alto e disse: — Você veio para casa na caminhonete de Sam Parker?

O rosto de Cassie corou. Ela se perguntou quanto a tia havia visto e tentou parecer indiferente.

— É, vim. Não conseguimos encontrar Ed para me trazer para casa...

— Ele é um bom menino e tão lindo...

Cassie manteve o rosto inexpressivo.

— Você está falando de Ed?

Tia Lu baixou a cabeça, ergueu a sobrancelha e olhou para Cassie de modo penetrante, insinuando-lhe que não era boba.

— Não, não me referi a ele. Estava falando daquele deleitável Dr. Parker.

Cassie olhou-a de canto de olho, mas Lucinda havia retornado às unhas.

— É mesmo? Não havia notado.

— Sei. Querida, você se importaria de entregar à D. Lena meu guisado de Brunswick amanhã? É minha vez de levar para ela o jantar e fazer uma visitinha, mas Harriet está tão cansada, talvez eu passe o dia com ela e a ajude com as crianças e com os planejamentos da festa. — Ela lhe entregou o livro que havia acabado de largar. — Você devolveria isso à D. Lena também? Mas tenha cuidado. Talvez ela queira conversar com você sobre ele. E como você é solteira, não tem a menor ideia de algumas coisas que acontecem nestes livros.

Cassie enrubesceu de novo, dando-se conta de que provavelmente enrubescera mais nos últimos dias do que em 15 anos.

— Claro, a primeira coisa que farei amanhã. — Pegou o livro, disse boa noite outra vez e saiu do quarto.

A tempestade continuou noite adentro e até a manhã seguinte. Cassie estava na varanda da frente, equilibrando a vasilha de guisado com uma mão enquanto segurava o guarda-chuva com a outra. A porta de um carro se fechou, Cassie ergueu os olhos e se deparou com George, o cachorro de Sam, pulando em cima dela. Sam pegou a vasilha bem a tempo, enquanto Cassie colocava o guarda-chuva entre ela e o enorme bicho.

— Está com medo de que ele abuse de você?

Cassie percebeu o sorriso em sua voz, mas ela se recusou a sorrir de volta.

— Poderia pedir para o seu cachorro parar, por favor?

O bicho se deitou sobre os pés dela, exibindo sua barriga.

— Ele gosta de você. Quer que o acaricie.

Cassie estava prestes a pisar em cima do enorme cachorro, mas algo doce e meigo na expressão de George a fez parar. Ele lhe lembrava o fiel companheiro de seu pai, Hunter. Em suas memórias mais antigas, havia um bloodhound misto: ela puxando o rabo dele e colocando Harriet sobre suas costas como se fosse um cavalo. Hunter morreu depois que ela foi embora de Walton. Ao olhar para o rosto de George, sentiu muita saudade dele.

Ela se abaixou e acariciou o pelo na barriga do cachorro, que estava macio e molhado por causa da chuva. O cachorro ficou largado numa atitude de plena satisfação.

— Por que você está assombrando a minha porta, Dr. Parker? Alguém doente que eu deveria saber?

— Lucinda me ligou ontem à noite e me pediu para levar você até a D. Lena, já que eu teria de prestar-lhe uma visita hoje mesmo.

Cassie ergueu a sobrancelha, questionando-se o que passara pela cabeça da tia, principalmente para ligar para o médico tão tarde da noite. Quisera ter o carro cor-de-rosa de Lucinda, pois qualquer coisa seria preferível a estar perto de Sam Parker. Mas a tia e seu carro já haviam partido para a casa de Harriet. Era Sam e sua caminhonete ou caminhar sob forte chuva com uma vasilha e um guarda-chuva precariamente equilibrados nos braços.

— Só vou aceitar porque não quero derrubar o guisado de Brunswick por toda Madison Lane. E também porque preciso sair de casa. Ed está trazendo um casal aqui hoje para dar uma olhada e prefiro não estar presente.

— Então, vamos. — George correu e pulou na caçamba da caminhonete. Sam pegou o guarda-chuva de Cassie e o colocou sobre suas cabeças.

Olhando para ela de modo carinhoso, ele disse: — A menos que esteja com medo de que eu abuse de você de novo.

Ela quisera ter as mãos livres para estrangulá-lo.

— Olhe. Sobre ontem à noite... — Ela fez uma pausa com esperança de que Sam lhe fizesse um gesto, dispensando-a da necessidade de prosseguir. Em vez disso, ele ficou olhando para ela na expectativa.

Cassie percebeu que não conseguia olhar diretamente em seus olhos.

— Devo ter bebido muito daquele ponche de kudzu. Não estava em meu juízo e peço desculpas por ter agido daquele jeito.

— Que jeito? — Sam abriu a porta para ela e pegou a vasilha de guisado enquanto ela se acomodava dentro do carro.

Cassie ficou olhando a água cair na sua frente.

— Como uma tarada sexual. Não sou assim, de jeito nenhum.

Sam se inclinou tão perto dela que Cassie podia sentir o seu hálito na face.

— Nunca achei que fosse. Além do mais, não estou reclamando. — A porta fechou com uma forte batida.

Quando Sam guiou sua caminhonete até o final da entrada da propriedade, Cassie reparou que a placa "Vende-se" estava caída na grama com notáveis marcas de pneu manchando o logotipo vermelho e branco da Imobiliária Farrell.

— Pare! — gritou ela.

Jogou a tigela de guisado no colo de Sam e saiu com dificuldade da caminhonete na chuva intensa. Ela ignorou o barulho da lama grudenta que sugava seus pés enquanto pisava firme até a placa e a endireitou.

Depois de entrar na caminhonete de novo, ela olhou com raiva para Sam e pegou de volta a tigela.

— Isso foi bem infantil. Que tal da próxima vez você pendurar um balde d'água sobre a porta da frente?

Sam colocou o carro em movimento.

— Ou quem sabe eu cole camisinhas cheias de ar na placa.

Cassie tossiu para conter a risada e virou a cabeça para a janela, para que ele não visse nenhum sinal de alegria em seu rosto.

Apoiando o cotovelo sobre a porta, Sam olhou para ela.

— Já obteve algum avanço na tentativa de encontrar a namorada de seu pai?

— Não. Mas coloquei um anúncio na edição de domingo do jornal *Sentinel*. É bem discreto, não há menção de nomes ou qualquer detalhe. Pede apenas que quem tenha tido um natimorto no ano de 1973 ligue para o celular de Harriet. Pensei que o prefixo de Nova York ou o número de telefone desta casa fosse dar na vista que sou eu quem está procurando. Não queria afugentar essa pessoa. — Ela suspirou, batendo as mãos nas coxas. — Bem, de qualquer forma é um começo. Gostaria de acreditar que posso fazer isso sozinha. Quero dizer, alguém que manteve esse segredo por tanto tempo não quer ser encontrada. Talvez eu tenha que me conformar.

Sam a encarou por um longo tempo.

— Você está dizendo que iria embora com esse segredo por respeito à privacidade dela? Ou será que isso seria uma coisa a mais a te prender na areia movediça?

Ela trouxe o queixo para frente, mas não respondeu. Em vez disso, durante o resto do caminho, ficou olhando a cidade de Walton pela janela do carro, tocando os pingentes de ouro no pescoço.

Apesar do tempo, D. Lena estava sentada na varanda da frente, as meias enroladas para baixo em volta dos tornozelos inchados, com o romance de sempre agarrado nas mãos. Ela acenou efusivamente. Seu sorriso mostrava dentaduras brancas e perfeitas.

O sorriso murchou enquanto Cassie subia os degraus da varanda.

— Catherine Anne — disse ela, estendendo o braço para pegar na mão de Cassie, que largou a vasilha no chão e colocou a mão entre as da velha.

Sam falou de modo gentil.

— Não, D. Lena, esta é Cassandra. Catherine Anne é mais velha.

A mulher apertou a mão de Cassie com mais força.

— Ela era tão linda, ninguém sabia por que ela queria se casar com o juiz. Ela poderia ter escolhido qualquer homem do município, mas, em vez disso, escolheu um homem com idade para ser seu pai. — Ela estudou o rosto de Cassie de perto.

— Ninguém imaginaria que ele sobreviveria a ela. — A D. Lena acariciou o rosto de Cassie com a outra mão. — Você é igualzinha a ela. — Olhou para Sam. — É tão doce quanto?

— Doce como vinagre. — Ele estendeu o braço para segurar no cotovelo da D. Lena. — Vamos, deixe-me ajudá-la a entrar. — A velha deu uma risadinha enquanto Sam gentilmente a tirava da cadeira.

Sobrou para Cassie trazer a vasilha e ela resistiu ao impulso de jogar o guisado nos cabelos castanho-claros de Sam. Entrou na pequena, porém imaculada, casa e caminhou até a cozinha ao fundo. O pisos de madeira cintilavam de tão encerados e a pia, sem manchas, brilhava. Quando Cassie abriu a geladeira para guardar o guisado, ela reparou na grande tabela codificada em cores que havia na porta. Curiosa, examinou-a com cuidado.

Dias da semana e nomes conhecidos completavam o cabeçalho. Examinando melhor, ela percebeu que se tratava de um cronograma de comida e limpeza. Aparentemente, a maioria das mulheres da cidade contribuía com os cuidados diários de D. Lena. Todos os dias havia alguém designado para visitá-la, fazer-lhe companhia e limpar a casa, enquanto outra pessoa trazia café da manhã, almoço e janta.

Enquanto Cassie arrumava um lugar para a vasilha de guisado na geladeira organizada e limpa, ela pensou brevemente na velha mulher sem teto que sempre aparecia na esquina da rua onde Cassie trabalhava, em Nova York. Era suja, o cabelo despenteado, as roupas aos farrapos. A multidão da calçada pendia para o lado ao mesmo tempo, como uma enorme onda agitada, para desviar dela. Era de se questionar se alguém lhe trouxera alguma vez uma comida fresquinha.

Pensativa, fechou a geladeira com uma batida e retornou à sala de estar, onde D. Lena estava confortavelmente sentada numa gasta poltrona reclinável, enquanto Sam lhe tirava a pressão. A velha sorriu.

— Venha até aqui, assim posso te ver melhor. Acho que não a vejo há muito tempo. Por onde andou, querida?

Cassie se sentou num sofá otomano de vinil.

— Moro em Nova York agora.

A D. Lena enrugou a testa, com tristeza.

— Sinto muito. Eles te deixarão voltar algum dia?

Cassie mordeu os lábios enquanto olhava para a velha mulher.

— Na verdade, gosto de lá. Não demorarei muito para voltar. — Ela esticou o braço e colocou a mão macia e enrugada de Lena sobre a sua. Lena franziu a testa, confusa por um momento, depois sorriu.

— Você lê? Acabei de terminar o melhor de todos os livros e adoraria emprestá-lo para você.

Sam tirou o medidor de pressão de seu braço e ela se inclinou sobre uma mesa próxima.

— Aqui, pegue-o. Quando acabar, nós o discutiremos.

Ela entregou a Cassie o mesmo livro que Lucinda lhe havia pedido para devolver. O mesmo livro que ainda estava em sua bolsa, esperando ser devolvido à D. Lena.

Cassie ficou olhando para a capa, uma foto de pessoas seminuas.

— Obrigada, D. Lena. Estou ansiosa para começá-lo.

Quando Cassie abriu a bolsa para guardá-lo ao lado do outro livro, D. Lena se sentou e se curvou para frente, para que Sam pudesse auscultar as suas costas.

— Sei que vai adorá-lo também. Tem as melhores cenas de amor. O membro ereto dele é absolutamente enorme, e ele é bem experiente em dar prazer à sua mulher. — Ela deu uma risadinha baixinha. — Minha cena favorita é quando eles estão cavalgando sem sela, nus. Minha nossa, meu coração fica acelerado toda vez que a leio.

Cassie engoliu seco e sorriu, concordando com a cabeça.

— Entendo. Nossa, como eles têm sorte!

Ela pôde ver Sam tentando bravamente não rir enquanto falava com sua paciente.

— D. Lena, preciso que a senhora se deite agora e desabotoe os primeiros botões do vestido para que eu possa auscultar o seu batimento cardíaco.

Os olhos de D. Lena se entristeceram ao olhar para Sam. Parecia que nunca o tinha visto antes.

— Jovem rapaz, espero que não esteja abusando de mim ou terei de falar com sua mãe.

Calmamente, Sam deu um passo para trás.

— Não, senhora, jamais pensaria nisso. Só preciso colocar isto no seu peito para auscultar o seu batimento cardíaco, como faço toda semana.

A velha mulher fechou os lábios com força.

— Não, senhor. Sou solteira.

Cassie olhou para Sam. A expressão dele continuava calma, os braços relaxados ao lado do corpo. Parecia que estava ponderando diferentes táticas para conseguir que D. Lena cooperasse. A paciente estava indignada em sua cadeira, marcas brilhantes coloridas espalhavam-se por sua bochecha. Seus olhos continuavam tristes e ficaram momentaneamente confusos sobre o que estava acontecendo com ela.

Cassie se inclinou para frente e colocou sua mão sobre a da mulher.

— D. Lena, estou aqui. Que tal eu ficar ao seu lado segurando sua mão enquanto o Dr. Parker verifica seu batimento cardíaco? Me certificarei de que ele trate a senhora com o máximo de respeito.

D. Lena piscou, tentando focar os olhos.

— Doutor?

Cassie fez que sim com a cabeça.

— Sim, este é o Dr. Parker e ele precisa auscultar o seu coração. A senhora vai deixar?

A mulher agarrou a mão de Cassie com força e, então, concordou com um sinal de cabeça.

Gentilmente, Sam abriu o primeiro botão e escorregou o estetoscópio até o peito dela. A sala estava em silêncio absoluto, o único barulho era o do relógio sobre a cornija da lareira tiquetaqueando momentos da vida. Enquanto Sam guardava seu estetoscópio na maleta preta, Cassie abotoou a gola do vestido. Quando retirou a mão, D. Lena a segurou.

— Obrigada, querida. — Seus olhos cinza de repente ficaram brilhantes e úmidos de lágrimas não derramadas. A gratidão neles fez com que Cassie ficasse um pouco emocionada.

Ela se curvou para frente e beijou a velha no rosto, cuja maciez a surpreendeu.

— Eu que agradeço — disse ela.

Quando estavam prontos para partir, Sam se inclinou sobre D. Lena com um sorriso.

— A senhora ainda está forte como um touro. Nos vemos na próxima semana, certo?

Ele também lhe deu um beijo no rosto.

Ela lhe deu um largo sorriso. Sua desconfiança anterior aparentemente tinha sido esquecida.

— Aguardarei ansiosa por este momento. — Ela se levantou para sussurrar em tom confidencial. — E não se esqueça de trazer a filha de Catherine

Anne. Embora tenha certeza de que não precisarei pedir duas vezes. — Ela acotovelou Sam nas costelas, fazendo-o resmungar.

— Tentarei, senhora. Mas aquela mulher é difícil de agarrar.

Eles piscaram um para o outro parecendo conspiradores de uma grande intriga, e Cassie teve vontade rir alto.

As nuvens haviam se dispersado juntamente com a chuva, não deixando nenhum obstáculo para os raios diretos do Sol. George latiu da caminhonete, cumprimentando Sam e Cassie, que desciam os degraus da varanda e vinham na sua direção.

— Se não estou enganada, Sam Parker, você acabou de me chamar de fácil.

— Não foi bem isso...

Cassie parou segurando as mãos.

— Tudo bem, eu te perdoo porque você foi muito gentil com a D. Lena. E acho que nem preciso te perguntar se a cobra por isso.

Sam abriu a porta da caminhonete e jogou a maleta no banco de trás.

— É uma das vantagens de ficar velho: recebe-se um monte de coisa de graça. O que me faz lembrar que preciso perguntar a Ed se ele pode trocar comigo os dias de aparar a grama no final do mês. Detesto até mesmo ter de falar com ele, mas somos só nós dois no cronograma e preciso trocar. Vou para Atlanta para aquela conferência. E se você quiser, posso checar no hospital os registros de nascimentos enquanto eu estiver lá.

Cassie olhou para aqueles olhos azuis infernais, tentando interpretá-los.

— Por que está sendo tão gentil comigo? Nunca fiz nada por você para merecer tanto.

Sam a estudou por um momento com os olhos indecifráveis.

— Porque... — Ele virou o rosto por um instante. — Porque você costumava me fazer rir. Depois da morte de Tom, não achava quase nada engraçado, e você colocou aquela barata gigante na lancheira de Susan Benedict porque ela disse algo maldoso sobre Harriet. Ri até quase molhar as calças. Eu estava a salvo, você mudou a minha vida. Mostrou-me que não há nada na vida de que não se possa rir, como também o significado de lealdade. Lembra-se de como Harriet costumava defender Ed? Ela aprendeu aquilo com você, e você sabe disso. — Os olhos dele ficaram sombrios. — Acho que pode-se dizer que ainda sou seu fã.

Ele estava tão perto dela que ela se lembrou da noite anterior e recuou. As mãos voaram para o colar em volta do pescoço.

— E agradeço o que fez por mim lá dentro, com a D. Lena. Você me ajudou muito.

Cassie deu de ombros e subiu com dificuldade na caminhonete.

— Fico feliz em ter ajudado — respondeu ela, olhando para o para-brisa enquanto Sam fechava a porta.

Depois de Sam entrar, Cassie se virou para ele.

— Você vai fazer alguma coisa agora?

Algo brilhou em seus olhos, mas sua expressão continuou neutra.

— Tenho que trabalhar a partir das 13h, e estou com meu celular caso alguém precise de mim antes. Por quê?

— Poderia ir até a casa de Harriet? Ela vem reclamando de exaustão e fraqueza ultimamente e está com uma aparência um pouco doentia. Perguntei-lhe se tinha ido te ver, mas ela disse que não marcava uma consulta com você desde o pós-parto de Amanda. Pensei, já que ela não vai até você, que eu poderia levá-lo até ela. Talvez possa lhe prescrever algumas vitaminas ou algo do gênero.

Sam ligou o motor, mas não respondeu de pronto. Ele parecia estranhamente distraído.

— Sam?

— O quê? Sim, claro. — Com um leve sorriso, ele disse: — Ainda cuidando da irmãzinha, hein?

Cassie colocou o queixo para frente.

— Velhos hábitos são difíceis de eliminar, acho.

Ele conduziu o carro até a rua.

— Cuidado, Cassie. As pessoas vão começar a achar que você se importa.

Cassie não respondeu e permaneceu em silêncio durante o curto trajeto até a irmã.

Harriet se sentou na cama, escutando risadas e gritos vindos do quintal. Ela olhou para o relógio da cabeceira e piscou, perguntando-se se realmente poderia ter dormindo aquele tanto. Levantando-se, caminhou devagar pelo lado da cama, foi até a janela e a abriu para ver melhor.

Sam, seu cachorro e Cassie haviam acabado de entrar no quintal pela lateral da casa. Tia Lucinda estava de pé em seus saltos vermelhos, inclinada sobre a mesa da varanda, virando a manivela da antiga sorveteira. Maddie se colocou ao lado dela tentando segurar a mesa com força para que não se mexesse com os trancos da tia.

Sarah Frances, Joey e Knoxie estavam correndo para todos os lados com o que parecia ser a maioria das crianças do bairro. Evidentes sinais de sorvete de pêssego escorriam-lhe pelo queixo. Um outro pote de sorvete caseiro estava aberto. O gelo do lado de fora derretia rapidamente no calor, e o conteúdo sem dúvida ia se transformando numa poça cor de pêssego ao fundo.

Perto dali havia um mesa de jogo com duas enormes fatias de melancia decorando uma toalha xadrez vermelha e branca. Dois meninos estavam em pé, próximos à mesa, com o rosto e a camiseta manchados com o rosa da fruta e nacos de melancia nas mãos encardidas, enquanto competiam para ver quem cuspia as sementes mais longe. Por um instante, Harriet pensou estar ainda sonhando, vendo o mundo da mesma forma como quando ela e Cassie eram pequenas em outro gramado com gazebo e uma enorme árvore de magnólia.

Lucinda cumprimentou Sam e Cassie com um largo sorriso, e ela levantou por um momento a mão da manivela para acenar.

— Oi, gente. Venham participar da festa. Eu já deveria saber que o barulho desta máquina aqui atrairia pessoas de todos os cantos.

Sorvete de pêssego feito em casa. As palavras por si só trouxeram memórias de longos dias de verão passados no gazebo com Cassie. Os sorvetes escorriam pelos braços na incessante batalha de tentar lamber as gotas antes que caíssem. Costumavam passar horas naquele lugar durante as férias de verão, conversando sobre tudo, especialmente sobre meninos. No verão em que Harriet foi para o acampamento, Cassie ficou sentada no gazebo tomando sorvete e observando Joe pintar o teto de azul e se apaixonando por ele. Harriet sempre se perguntou como as coisas seriam se ela tivesse ficado em casa naquele verão — se tivesse sido ela a se apaixonar por Joe primeiro.

Cassie esquadrinhou a multidão de crianças.

— Onde está Harriet?

Por alguma razão, Harriet se recolheu, não queria ser notada ainda. Desejava apenas observar a vida passar pela janela.

Lucinda endireitou as costas e colocou uma das mãos na cintura.

— Aquela menina estava quase desmaiando. Tive de obrigá-la a entrar e descansar um pouco. Ela disse que iria só um pouquinho, mas da última vez que chequei, dormia profundamente.

Sam guardou sua maleta sob a mesa.

— Neste caso, vamos deixá-la descansar um pouco mais. Assim terei chance de dar uma olhada neste sorvete aqui. — Sob as orientações de Lucinda, ele foi lá dentro, até a geladeira grande, e trouxe um outro pote de sorvete.

Cassie segurou dois cones enquanto Sam os abastecia com duas generosas porções. Quando Cassie inclinou a cabeça para dar uma lambida, seu nariz topou com o enorme volume de sorvete, deixando um bocado dele na ponta.

Harriet ficou observando Sam olhar para Cassie e, finalmente, teve certeza do que suspeitara por tanto tempo. Ela se questionou se Cassie percebera isso também ou se estava apenas fingindo estar desatenta.

— Que fofo, Cassie — disse Sam, depois de dar uma pequena lambida na lateral de seu sorvete.

— Então, toma. — Com o polegar, ela tirou um pouco do seu sorvete e gentilmente o colocou no topo do nariz de Sam.

Knoxie, que se aproximara para ficar ao lado da tia, deu altas risadinhas e enfiou o nariz no próprio sorvete.

Harriet havia começado a se inclinar para fora da janela, a fim de gritar para que Knoxie parasse, quando viu Sam dar um passo na direção de Cassie.

— Você acha isso engraçado, queridinha? Observe só. — Ele enfiou três dedos no seu sorvete e colocou um enorme pedaço no rosto de Cassie.

Com isso, Cassie espremeu a mão sobre o cone e esfregou-o, com cuidado, no cabelo de Sam. Harriet levou a mão à boca, sem saber se deveria ficar perplexa ou gargalhar.

A maioria das crianças havia parado agora para observar os dois adultos dando um show.

Lucinda parou de girar a manivela e se colocou entre os dois.

— Tudo bem, vocês dois, basta. Vai demorar um tempão para tirar todo aquele açúcar do cabelo dele...

— Com licença, Lucinda. — Gentilmente Sam puxou a tia de Harriet para o lado e, com calma, virou o cone de sorvete na cabeça de Cassie.

Cassie ficou parada por um momento. Sua expressão mostrava mais choque e surpresa do que raiva. E, então, ela começou a rir: uma risada escandalosa, tão familiar a Harriet que ela teve vontade de chorar. Era da risada de Cassie que ela sentira mais saudade durante a ausência da irmã.

Uma movimentação na entrada da casa chamou a atenção de Harriet para um homem de pé na beira do concreto, relutante em sujar os sapatos de barro da grama. Harriet virou a cabeça de novo para Cassie e Sam, querendo lhes avisar e desejando que a risada de Cassie durasse mais tempo, mas sabia que a presença daquele homem a faria parar.

— Cassandra?

Cassie calou-se de pronto e se virou para aquela voz.

— Andrew?

Harriet estudou de perto seu futuro cunhado, dando-se conta de que tentava encontrar algum defeito em sua aparência. O paletó transpassado estava aberto e a parte da frente da camisa toda suada. O cabelo loiro parecia riscado de castanho e a testa pingava suor. Ele era bonito, pensou, mas não o imaginava tão bonito quanto Sam, mesmo com sorvete de pêssego escorrendo pela cabeça. Na verdade, ela não conseguia imaginar aquele homem tomando sorvete, muito menos brincando com ele.

Cassie o encarou por um momento enquanto o cone de sorvete escorria pela lateral de sua cabeça e espatifava no chão ao seu lado. Com a respiração presa, Harriet ficou observando a irmã, esperando o que ela iria dizer.

Sem parecer refletir sobre aquilo, Cassie abriu a boca e disse:

— Nossa, caceta! Inacreditável!

Harriet se afastou da janela e se deitou na cama com a mão bem firme sobre a boca para que ninguém escutasse sua risada. Sentia-se melhor do que há muito tempo, pois finalmente sabia que Cassie, apesar de toda a mudança externa, não havia mudado nada.

Capítulo 14

Cassie pegou dois guardanapos sobre a mesa e deu um a Sam. O outro passou no próprio rosto e pedaços do papel ficaram grudados no nariz e na bochecha. Forçando um sorriso, ela se aproximou de seu noivo, tentando ignorar seu olhar de espanto.

— Andrew... que... surpresa. Não o esperávamos antes de sexta-feira.

Ele largou a mala no chão e afrouxou a gravata.

— Depois de nossa última conversa ao telefone, decide que seria melhor vir antes. O que está acontecendo aqui e quem é este cara?

Antes que ela pudesse responder, Sam aproximou-se, aprumado. Ela piscou, questionando-se por que ele estava andando como se tivesse montado um cavalo o dia inteiro. Ele estendeu a mão para Andrew.

— Oi! Que prazer enorme. Você deve ser o namorado de Cassie. Eu sou Sam Parker.

Cassie ficou sem saber se devia rir, chorar ou apenas fugir gritando. O sorvete no cabelo de Sam havia começado a derreter e escorria pelo lado do rosto e pedaços de guardanapo grudados em sua barba curta tremulavam quando ele se mexia. Sua aparência era absolutamente ridícula, porém total e estupendamente atraente.

Andrew ficou olhando para a mão estendida por um momento antes de apertá-la.

— Prazer em conhecê-lo, Andy. Nossa Cassie fala tanto de você, finalmente conhecê-lo é bom demais.

Foi a vez de Andrew piscar.

— Bem, é *Andrew*.

Incapaz de ficar olhando para o pedaço de papel amarelo no nariz de Sam, Cassie estendeu o braço e o puxou. Aqueles movimentos chamaram a atenção de Andrew. Ele se aproximou dela e a puxou para si num íntimo abraço. Quando ela olhou para protestar, ele a beijou, deslizando a língua em seus lábios. Cassie não se mexeu, mas ele não a largou e sorriu ao erguer a cabeça.

— Senti saudades.

Ela colocou as mãos no peito dele e tentou, gentilmente, afastá-lo.

— Eu também senti.

Quando ele inclinou a cabeça na direção dela novamente, Cassie levantou a mão entre eles para enxugar o suor da testa.

— Nossa, como está quente. Vamos para casa para que vista algo mais confortável.

Ele retirou os braços em volta dela. Os lábios sorriam, mas os olhos eram frios.

Cassie olhou para a enorme mala na grama.

— Suponho que um táxi tenha te levado até a casa de papai, mas ninguém estava lá. Por que não deixou a mala na varanda?

Andrew lhe lançou um olhar curioso.

— Esta mala é muito cara. Não iria deixá-la na varanda. — Ele deu uma olhada em volta na direção das crianças que corriam pelo quintal.

— Um cara velho de macacão numa caminhonete até me ofereceu carona. Difícil de acreditar. Mas ele me disse onde te encontrar.

Sam se inclinou e pegou a mala.

— Que droga, Andy! As pessoas aqui em Walton são tão honestas que é capaz de *colocarem* coisas na sua mala. — Ele piscou para os dois. — Bem, vendo que estão sem meio de transporte, vamos todos nos amontoar na caminhonete, eu os levo para casa.

O rosto de Andrew ficou pálido.

— Você está querendo dizer que meu carro não está aqui? Aconteceu alguma coisa?

Cassie deu um sorriso alegre.

— Nada que não possa ser resolvido. Depois te conto.

Sam acenou para Lucinda e liderou o caminho até a frente da casa. Cassie fez uma breve apresentação entre Andrew e Lucinda e se apressou para seguir Sam. George lhes deu um latido de boas-vindas, fazendo que Andrew desse um passo para trás. Mas ele conteve qualquer reclamação ao ver sua mala sendo colocada na caçamba da caminhonete junto com o cachorro.

Sam abriu a porta do passageiro.

— Nós três temos que nos espremer no banco da frente. Todas as minhas tralhas de caça estão ali atrás e não há lugar.

Semicerrando os olhos, Cassie olhou bem para ele. Ela sabia que o banco de trás estava cheio de material da apresentação e apostilas para a conferência médica na próxima semana em Atlanta. Antes que pudesse protestar, ele jogou uma velha coberta de flanela da caçamba sobre a pilha, escondendo tudo.

Cassie escorregou para o meio e fez força para não rir enquanto observava Andrew tentando entrar na caminhonete. Sam ligou o ar-condicionado no máximo.

— Cara, tá mais quente do que sentar sobre carvão em brasa.

Cassie o acotovelou nas costelas. Depois, focou sua atenção no painel do carro enquanto tentava apreciar a mão possessiva de Andrew sobre sua coxa. Ela tentava, também, se lembrar de que ele era o homem que amava e com quem planejava se casar. Assim que Sam colocou a caminhonete em movimento, a mão dele voou para a parte de trás do banco e veio se acomodar no ombro direito dela. O trajeto para casa foram os cinco minutos mais longos de sua vida.

A caminhonete parou na frente da velha casa e todos desceram. Cassie ficou olhando para aquela conhecida fachada, com suas imponentes colunas, e foi tomada de uma estranha sensação de orgulho. Virando-se para Andrew, ela aguardou sua reação.

— Então este é o monte de madeira velha? — Ele colocou as mãos na cintura e andou para trás da caminhonete para ter uma visão melhor, e deu a volta examinando a propriedade. — Não tive chance de vê-la direito antes, mas agora entendo por que está tendo tanta dificuldade para vendê-la.

Sam bateu a porta da caminhonete com um pouco mais de força do que o necessário.

Cassie puxou Andrew pelo braço.

— Como pode dizer isso? Ainda nem a viu por dentro.

Ele se virou para a casa de novo, piscando os olhos contra o Sol.

— É velha. Não gosto de coisa velha. Mas de fato, a terra sobre a qual ela está pode ser uma mina de ouro.

Cassie mordeu os lábios com força, desejando defender a casa e o lugar que chamara de lar ao longo de muitos anos felizes de sua infância. Mas, em vez disso, permaneceu calada, notando que Sam a observava de perto.

Sam tirou a mala da caçamba e a largou com tudo no chão, bem em cima de uma pequena poça.

— Perdão, Andy. Não vi a poça.

Andrew a pegou pela alça e a levantou. Cassie reconheceu seu beligerante queixo saltado para frente e percebeu que tinha de separar os dois homens antes que as coisas ficassem sérias.

— Andrew, vamos entrar para que você tome um banho. Obrigada pela carona, Sam. — Ela puxou Andrew pelo cotovelo e o conduziu pelos degraus. Andrew foi na frente e parou na entrada da porta. Cassie ficou para trás e se virou para Sam. — Sam? Por favor, não se esqueça de...

— Não me esquecerei. — Tanto o sorriso bobo quanto o sotaque caipira desapareceram enquanto falava.

Um sorrisinho atravessou o rosto dela.

— Como você sabia o que eu iria dizer?

Ele não correspondeu ao seu sorriso.

— Eu te conheço há muito tempo. — Ele se virou e abriu a porta da caminhonete. — Não se preocupe. Vou ver Harriet agora. Mas provavelmente você vai ter de importuná-la bastante para conseguir que ela marque uma consulta para um checkup completo. — Ele entrou atrás da direção, bateu a porta e, então, colocou para fora um braço musculoso. — Sei que consegue ser muito boa nisso. — Deu a partida e saiu antes que ela pudesse pensar numa resposta.

Ao se aproximar de Andrew, que a esperava, a carranca dele deu lugar a um sorriso.

— Enfim sós.

Ela se permitiu ser envolvida por seu abraço, seu rosto colado na camisa de algodão egípcio feita sob medida. Ela aspirou ruidosamente o cheiro da conhecida colônia cara, a goma da camisa, e tentou se acomodar em seus braços até encontrar um lugar confortável. Fungou de novo, questionando-se o que estava faltando. Jogando a cabeça para o alto, deparou-se com o olhar dele.

— O que há de errado? — Sua voz ficou mais grave quando a pressionou contra si.

Ela fechou os olhos por um instante, tentando descobrir o que era e os arregalou ao perceber que não havia nada de errado. Havia apenas algumas coisas faltando. O cheiro do campo, do sabão Dial e o toque do áspero tecido denim.

— Nada. Está tão quente, só isso. — Ela se desvencilhou dele e abriu a porta. — Viu? Estava destrancada. Poderia ter colocado suas coisas aqui dentro.

Ele a seguiu pelo vestíbulo, largando sua mala suja sobre o tapete persa e olhando ao redor da sala.

— Isso aqui parece um museu. Quem são todos aqueles patetas nos porta-retratos?

Cassie cruzou os braços diante de si.

— Seus futuros parentes. Portanto, seja bonzinho.

— Ops. Desculpe. — Ele a encarou, mas não parecia muito arrependido. — Estamos a sós?

Seus dedos desviaram para os pingentes do pescoço.

— Ah, sim. Mas logo tia Lucinda deve estar de volta...

Ele se aproximou dela com um olhar intencionado.

— Onde está o nosso quarto?

Cassie foi tomada de uma sensação semelhante a pânico. O que estava acontecendo com ela? Aquele era o homem com quem iria se casar.

— Nosso quarto? Ah, você quer dizer o meu? — Ela tentou imaginar Andrew na cama de dossel cor-de-rosa tomando o lugar do enorme elefante de pelúcia que vinha lhe fazendo companhia ultimamente. — É lá em cima, mas...

— Venha, então. — Ele a puxou pela mão, arrastando-a pelos degraus. Não havia como se enganar com a expressão dos olhos dele. Ela se perguntava por que não sentia nada ao ser tocada por ele. Antes que conseguisse pensar numa desculpa, porém, ela ouviu a batida de uma porta de carro lá fora e se esquivou. — É tia Lucinda. — Ela quase deu um salto até a porta da frente e a abriu de uma vez.

— Ei, tia Lu. — Mesmo aos próprios ouvidos sua voz soou tão caipira quanto mingau de milho. Ela não se deu ao trabalho de se virar para ver a expressão de Andrew.

Lucinda subiu a escada às pressas e entrou correndo na casa, respirando ofegante enquanto se equilibrava em seus saltos de dez centímetros. Estava usando um recém-aplicado batom vermelho da Noite de Bingo e cheirava a talco de bebê. Cassie notou linhas de uma coisa branca nas pregas do cotovelo da tia. A velha mulher cambaleou até Andrew e o sufocou num abraço, deixando manchas de talco no paletó dele e uma expressão de choque em seu rosto.

Lucinda sorriu, alegre.

— Não tive chance antes, na casa de Harriet, mas precisava te dar um abraço e desejar que seja bem-vindo à nossa família, Andy. É tão bom finalmente conhecê-lo.

Andrew esboçou um leve sorriso.

— Andrew, por favor. Sim, muito prazer em conhecê-la também. Você é exatamente como a imaginei.

A animação do sorriso de Lucinda não diminuiu.

— Nossa, obrigada. E você também é igualzinho como imaginei. — Ela olhou para a mala suja de terra. — Ei, deixe-me levar isso e te acomodar em seu quarto. Vou te colocar aqui embaixo, no meu quarto. Não seria apropriado deixá-los, você e Cassie, sozinhos lá em cima. Eu vou dormir no antigo quarto de Harriet. — Com uma piscada para Cassie, Lucinda pegou a mala e saiu, afetada, do vestíbulo em direção ao fundo da casa.

Cassie ignorou a expressão de choque no rosto de Andrew e, em silêncio, agradeceu à tia. Não sabia exatamente por que estava tão aliviada por ter sido salva por Lucinda. Mas vê-lo naquele lugar, naquela cidade, em sua casa, o colocava sob uma perspectiva estranha e nova. Ele se destacava como neve no verão. Ao encará-lo com novos olhos, pela primeira vez ao longo do relacionamento, deu-se conta de como eram diferentes. Ela não se lembrava de ter pensado isso antes, mas talvez ele tenha mudado no curto período em que estiveram separados.

Cassie lhe deu um rápido beijinho na bochecha antes de passar por ele com pressa e subir os primeiros degraus da escada.

— Preciso de um banho e tirar este sorvete melado de mim antes que comece a atrair formigas. Quando acabar, vou te mostrar a casa.

— Uau! — disse ele, parecendo bem desanimado. — Não vejo a hora.

Quando se virou para subir o resto da escada, ela poderia jurar que olhos do pentavô Madison a estavam repreendendo.

Cassie se sentou no balanço da varanda. Seus pés descalços deslizavam sobre a superfície das tábuas do assoalho. Fechou os olhos e inclinou a cabeça para trás, para absorver a brisa que vinha do ventilador do teto. A porta se fechou com uma batida e ela se aprumou rapidamente.

O cabelo de Andrew ainda estava molhado do banho. Com a alta umidade do ar, não iria secar sozinho tão cedo. Manchas de suor já manchavam sua camisa verde-clara de seda, e faixas molhadas serpenteavam sob a cintura da calça de linho cor de café.

— Puxa, está quente! Como eles aguentam?

Ela reparou em sua roupa com um sorriso nos olhos.

— Bem, uma das razões é que eles se vestem de modo apropriado.

Seu olhar varreu-a dos pés descalços ao short jeans escuro e top de algodão com alcinhas finas que a deixavam com a barriga de fora. Ela havia comprado aquela roupa, juntamente com um maiô de banho e um monte de camisetas, por impulso, numa de suas idas ao Walmart local.

— Mantenho meus padrões.

Ela se moveu para o lado a fim de lhe dar espaço no balanço.

— Então pare de reclamar que está quente.

Ele examinou o balanço, pensativo, e, sem jeito, se acomodou ao lado dela. Recostou-se no assento e colocou o braço em volta de seu ombro com os dedos acariciando-lhe a clavícula. Eles balançaram em silêncio por um momento até Andrew falar.

— Então, Cassandra. O que está acontecendo?

Ela olhou para as mãos e reparou que as unhas estavam lascadas. Não havia se dado ao trabalho de encontrar uma manicure desde que chegara a Walton.

— Como assim?

— Bom, para começo de conversa, quem é aquele cara? Sam não sei das quantas.

Cassie engoliu seco numa tentativa de soar indiferente.

— Sam Parker. Ele é o médico da cidade. E um antigo amigo da família.

Andrew balançou a cabeça.

— Ah, maravilha. Aposto que todos aqui rezam para não ficarem doentes. Que palhaço.

Cassie se afastou dele.

— Você nem o conhece. Não pode julgar as pessoas pela aparência. — Cassie colocou o calcanhar no chão, fazendo o balanço se mexer num ritmo irregular.

Andrew bufou.

— Ele me lembra aquele cara, o Goober, do seriado *The Andy Griffith Show*. Nossa, ele é perfeito, talvez pudéssemos usá-lo num de nossos comerciais como atendente tacanho de um posto de gasolina. Ele seria um sucesso.

Ela quase mencionou as excelentes universidades onde Sam se formou, mas se manteve calada, percebendo que seria mais divertido ver Andrew descobrir isso sozinho.

Eles viraram a cabeça ao mesmo tempo ao ouvirem o barulho de pneus sobre o cascalho. O Cadillac de Ed Farrell, com as rodas de aro branco reluzindo, entrou na estradinha da casa e parou. Devagar, Ed saiu do carro e caminhou na direção deles. Seu terno risca de giz refletia a luz do Sol.

Cassie parou o balanço e se levantou.

— Ei, Ed. — Eis que a palavra surgia de novo. Quando foi que a palavra "oi" saiu de seu vocabulário?

— Ei, Cassie. — Ele se aproximou de Andrew com a mão estendida e um sorriso no rosto. — E você deve ser o noivo de Cassie. É um enorme prazer conhecê-lo.

Andrew se levantou e apertou-lhe a mão.

— Andrew Wallace. Prazer em conhecê-lo. — Ele o examinou de perto. — Já nos vimos antes? Você me parece vagamente familiar.

— Não. Acho que não. Mas não consigo nem imaginar alguém parecido comigo. Bem assustador, né?

Ele riu, enquanto Andrew apenas concordou com a cabeça. Cassie notou o olhar de zombaria de Andrew enquanto ele reparava no terno de Ed. Ela teve o estranho desejo de se colocar na frente de Ed como um escudo protetor.

Aparentemente desatento à expressão de Andrew, Ed subiu as calças.

— Então, o que acha da propriedade? Cassie tem um excelente produto aqui. Você já teve a oportunidade de dar uma olhada no meu novo complexo de casas, Farrellsford?

Andrew ergueu as sobrancelhas interessado.

— Você é um construtor?

Ed olhou para Cassie por um momento.

— Não exatamente. Sou um corretor que lida também com construção e com a melhoria da cidade de Walton. Tem sido bem lucrativo nesses últimos anos.

— É mesmo? — A atenção de Andrew fora despertada. — Quão lucrativo?

— Me acompanhe. — Ed conduziu Cassie e Andrew para fora da varanda até o lado de trás da casa, onde era possível ver as costas e chaminés de algumas propriedades de Farrellsford. Apontando para o lugar, Ed disse: — Comprei aquele pedaço de terra por uma ninharia há menos de três anos. Agora estou com quase 150 casas ali, cada uma valendo em torno de duzentos e cinquenta mil dólares. — Ele deu um largo sorriso para Andrew. — Isso sim que chamo de lucrativo.

Cassie estreitou os olhos na direção dos telhados de ardósia inclinados de Farrellsford.

— Mas Ed também acredita em preservar a integridade de Walton, e por isso ele não está me pressionando a fazer nada com a casa que não seja vendê-la a outra família para uso residencial. Não é mesmo, Ed?

— Bem, sim, Cassie. Desde que essa solução seja plausível. — Ele ergueu a calça de novo, parecendo pouco à vontade sob o Sol sufocante. — Mas eu te disse que seria difícil, já que todo mundo prefere as construções novas hoje em dia. Já mostrei a casa para quatro famílias, e todas optaram por uma das novas. Por isso vim aqui hoje. Para começarmos a conversar sobre o plano B.

Cassie olhou para além dos ombros de Ed, na direção da casa branca às suas costas. Cada tijolo, cada telha, cada tábua do piso lhe eram tão conhecidos quanto sua própria pele. Os rangidos e os sons da velha casa haviam sido suas cantigas de ninar quando criança. Seu olhar foi desviado para o gramado da frente quando uma leve brisa soprou na direção deles, trazendo o perfume das rosas de sua mãe. Do lado de fora da casa, sobressaindo-se na entrada, estava a árvore de magnólia, cuja muda sua mãe plantara quando Cassie nasceu, com suas folhas esvoaçando-se por causa da brisa.

Ed prosseguiu.

— E a boa notícia é que talvez tenha conseguido parte do apoio do conselho da prefeitura para acabar com aquela moratória que impediria futuras construções. O delegado de polícia e o juiz Moore juraram se opor. Estou tentando convencer os outros. Sam não conseguirá aprová-la sem a maioria e acho que não a terá. — Ele sorriu gentilmente para ela. — Não estou falando em pôr a casa abaixo, Cassie. Sabe que eu odiaria isso tanto quanto você. Estou falando em encontrar outras utilidades para a estrutura existente com pequenas modificações apenas.

Cassie olhou para o chão, onde viu os fantasmas de seus amigos da infância brincando de pique-esconde no ocaso de um dia de há muito tempo. Ela sentiu o cheiro das rosas de sua mãe de novo e se virou para os homens.

— Não sei se haverá um plano B, Ed. Estou ciente de que não foi bem isso que conversamos, mas quanto mais eu penso, mais certeza tenho de que jamais suportaria ver esta propriedade sendo usada para qualquer outro fim senão por uma família que queira viver nela. — Cassie olhou para Ed. — Estou disposta a alugá-la até encontrarmos um comprador, e você a administraria.

Andrew lhe lançou um olhar de reprovação.

— Permita-me discordar, Cassandra. Primeiro, você tem um trabalho em Nova York que requer sua atenção com urgência e do qual não pode se dar ao luxo de se afastar. Segundo, há muito dinheiro a ser ganho com esse negócio.

Cassie encarou seu noivo, esperando-o dizer o quanto precisava dela e a amava. Então percebeu que desejava mesmo que ele se virasse e olhasse a casa, para que a visse através de seus olhos e para saber que o tijolo, a argamassa e a madeira que formavam aquela casa eram muito mais valiosos para ela do que dinheiro. Ele não fez nada daquilo. Em vez disso, fez uma careta ao inclinar a cabeça para trás.

— Esta casa velha representa perigo de incêndio.

Cassie olhou para Andrew incrédula. Então virou-se ao ouvir a voz de sua tia.

Lucinda estava de pé na beira da varanda acenando para eles.

— Ei, vocês, trouxe um pouco de chá doce. Pensei que seria apropriado num dia assim tão quente.

Sem esperar por eles, Cassie correu na direção dos degraus. Sua mão tremia enquanto se servia de um copo. Parou por um momento, olhando atentamente para a xícara de alumínio fúcsia. Encostou o metal gelado na bochecha. Fechou os olhos, lembrando-se de quando foi à loja Green Stamps com a mãe para comprá-las. Com a ajuda dela, Cassie lambeu e colocou todos os selos em seu livrinho até ter o suficiente para conseguir aquelas simples canecas de alumínio. Elas fizeram parte de sua infância, assim como os piqueniques da igreja e os mergulhos no riacho atrás da casa do senador Thompkin.

Os dois homens subiram os degraus envolvidos numa conversa. Cassie entregou a Andrew uma xícara azul-fluorescente e observou, com deleite, ele erguer a sobrancelha antes de colocar os lábios na borda curva para beber.

Ed pegou uma xícara amarelo-clara e deu um gole antes de se dirigir outra vez a Andrew.

— Se você quiser, ficaria muito feliz em lhe mostrar Farrellsford e alguns outros projetos meus que estão acontecendo na cidade. Estou sempre à procura de investidores. — Ele piscou.

Para a surpresa de Cassie, Andrew concordou com um sinal de cabeça.

— Sim, eu gostaria.

— Tia Cassie! — Todos se viraram para ver Maddie vindo pela rua da casa com Knoxie no colo e Joey e Sarah Frances, logo atrás. — Dr. Parker disse que a mamãe precisava descansar, então nos mandou para cá.

As crianças chegaram fazendo a maior algazarra na varanda e pararam ao ver Andrew. Cassie os apresentou e ficou orgulhosa dos sobrinhos, pois todos estenderam a mão para ele.

Knoxie desceu do colo de Maddie e gritou:

— Preciso fazer xixi!

Maddie agarrou sua mão e a conduziu para dentro da casa. Logo depois, a porta de tela abriu de novo e Maddie colocou a cabeça para fora.

— Antes que eu me esqueça, as baterias são feitas de metal? Tipo assim, elas disparariam um detector de metal?

Cassie fez uma cara de dúvida enquanto olhava para a sobrinha.

— Sim, acho que sim. Por que precisa saber?

Knoxie gritou de novo de dentro da casa.

— *Agora*, Maddie! Não quero molhar minha calça.

Maddie sorriu.

— Ah, por nada. — Ela deixou a porta de tela bater atrás de si enquanto desaparecia dentro da casa.

Andrew ficou olhando para Joey e Sarah Frances, que estavam agora esparramados no balanço da varanda.

— Meu Deus! Quer dizer que sua irmã tem quatro filhos?

Cassie baixou a xícara e se serviu de mais chá doce.

— Na verdade, cinco. A bebê Amanda deve estar em casa com Harriet.

Escutou-se, então, a vozinha de Sarah Frances.

— Mamãe disse que não devemos usar o nome de Deus em vão, Sr. Wallace.

Andrew arregalou os olhos horrorizado antes de se dirigir a Ed.

— Sabe, não estou fazendo nada neste momento. Se tiver alguns minutos, adoraria fazer aquele *tour* agora.

Ed largou a xícara sobre o parapeito.

— Não, não tenho nada. Seria um prazer.

Andrew se virou para Cassie.

— Acho que por você tudo bem.

Cassie balançou a mão, dispensando-o.

— Tudo bem. Ficarei aqui brincando com as crianças.

Com um olhar curioso em sua direção, Andrew a beijou rapidamente no rosto e saiu para entrar no Cadillac de Ed, que olhou para ela, por um instante, com um sorriso solidário.

— Conversaremos depois, tudo bem? E se você quiser alugar a casa até encontrar a família certa para ela, por mim não tem problema.

Ele piscou e começou a andar na direção do Cadillac com o mesmo jeito desengonçado, que parecia não ter perdido nunca. Cassie parou por um instante e lembrou-se de certa vez ter ido com sua mãe entregar um balde de maçãs e roupas velhas para a mãe dele. Ed se afastou delas sem dizer nada assim que elas subiram o primeiro degrau quebrado da varanda da frente. Os pés descalços dele revolveram uma nuvem de poeira quando correu pelo gramado seco e descoberto em frente da dilapidada casa, pois o constrangimento diante da caridade era maior do que conseguia suportar.

Cassie se virou e abriu a porta de tela.

— Maddie, quando vier para cá, traga algumas maçãs e nos encontre sob a magnólia lá na frente.

Ela pegou as duas crianças pelas mãos e correu com elas pelo gramado. A grama recém-cortada fazia cócegas em seus pés descalços, fazendo-a lembrar-se de novo dos antigos verões de sua infância, que já não pareciam mais tão distantes assim.

Maddie e Knoxie os encontraram sentados sob a árvore de magnólia. Elas distribuíram maçãs e se sentaram à sombra formada pelos grossos galhos, mastigando ruidosamente. Maddie se sentou de pernas cruzadas na grama, em frente à tia.

— Então aquele é o cara com quem vai se casar?

Tia Cassie concordou, com a boca cheia de maçã.

Knoxie e Sarah Frances deram gritinhos e risadinhas e Joey falou sem pensar:

— Eca, eles vão se beijar!

Maddie empurrou-o e ele se calou.

— Por que ele se veste de um jeito tão engraçado?

Sua tia pareceu ter engasgado com a maçã.

— Não é engraçado. Apenas diferente do que você está acostumada. É assim que muitas pessoas se vestem em Nova York. É mais moderno.

Maddie mastigou, pensativa, e então disse:

— Não parece muito confortável, mas acho que poderia me acostumar.

Tia Cassie ergueu as duas sobrancelhas enquanto dava uma outra mordida.

Maddie recostou a cabeça no tronco, imaginando que não deveria ser tão quente em Nova York, caso contrário as pessoas não se vestiriam como Andrew. Viu uma enorme mosca perto de sua cabeça e se assustou. Virando a cabeça para examiná-la mais de perto, percebeu que era a casca de uma cigarra grudada no tronco da árvore, cujo inseto já havia saído há tempos. Feliz por tê-la visto antes de Joey — que passaria o resto da tarde com ela perseguindo Sarah Frances aos berros pelo quintal —, arrancou-a do cárcere e, segurando-a gentilmente entre dois dedos, e aproximou-a de seu rosto para estudá-la com cuidado.

— O que você encontrou, Maddie? — Sua tia se inclinou mais perto para ver melhor.

— Uma casca de cigarra. Quer segurá-la?

Sem hesitar, tia Cassie lhe estendeu a mão e Maddie, com cuidado, soltou a casca sobre a palma aberta. Elas se sentaram bem próximas uma da outra, examinando-a. A casca estava quase transparente, já sem asas. Maddie piscou, olhando firme, e viu algo que nunca vira antes. Pareceu-lhe que o corpo do inseto havia saído, deixando sua alma no lugar que chamava de casa, sob as sombras das folhas de magnólia.

Enfiando os pés descalços na fresca grama de verão, tia Cassie a envolveu nas mãos, assoprou forte, fazendo que a delicada casca flutuasse devagar até o chão.

Maddie ergueu os olhos e viu a caminhonete do Dr. Parker parando na entrada da casa. Tia Cassie levantou a cabeça também, e as duas ficaram observando-o sair da caminhonete e caminhar na direção delas.

Maddie olhou outra vez para a tia.

— O Dr. Parker é bem mais bonito que o Sr. Wallace, não acha?

Cassie corou em um tom rosa divertido.

— É... bem... acho que os dois são bonitos. Só que de maneiras diferentes.

Quando Dr. Parker se aproximou, Maddie olhou a tia de canto de olho, questionando-se se ela precisava de óculos ou algo do gênero.

Ele cumprimentou todo mundo e bateu a mão espalmada com a de Joey. Em seguida, dirigiu-se à tia Cassie e lhe estendeu a mão.

— Precisamos conversar.

Surpreendendo Maddie por não argumentar, tia Cassie largou o caroço da maçã e segurou-o pela mão. Ele não a soltou até chegarem aos degraus da varanda. Maddie engoliu sua última mordida da fruta e não deu outra, esperando ouvir cada palavra.

Dr. Parker falou primeiro.

— Preciso que me faça um favor.

Tia Cassie inclinou a cabeça.

— Depende. Do que precisa?

Ele baixou a cabeça por um instante.

— Agendei um consulta para Harriet às 8h30 da manhã da próxima quarta-feira. Preciso ter certeza de que ela não adie e nem se esqueça. Você consegue fazer com que ela vá?

Maddie, de repente, sentiu-se com frio, como se o outono tivesse chegado sem avisar enquanto estavam sentados sob a gigantesca magnólia.

Tia Cassie disse:

— Sim, claro. Por quê? — Sua mão se moveu para a corrente que sempre usava no pescoço e tocou primeiro o pequeno coração de ouro, para, então, deslizar até a chave, que ficava abaixo dos outros pingentes. — Ela está... doente?

Ele não desviou o rosto.

— É cedo demais para dizer qualquer coisa. Sua exaustão tem me preocupado, mas não estou aqui para tirar nenhuma conclusão ainda. Saberemos mais depois da consulta.

Cassie olhou para Maddie, e Maddie olhou para baixo, na direção da casca da cigarra jogada na grama, tentando fingir que não estava escutando.

Tia Cassie falou de novo.

— O que você acha que há de errado com ela?

— Não saberei até examiná-la por completo. Há muitos motivos para fadiga, e quatro deles estão sentados bem ali, sob aquela árvore.

Maddie ficou olhando enquanto o Dr. Parker passava as juntas dos dedos sobre o maxilar da tia.

— Vai dar tudo certo, Cassie. Estarei aqui com você, certo? Pode contar comigo.

Maddie olhou para o outro lado, querendo muito acreditar em Dr. Parker, mas sentiu-se incapaz de afastar a sensação de frio que parecia ter tomado conta de seu corpo. Olhou de novo a casca da cigarra, então assistiu à brisa da tarde erguê-la no ar e rolá-la pelo enorme gramado da frente até desaparecer com ela por completo, como se nunca tivesse existido.

Capítulo 15

À sombra fresca da varanda, Cassie se sentou no balanço com a caixa de cartas ao seu lado. Sob a brisa do ventilador, as folhas amareladas farfalharam em sua mão, sussurrando seus segredos.

1º DE DEZEMBRO DE 1972

Querido Harry,

Quase fui pega na noite passada quando a janela bateu com força depois que eu havia entrado sorrateiramente. Acho que o barulho acordou papai. Joguei-me sob as cobertas bem a tempo, mas foi tão difícil respirar devagar — mas acho que o enganei. Não gosto desses passeios às escondidas — estou velha demais para isso. Gostaria de declarar o nosso amor no centro da cidade, no topo daquele cavalo de guerra, mas enquanto o coração de papai não melhorar, é algo que precisamos manter entre nós.

Tenho um pequeno favor a pedir. Há uma nova menina na cidade, Catherine Anne Abbot. Sei que já me ouviu falar dela, pois é minha melhor amiga no mundo. Está se mudando para cá de Columbus e vai morar com a tia, a velha dona Shrewster. Os pais de Catherine Anne morreram há pouco tempo num terrível acidente de carro, e a tia é a única alma viva na família. Eu a conheço porque nossos pais eram amigos e, desde que me lembro, sempre passamos os verões juntas. Ela é bem mais nova do que eu e muito meiga. Mas agora vem para viver com a tia, aquela velha enrugada e encarquilhada, e temo que fique igual à dona Shrewster se nunca sair de casa. Caso se depare com ela na cidade, apresente-se. Não diga que me conhece, não quero obrigá-la a ter que manter o nosso segredo, mas fale com ela e faça-a se sentir à vontade. E, por favor, conte a todos os nossos amigos solteiros sobre ela. Talvez, quando estivermos livres de nosso segredo, possamos marcar um encontro a quatro, ou algo do gênero.

Papai acabou de chegar, portanto encerrarei esta carta. Não sei se aguentarei uma semana inteira à espera de te ver novamente. Imagine--me beijando o medalhão com você nos pensamentos.

Amor,

E.

Ao escutar a batida de uma porta de carro à entrada da casa, Cassie ergueu os olhos. Harriet se aproximava usando um vestido de verão de linho amarelo-ouro, de caimento solto sobre sua figura miúda.

— Achei que talvez gostaria de uma carona até o Bitsy's. — Ela segurava algo na mão. — E te trouxe um dos convites da festa de noivado para o seu álbum de recortes. Mandei imprimir os guardanapos também, e vou guardar um da festa para você.

Cassie concordou com a cabeça, sentindo-se um pouco estressada. Colocou a caixa de cartas no colo para que Harriet se sentasse ao seu lado.

— Como você está se sentindo?

Harriet suspirou.

— Ah, igual, acho. Quem sabe, quando vir Sam na quarta-feira, ele me diga quais vitaminas devo tomar. — Ela apontou para as cartas com um sinal de cabeça. — Algo interessante?

— Diria que sim. — Cassie lhe entregou a carta.

O ar em movimento do ventilador do teto mexeu os finos cabelos loiros de Harriet, que ficaram um pouco desgrenhados quando ela se inclinou para ler. Quando terminou, devolveu-lhe a carta com os olhos verdes arregalados.

— Foi assim, então, que aconteceu. Mais ou menos como estava destinado a ser.

Cassie enfiou a carta de volta na caixa, batendo a tampa um pouco forte demais.

— Destinado a ser? Ela praticamente jogou mamãe nos braços de papai. Imagina como ela deve ter se sentido. — Cassie virou o rosto e trouxe o queixo para frente. — Não, deixa pra lá. Você não conseguiria. Mas acredite em mim, é horrível.

Harriet baixou a cabeça.

— Acho que eu merecia isso, mas não estamos falando de você, de mim e de Joe. Estamos falando de mamãe e papai. Sei que eram o grande amor um do outro, e nada jamais vai mudar isso. Infelizmente, papai também era o amor da vida da senhora E.

Cassie se levantou bruscamente, agarrando a caixa ao peito.

— Como pode dizer isso? Ela o deixou. Ela foi embora para ter o filho deles como se não quisesse mais que papai fosse parte da vida dela. Como poderia ter feito isso se o amava de verdade?

Harriet girou a aliança de ouro no dedo. Seu olhar estava focado em algo bem além da varanda da frente e da grama verde.

— Ela o amava tanto que sacrificou tudo para que ele pudesse ser feliz. — Os olhos dela encontraram os da irmã com uma triste expressão no rosto.

Cassie balançou a cabeça.

— Amar não é se sacrificar. É atender às necessidades do outro, é companheirismo. Sem mencionar o fato de que o sacrifício da senhora E. faz que papai pareça incrivelmente egoísta.

— Não acho que papai estivesse sendo egoísta porque ele não era assim, de jeito nenhum. Acredito que não lhe foi dada uma escolha. Li aquela carta no sótão também. Pareceu que a senhora E. fez de tudo para que papai não a encontrasse. — Ela tirou o cabelo dos olhos. Sua aliança refletia a luz do sol. — E acho que está enganada em relação a sacrifícios. Amor é só sacrifícios, grandes e pequenos. Só conhecemos o amor verdadeiro quando nos damos conta de que desistiríamos de tudo por alguém.

O único som na silenciosa varanda era o do ventilador girando no teto. Agora, diante delas, se insinuavam as palavras não ditas sobre o que se passara nos 15 anos de separação. Sim, Cassie sabia o que era se sacrificar por amor, e não parecia certo que tamanha dor pudesse caminhar com tanta facilidade ao lado de tal sentimento.

Por fim, Cassie colocou a caixa sob o braço.

— Vamos nos atrasar se não nos mexermos. Vou colocar isso lá dentro e já volto.

Sem esperar por uma resposta, ela desapareceu para dentro da casa, fazendo a porta de tela bater atrás de si.

As mulheres estavam sentadas sob secadores de coluna no salão de beleza Bitsy's House of Beauty com os cabelos envoltos em alumínio. Harriet deu um discreto sorriso para a irmã, sentindo que podia pegar a estação de rádio local com aquela geringonça na cabeça. Olhou em volta para as outras mulheres, em vários estágios de embelezamento, sabendo que veria a maioria delas na festa de noivado daquela noite.

Reparou quando Cassie olhou com desconfiança para o pente e a tesoura na mão de Bitsy.

— Só quero um corte chanel, nada muito complicado. Exatamente como está agora, mas um pouquinho mais curto. — Ela mordeu os lábios. — Não quero cabelos longos, mas também não precisa cortar demais, tá?

Bitsy fez que sim com uma expressão paciente no rosto.

— Não se preocupe, querida. Vou arrumar seu cabelo, deixá-lo brilhando e lindo, rapidinho.

Harriet deu um novo papel alumínio para Ovella, irmã de Bitsy e sócia do salão, e fez força para manter as pálpebras abertas enquanto disfarçava outro bocejo.

As palavras de Ovella saíram abafadas pelos grampos na boca.

— Você parece exausta, Harriet. Se não soubesse que tinha uma bebê em casa, juraria que estava grávida. — Ela parou segurando um lenço no ar. — Você não está, está?

Harriet riu.

— Bem que me sinto assim, mas é pouco provável. E gostaria que as pessoas parassem de dizer isso. — Ela lançou um rápido olhar para Cassie. — Não estou dizendo que não terei outro filho, apenas não será agora.

Ovella fez que sim com a cabeça, visivelmente aliviada.

— Por que não deixa aqueles pequenos comigo para que descanse um pouco?

Harriet sorriu.

— Tenho estado muito ocupada ultimamente, só isso. Mas talvez aceite sua oferta. — Ansiosa por mudar de assunto, viu o reflexo de Cassie no espelho. — D. Lena foi em casa esta manhã. Quer te dar uma cópia do livro *Amor pecaminoso* como presente de noivado. Antes de marcar todas as partes picantes para usar na sua lua de mel, ela quer se certificar de que ainda não o leu.

Cassie esperou Bitsy subir sua cadeira antes de responder.

— Para uma mulher solteira e idosa, é de se questionar o fascínio dela por sexo. Vocês acham que ela já transou alguma vez?

Harriet fechou os olhos por um instante, tentando apagar a intrusa imagem de seu pensamento.

— Sério, Cassie. Precisamos falar sobre isso?

Cassie se dirigiu a Bitsy.

— Você se lembra da D. Lena com algum namorado?

Bitsy franziu a testa.

— Ela é um pouco mais velha do que eu, sabe. Costumava cuidar de mim, de Ovella e de nossos cinco irmãos. Éramos verdadeiros monstrinhos. Dizia-me que só fazia aquilo pelo dinheiro, já que éramos terríveis demais. Fugíamos pela janela depois que ela nos punha na cama, esse tipo de coisa. — Longas unhas vermelhas pentearam os cabelos molhados de Cassie, antes de ouvir o som cortante da tesoura de metal. — Na época, ela trabalhava como secretária da igreja, logo antes de os pais decidirem mandá-la para a Europa para ficar "culta", seja lá o que isso significa. Mas tenho quase certeza de que teve um namorado. Algumas vezes um menino a levava até em casa e ela ficava o dia inteiro sonhando acordada. Mas não sei quem era. Jovem demais para reparar, acho.

Seus dedos endireitaram o maxilar de Cassie, e então cortou um pouco mais de cabelo com a tesoura.

— Não deve ter sido muito sério. Depois que voltou da Europa, ela retomou seu trabalho na igreja, e isso foi tudo. Nunca se casou, o que foi uma pena, pois era tão boa com a gente, teria sido uma ótima mãe. Estava sempre fazendo trabalho voluntário na creche da igreja, e aquelas crianças simplesmente a adoravam. — Bitsy suspirou fundo. — Eu, Ovella e nossos irmãos também. Bom, acho que nem todo mundo consegue encontrar o amor verdadeiro, como eu e meu Henry. Claro, tive que ir a outro município para encontrá-lo, mas talvez tenha sido o destino. Teríamos nos encontrado de qualquer jeito.

Harriet olhou para a irmã, cujo olhar parecia concentrado em seu diamante de noivado. E se ela gostasse de apostas, diria que as duas estavam tentando encaixar as palavras "amor verdadeiro" e "destino" no relacionamento de Cassie e Andrew, mas não obtinham nenhuma resposta.

Maddie entrou pelo fundo do salão, mancando sobre os saltos, desajeitada, com dedos do pé separados por bolas de algodão e as unhas pintadas de um verde fluorescente.

Harriet pareceu um pouco chocada.

— Seus dedos do pé estão radioativos, Maddie? Não gostaria que eles alterassem o sabor dos meus palitinhos de queijo na festa.

— Muito engraçado, mamãe. Esta cor está super na moda. Acabei de ver na revista *Seventeen*. Todas as meninas estão usando.

— Não em Walton. — Sem energia para discutir, Harriet fechou os olhos.

Na tentativa de neutralizar qualquer tensão entre mãe e filha, Cassie deu uma sugestão.

— Por que não fazemos tudo também, Har? Podemos fazer mão e pé e, quem sabe, tratamento facial. Por minha conta.

Sem abrir os olhos, Harriet sorriu.

— Seria bom. Talvez tia Lucinda possa nos maquiar também. Acho que não tenho forças nem para passar o rímel.

Maddie estava de pé ao lado da mãe.

— E por que você não pega alguma coisa do meu armário com cintura marcada para vestir hoje à noite? Estou cansada de te ver nessas roupas largas, parece que você só veste isso ultimamente.

Antes que Harriet pudesse responder, a campainha da porta soou e ela olhou através dos fios de cabelos molhados sobre sua testa. As duas mulheres que entraram no salão pareciam um par idêntico de suporte de livros, mas com a diferença de uma geração entre elas. Eram bem loiras, de corpo esguio e pele clara e estavam usando casacos idênticos, cor-de-rosa, com pérolas.

Harriet tentou se esconder na cadeira. Que hora para se deparar com Doreen Spafford! Com o cabelo molhado, usando o seu vestido largo amarelo e um avental de vinil laranja deselegante, Harriet parecia um cão chupando manga. Quando jovem, Doreen fora a sua rival em tudo — presidente de classe, líder de torcida, rainha da formatura e do Festival Kudzu, com as glórias igualmente divididas entre elas. Mas agora as cartas pareciam estar à favor de Doreen.

Harriet notou quando Maddie olhou para a sua terrível adversária.

— Ei, Lucy.

Lucy era bem mais baixa e miúda que Maddie, conferindo-lhe um aspecto delicado. Ela reparou nas unhas pintadas de Madison e ergueu as sobrancelhas loiras, sem dizer nada antes de responder:

— Olá, Maddie. O que faz aqui?

A pergunta parecia inocente, mas Harriet notou quando Maddie colocou os ombros para trás.

— O que parece que estou fazendo aqui?

Lucy rolou os olhos para cima.

— Bem, é que nunca te vi aqui antes. — Despretensiosamente, ela olhou para Maddie com os olhos cinza-claro. — Sei lá, você faz parte do time de basquete feminino e elas provavelmente te expulsariam se descobrissem que está neste lugar.

Harriet estava lutando para reunir forças suficientes para se levantar e colocar Lucy em seu devido lugar. Cassie, porém, segurou-lhe pela mão e afastou Bitsy da frente. Tirando o cabelo dos olhos, ela abordou as duas mulheres com um sorriso.

— Doreen, que prazer em vê-la de novo. Há quanto tempo. Quinze anos? Minha nossa, ainda usa o mesmo cabelo que no colégio? Ainda não vi este corte em Nova York, mas combina com você. Como tem passado?

Sem dar chance de a outra mulher responder, Cassie prosseguiu, falando com encantamento.

— E esses casacos idênticos? Lindos, que graça! Acho que aquelas lojas na Quinta Avenida não sabem o que estão fazendo ao ignorar os estilos caseiros aos quais tantas meninas de cidade pequena se prendem. Isso é tão bizarro. Eu, pessoalmente, sinto uma falta terrível disso.

Doreen e Lucy lhe deram sorrisos falsos idênticos. Cassie agarrou Maddie pelo braço e a puxou para perto de si.

— Olhem só para esta linda menina. Mal consigo acreditar que é carne da minha carne. Ela tem a altura e os olhos escuros que qualquer agência de modelos em Nova York quer atualmente. Não posso acreditar que vocês a esconderam aqui em Walton todos esses anos. — Ela pegou a sobrinha e a apertou.

Todas as seis mulheres pareciam atordoadas. Harriet, porém, agradeceu a irmã mentalmente.

Doreen envolveu a filha em seu braço.

— É, verdade. Bom te rever, Cassie. E você também, Harriet. — Ela sorriu, arrumando a bolsa sobre o ombro. — Você tem razão, Cassie. A maioria dos moradores de Walton não mudou nada. Te contei que a Lucy foi a rainha kudzu deste ano? Acho que temos sorte de as loiras miúdas ainda estarem em voga aqui em Walton.

Emudecida de repente, Cassie lhes deu um sorriso plástico.

Doreen, conduzindo a filha para fora, disse:

— Tchau para todas. Lucy vai sair hoje à noite com Kevin O'Neal, então é melhor deixarmos Bitsy começar a fazer sua magia. Até logo.

Maddie parecia em estado de choque. Harriet acenou para que Ovella se afastasse e caminhou até Cassie. Falando baixinho no ouvido da irmã, disse:

— Não se pode consertar tudo para todo mundo o tempo inteiro, sabe. Mas obrigada por tentar.

Cassie fez uma careta.

— Ela pode ter vencido esta batalha, mas a guerra ainda não acabou.

Harriet riu e falou alto o suficiente para que Maddie ouvisse.

— Vamos acabar logo com isso para que possamos pintar nossas unhas do pé de verde-neon.

Maddie deu uma de suas antigas risadas, daquelas que Harriet escutava cada vez menos.

— Resolvi cortar o meu cabelo. — Maddie apontou para Cassie. — Acho que mais curto ficaria bem em mim.

Harriet levantou o cabelo castanho dos ombros da filha, lembrando-se de quantas vezes havia usado bobes e chapinha em vãs tentativas de cacheá-lo. Dobrou-o para baixo e virou o rosto de Maddie para o espelho.

— Acho que você tem razão, Maddie. Se é isso que quer, é isso que faremos.

Maddie lhe lançou um olhar agradecido e Harriet a envolveu em seu braço com força, ciente de que não deveria abusar da sorte beijando-a no rosto.

Cassie se aproximou delas e as três ficaram olhando para os próprios reflexos no espelho, até que Cassie falou:

— Bem, vamos lá pintar nossas unhas daquela cor neon. Mesmo que azede o creme ou mude o sabor de seus palitinhos de queijo, Harriet, estou a fim de arriscar.

Elas riram uma para a outra pelo espelho. Harriet suspirou para si, questionando-se como pudera viver tanto tempo longe daquela mulher a quem chamava de irmã.

Quando saíram do salão Bitsy's, Cassie ouviu seu nome sendo chamado e piscou na direção do Sol, de onde vinha a voz.

— Minha nossa! Sossega coração! Devo estar no céu com tamanha beldade!

Ela só pôde sorrir quando Sam parou a caminhonete numa vaga e se aproximou delas na calçada.

Ele estudou Maddie e Harriet de perto.

— Meu Deus. Uma visão encantadora. É sorte eu não ter um coração fraco. E, Maddie, gostei do novo corte de cabelo. Igual ao de uma modelo de passarela. — Enquanto Maddie corava, ele se virou para Cassie e analisou o cabelo dela de modo crítico. — Hum. Não tão comprido quanto eu gosto numa mulher, mas tão atraente quanto.

Sam se esquivou da mão de Cassie, que a ergueu para lhe bater no braço.

— Estou indo para o Dixie Diner almoçar. Teria um orgulho enorme de ter as linda damas como companhia.

Harriet apertou o braço dele de brincadeira.

— Você é tão galanteador, Sam. Não mude nunca. — Ela empurrou Cassie na direção dele. — Vão vocês dois. Eu e Maddie precisamos voltar para casa e nos aprontar para a festa. Espero que você compareça, Sam. Joe vai fazer o seu famoso churrasco. — Ela piscou. — E vai ter muita cerveja também. Isso já deveria garantir a sua presença.

Sam apertou-lhe o braço.

— Com certeza, Harriet. Estarei lá. Não gostaria de perder o discurso cansativo do senador Thompkins. Como ele prefere guardá-lo para ocasiões especiais, não o escuto com a frequência que gostaria.

Harriet começou a sair, Madison atrás dela.

— É, aposto que sim. — Ela tirou o pé da sarjeta um pouco cambaleante, até que sua filha a pegou pelo cotovelo. Olhou para Sam e Cassie com um largo sorriso. — Nos veremos às seis, então.

Cassie caminhou na direção da irmã.

— Posso ajudar, Har. É besteira você ter tanto trabalho.

Com um aceno de desdém, ela se afastou.

— Tenho Lucinda e Maddie e um milhão de outros ajudantes. Você é a convidada de honra, jamais a colocaria para trabalhar. Te vejo mais tarde.

Cassie ficou olhando Harriet e Maddie caminharem até a van estacionada no quadrilátero central da cidade.

— Preciso levá-la para um *spa* por uma semana. Está sobrecarregada e precisa descansar.

Sam tocou o braço dela.

— Se você quiser que eu prescreva alguns "R e R" para ela, repouso e recreação, é só me avisar que faço. Se partir de mim, talvez fique mais formal e a faça prestar mais atenção.

Ela o encarou com uma expressão de dúvida.

— Quer saber de uma coisa, Sam? Toda vez que te vejo, tenho vontade ou de te esbofetear ou de te abraçar. Por que isso?

Ela se permitiu ser guiada por ele até a lanchonete.

— É porque nunca tentou descobrir o que há entre esses dois extremos. É só me dizer hora e local e podemos começar.

Encarando-o para lhe dar uma resposta, Cassie deixou que as palavras morressem em sua língua.

— Onde você esteve, Cassandra? Estou te esperando há mais de meia hora.

Andrew estava do lado de fora da entrada da lanchonete, usando uma calça verde-oliva de linho e uma camisa amarela de seda com manchas de suor sob os braços. Seu olhar irritado se desviou rapidamente para Sam, quando ele lhe cumprimentou, polido, antes de direcionar toda sua atenção para Cassie novamente.

Ela se esquecera completamente que deveria encontrar Andrew na lanchonete para o almoço.

— Nossa, Andrew, desculpe-me. Demorou no Bitsy's um pouco mais do que eu pensava.

Ele se curvou para beijar-lá nos lábios, mas ela virou a cabeça, de forma que os lábios dele apenas lhe tocaram a face. Cassie sorriu para ele, enquanto lhe surgia na mente a irritante imagem de ela entre Sam e Andrew na ponta de uma mesa.

A campainha da porta soou quando eles a abriram e entraram. Andrew colocou o braço envolta de Cassie.

— Tem sushi neste lugar? Adoraria comer um sugata.

Um celular tocou. Tanto Sam como Andrew apalparam os bolsos. Era para Sam.

— É da clínica. Sinto muito, mas não poderei acompanhá-los no almoço. Nos vemos hoje à noite, então. — Abriu a porta de vidro e, com um sorriso indiferente e um sotaque tão enjoativo quanto banha de porco, disse: — Andy, o único lugar onde encontraria sushi por aqui é na loja de pesca. — E, com uma piscadela, fechou a porta atrás de si.

Capítulo 16

Cassie estava de pé na entrada do quarto de Andrew, observando-o dar o nó na gravata pelo espelho. Ela se lembrava daquela gravata Hermès que lhe havia dado de presente em seu último aniversário. Cassie se questionou se ele tinha motivos inconfessos para usá-la.

O almoço não havia transcorrido muito bem. Ele insistiu para que se sentassem do mesmo lado da mesa e ficou se esfregando em suas coxas o tempo todo. Ela se recordava de ter achado isso excitante um dia, mas agora não sabia por quê. Tinha certeza de que os outros clientes perceberam. Isso a deixou constrangida, pois aquelas pessoas conheceram seus pais e sabiam que ela recebera uma educação superior àquilo.

As coisas pioraram quando Burnelle Thompkins — a esposa do senador e garçonete do local há muito tempo — teve sua conduta vivaz obscurecida pelas críticas de Andrew aos gramas de gordura e aos ingredientes enquanto ele examinava o cardápio. No começo, ela apenas se colocou ao lado da mesa, bloquinho e lápis na mão, e sugeriu filé de frango e queijo fritos. Depois de se informar que o cozinheiro não usava óleo vegetal magro na frituras, Andrew eliminou metade dos itens do cardápio. Por fim, Cassie assumiu e pediu para os dois uma salada da casa sem o frango e as tiras de bacon.

A gota-d'água aconteceu depois que saíram da lanchonete e estavam caminhando pelo quadrilátero da cidade. Andrew viu a réplica da Estátua da Liberdade brilhando um tanto verde sob a luz direta do Sol do meio-dia, com o braço de isopor e luva de atacante segurando, orgulhosamente, a tocha para o alto.

— Meu Deus, o que é aquilo?

Cassie aprumou-se.

— É uma réplica da Estátua da Liberdade. Temos muito orgulho dela.

A única resposta de Andrew foi rir até as lágrimas lhe saírem pelos olhos. Quando finalmente conseguiu falar, disse ofegante:

— Essa é a coisa mais estúpida que já vi em toda a minha vida. Tem certeza de que não é uma gozação?

O lábio inferior de Cassie tremeu. Ela sentiu que o orgulho da família, sua honra e tudo o mais foram gravemente insultados. Quis fazer alguma coisa com aquela tocha para que Andrew pensasse duas vezes antes de exprimir qualquer opinião negativa sobre ela.

Em vez disso, disse:

— Estou indo para casa. — E se virou, andando rapidamente na direção oposta. Ele teve de correr para alcançá-la, segurando-a pelo braço e obrigando-a a parar.

— Que se dane, Cassandra. Ela não significa nada para você, não passa de uma estátua idiota.

Ela respirou fundo, questionando-se de onde vinha sua profunda indignação. Há pouco tempo, tinha pensado as mesmas coisas que Andrew disse em voz alta.

— Não, não é. É muito mais do que isso. É sobre reconhecer as coisas simples da vida. Mesmo que te explicasse, você não entenderia e, portanto, não vou gastar saliva com isso. — Por ele estar inexpressivo, ela percebeu que não estava absorvendo nada do que dizia. — Deixa para lá. Preciso ir para casa me arrumar para a festa de noivado. Só tente não me envergonhar na frente de amigos e a família hoje à noite, certo?

Andrew resmungou.

— Certo. Como se fosse preciso se preocupar com isso. Não seria o contrário?

Ela fez que não com a cabeça.

— Você é tão convencido que se afogaria numa tempestade. Talvez devesse se esforçar mais para se encaixar. Assim não teríamos de nos preocupar com ninguém constrangendo ninguém.

Antes que ele pudesse irritá-la ainda mais, ela se afastou e começou a caminhar de volta para casa. Andrew a seguiu obstinadamente.

Já havia se passado duas horas desde aquele acontecimento, e ela ainda podia sentir as pontadas de raiva, apesar das desculpas e insistências de que era o calor que o estava deixando tão intratável. Deixando seus sentimentos de lado, Cassie o analisou por um momento sem que ele percebesse. Os dedos longos e delgados de Andrew — dedos de artista, como ela sempre os chamava — entravam e saiam da gravata de seda enquanto ele a arrumava com perfeição. Encostando a cabeça no batente da porta, estudou aqueles dedos, questionando-se se eles conheciam o corpo dela melhor do que ele conhecia sua mente e alma. E o quanto ela o conhecia? Ela sabia que Andrew havia nascido e sido criado no sul da Califórnia, que era filho único de um dentista e uma balconista da loja de departamentos Neiman Marcus, mas ela nunca os conhecera, e Andrew os vira apenas uma vez em todos aqueles anos juntos.

Seu noivo adorava a agência de publicidade e o seu trabalho lá, e o relacionamento deles evoluíra em torno do crescimento da empresa, que lhes sugava como um parasita. Eles viviam a agência, respiravam-na pela manhã, ao meio-dia e à noite. Nunca tiveram tempo para nada mais. O afeto e a admiração dele associados aos sucesso que tinham juntos parecia bastar. Mas o que tinha tudo aquilo a ver com casamento? Ela percebeu, assustada, que não sabia sua cor favorita, ou se alguma vez ele apanhara vaga-lumes num pote, ou como eram os pais dele. Não sabia a cor da casa em que ele crescera, ou o nome de sua professora do ensino fundamental, ou sua primeira grande paixão. Ela piscou forte, afastando-se da soleira da porta antes que ele a visse.

Cassie havia chegado ao primeiro degrau quando escutou a voz dele chamando-a.

— Cassandra? Está pronta para o grande evento?

Andrew colocou a cabeça para fora do quarto. Cassie olhou para ele e seu cabelo impecavelmente arrumado e disse:

— Melhor ficar longe da churrasqueira. Esse negócio no seu cabelo parece inflamável. — Ela rangeu os dentes. "Meu Deus. Só posso estar com medo, pois estou muito cruel".

Ele pareceu magoado. Cassie sentiu um pontada de remorso. Com grande esforço, ela sorriu e lhe estendeu a mão.

— Venha. Lucinda vai dirigindo. — Ela não precisou forçar o sorriso desta vez, prevendo a reação dele frente ao carro da tia.

— Espero que meu carro fique pronto logo e que o Sr. Macacão saiba o que está fazendo. Detestaria ter de obrigá-lo a arcar com qualquer dano.

O sorriso de Cassie desapareceu enquanto ela conduzia Andrew pela porta.

Havia carros estacionados dos dois lados da rua da casa da irmã. Lucinda parou numa vaga na entrada da casa, alegando que estava reservada aos convidados de honra. Seus olhos encontraram os de Cassie no retrovisor e ela piscou.

— Bem, pessoal. É isso. — Ela não baixou os olhos, e Cassie não pôde deixar de se questionar se havia duplo sentido naquelas palavras.

Eles saíram do carro e caminharam na direção dos berros de crianças e do murmúrio de vozes de adultos no quintal.

Andrew bateu na testa de leve. Sua pele já estava brilhando de suor.

— Espero que essa coisa seja lá dentro porque, se tiver que passar mais um minuto neste calor, vou derreter.

— Você já esteve num churrasco dentro de casa, Andrew? — Cassie o pegou pela mão e o conduziu pelo portão da grade que circundava o quintal. Sua primeira parada seria na mesa de bebidas. Estava torcendo para que tivesse o ponche de kudzu, pois pressentia que precisaria dele.

Lucinda passou por eles e foi na direção de onde estavam as pessoas, mas Andrew e Cassie pararam. Crianças pequenas, vestidas em seus melhores trajes de domingo, corriam por todos os lados perseguindo um ao outro, brincando de pega-pega. Cassie reconheceu os gritos de uma delas e se virou para ver Sarah Frances, com o laço quase caindo de uma longa trança, correndo atrás de um menino da sua idade.

O velho Sr. Crandall, marido da professora de Matemática do primeiro ano de escola de Cassie, estava sentado num banquinho, com um enorme barril de limonada a sua frente, mexendo, com um remo quebrado, o líquido salpicado de limão. Ele deu um peteleco na borda de seu chapéu de palha ao avistar o casal.

Ao ver Joe com uma cerveja na mão besuntando os pedaços de frango com seu molho secreto, o aroma de carne assando numa churrasqueira a céu aberto atiçou o apetite de Cassie. Perto dali, estavam Joey e vários de seus amigos cuspindo sementes de melancia um no outro, enquanto as menininhas atrás deles gritavam toda vez que eles atingiam o alvo.

Ao verem Cassie e Andrew, Thelma e Selma Sedgewick — em vestidos iguais de verão com estampas havaianas e enormes chapéus de palha — caminharam na direção deles com a aba mexendo para cima e para baixo, como um casal de periquitos numa missão. Parecia que a cidade inteira estava lá, em pé ou sentada em volta da cobertura, no pátio e no quintal. As pessoas mais velhas sentaram-se sobre cadeiras de descanso, com os netos ou bisnetos empoleirados sobre joelhos rangentes ou embalados em braços enrugados. D. Lena, com a parte superior de suas meias sete oitavos aparecendo sob a anágua de seu vestido rodado de bolinhas, sentou-se ao lado da esposa do senador. Cassie reparou, admirada, quando ela tirou de sua grande bolsa um livro de capa mole e o entregou à perplexa Sra. Thompkins.

Cassie sorriu. Era como assistir a um velho filme de sua infância. Estivera em tantas festas como aquela quando pequena. Nada havia mudado, praticamente nada. Talvez algumas das pessoas mais velhas não estivessem mais entre eles. E algumas senhoras idosas de agora sentavam-se em espreguiçadeiras. Os rostos envelhecidos transformavam cada fio do tecido que constituía a sua cidade natal. Agora, Harriet era a anfitriã da casa no lugar de sua mãe. Os meninos que Cassie e sua irmã costumavam perseguir já tinham entradas no cabelo, cinturas mais grossas e suas próprias famílias. Sim, os fios eram diferentes, mas o tecido ricamente urdido permanecia forte. Aquela era a sua gente. A despeito do quão longe ela fosse, esse fato jamais mudaria.

Sam estava encostado numa árvore e disse algo que fez Joe rir. O olhar de Cassie encontrou o de Sam a uma distância suficiente para que ele baixasse a cabeça, cumprimentando-a e erguendo a caneca de cerveja. Seus olhos azuis pareciam brilhar no Sol. Ela se viu piscando para ele. Cassie virou a cabeça e se deparou com o reverendo Beasly fazendo o seu truque de virar as pálpebras para cima diante de uma multidão de crianças embevecidas. Provavelmente era a terceira geração felizarda de crianças de Walton a ter o privilégio de tal experiência. Cassie respirou fundo, sentindo pela primeira vez desde muito tempo que a mesmice talvez não fosse uma coisa ruim.

Ao lançar os olhos para Andrew, seu sorriso murchou. Seu rosto tinha um olhar perturbado, incapaz de compreender bem o que estava vendo. Ele balançou a cabeça ao lhe retribuir o olhar.

— Quando tempo acha que precisamos ficar aqui?

De repente, parecia que um enorme holofote havia iluminando apenas os dois. Seu primeiro instinto foi o de fugir diante da dura realidade, fugir do enorme problema que batia à sua porta. Fizera isso uma vez, afinal. Desviando o rosto por um instante, ela deixou que seu olhar vagueasse de novo para o fundo do quintal. Os pais de Sam e Harriet, com a bebê Amanda no colo, haviam se juntado a Sam e Joe. O Sr. Parker disse algo entre risos, fazendo sua esposa de cabelos grisalhos se aninhar em seu ombro como uma menininha. Cassie ficou olhando a mão da Sra. Parker serpentear para trás do marido e beliscá-lo por cima do macacão.

Ela olhou para Sam, que a observava com um olhar interrogativo, e percebeu, surpresa, que ela tinha um sorriso bobo no rosto. Ele piscou para Cassie. Naquele momento, tudo o que ela queria era se aproximar daquele grupo e ser envolvida pelo suave conforto de pessoas que realmente a conheciam e a amavam de qualquer jeito.

Em vez disso, respirando fundo, ela encarou Andrew outra vez.

— Venha, Andy, precisamos conversar.

Ela o agarrou pelo braço e o puxou pelo portão de novo, que bateu com força.

Cassie não parou de andar até chegar ao fresco repouso de sua própria varanda. O suor escorria-lhe pelo rosto e corpo depois da pequena caminhada, o que fazia seu vestido de algodão grudar na pele. Ignorando Andrew, ela arrancou os sapatos, colocou as mãos sob o vestido e tirou a meia-calça, jogando-a no chão. Sentou-se com força no balanço da varanda com a respiração ofegante. Ela não havia dito uma palavra sequer, tampouco Andrew perguntara alguma coisa. Mas estava óbvio, pela sua cara, que ele estava irritado e com muito, muito calor.

Ela fez uma careta para ela.

— Sabe, você estaria bem menos acalorado se vestisse alguma coisa que não grudasse na pele. Como uma malha de algodão. Ou uma camiseta.

Ele lhe lançou um olhar de desdém, então enxugou o suor da testa.

— Chega de enrolação, Cassandra. O que está acontecendo?

Ela arrancou o anel que Andrew lhe dera e o segurou com força pela última vez. Devagar, abriu a palma da mão e ficou observando a luz se refletir no enorme diamante.

— Não posso me casar com você, Andrew.

Ele piscou.

— Por que não?

— Não está claro? Nós não nos pertencemos. Trabalhamos bem juntos, mas isso não basta para um casamento. — Ela baixou a cabeça para olhar para o anel impecável, mas viu apenas uma joia. Não significava nada para ela, e esse pensamento a surpreendeu. Ergueu a cabeça de novo e o encarou nos olhos. — Não te amo, Andrew. Pelo menos não o suficiente para me casar com você.

Ele deu uma passo na direção dela com os olhos semicerrados.

— O quê? Você está me deixando? Em plena campanha do BankNorth?

Ela olhou para ele incrédula.

— Não estou falando de trabalho agora, Andrew. Estou falando de nós e de como o nosso casamento jamais daria certo. Nossas histórias de vida estão a quilômetros de distância uma da outra. Acho que só hoje me dei conta disso. Você já percebeu que nunca falamos sobre filhos? Ou sobre onde gostaríamos de morar quando nos aposentarmos? Meu Deus, Andrew, nunca tiramos férias porque nunca arranjamos tempo para conversar se queremos ir para praia ou esquiar. — Sua voz falhou. Aquela, provavelmente, era a conversa mais honesta que já teve com ele, e queria ter certeza de que se faria entender. — Há mais na vida do que só trabalhar, Andrew. E é só isso que temos entre nós: trabalho.

Ela se levantou e deixou o balanço oscilando atrás de si. Sua voz estava mais tranquila.

— Nunca nem conheci seus pais. E essa é uma das constatações mais tristes que me impedem de me casar com você.

Ela parou de falar. Sua respiração estava intensa e profunda. Com os olhos arregalados, aguardou por uma resposta de Andrew com um pouco de esperança de que ele se defendesse e a fizesse se lembrar por que concordara em se casar com ele.

Andrew se aproximou dela.

— É aquele tal de Sam, não é? Você está dormindo com ele.

Cassie piscou uma vez. Em seguida, sem dizer nada, ergueu o braço e jogou o anel nele, atingindo-o entre os olhos. O anel caiu sobre as tábuas do piso, quicou uma vez e foi se acomodar ao lado do tapete de boas-vindas.

Andrew baixou a cabeça e olhou para ele. Contudo, não se moveu para pegá-lo.

A raiva de Cassie borbulhava em sua cabeça a ponto de ela achar que iria sair fumaça pelos seus olhos.

— Você acredita que isso tenha a ver com Sam? Depois de tudo que acabei de dizer, você acha que eu estou rompendo o nosso noivado porque estou dormindo com outro homem? — Ela balançou a cabeça. — Você é louco, Andrew, e estúpido. Procure ajuda. Só que não estarei lá para segurar sua mão durante a terapia. Talvez Carolyn Moore fique feliz em fazer isso no meu lugar.

Ele olhou para ela como se tivesse acabado de criar chifres na cabeça. Quase sussurrando, disse:

— Sabia que não deveria tê-la deixado vir até aqui. Estas pessoas mudaram você.

Ela sentiu a tranquilizante pressão da grade da varanda contra suas costas.

— Demorou 15 anos para eu perceber isso, mas eles são a *minha* gente, e eu os amo. Se tive de mudar para ver isso, que seja. — Ela estendeu a mão direita para segurar os pingentes de ouro no pescoço.

— Isso quer dizer que você vai ficar por aqui?

— Não! — A resposta foi automática e proferida sem pensar. — Claro que não. Adoro meu trabalho, sou boa nele, curto o meu sucesso e dei duro demais para deixar tudo de lado. Espero... que ainda possamos trabalhar juntos. Sei que é isso que fazemos bem. Muito bem, aliás.

Ele esfregou as mãos no rosto.

— Não faça isso, Cassandra. Tínhamos algo incrível entre nós. Precisamos ir embora daqui e voltar para Nova York. Você vai enxergar as coisas de modo diferente.

Afastando-se da grade com um violento impulso, Cassie deu um passo na direção dele.

— Você não entende, não é mesmo? *Estou* vendo as coisas de modo diferente pela primeira vez em anos. — Ela olhou para a magnólia de sua mãe. — Você já brincou de pega-pega quando criança? Sabe, aquela brincadeira que tem um lugar chamado pique, onde se está a salvo? Então, você era o meu pique. Eu me agarrei a você para manter distante de mim toda aquela dor e humilhação, achando que, se tivesse você e minha carreira, elas jamais poderiam me pegar.

Ela o encarou, sentindo na face o calor do Sol que se punha.

— Não preciso mais de um pique. Estou em paz com o meu passado. Sinto até que quero sempre visitar este lugar. Mas não quero me casar com você.

Ele estava de frente para ela, os punhos cerrados sobre os quadris.

— É isso, então. Você não quer se casar comigo?

Ela fez que sim com a cabeça, sua voz estava embaralhada demais por causa de todas aquelas emoções conflitantes.

Os lábios dele estavam comprimidos numa fina linha.

— Tudo bem. Então é melhor eu fazer as malas. — Ele se virou de costas para ela e abriu com força a porta de tela.

— Carolyn Moore precisa de mim no escritório.

A porta se fechou com força, deixando Cassie para trás, encarando-o. Ela gritou para as costas distantes:

— Esqueceu o anel!

Cassie esperou alguns segundos antes de a porta se abrir de novo e Andrew reaparecer. Ele se abaixou, pegou o anel do chão e se levantou de novo, enfiando-o dentro do bolso da camisa.

— Você vai se arrepender desta decisão, Cassandra. Toda aquela fritura transformou seu cérebro numa papa. Talvez quando estiver de volta a Nova York e precisar de alguém inteligente para conversar e esclarecer suas ideias, ligue para mim. Talvez esteja disponível para lhe incutir um pouco de bom senso.

Sem energia, ela gritou para ele através da porta.

— E não me chame de Cassandra. Meu nome é Cassie!

Ela se sentou de novo no balanço e esperou ser absorvida pelo golpe esmagador de decepção e arrependimento. Mas ele nunca veio. Uma leve brisa mexeu os cabelos de suas têmporas, e um suave sorriso atravessou-lhe os lábios. Chutando os sapatos para fora do caminho, pulou os degraus da varanda e começou a correr, sentindo a grama macia sob os pés e uma liberdade que não experimentava há anos. Erguendo o vestido, deu uma estrela e se estatelou de costas no chão. Deitada na grama, olhou para o céu do começo da noite, onde vestígios de estrelas cintilavam suavemente, atrás do brilho do Sol, e sorriu para si mesma.

Harriet raspou o resto da salada de batata para dentro de uma vasilha e fechou a tampa tentando não se inclinar muito sobre o balcão da cozinha. Ela sabia que teria de pagar por todo esforço que fez ao organizar a festa de noivado, mas não se arrependia nem por um segundo. Ela havia esperado a vida toda para dar boas-vindas a Cassie, para fazer a irmã se lembrar de onde ela veio e de quem sempre a amaria. Mas seu momento preferido de todo o evento foi quando Cassie voltou para contar a todos sobre o rompimento de seu noivado.

No lugar de olhares em choque e decepcionados, Harriet ficara surpresa ao notar olhares de alívio no rosto de muitos convidados. Até D. Lena deu um largo sorriso, antes de voltar a contar, para uma surpreendentemente enorme plateia de senhoras de respeito, o resumo detalhado do romance que ela estava lendo atualmente.

Cassie se aproximou de Harriet pelas costas, enfiou o dedo no restante da salada da tigela e o lambeu com infantil entusiasmo.

— Eu vi isso.

Assustadas, Harriet e Cassie se viraram e viram Sam de pé na entrada da cozinha.

Sentindo-se culpada, Cassie baixou a mão.

— Perdi tanto da festa, mas me recuso a perder a salada de batata da Sra. Crandall. Pode ser que tenha mil calorias em cada colherada, mas vale cada uma delas. — Ela pegou a vasilha de Harriet. — A partir daqui, eu assumo, você já fez demais. Quero que se sente e coloque os pés para cima.

Sem energia nem mesmo para discutir, Harriet apertou a mão da irmã em agradecimento. Foi até a mesa da cozinha, onde Sam já lhe havia puxado uma cadeira para se sentar. Ele a ajudou a erguer as pernas para apoiá-las numa outra cadeira.

Sam se recostou no balcão e, relaxado, cruzou as pernas na altura dos tornozelos.

— Onde está Andy?

Cassie largou a vasilha suja na pia com água quente e sabão, de costas para Sam.

— A última vez que o vi estava fazendo as malas.

— Indo embora tão rápido?

Ela deu de ombros, espremendo um outro tanto de detergente na pia.

— Não há motivos para ele ficar, acho. — E começou a esfregar a vasilha.

— Sinto muito.

Ela esfregou o queixo no ombro.

— Não, não sente não. Você o acha um babaca.

— Isso é verdade. Mas sinto por você estar sofrendo.

Harriet viu quando as bochechas de Cassie coraram e ela encolheu a cabeça a fim de escondê-la. Sempre tivera medo de demonstrar suas emoções. Achava que, ao fazer isso, ela se mostraria fraca diante dos olhos daqueles que precisavam dela forte. Harriet fez força para encontrar as palavras a fim de dizer à irmã que ela não precisava mais se mostrar forte para ela, que tudo bem de mostrar ao mundo o seu coração enorme. Mas sua língua tropeçou nas palavras ao perceber que Sam sabia disso também e que, se havia alguém que pudesse convencer Cassie, esse alguém seria ele.

Cassie ergueu a vasilha e a enxaguou sob a água da torneira, virando-se, por fim, para olhar Sam enquanto enfiava a vasilha no escorredor sobre a pilha de pratos limpos.

— Na verdade, estou me sentindo muito bem. Foi quase um alívio.

— Que bom. Sei o que está querendo dizer com alívio. Não sei quanto tempo mais conseguiria me servir das expressões sulistas sem precisar ir à biblioteca em busca de material fresco.

Um sorriso relutante atravessou o rosto de Cassie.

— Você estava exagerando um pouco com aquilo. Se Andrew não fosse te dar umas porradas, eu certamente iria.

Sam sorriu como resposta.

— Ei, deu certo. Diria que me deve uma.

O sorriso dela murchou ao olhar para o dedo sem anel.

— É, acho que sim.

Ele levantou o queixo dela e Harriet recostou a cabeça na cadeira, fechando os olhos para fingir que estava dormindo.

— Sinto muito que seus planos de casamento não tenham dado certo. Mas acho que perceberá que não era para ser. Vocês dois não foram feitos um para o outro, só isso. Encontrará alguém, tenho certeza.

Dando um passo para trás, Cassie pegou a toalha.

— Estou vendo que vai me contar a história do peixe-anjo de novo.

Harriet esqueceu que achavam que ela estivesse dormindo.

— Qual história de peixe-anjo?

Virando os olhos para cima, gesto que fazia Harriet se lembrar da filha, Cassie disse:

— Sam falou que os peixes-anjos têm uma única fêmea durante a vida inteira, e, quando um deles morre, o outro simplesmente para de nadar e afunda até o chão do oceano para morrer.

Os dedos de Harriet mexeram na aliança de ouro da mão esquerda e ela se lembrou do dia em que Joe a colocou ali.

— Que lindo, mas triste. Me faz pensar em papai. Ele nunca casou de novo depois da morte de mamãe, e não consigo me imaginar casada com ninguém além de Joe. Mas gostaria de pensar que há uma segunda chance na vida. — Ela olhou propositadamente para uma Cassie cheia de dúvidas. — Sim, mesmo para Andrew. Não acho que ninguém foi feito para viver sozinho.

A porta de correr que dava para o quintal se abriu e o Sr. Parker entrou na cozinha. Ao ver Cassie, ele se aproximou dela e a envolveu em um abraço.

— Espero que seu coração não esteja partido com isso, Cassie.

Harriet sabia que o coração da irmã estava longe de estar partido, mas a solidariedade do Sr. Parker quase trouxe lágrimas aos olhos de Cassie. Ela lhe deu um largo sorriso.

— Não, estou bem. De verdade. Igual todo mundo vem me dizendo: melhor agora do que depois. — Ela envolveu a larga cintura do Sr. Parker em seu braço e a apertou. — Espero que me deixe ficar com o seu presente de noivado, no entanto. Eu poderia usar uma máquina de fazer sorvete em casa.

Ele piscou para Harriet.

— Claro, querida. Pode ficar com ela. Poupe-me do trabalho de ter de te dar outra coisa quando decidir se casar de novo.

Sam tossiu.

— E aí, pai, conseguiu fazer o carro funcionar?

O Sr. Parker tirou um lenço e secou a testa. Sob suas unhas havia manchas escuras de graxa fresca. — Sim. Acabei de terminar. Estacionei o carro na frente da casa de Cassie, assim ele não terá dificuldade em encontrá-lo.

Harriet se sentou, notando a graxa nas unhas e o suor que ainda marcava a testa do pai de Sam.

— Espere um minuto. Isso que dizer....

Cassie a interrompeu.

— O senhor consertou o carro de Andrew? Hoje à noite?

O velho homem parecia encabulado.

— Espero que não me interprete mal, mas depois que te vi com seu noivo no começo da noite, eu voltei ao posto de gasolina para colocar no carro aquela peça que estava faltando. Não queria ser o responsável por mantê-lo aqui um minuto a mais do que o necessário.

Cassie arregalou os olhos ao olhar para Harriet e, depois, para os dois homens, cujos olhos azuis idênticos brilhavam agora com uma alegria disfarçada. Harriet deixou escapar uma risada, mas quando cobriu a boca com a mão, os outros três também estavam rindo.

Enxugando as lágrimas do olho, Cassie abraçou o Sr. Parker.

— Obrigada. O senhor salvou minha vida. Não sabia ainda como iria encarar Andrew durante o longo trajeto até o aeroporto amanhã.

Ele riu.

— Ainda bem que pude ajudar. — E enfiou o lenço de novo no bolso. — Melhor ir atrás da patroa agora antes que ela me tire o couro por tê-la abandonado bem na hora em que a música começou. Mas ela vai me perdoar quando lhe contar o porquê. — Com uma piscada, ele saiu pela porta de correr, fechando-a com cuidado atrás de si.

— Aí está um homem muito esperto. — Sam ergueu uma pilha de pratos descartáveis sujos e os empurrou para o fundo da lata de lixo.

Cassie se apoiou para trás, com os braços escorados no balcão e um sorriso zombeteiro no rosto.

— Que pena que você não se parece tanto com ele.

Sam moveu a sobrancelha.

— Você acha que eu deveria começar a usar macacão?

— Tudo, menos calça de linho e camisa de seda.

Harriet ergueu a sobrancelha para a irmã, sabendo que ela não queria ter dito aquilo, pois era um pouco como cuspir no prato que comeu. Imaginou que Cassie devia estar com medo de algo, mas ignorou.

Sam deu um passo na direção do balcão, pegou um garfo limpo e o enfiou na torta de nozes pecan com chocolate e bourbon de Burnelle Thompkins.

— Algum de vocês teve a chance de experimentar isso?

Harriet respondeu que sim, sentindo-se um pouco enjoada.

— Comi dois pedaços e mais o resto que estava no prato de Knoxie. Fiquei feliz por finalmente ter apetite, mas acho que exagerei. — Ela passou a mão na barriga.

Cassie olhou para Sam com cuidado.

— Isso é o que estou pensando?

Com um olhar que Harriet só poderia chamar de sedutor, Sam se aproximou de Cassie com o garfo cheio, apontado para o alto.

— A única torta dez vezes vencedora da feira do estado. Gostaria de um pouco?

Ela acenou que sim com a cabeça avidamente.

Ao invés de lhe dar o garfo, ele o segurou na frente da boca dela.

— Pega.

Cassie abriu a boca e mordeu apenas metade do pedaço que estava no garfo. Enquanto ela mastigava devagar, Sam comeu o resto, deixando um pouco de farelo em seu lábio inferior.

Harriet semicerrou os olhos de novo, desejando ter energia para se levantar e deixar os dois sozinhos antes que ficasse constrangedor para os três.

O dedo de Cassie e a língua dele tocaram o farelo na mesma hora e se encostaram, fazendo com que Cassie retirasse a mão rapidamente.

— Vocês dois, arranjem um canto — murmurou Harriet, mas nem Cassie nem Sam pareciam tê-la escutado.

A voz de Sam ressoou em sua garganta.

— Quer mais?

Cassie concordou, mesmo assim Sam não fez nenhum movimento em direção à torta, apenas olhou para ela com um sorriso inocente.

A porta de correr se abriu de novo. Lucinda entrou na cozinha vestida com seu macacão fúcsia um pouco amassado. Ela sorriu aliviada ao ver Harriet.

— Justamente as pessoas com quem preciso conversar. — Ela se recostou no vidro por um instante, esperando que o aroma de seu perfume Saucy chegasse até eles. — Harriet, você está acabada, não tente negar. Vou dormir aqui, assim pode descansar de manhã enquanto eu me levanto com as crianças. Sam, você se importaria de levar Cassie para casa? — Ela sorriu esperançosa.

— Se a dama não se incomodar em ir na minha caminhonete, seria um prazer.

Cassie engoliu seco.

— De verdade, tia Lu. Posso ir andando, são apenas alguns quarteirões...

Lucinda balançou a cabeça.

— Está mais quente do que o Hades lá fora, e você tem toda essa sobra de comida para carregar de volta. Deixe Sam te levar.

— Com certeza — disse Harriet, concordando e resistindo ao impulso de cumprimentar a tia com um tapa de mãos espalmadas e aliviadíssima porque teria a manhã de descanso. Estava para pedir a Joe que conseguisse um substituto para ensinar no lugar dele na escola dominical e ficou feliz, pois não precisaria mais fazer isso.

Lucinda piscou para Cassie.

— Maravilha. Te vejo amanhã cedo. — A porta se fechou atrás dela.

Evitando olhar para Sam nos olhos, Cassie disse:

— Bem. Acho que está resolvido. Toda a louça está lavada. Vou pegar minha bolsa.

Eles se despediram e Joe entrou na cozinha logo depois que eles partiram.

— Har, estive procurando você. — Ele olhou em volta da cozinha vazia. — Por favor, não vai me dizer que limpou tudo isso sozinha.

Ela estendeu a mão e ele a segurou. A velha chama ainda estava presente entre os dois. Harriet levou a mão dele à boca e a beijou.

— Não, Cassie ajudou. — Ela olhou para o marido. — É bom tê-la de volta, não é mesmo?

Ele se ajoelhou na frente dela e aninhou o rosto da mulher em suas mãos.

— É sim. — Enrugou as sobrancelhas. — Você parece exausta.

Ela tentou afastar as mãos dele, mas Joe não permitiu.

— Estou bem. Foi uma festa grande, só isso.

— Acho que tem de ir para cama mais cedo hoje e dormir amanhã o tanto que precisar. Lucinda me disse que você já está sabendo que ela vai dormir aqui. — Sem avisar, ele a ergueu no colo, assim como havia feito com ela há 15 anos. — Ainda há alguns poucos remanescentes lá fora. Pode deixar que me despeço deles por você.

— Joe, ponha-me no chão. Posso ir andando.

Ele se levantou e começou a andar em direção à escada.

— Eu sei, mas aí eu perderia a chance de te mostrar o homem forte e viril que ainda sou.

Ela lhe deu um leve tapa no braço antes de apoiar a cabeça em seu ombro enquanto ele subia os degraus.

— Te amo, Joe Warner.

Ele beijou o topo de sua cabeça.

— Também te amo, Harriet — disse ele, enquanto se dirigia à cama que compartilhavam há tantos anos. Ela fechou os olhos, aliviada por sentir o conhecido cheiro dele, e caiu no sono antes que sua cabeça tocasse o travesseiro.

Capítulo 17

Depois de todas as vasilhas de comida terem sido bem acondicionadas na caçamba da caminhonete, Cassie se sentou no banco da frente e esperou Sam dar a volta no veículo até o lado dele. Ela piscou forte ao olhar para o painel. Bem na frente dela, apoiada num suporte de papelão, estava sua antiga foto da escola, a mesma da pilha de lixos no escritório do pai. Arrancou-a com força do painel e a arremessou em Sam quando ele abriu a porta.

— Que diabos isto está fazendo aqui? Você é sádico ou o quê?

Ele se curvou e pegou do chão a foto com cuidado.

— Do que você está falando? Não há nada de errado com esta foto. Vi que iria jogá-la fora e achei que não se incomodaria se eu ficasse com ela.

O sorriso dele quase fez com que Cassie esquecesse sua raiva. Quase.

— Por que quer ficar com ela? Para guardá-la em seu sótão para afugentar os ratos?

Ele se sentou com facilidade sobre o banco de couro e fechou a porta.

— Não. Queria mostrá-la para Andy. Achei que se isso não o espantasse, nada mais iria.

Ela lhe golpeou no ombro, segurando-se para não rir.

Sam esfregou o ombro com a mão, fingindo estar doendo.

— Na verdade, gostaria que você a assinasse. No nosso último ano de escola você me prometeu uma foto sua. Acho que se esqueceu. Agora é minha vez. Acho que meus pacientes gostariam de pelo menos vê-la autografada.

Ela cruzou os braços sobre o peito, tentando se lembrar de ter-lhe prometido uma foto, mas não conseguiu. Ela nem se lembrava de ter conversado com ele antes da noite da fatídica formatura.

— Não vou assinar esta coisa. Devia estar no lixo. — Ela trouxe o queixo para frente.

Sam se recostou no assento e deu a partida.

— Tudo bem. Vou deixá-la aqui em meu painel para me fazer companhia.

Com as costas no banco, ela se virou para a janela aberta e olhou o céu escuro, salpicado de estrelas.

— Engraçado, não me lembro de ter pedido a *sua* foto. — Ela se encolheu diante do som petulante de sua voz, perguntando-se por que estava sendo tão maldosa.

— E não pediu. — Ele lhe lançou os olhos. — Qual o problema? Está com medo?

Ela notou que estava agarrada ao colar e o soltou de imediato.

— Claro que não.

Mas aquilo não era verdade. Estar perto dele mexia com todos os nervos de seu corpo, esquentando-os como ovos fritos na frigideira. Só o som de sua voz já fazia que seu pulso acelerasse e vibrasse em todas as suas veias. E era isso que a estava assustando. Ele fazia parte de Walton e de seu passado tanto quanto a antiga casa. Vivia e respirava o lugar onde nascera, no qual pretendia ser enterrado. Ela, no entanto, há muito tempo cortara suas amarras e estava agora tendo a vida que trabalhara duro para conquistar. O pensamento de voltar àquele lugar lhe era tão estranho quanto colocar em seu vocabulário a palavra "ocês" de novo e andar descalça. Não, ela não estava com medo. Estava apavorada.

Sam parou na entrada da casa e desligou o motor, mas não se moveu para sair. Ela o encarou sob a luz brilhante da Lua.

— O carro de Andrew não está mais aqui.

A voz de Sam estava tranquila.

— É. Reparei.

Ele continuou a olhar para ela, com a respiração suave e cadenciada. Um vaga-lume entrou na cabine da caminhonete e ficou piscando entre eles.

Cassie sorriu com o canto da boca.

— Bichinho tarado. Espero que encontre uma parceira.

Sam torceu os lábios para cima.

— O meu traseiro também está piscando?

Ela deu uma risadinha.

— Ainda não.

Quando a boca de Sam tocou a dela, ela suspirou e se permitiu ser pressionada contra o encosto do banco. Suspirou outra vez, saboreando-a, e pensou que um beijo nunca fora tão gostoso.

"O que está fazendo, Cassie?". Ela abriu os olhos, sem saber se havia dito aquilo em voz alta. Afastou-se e se recostou na porta.

— Pare. Por favor. O que estamos pensando?

Os olhos dele brilharam com a fraca luz da varanda, sua voz saiu arrastada.

— Sei o que estou pensando e, se tivesse que apostar, diria que estava pensando o mesmo.

Ela pressionou o corpo com mais força ainda contra a porta. A maçaneta cutucava-a nas costas.

— Eu... nós não podemos.

Ele se inclinou mais perto e seu lábios encostavam nos de Cassie.

— Por que não? Você e Andy ainda estão comprometidos?

Ofegante, ela apenas fez que não com a cabeça.

Ele a mordiscou no lábio inferior.

— Você ainda sente alguma coisa por ele?

Ela mal conseguiu balançar a cabeça de um lado para o outro.

— Não achava mesmo que sentisse. — Ele pressionou a boca contra a dela de novo, e, apesar de sua cisma, ela sentiu um enorme prazer. Podia estar no meio de um furacão, mas não teria escutado nada com aqueles urros em seus ouvidos. Por que estava deixando aquele homem a tocar daquela maneira?

Ela se esforçou para pensar com clareza e afastou-se.

— Mas estava comprometida com esse homem quando acordei pela manhã. Não acho que eu...

Sam olhou para ela, com a respiração intensa e profunda.

— Agora não é hora de pensar com a cabeça. Sinta com o coração pelo menos uma vez na vida.

Ela o olhou com reserva. Aquilo não era sexo casual. Era como correr com tesouras na mão. Contudo, seu corpo vibrava intensamente só de estar assim perto dele, mesmo que com roupas. Se não o tivesse agora, nunca o tiraria da cabeça e sempre se perguntaria como teria sido. Algo estava agindo por ela e, provavelmente, não era o seu coração.

Ele deve ter percebido alguma coisa em seus olhos, pois se debruçou sobre ela e encostou os lábios nos seus por um breve e excitante momento antes de lhe abrir a porta.

Com inesperada rapidez, ele pulou do carro e a ajudou sair. Ela mal tinha colocado os pés no chão quando foi empurrada contra a lateral da caminhonete para se beijarem de novo. Tentando recuperar o fôlego, ela recuou.

Ficaram se olhando por um longo tempo, respirando forte. O calor de seus corpos subia como vapor no ar abafado da noite. Ela percebeu o desejo nos olhos dele e algo mais. Piscando devagar, questionou-se se o mesmo estava refletido em seu olhar e rezou para que não. Ela começou a se afastar, mas Sam a segurou pelo braço e a pegou no colo. Ela se encaixou nele com as pernas abertas. Seus lábios permaneceram colados enquanto Sam subia os degraus da varanda e caminhava até o vestíbulo. Fechando a porta com o salto da bota, dirigiu-se à escada.

Ela o parou no pé da escada, afastou sua boca da dele e se desvencilhou dele no primeiro degrau.

— Espere. Aonde está indo?

Sam ergueu a sobrancelha.

— Para o seu quarto. — Ele a pegou no colo e subiu mais um degrau, antes que ela descesse novamente.

— Não podemos... você... meu Deus, Sam, não no meu quarto. É como... correr nua na igreja ou algo parecido.

Enquanto ela falava, as mãos dele correram pelas suas costas e, devagar, abriram o zíper de seu vestido.

— Você tem uma ideia melhor? — Dedos gentis tiraram o vestido dos ombros dela e ajudaram o delicado tecido deslizar até o chão. Ele olhava para o seu lábio vermelho. — Uma combinação?

Cassie ficou observando enquanto aqueles dedos tiravam de seus ombros as finas alças escarlates e a combinação se juntava ao vestido em volta de seu tornozelo.

— É difícil abandonar antigos hábitos.

Ele a colocou no alto da escada e Cassie ouviu várias peças de roupas sendo lançadas em direção ao corredor, em algum lugar atrás dele. Ele se inclinou sobre ela, escorando-se nas próprias mãos.

— Você é tão bonita. — Sam respirou fundo. — Você tem ideia do quanto esperei para ver Cassie Madison nua?

Ela se contorceu, perguntando-se por que ele estava perdendo tempo falando.

— Não.

— Se não consegue adivinhar, não vou lhe dizer, pois é constrangedor demais. — Ele se abaixou um pouco. — Diga "ocês".

— O quê? — Ela olhou para ele, incrédula.

— Não saio daqui até ouvi-la dizer. — Sua respiração estava pesada.

Ela se aproximou dele, louca de desejo.

— Você é doido.

Ele não se mexeu.

— Diga.

— Óces. — Ela mal conseguia falar.

Ele deu um passo na direção dela.

— Agora diga frango frito e ervilha-de-cheiro.

— Sam, por favor! Não me faça esperar.

Ele curvou a cabeça e beijou-lhe o pescoço. Olhou de novo para ela.

— Diga.

— Frango frito e ervilha-de-cheiro.

Ele se abaixou com um longo suspiro.

— Essa é minha velha menina do sul. Só precisava ter certeza.

Ela lhe deu um tapa no ombro antes de abraçá-lo e puxá-lo para si. Precisava dele agora, precisava que ele preenchesse um vazio que até aquela noite não sabia que existia. Esse homem teimoso, sabichão, seguro de si, lindo demais a completava de um jeito como jamais acontecera. Aconchegar-se em seus braços era como chegar em casa, retornar a um lugar precioso e querido.

Enquanto Sam se dirigia para o que tinha em mãos, ela se permitiu olhar para fora do vestíbulo. A luz da Lua se derramava da claraboia sobre a porta, pintando tudo de um branco azulado. Ela olhou para as sombras dos retratos na parede, as fotos de todos os Madisons que haviam subido aquela escada por mais de um século. Com uma careta, fechou os olhos e escondeu o rosto no pescoço de Sam, esperando que o pentavô Madison não a estivesse assistindo.

Cassie acordou devagar com as primeiras luzes da manhã, cansada pela falta de horas de sono, mas com a mente mais em paz do que estivera em anos. Em algum momento da noite, Sam a carregara, mais as roupas, para o quarto dela, e pareceu a coisa mais natural do mundo que ele se deitasse ao seu lado. Ela até encontrou forças para protestar quando ele a deixou por um breve período para colocar a caminhonete atrás da casa, pois assim, segundo ele, ela não ficaria malfalada "tão logo".

As cortinas esvoaçaram de leve no quarto. Cassie se espreguiçou lentamente, sentindo o calor do corpo dele contra suas costas. Ela pensou em todas as manhãs que acordara ao lado de Andrew. Acordava sempre com frio e sozinha no seu lado da cama, e ele, encolhido no dele, olhando para o outro lado.

Ela se virou para Sam e ficou surpresa ao se deparar com olhos azuis-escuros estudando-a com atenção. A voz dela estava rouca.

— Você nunca dorme?

Ele ergueu a sobrancelha.

— Só quando não estou ocupado.

Ela colocou a parte plana da palma da mão sobre a face dele com um pouco de barba, e ele a segurou ali.

— Eu nunca... — Ela parou, incerta do que queria dizer, do que poderia dizer.

— Eu sei — sussurrou ele como resposta.

Sam a beijou de leve, seus lábios quentes e convidativos.

A porta da frente bateu e os saltos altos de tia Lucinda tremularam escada acima. Cassie se levantou de repente, sentindo o calor da vergonha envolver-lhe o corpo dos pés à cabeça.

— Ai, meu Deus. Ela não pode te ver aqui!

Sam se sentou e, tranquilamente, recostou-se sobre os cotovelos.

— E por que não? Da última vez que verifiquei, você já era adulta.

Ela o golpeou com o travesseiro.

— Vista-se. Vou tentar te passar escondido pela porta de trás.

Ele respondeu agarrando-a pela cintura e arremessando-a de volta no colchão. O desejo de tirá-lo de sua cama evaporou.

— O que está fazendo? — sussurrou ela, indolente.

— Estou tentando fazer amor com você, mas você não para de falar e está me tirando a concentração.

Ele começou a beijar-lhe o pescoço, e ela fez força para se servir do pouco de razão que ainda tinha.

— Mas... tia... Lucinda.

Alguém bateu à porta do quarto, e os dois paralisaram de assombro.

— Cassie? Você está acordada? Vou preparar o café da manhã e gostaria de saber se quer alguma coisa.

Cassie pulou da cama e atingiu a cabeça de Sam com o joelho.

— Estou acordada, tia Lu. Só preciso me vestir e já desço num minutinho.

— Tudo bem. Estarei na cozinha. — Os saltos de Lucinda marcaram o caminho pelo corredor.

Cassie deu um suspiro de alívio. Estava prestes a se jogar na cama de novo quando ouviu a voz de Lucinda outra vez.

— Diga a Sam que vai ter um prato com ovo frito mole esperando por ele, do jeito que ele gosta. — Depois de um breve intervalo, prosseguiu. — E por favor, não deixe sua roupa íntima no cabideiro da entrada, Cassie. Não fica bem. — Os saltos seguiram ressoando ao longo do corredor escada abaixo.

Cassie caiu de costas na cama e cruzou os braços sobre os olhos.

— Nunca mais conseguirei olhá-la na cara.

Sam rolou sobre ela. Seu corpo a pressionava contra o colchão.

— Você já parou para pensar que talvez tenham nos armado esse encontro? Por que acha que Lucinda me pediu para trazê-la para uma casa vazia?

Ela arregalou os olhos ao relembrar a noite passada e a ansiedade de Harriet ao concordar que Lucinda dormisse em sua casa. Cassie fechou os olhos de novo e balançou a cabeça.

— É uma conspiração. Não posso vencer. — Sorrindo, ela tocou o lóbulo da orelha dele. — Ontem à noite você me perguntou há quanto tempo eu achava que você queria me ver nua. Há quanto tempo, Sam?

Ele semicerrou os olhos, escurecendo-os.

— Não sei se devo te contar.

— Por que não? — Ela quis abocanhar as palavras de volta, com a súbita certeza de que não queria escutar sua resposta. — Sam. — Suas palavras foram interrompidas por rápidas batidas à porta da frente e, em seguida, pelo virar de chaves. Alguém estava abrindo a porta e, com passos pesados, entrando no vestíbulo lá embaixo.

— Olá? Alguém em casa?

Cassie reconheceu a voz de Ed Farrell e, depois, a de Lucinda a chamando lá embaixo para que atendesse a porta. Ela visualizou a tia ocupada na cozinha preparando a massa de panqueca.

— É melhor eu ver o que ele quer. — Apoiou o pé no chão, mas a mão de Sam a segurou.

— Não vá. — Sua voz estava séria, e ela sabia que ele não se referia a ficar na cama.

Com um leve balanço de cabeça, ela se afastou um pouco aliviada por ter uma desculpa para se desvencilhar dele. As mãos de Sam sobre ela pareciam embaralhar-lhe o cérebro, e ela precisava ser racional.

— Não vou mentir para você, Sam. Você sabia, antes de virmos para esta casa ontem à noite, que independentemente do que acontecesse entre nós, seria apenas temporário. Somos muito diferentes. Queremos coisas muito diferentes da vida.

Sam se levantou da cama e Cassie tentou manter os olhos longe dele. Enquanto se abaixava para apanhar a calça e vesti-la, ele olhou para ela. Em seu rosto havia uma máscara de constrangimento.

— Nós não somos tão diferentes assim. Você está tão preocupada em negar isso que não consegue enxergar a verdade. — Ele vestiu a camisa pela cabeça.

As mãos dela tremiam enquanto vestia seus trajes menores, short e uma camiseta.

— Como pode dizer isso? Você nem me conhece, não de verdade. — Ela endireitou as costas. — E quanto a ontem à noite... — Mordeu os lábios, incapaz de prosseguir. Ela queria dizer que aconteceu por carência, mas ambos saberiam que estava mentindo.

Ele se aproximou e parou bem na frente dela.

— Eu te amo desde o sétimo ano, quando colocou aquela barata na lancheira de Susan Benedict. Só Deus sabe por que, mas não houve um dia sequer desde então em que eu não a tenha analisado, pensado em você ou te amado. Passava horas com seu pai falando sobre você nesses 15 anos, três meses e 11 dias desde que partiu. É uma doença, eu sei. Mas parece que não tem cura. — Balançando a cabeça, ele caminhou até a porta. — A noite passada foi um erro. Eu havia te dito antes: comigo é tudo ou nada. Não serei seu consolo para as noites de solidão.

Ele abriu a porta sem olhar para ela.

— E não se preocupe. Vou descer pela escada do fundo.

Ela quis dizer alguma coisa. Entretanto, o medo das lágrimas a calou.

Sam fechou a porta atrás de si devagar. Ela esperou um instante e saiu para descer os degraus.

— Ei, Ed. Estou aqui. Desculpe tê-lo feito esperar.

Ed ergueu os olhos, um rubor de vergonha tomou conta de seu rosto.

— Nossa, Cassie, não teria entrado desse jeito se soubesse que estava aqui. Ninguém atendeu a porta, por isso entrei. — Ele segurava um monte de papéis. — Passei para deixar esses papéis sobre o balcão da cozinha. É uma lista de todas as amenidades e coisas que talvez possa interessar a um possível comprador. — Uma bolha branca de creme de barbear apareceu pendurada em seu queixo quando sorriu.

O olhar de Cassie se desviou para a caixa de cartas sobre o sofá da entrada. Pegou-a antes que Lucinda tivesse curiosidade de vê-la. Encarou Ed, estendendo-lhe a mão.

— Obrigada. Vou colocá-los na cozinha.

Ele lhe entregou os papéis e olhou para a caixa.

— É uma linda caixa antiga de cartas, Cassie. Onde a encontrou?

— No sótão. Era de papai.

Ed fez que sim com a cabeça.

— Havia algo dentro?

Ela arrumou a caixa volumosa sob o braço.

— Algumas cartas. Nada de valor.

— É que estou começando uma pequena coleção de antiguidades americanas e adoraria tê-la para mim. Me avise caso vá se desfazer dela, pois gostaria de ser o primeiro a saber.

— Claro, te aviso sim.

Ele se virou para sair, mas encarou-a com preocupação.

— Você recebeu mais ligações do pessoal da Roust?

— Bem, uma só além daquela que já te contei. Era do departamento de *marketing*. Queriam saber há quanto tempo a casa estava no mercado e quanto tempo mais eu esperaria até mudar de ideia quanto a continuar sendo residencial. Desliguei na cara deles.

Ele sorriu, e a bolha de creme de barbear quase caiu do rosto.

— Que bom para você, Cassie. Acho que estão reservando a amolação para mim.

Cassie pegou na maçaneta e segurou a porta aberta para ele.

— O que você quer dizer com isso?

Ele deu um profundo suspiro.

— Bem, um dos meus loteamentos foi destruído ontem à noite. Sabe aquele loteamento para a construção de um condomínio na Route 1, onde costumava ficar o cinema *drive-in*? Alguém foi lá e roubou todas as instalações de banheiro. Simplesmente arrancaram-nas da parede. Vou demorar um mês, pelo menos, para substituí-los e reinstalá-los.

— Sinto muito, Ed. E você acha mesmo que o Roust teve algo a ver com isso?

— Nunca vou conseguir provar, claro, mas quem mais faria isso? Bem, talvez aquele Sam Parker. Ele é tão nocivo quanto Jim Roust. Um quer destruir a cidade e o outro faz questão de que ela continue o lugar mais feio do estado. — Ele pisou na varanda. — Não a culpo nem um pouco por querer deixar esta cidadezinha atrasada para trás. Nem um pouco.

Ela se recostou no batente da porta.

— Não diria que Walton é um lugar feio, Ed. Com certeza não é uma Manhattan, mas tem seu charme.

Com cara de interrogação, ele a encarou outra vez.

— Tem certeza de que não está mudando de ideia a respeito de ficar aqui para sempre?

Os resquícios do toque de Sam a chamaram, fazendo sua pele formigar e o coração bater mais forte. Tão forte quanto o medo que tomou conta dela: medo de se perder, de perder o controle e tudo por que tanto batalhara. A única coisa de que tinha certeza era que jamais poderia voltar a ser aquela menina caipira vulnerável que fora um dia.

— Não, não vou ficar, não conseguiria. Quer dizer, não há muito aqui que me prenda... bem... a não ser Lucinda, Harriet e as crianças. Com certeza as virei visitar, mas jamais viveria em Walton de novo.

Um sorriso simpático atravessou o rosto dele.

— Ótimo. Respeito sua decisão. Só me resta voltar ao trabalho para encontrar um familiazinha legal para morar nesta casa. Tudo menos ter aquela gente do Roust aqui, tentando transformar tudo num shopping center. — Ele resmungou, pisando firme sobre os degraus da varanda. — E se vir o Dr. Parker, diga-lhe que tenho mais dois membros do conselho do meu lado em relação àquela moratória. Diga-lhe para simplesmente desistir e ficar na medicina, como é esperado dele.

Cassie enrubesceu, perguntando-se se Ed vira a caminhonete de Sam nos fundos.

— Vou dar o recado.

Ele acenou de leve com a cabeça.

— Tudo certo, então. Nos vemos. Acho que tenho outra família interessada em ver a casa e vou trazê-la mais tarde.

— É bem provável que eu não esteja aqui, mas você sabe como entrar. — Ele corou, trazendo de volta à memoria de Cassie o menino magricela de olhar faminto. Ela deu um passo na direção dele e tirou o creme de barbear de seu queixo e, mostrando-o para Ed, disse: — Acho que não gostaria de ficar com ele aí.

Seus olhos brilharam num misto de gratidão e algo mais.

— Obrigado, Cassie. Muito agradecido.

Ao dizer isso, fechou a porta.

Ao entrar na cozinha, ela escutou a porta do fundo bater e, então, a caminhonete de Sam ser ligada. O prato dele, que mal fora tocado, estava sobre a mesa ao lado de uma xícara de café pela metade. Lucinda estava de pé, próxima ao fogão, com uma espátula na mão e um olhar preocupado no rosto.

— Ele disse que não estava com tanta fome. Disse que tinha negócios na cidade para resolver.

Percebendo que talvez ele tenha escutado toda a conversa, ela correu para a porta do fundo, abrindo-a com violência.

— Sam — gritou, descendo desajeitada os degraus na direção dele. Ela viu todas as vasilhas de comida da noite anterior empilhadas na varanda.

Ele ergueu a mão para acenar, mas não parou ao passar por ela. A poeira levantada pela roda pairou sobre Cassie, cobrindo-a como um manto de vergonha.

Capítulo 18

O alarme de Cassie soou, penetrante e insistente, às 6h30 da manhã de uma quarta-feira. Ela não dormia muito bem desde a noite do noivado. Seus pensamentos oscilavam entre os sentimentos por Sam, sua precária situação no trabalho e as preocupações com a venda da casa. Contara uma quantidade suficiente de ovelhas para encher a casa e o quintal. Mesmo assim, o sono lhe fugiu.

Por fim, recorreu à caixa de cartas guardada embaixo da cama e se pôs a ler até os olhos embaçarem. A maioria delas estava escrita de modo simples, com palavras de uma menina apaixonada. Seja lá o que tenha se passado entre seu pai e aquela mulher, houve amor entre eles — ainda que diferente daquele compartilhado por seus pais. Amor, contudo, que gerara uma criança. Sentindo-se exausta, mas ainda sem vontade de dormir, puxou a última carta não lida da caixa.

14 DE FEVEREIRO DE 1973

Meu queridíssimo Harrison,

Sei que seu coração está amargurado como o meu e suponho que isso seja parte do crescimento. Espero que esta seja a última vez para nós dois, mas, como diz papai em seu sermão, nunca sabemos qual o destino que o bom Deus nos reservou.

Não estou brava com você ou com Catherine Anne pelo que aconteceu entre vocês. Eu os amo muito e posso ver facilmente por que os dois se sentem desse jeito. Não tive a intenção de interpor minha difícil situação entre vocês. Você me pediu em casamento, e seria a maior honra de minha vida ser sua esposa. Mas esse não é o nosso destino. Não serei a responsável por transformar sua vida em "e se". Vocês se amam, e eu estou te deixando livre.

Vou contar a mamãe e papai hoje à noite, mas não direi seu nome. Eles talvez adivinhem, mas nunca revelarei nosso segredo. Seus futuros filhos serão gratos por isso.

Tenho certeza de que serei enviada para longe, mas isso não é um problema para mim. E por favor, não me julguem uma santa, pois sabem muito bem que não sou. Tenho rezado muito e, não importa o quão doloroso seja, sei que estou tomando a decisão certa para todos nós.

Amor, E.

P.S. Estou devolvendo o lindo medalhão. Guarde-o bem, pois ele contém todo o meu amor por você.

Os olhos de Cassie ardiam quando pegou o envelope e o virou. Uma corrente fina com um pequeno medalhão em forma de coração caiu em sua mão. Ela virou o medalhão para examiná-lo melhor e notou que havia quatro inicias nele: HM e EL.

Com um ímpeto de animação, ela escorregou na cama e o colocou sobre sua penteadeira. Ela iria discretamente perguntar por todos os lugares, a fim de descobrir de quem eram aquelas iniciais. E talvez, então, encontrar o primeiro amor de seu pai. Enfiou-se de novo nas cobertas tremendo. Sam tinha razão. Era como uma areia movediça. Se não tomasse cuidado, mais alguns passos apenas e ela seria engolida completamente.

Com um grande bocejo, virou a cabeça para o travesseiro e levantou a cabeça assustada ao sentir nele o cheiro de Sam. Ninguém estava olhando, então, enterrou o nariz nele e respirou profundamente.

A última vez que o vira havia sido na igreja, no domingo anterior, e fora uma verdadeira tortura. Quase todos os membros da congregação na Primeira União Metodista, um de cada vez, lhe deram tapinhas nos braços e condolências pelo rompimento do noivado. Aquilo não teria sido um problema se a atitude deles não tivesse sido seguida de uma clara insinuação a Sam.

O homem em questão fez todo o possível para se manter distante. Estava a educação em pessoa, mas sem brincadeiras, brilhos nos olhos ou piscadelas na direção de Cassie. Ela quase quis que ele fizesse algum comentário sobre seu comportamento ou aparência, mesmo que fosse maldoso ou desagradável, só assim saberia se ele pensava nela. Não que tivesse alguma importância. As coisas estavam melhores daquele jeito — e muito menos complicadas.

Ela suspirou aliviada quando ele passou pelo banco de sua família e apenas lhe acenou com a mão. O assento vazio ao seu lado passara despercebido, graças a Deus, até a persistência das gêmeas Sedgewick fazê-lo ser notado. Com idênticos chapéus estilo casquete e luvas brancas, pegaram, cada uma, nos braços de Sam e o conduziram para que se sentasse ao lado de Cassie, tagarelando sobre o tempo para impedi-lo de notar o que elas estavam fazendo.

Além de um educado "bom-dia", a única vez que o ouviu foi durante os hinos, quando ele cantou com uma voz de tenor surpreendentemente forte. Ao se sentarem, as pernas deles se tocaram por acidente, e Sam, discreto, colocou um hinário entre eles no banco.

Cassie notou o olhar de Harriet e percebeu que seus olhos verdes estavam cheios de preocupação. A rápida lembrança do rosto da irmã encarando Joe durante um piquenique depois da formatura da escola atravessou seu pensamento. Quando Harriet virou o rosto e viu Cassie de pé sobre a mesa vazia com uma barra de limão quase na boca, ela fez aquela mesma expressão. Se era preocupação ou pena, Cassie não sabia. Ela baixou os olhos e passou toda a cerimônia religiosa olhando para as notas e palavras do hinário sem prestar atenção neles, mas ciente da presença de Sam ao seu lado.

O homem não a deixava em paz. Pensamentos sobre ele a perseguiam enquanto dormia e a acompanhavam em seus sonhos e, outra vez, parecia que haviam passado a noite juntos. Com um profundo suspiro, ela se esforçou para sair do conforto do travesseiro e deixar a cama.

Antes que seu pé encostasse no chão, o celular de Harriet tocou. Sua irmã o havia emprestado durante aquele período para checar se alguém ligaria sobre os anúncios no jornal e porque Harriet se recusava a usá-lo. Cassie o pegou, sua mão estava suando.

— Alô?

Ela ouviu uma respiração no outro lado da linha e nada mais.

— Alô? — perguntou ela de novo. — Quem é?

Um característico clique do outro lado foi tudo o que obteve como resposta.

Baixando o telefone, olhou para o número que estava na tela. Era local, mas não o reconheceu. Anotando-o, colocou o telefone na cabeceira e o deixou lá, caso aquela pessoa ligasse de novo.

Olhou para o papel na sua mão e dobrou-o ao meio. O melhor seria entrar na internet e fazer uma pesquisa para descobrir a quem pertencia aquele número, mas aquilo podia esperar. A imagem da areia movediça veio-lhe de novo à cabeça, fazendo que largasse o papel dobrado sobre a cabeceira.

Cassie suspirou. A consulta de Harriet seria às 8h. Antes, porém, ela precisava correr para colocar os pensamentos em ordem. Abraçada ao enorme elefante de pelúcia cor-de-rosa, abriu as cortinas e espiou lá fora. As rosas de sua mãe haviam murchado por causa da umidade excessiva. O céu estava carregado de nuvens cinza e cheirava à chuva. Um dia que combinava perfeitamente com seu humor. Tinha a intenção de terminar o sótão naquele dia, sem tempo para se distrair com antigas recordações. Tinha de seguir em frente. Sua carreira, que lhe custara muito para conquistar, estava uma bagunça. Sua relação com o chefe, na melhor das hipóteses, incerta. Sim, sua estada em Walton havia sido suficientemente longa, e já era hora de planejar o retorno à Nova York.

O cheiro do perfume Saucy estava impregnado no carro de Lucinda. Cassie ligou o ar-condicionado na máxima potência e abriu todas as janelas para arejar. Já era desagradável o bastante ter de guiar um carro cor-de-rosa e aquele cheiro só piorava as coisas. Fazendo uma careta ao pensar nisso, reparou que a mão mexia nos pingentes do pescoço. "Do que está com medo, Cassie? É só um exame de rotina. Tudo vai ficar bem."

Harriet abriu a porta da frente de sua casa antes que Cassie pudesse tocar a campainha. Seu cabelo loiro estava liso e enfiado atrás da orelha, igual a uma adolescente. O leve vestido de algodão listrado mexia como uma barraca sem forma sobre o corpo de Harriet. Cassie notou na irmã um braço e um rosto mais arredondados que não percebera antes. Ela não podia se esquecer de que a irmã passara por cinco gravidezes, e uma figura mais cheinha era inevitável.

Harriet ergueu o dedo sobre os lábios.

— Psiu! As crianças ainda estão dormindo. Logo recomeça a escola e quero que durmam o máximo possível.

Cassie concordou, dirigiu-se ao carro, sentou-se no banco do motorista e esperou Harriet abrir a porta. Depois de observar a irmã com dificuldade para fazer isso, esticou-se no banco e abriu-lhe a porta do lado de dentro.

— Precisa começar a puxar ferro, Har. Está envelhecida.

A fadiga no sorriso da irmã fez que Cassie desejasse abocanhar as palavras de volta. Em silêncio, colocou a marcha a ré no carro e saiu da entrada da casa.

— Joe queria vir comigo hoje, mas eu disse que não. É só um exame de rotina. Seria bobagem se levantar cedo para isso em plenas férias de verão. — Ela mordeu o lábio inferior.

Cassie enrugou a testa enquanto entrava na rua, mas se manteve calada. Passaram pela casa de D. Lena e acenaram para a velha na varanda. Apesar do calor, ela vestia um casaco rosa-choque sobre um vestido para ficar em casa, e tinha o onipresente romance aberto sobre o colo. Acenou e sorriu quando elas passaram e curvou a cabeça para retornar à leitura. Ed Farrell, sem camisa, com um lenço em volta da cabeça, meias pretas e tênis, empurrava um cortador de grama no jardim da frente de D. Lena, mas não olhou para elas.

Harriet se recostou no seu assento.

— Você acha que seremos assim quando ficarmos velhas e grisalhas? Sentadas na varanda com sapatos confortáveis e meias enroladas até os tornozelos, lendo cenas de sexo uma para a outra o dia inteiro?

Cassie riu.

— Espero que sim. Parece-me que a D. Lena está muito bem. — Seu sorriso foi desaparecendo devagar enquanto guiava. Pensava na mãe, na sua própria mortalidade e na benção que era ter a chance de envelhecer. Virou o carro para estacionar e, de repente, ficou assustada. A ideia de se sentar numa enorme varanda com as meias nos tornozelos, acenando para os passantes, pareceu-lhe bastante tentadora e algo a desejar. Com certeza mais atraente que a ideia de trabalhar até ter um ataque cardíaco e cair morta sobre a escrivaninha ainda jovem. Ela sacudiu os pensamentos e estacionou o carro.

Cassie ajudou a irmã a sair do carro e abriu a porta de vidro da clínica. A sala de espera estava vazia, exceto por uma mulher corpulenta sentada ao lado da parede, tricotando. Uma mistura de aroma de canela saturava o ar, conferindo ao ambiente, junto com as agradáveis cortinas de tecido de listras e tapetes combinando, uma atmosfera aconchegante e convidativa. Na recepção, havia uma mesa com uma caixa de pirulitos.

A mulher deixou de lado o tricô e se levantou devagar, um largo sorriso atravessou-lhe o rosto.

— Cassie Madison, fiquei sabendo que estava na cidade.

Cassie deixou-se ser envolvida num grande abraço para depois ser examinada.

— Minha nossa, você está tão linda quanto uma pintura. É igualzinha à sua querida mãe, Deus a tenha. — Seus olhos escuros eram afetuosos. — Você não se lembra de mim, não é?

Cassie sorriu.

— Claro que me lembro, Sra. Perkins. — Ela tirou o cabelo da testa. — Minha cicatriz quase não existe mais, mas ainda me lembro da senhora me empurrando para dentro de seu carro e me levando para o hospital.

O sorriso da Sra. Perkins ficou ainda maior, deixando a mostra um dente de ouro que brilhava.

— Nunca mais em minha vida ouvi berros como aqueles. Mas você aprendeu a lição, não é mesmo? Fez umas travessuras por aí, mas nunca mais tentou subir no telhado do prédio da prefeitura de novo, não é?

Cassie sorriu, sentindo o carinho que emanava daquela figura gentil. Camellia Perkins trabalhara para sua mãe como empregada doméstica e sempre fora tratada como uma amiga da família. Depois da morte da mãe, ela ficara na casa cuidando das meninas até tia Lucinda se mudar para lá. Seu peito macio havia absorvido muitas lágrimas das irmãs Madison.

Harriet deu um abraço na velha mulher.

— Bom te ver de novo, Sra. Perkins. Esqueci do seu aniversário no mês passado, queria te enviar um presente. Se soubesse que estaria na cidade de visita, teria trazido um comigo. Quanto tempo ficará aqui?

A Sra. Perkins colocou a mão no rosto de Harriet.

— Você é sempre tão gentil. Não precisa me trazer nada. Vá me visitar e isso já será um grande agrado. Estarei por aqui por mais uma semana. Estou cuidando dos meus netos enquanto os pais fazem uma segunda lua de mel. Deus sabe o quanto precisam disso! — Ela piscou para Harriet, para mostrar uma camaradagem entre mães.

Harriet sorriu.

— E por que está aqui agora? Não está doente, está?

A Sra. Perkins deu uma grande risada, um som semelhante a piche quente se derretendo sobre asfalto de verão.

— Não, sou forte como um touro. Estou aqui com Patricia, minha neta mais velha. Veio tirar os pontos. E você, querida? Parece cansada.

Harriet desviou os olhos, cumprimentando Mary Jane, que entrava na sala. Mary Jane disse olá a Cassie e se virou para Harriet.

— Sam está esperando-a. Venha comigo.

Cassie tocou no braço da irmã.

— Quer que eu vá com você?

— Não, pode ficar aqui conversando com a Sra. Perkins. Não vou demorar. — Ela deu um alegre sorriso e desapareceu atrás da porta com Mary Jane.

Cassie se sentou ao lado da Sra. Perkins e ficou esperando impacientemente.

A velha mulher voltou-se para ela.

— Harriet está doente?

Ela puxou a camisa.

— Está apenas cansada. Sam vai fazer alguns exames e talvez prescrever algumas vitaminas para ver se a animam.

A Sra. Perkins concordou satisfeita.

— Não consigo acreditar como você é parecida com sua mãe. Diria que você é ela se não tivesse visto aquela doce mulher no caixão com meus próprios olhos.

Cassie olhou para as próprias mãos.

A Sra. Perkins se debruçou mais perto dela.

— Era tão bom trabalhar para sua mãe. Tão generosa e gentil. Eu estava com ela quando você veio ao mundo, sabe.

Cassie olhou-a, surpresa.

— Não sabia disso. — Lucinda havia lhe contado sobre as circunstâncias de seu nascimento, mas aquilo era novidade.

A corpulenta mulher se recostou, apoiando o tricô sobre o colo largo.

— Você sempre foi impaciente. Lembro-me de quando era pequena. Era assim desde que nasceu. Eu estava ajudando sua mãe a limpar as pratas quando a bolsa dela estourou de repente, sem avisar. Graças a Deus sua tia Lucinda estava lá. Deixei-a com sua mãe e corri o mais rápido possível até o doutor Williams. — Ela deu um sorriso dourado para Cassie. — Não era tão gorda na época, conseguia correr depressa.

Um olhar sonhador atravessou-lhe o rosto.

— Você nasceu bem ali, no chão da sala de jantar, no meio da prataria de casamento dela. Havíamos acabado de te embrulhar e colocar sua mãe sobre o sofá da sala de visitas quando seu pai chegou para o almoço. Estávamos tão ocupadas com seu nascimento que tínhamos nos esquecido completamente dele. — Ela riu, divertida, e enrugou a testa. — Minha memória está um pouco atrapalhada agora, mas nunca me esquecerei do que o juiz disse a primeira vez que te pegou no colo. Foi tão peculiar.

Cassie endireitou a postura, prestando o máximo de atenção.

— O que ele disse?

A Sra. Perkins deu um profundo suspiro.

— Bem, ele ficou maravilhado diante de tamanha beleza, claro. E disse algo como te encher de mimos, pois jamais saberia se o primogênito dele estava sendo mimado ou não.

Cassie ficou sem ar.

— Primogênito dele? Mas eu era a mais velha.

A Sra. Perkins bateu com as mãos no joelho.

— Tão certa quanto estar sentada aqui, foi isso que ele disse. Todas ignoramos aquilo, como se fosse um sintoma de um homem que acabou de ser pai e está em estado de choque. Honestamente, não acreditávamos que ele estivesse em seu juízo perfeito. — Um olhar carinhoso veio de sua face enquanto encarava Cassie. — Nossa, como ele te amava. Nunca vi um homem tão preocupado com um bebê antes. Parecia que você era a primeira criança a nascer no mundo.

A porta se abriu e a neta da Sra. Perkins entrou na sala. Após uma breve apresentação, a Sra. Perkins abraçou Cassie de novo e partiu.

Cassie tentou folhear as revistas que estavam na mesa, mas não conseguiu se concentrar. As palavras da Sra. Perkins ecoavam em seus pensamentos enquanto imaginava ela e Harriet velhinhas, vestindo um casaco peludo rosa-choque em pleno verão.

Os ponteiros do relógio avançavam no mostrador a cada letárgico tique-taque enquanto Cassie caminhava pela sala. Sua ansiedade em relação a Harriet se misturava com o desejo de compartilhar com ela as novidades sobre as iniciais do medalhão e a possibilidade de terem um irmão. O primogênito de seu pai havia morrido — não era isso que diziam as cartas da senhora "E."? "A menos que ele ou ela não estivesse morto". Um trovão ribombou vagarosamente a distância, escurecendo a sala aos poucos.

A maçaneta da porta fez um ruído e Cassie começou a andar mais rápido. As palavras se calavam em sua boca. O rosto de Harriet irradiava paz e aceitação, e Cassie gelou até os ossos.

Ela deu um passo na direção da irmã.

— Como foi...?

Harriet colocou os dedos sobre o lábio.

— Preciso ficar sozinha. Preciso de tempo para pensar antes de ver Joe.

Cassie abriu a boca para dizer algo, mas parou, pois Sam vinha atrás de Harriet para a sala de espera.

Harriet prosseguiu.

— Pedi a Sam para falar com você. Ele tem minha permissão para te contar... tudo. Eu... — Sua voz diminuiu. — Diga a Joe que eu tinha alguns afazeres e logo estarei em casa.

— Har, começou a chover. Deixe-me levá-la para casa. Podemos conversar no carro.

Harriet fez que não com a cabeça e abriu a porta que dava para fora. Cassie seguiu atrás da irmã, mas Sam a deteve.

— Deixe-a ir — disse ele com a voz seca. Ele pegou um enorme guarda-chuva preto numa estante perto da porta e o entregou a Harriet, enquanto ela saía para o estacionamento.

Cassie o repeliu, intencionada a seguir a irmã porta afora. As primeiras gotas de chuva haviam começado a escurecer o asfalto quando chegou ao estacionamento e viu Harriet correr em direção à calçada, como se a vida dela dependesse de chegar ao seu destino.

Cassie sentiu a presença de Sam atrás dela e esperou por suas mãos. Quando não a tocaram, ela se virou para encará-lo.

— Você vai me contar? — Algo nos olhos dele a fez se afastar. — O que há de errado com minha irmã?

— Ela está grávida. — Aquela frase caiu como uma bomba. A voz dele carregava mais significado do que meras palavras.

Seu alívio durou pouco ao notar que sua expressão séria não se alterara.

— Isso é bom, não é?

Ele fez que não com a cabeça.

— Neste caso, não necessariamente.

Ela o tocou no braço e o largou.

— Fala de uma vez, Sam. Harriet disse que queria que você me contasse tudo, e posso aguentar. Não me venha com conversa mole. Consigo aguentar a verdade nua e crua. — Ela trouxe o queixo para frente e fez força para que parasse de tremer.

Sam a olhou de perto.

— Tudo bem, então. — Seus olhos se acalmaram. — Harriet também tem câncer de mama. Sei porque acabei de rever com ela os resultados da biópsia.

Cassie piscou.

— Biópsia? Que biópsia?

A água caía num chuvisco constante agora, mas nenhum dos dois se moveu.

— Na semana passada, quando Harriet foi para Atlanta, para comprar algumas coisas para a festa, e recusou companhia, na verdade ela foi a uma consulta para fazer a biópsia. Eu a levei lá. Precisamos fazer mais exames para saber se o câncer se espalhou. — Ele tirou o cabelo molhado da testa. — Sinto muito.

Seu primeiro impulso foi o de lhe dar as costas e correr o mais rápido possível. Ela até conseguiu dar um passo para longe dele antes de se virar com tudo e encará-lo.

— Biópsia? Semana passada? E você não me contou? Minha irmã tem câncer de mama e você acha que eu não deveria saber?

Sam balançou a cabeça devagar enquanto a chuva grudava seu jaleco branco na camisa.

— Você sabe que eu não poderia. Minha relação profissional com Harriet é estritamente confidencial. Sinto muito.

Ela bateu-lhe no peito com as duas palmas da mão, o som cortante contra o tamborilar da chuva.

— Minha irmã tem câncer e você sente muito? Deveria ter me contado, você sabe que deveria ter me contado. — Ela começou a chorar e agradeceu pelas gotas de chuva que lhe caíam na face.

Ele colocou as próprias mãos sobre as dela, mantendo-a perto dele.

— Sinto muito, Cassie. Harriet não quis contar a ninguém até ter certeza. Nem mesmo Joe sabe. Ela... ela queria decidir sozinha sobre o bebê.

Afastando-se dele, Cassie pisou em falso no pavimento.

— O bebê? Meu Deus. — Ela olhou para ele piscando diante das gotas de chuva e vendo as coisas claramente. — Ela vai tentar salvar o bebê antes, não é?

Sam hesitou por um instante e, então, concordou.

Cassie tremeu, sentindo um frio repentino.

— De quantos meses ela está?

— Quatro meses, quase cinco.

Cassie ficou olhando para os pés, para suas unhas pintadas de verde-neon, e deixou sua visão periférica desaparecer.

— O bebê vai dificultar o tratamento, não vai?

Ele não titubeou.

— Sim. Vai. Mas não teremos certeza disso até sabermos se o câncer se espalhou.

Cassie olhou-o bem na cara. Toda vontade de brigar havia desaparecido dela.

— Minha irmã vai morrer, Sam?

Ele esticou o braço para tocá-la, mas parou no meio do caminhou. Em vez disso, deslizou a mão até o bolso de trás.

— Não sei. Existem casos em que tanto mãe quanto filho sobrevivem, mas, vou repetir, tudo depende do estágio em que está o câncer. Quando estiver em Atlanta, vou marcar consultas para ela com os melhores profissionais da área. Se há tratamentos que a ajudarão sem prejudicar o bebê, nós descobriremos. Mas não vou mentir para você. Será difícil.

O vento ficou mais forte, agitando seu cabelo no rosto.

— Antes de tudo, Harriet é mãe, não é?

Sam concordou com os olhos escurecidos.

— Ela teve um bom exemplo.

Cassie mordeu com força, detendo seus dentes que batiam.

— Ela mal conheceu nossa mãe.

— Não me referi a ela. Apesar de você se esforçar ao máximo, seu lado maternal ainda se sobressai. — Ele lhe deu um sorriso torto.

Cassie respirou fundo e se virou de costas. A chuva havia parado, mas o céu estava baixo, nuvens escuras cobriam a terra queimada do verão.

— Não vou te dizer para ser forte, Cassie. Você é forte o suficiente por todos nós. Mas quero te dizer que não há problema em chorar, que não tem problema pedir ajuda ou um ombro para se apoiar. Há muitas pessoas na cidade que ficariam felizes por ter essa honra.

Ela trouxe o queixo para frente e se agarrou aos pingentes no pescoço. Trovões estrondearam a distância, trepidando o chão.

Ele colocou os dedos bem no fundo dos bolsos do jaleco.

— E sinto muito se acredita que se apoiar em mim ou em qualquer outra pessoa vai te obrigar a se ligar a nós. Mas estou aqui se precisar de mim. Como amigo, e nada mais, se é isso que quer.

Ela enfiou a mão na bolsa para pegar a chave do carro.

— Preciso ir. Vai vir uma tempestade.

Sam ficou na sua frente e gentilmente ergueu o queixo dela.

— Vai mesmo. Lembre-se apenas de se proteger quando começar a cair.

Afastando-se, ela foi em direção ao carro de Lucinda. As altas árvores de carvalho balançavam com o vento, chacoalhando os frutos até soltá-los. As hortênsias que enfeitavam os canteiros da calçada estavam murchas, os grandes ramos, vergados, em sinal de tristeza.

— Você sabe onde me encontrar. — O ventou carregou a voz de Sam até Cassie e ela parou. Quis correr para ele, ser envolvida em seus braços. Queria sentir a batida do coração dele contra o seu ouvido, para saber se ele a compreendia. Ela o olhou outra vez e o ficou observando enquanto o vento agitava seu jaleco branco e assoprava em seu cabelo, formando pequenos tufos. Mas ela não poderia pegar o que não seria capaz de devolver.

Com todas as suas forças, ela se virou na direção do carro de novo. Trovões retumbaram sobre sua cabeça quando uma forte rajada de vento a atingiu, secando seus olhos e trazendo com ele a promessa de chuva.

Maddie terminou de virar a corda do balanço de pneu e levantou os pés do chão sem se importar que, ao bater nas folhas da árvore, elas soltassem as gotas d'água e ensopassem seu cabelo e sua roupa. Porque isso não tinha importância. Nada mais tinha importância. Lucy Spafford e Kevin O'Neal estavam saindo juntos, e ela não pôde deixar de se questionar se tia Cassie se sentira assim quando seu pai fugiu com sua mãe.

Ela ficou olhando o pai sair pela porta da frente da casa com a bebê Amanda encaixada na cintura e uma expressão preocupada no rosto.

— Você viu sua mãe? Tia Cassie ligou e disse que ela tinha algumas coisas pra fazer, mas ela já deveria estar de volta. Quisera que tivesse levado aquele maldito celular. — A fralda suja de Amanda vazou. Quando seu pai chegou mais perto, Maddie pôde sentir o cheiro também.

Ela fez que não com a cabeça, sem querer dizer nada do que não deveria. Queria saber quando todos adivinhariam o segredo de sua mãe, ou se, e quando, sua mãe iria contá-lo a todo mundo. Mas de toda forma, todos saberiam logo a verdade. Era indecente, de fato, pensar que seus pais... Bem, ela não queria pensar sobre aquilo. Mas cinco filhos já não eram o suficiente? Pelo amor de Deus, eles estavam velhos, e Maddie tinha 14 anos. Estava velha demais para ter um irmão e uma irmã novinhos, e agora mais um ainda!

— Aonde ela foi? — perguntou Maddie, embora soubesse. Ela havia visto sua mãe atravessar quatro gravidezes. Por isso não foi tão difícil descobrir aquela.

— Consultar o Dr. Parker para fazer uns exames. Sua mãe tem se sentido muito cansada ultimamente e precisa de alguma vitamina potente ou algo do gênero. Dr. Parker achou que poderia ajudar.

Maddie se recostou no balanço e olhou para os contornos das folhas molhadas contra o céu cinza.

— Não a vi. Talvez devesse ligar pra tia Cassie.

— Já liguei. Ela não está atendendo o celular.

Maddie usou um pé para pegar impulso no chão e moveu o balanço de lado.

— Provavelmente decidiram parar e almoçar no Dixie Diner para fugir da chuva. E você sabe como a Sra. Thompkins não gosta que falemos ao telefone quando estamos comendo.

Seu pai sorriu, apagando algumas das rugas de preocupação da testa.

— É. Você deve estar certa. — Ele a olhou de perto. — O que está fazendo aqui fora? Está bem molhado.

Ela virou os olhos para cima.

— Só pensando.

— Em Kevin O'Neal?

Ela ergueu as sobrancelhas.

— O treino de futebol começa na semana que vem. Posso fazê-lo correr cinquenta voltas ao redor do campo, se quiser.

Ela fez que não com a cabeça, embora não tenha achado aquela ideia tão ruim.

— Não precisa. Mas talvez eu possa voltar para Nova York com tia Cassie, quando ela se for.

Seu pai ficou em silêncio por um instante.

— Sentiríamos muito a sua falta, Maddie. Especialmente sua mãe. Não acho que ela aguentaria ter as duas, você e a irmã, tão longe dela.

Maddie resmungou.

— Ela está tão ocupada com os menores que tenho certeza de que, se eu fosse embora, ela nem perceberia, exceto quando precisasse de uma babá.

Amanda balbuciou e estendeu o corpinho na direção da irmã mais velha, mas seu pai a mudou de lado na cintura.

— Você sabe que isso não é verdade, Maddie. Sua mãe te ama muito. Você, por cinco anos, foi nossa única filha, até nascer Sarah Frances. E, para sua mãe, você lembra muito tia Cassie.

Maddie ergueu as sobrancelhas de novo, sem saber se aquilo era uma coisa boa ou ruim.

— Você acha que tia Cassie vai ficar aqui em Walton?

Ele deu de ombros, embalando a sonolenta Amanda em seu colo.

— Não sei. Ela sempre foi muito independente e toma suas próprias decisões. Fará o que achar melhor.

Maddie olhou de novo para as folhas que gotejavam.

— E se o que ela acredita ser o melhor não for o melhor para todo mundo?

A cabecinha de Amanda caiu sobre o ombro do pai e Maddie viu que ela tinha dormido.

Seu pai respondeu baixinho.

— A vida é cheia de decisões, e não há um livro de regras para lhe dizer como fazer. Você toma a melhor decisão possível no momento, e lida com o resto.

— Igual quando você fugiu com a mamãe?

O pai encarou-a sério.

— Alguma coisa assim.

Maddie olhou para os pés descalços na grama, as unhas pintadas de verde-neon chegavam a brilhar no céu escurecido.

— Vovô uma vez me disse que a vida não era tão complicada assim, que nem todo erro era fatal. Acho que era sobre isso que ele estava falando, não é?

Ele sorriu.

— Seu avô era um homem muito inteligente.

Sarah Frances abriu a porta de tela e gritou:

— Papai! Joey está colocando meleca de nariz no leite de novo!

Ajeitando Amanda no colo, ele disse:

— Melhor eu entrar, e você também, se quiser almoçar um pouco. Espero que sua mãe volte logo pra casa.

Ela concordou e se lembrou de uma última pergunta.

— Tia Cassie pregou muitas peças nas pessoas quando era mais nova?

— Minha nossa, e como. Não havia um inseto, uma pilha de esterco ou ninho, ou qualquer coisa que ela tivesse medo de tocar e que ela não colocasse onde não devia. E isso é só um começo. Não tenho intenção nenhuma de te contar nada mais, pois tenho medo de que vá te dar ideias. — Os olhos dele se estreitaram. — Por que está perguntando?

Ela sorriu docemente.

— Por nada. Só queria saber.

Ele olhou sem acreditar nela.

— Bem, tia Cassie fez aquelas coisas porque achava que precisava de atenção. Mas você tem isso de sobra, então não deveria sentir vontade de colocar nada no telhado da escola ou de pintar a varanda de ninguém de cor-de-rosa, certo?

Maddie o encarou confusa, perguntando-se como depois de 14 anos ele ainda não a conhecia direito.

— Papai! — gritou Sarah Frances. — Agora ele está colocando as melecas na Knoxie!

Ele começou a caminhar de volta para casa.

— Venha, vamos entrar, Maddie. Está com cara de que vai chover de novo.

— Daqui a pouquinho. — Maddie ficou onde estava e começou a virar o balanço de pneu o máximo que pôde e ergueu os pés, fazendo com que ela e o balanço girassem rapidamente. As folhas, os galhos e o céu acinzentado pareciam rodar fora de controle enquanto ela permanecia completamente imóvel.

Capítulo 19

Cassie acelerou na rua, não enxergava nada, apenas um borrão cor-de--rosa da lataria do carro. Piscou, limpando os olhos por um breve momento. Os limpadores de para-brisa batiam a um só ritmo: "Harriet está doente, Harriet está doente". Desesperada por uma distração, ligou o rádio. Estava tocando a música *Friends In Low Places*, de Garth Brooks. Cantou junto algumas estrofes antes de desligar irritada. "Desde quando eu conheço as letras das músicas de Garth Brooks?".

Ficou parada numa vaga de frente para o quadrilátero da cidade por um longo tempo, com esperanças de que acabaria encontrando Harriet. Quando a chuva ficou muito forte, a ponto de obscurecer sua visão, ligou o carro de novo e, devagar, guiou pela região central. Mal sabia aonde estava indo até que virou o carro na entrada da casa da irmã. Sem querer esperar enquanto procurava um guarda-chuva sob o assento, abriu a porta e correu para a varanda. Tocou a campainha várias e várias vezes até que ouviu passos se aproximarem.

Joe abriu a porta e a cumprimentou com um sorriso que rapidamente deu lugar a uma expressão preocupada.

— Cadê Harriet? Pensei que estava com você. — Amanda chorava, inconsolável, no fundo.

Cassie se esforçou para parecer calma e esboçou um sorriso no rosto.

— Ela tinha alguma outra coisa pra fazer. Achei que já estivesse de volta.

Ele fez que não com a cabeça, abrindo mais a porta para que ela entrasse.

— Não a vejo desde quando saiu com você esta manhã. — Ele bateu a porta quando Amanda começou a chorar mais alto no fundo.

Cassie olhou sobre os ombros dele, na direção do corredor.

— Você precisa ver a bebê?

Ele passou a mão pelo cabelo.

— Hã... sim. Estava dando de comer para ela quando a campainha tocou. Vamos entrar.

Cassie o seguiu até a cozinha. Amanda estava sentada num cadeirão, com uma vasilha virada para baixo sobre a bandeja. O cereal cobria grande parte de seu cabelo e o chão ao seu lado.

Joe olhou a bagunça com um triste balanço de cabeça.

— Espero que Harriet volte logo. Ela é bem melhor nessas coisas do que eu.

A televisão estava ligada na sala, e Cassie foi lá dar uma espiada. Os três Warner mais novinhos estavam deitados ainda de pijama, embora já fosse quase meio-dia. Havia caixas de cereal, tigelas com leite e colheres por toda parte, além de vários brinquedos espalhados de uma ponta a outra da sala. Ela se virou para Joe e se esforçou para sorrir.

— Ei, por que não leva as crianças lá em cima para se vestirem e depois arruma a sala de televisão enquanto eu dou comida para Amanda e cuido dela? — Ela deu uma olhada para a neném, que fazia uma careta esfregando o cereal no rosto. — Harriet deve estar voltando.

Pego de surpresa, Joe arregalou os olhos.

— Ela vai me arrancar o couro vivo. É melhor me apressar, então. Obrigado, Cassie, você é muito gentil. — Ele correu para a sala de televisão, enquanto Cassie avaliava a cozinha em busca do melhor plano de ataque.

Trinta minutos mais tarde, tentando esconder sua impaciência, ela entregou a bebê alimentada e limpa para o pai.

— Acho que é melhor eu ir. Por favor, peça a Harriet para me ligar quando chegar.

Cassie saiu para a pequena varanda, deixando para Joe segurar a porta para que ela não batesse com força.

— Pode deixar. E obrigado pela ajuda. Você provavelmente salvou meu casamento.

Ele sorriu, afável, mas Cassie teve de desviar o olhar.

— Até logo — disse ela, antes de voltar para o carro de Lucinda e ligar o motor. Os pneus saíram cantando ao arrancar o carro até a rua.

Ela nem precisou pensar para onde iria. O cheiro tranquilizador e familiar das naftalinas e do antigo cedro no sótão da casa grande a chamava. No passado, havia sido um lugar de refúgio, onde se esconder, e Cassie concluiu que se Harriet algum dia precisasse de um lugar assim, aquele seria o lugar.

A chuva havia dado lugar a uma garoa constante. Cassie acelerava o carro em direção a casa sob os carvalhos vergados. Logo ao chegar, viu tia Lucinda com as mãos agarradas a um guarda-chuva de cor fúcsia todo franzido, olhando fixamente para uma das árvores. Ela vestia um moletom amarelo-ouro e tênis combinando, e Cassie sorriu. Tentando conservar sua aparência jovial, Lucinda vinha praticando *cooper*. Ela ainda arrumava o cabelo e usava maquiagem antes de sair de casa, mas Cassie via isso com simpatia. Reduzindo a velocidade do carro, Cassie abriu a janela.

— O que há de errado com a árvore?

Lucinda olhou para ela, a sobrancelha feita à lápis estava franzida, e o rímel, borrado sob os olhos por causa da chuva.

— Alguém arrancou a casca dessas árvores velhas. Olhe. — Ela apontou para a base do tronco, a trinta centímetros do solo, onde alguém havia nitidamente descascado a árvore. Uma seiva grossa escorria pela madeira exposta.

— Estão todas assim?

Lucinda respondeu que sim com a cabeça.

— Até onde eu sei. — Ela se debruçou na janela, olhando Cassie de perto. — Está aqui para falar com Harriet? Ela está lá em cima te esperando. Disse que pensou bastante, mas não me contaria nada até falar com você. — Esticando o corpo, ela deu um tapa na lateral do carro e seus anéis de metal zumbiram. — Vá ver sua irmã. Vou checar que espécie de estrago estão fazendo nestes carvalhos.

Cassie acenou, fechou a janela e estacionou o carro na frente da casa. Correu escada acima, pulando os degraus, até chegar ao sótão.

Harriet estava de pé, de frente para um espelho de chão rachado, segurando o vestido branco de seda de casamento na frente do corpo e tomando cuidado para que sua roupa molhada não encostasse nele. Ela viu o reflexo de Cassie quando ela apareceu no topo da escada e sorriu.

— É o vestido de casamento de mamãe, você se lembra? Sempre pensei que fosse usá-lo quando me casasse. — Ela suspirou, baixando o vestido. — Pelo menos você vai poder.

Cassie tentou sorrir, mas não conseguiu por alguma razão.

— Não se fie nisso. Acho que estraguei tudo, e com chave de ouro. Talvez eu fique uma solteirona, como D. Lena. Quem sabe ela me deixe morar com ela.

Harriet acariciou a seda com a palma da mão.

— Prometa-me que vai lembrar a Maddie que este vestido está aqui e é dela e que deve usá-lo. É tão teimosa algumas vezes, mas acho que a escutará. Ela te admira, sabe?

Cassie engoliu seco.

— Por que não lhe diz você mesma?

Sem responder, Harriet colocou, com cuidado, o vestido de noiva de volta no baú aberto. Ajoelhando-se devagar, ela começou a envolver o vestido branco em papel de seda amarelo. Cassie se juntou a ela enquanto Harriet se concentrava em colocar os papéis entre as delicadas dobras da seda, cada prega e toque no tecido parecia um leve consolo vindo de sua mãe.

Harriet se sentou sobre os calcanhares e olhou fixamente para fora das janelinhas. Mais chuva caía torrencialmente, agora contra o vidro. O barulho de uma porta de carro se fechando chegou até elas.

— Coitado do Joe, ele nem sabe onde eu guardo as decorações de Natal. Não sei como ele vai fazer.

— Pare de falar assim, Har. Você está me assustando.

Sentando-se no chão, Harriet se recostou numa cômoda e respirou fundo.

— Desculpe. É que você sempre foi tão forte. Quando meninas, você enfiava a cabeça debaixo da cama para provar que não havia nenhum monstro nos esperando. — Ela fechou os olhos, as mãos apoiadas no abdômen, pensando no bebê que havia lá dentro. — Lembro-me de que, depois da morte de mamãe, você me deixava ficar na sua cama porque eu estava assustada demais para dormir sozinha. Você me disse que não havia nada a temer, pois mamãe mandava anjos para cuidar de nós.

— Harriet abriu os olhos para olhar para a irmã, com um leve sorriso atravessando-lhe os lábios. — Você sabia que era verdade por causa da minha covinha, disse-me que, quando eu nasci, um anjo beijou minha bochecha e deixou sua marca, portanto você sabia que eles eram reais. E agora mamãe estava no céu para ajudar a olhar por nós quando os anjos precisassem dormir. — Harriet suspirou profundamente. — Nunca mais tive medo depois disso.

Cassie desviou os olhos, e quando falou sua voz estava tranquila.

— A única razão de eu não ter tido medo é porque eu também acreditava nisso.

Harriet pegou na mão de Cassie e a segurou.

— Você foi uma boa irmã mais velha. Não merecia toda dor e angústia que sofreu por minha causa. Se te faz sentir melhor, fiquei com muita inveja de você quando se mudou para Nova York.

Cassie enxugou as lágrimas com a mão livre e olhou para a irmã.

— Você com inveja de mim? Essa é boa. Você tinha tudo o que queria bem aqui. O que existiria em Nova York para te causar inveja?

— Neve. Sempre quis conhecer a neve. É bem provável que eu morra antes de ver a coisa branca.

Largando a mão de Harriet, Cassie levantou com dificuldade.

— Não diga isso. Dá azar. — Ela caminhou até a janela e ficou olhando para o céu cinzento. — Você está grávida e eles encontraram algumas células cancerígenas. Isso é tudo que sabemos até agora, e é nisso que estou me baseando. — Ela se virou. — E no que estava pensando, engravidar logo depois de ter Amanda? Nunca ouviu falar em controle de natalidade?

Harriet afastou os pensamentos ruins e olhou para a irmã com a cabeça baixa.

— Querida, como mulher solteira tenho certeza de que não sabe muito sobre o negócio de fazer bebês, mas acredite em mim, pensar tem muito pouco a ver com isso.

Apesar das lágrimas no rosto, Cassie deu uma boa gargalhada.

— Por favor, pare. Estou vendo a cena e não quero pensar nisso.

Harriet sorriu, querendo congelar aquele momento para sempre, impedir que progredisse. O cheiro de mofo do sótão e os restos descartados de sua infância espalhavam-se por caixas e baús e risadas e segredos compartilhados com a irmã. Todos reunidos formavam um saboroso guisado de recordações, como as memórias de Natais de há muito tempo.

Cassie pegou um bercinho de madeira da antiga casa de bonecas, esquecida num canto escuro do sótão. Suas janelas pareciam olhos invisíveis que observavam os adultos brincarem na vida real. Ela não tirou os olhos do pequeno brinquedo quando falou.

— Sei que não contou a Joe sobre o bebê. Sabe, ainda dá tempo...

Harriet a interrompeu batendo a tampa de um baú com força.

— Não, Cassie. Nem diga isso. Interromper esta gravidez não é uma opção. Talvez seja difícil para você entender, porque não é mãe.

Cassie soltou o bercinho sobre o telhado da casa de bonecas. Sua voz ficou mais alta, como sempre acontecia quando se tratava de algo sobre o qual não tinha controle.

— Não entendo? Não, você está enganada. É você que não entende. Era pequena demais para se lembrar de como foi ver mamãe morrer, e depois ser abandonada para cuidar da irmã mais nova. Talvez eu entenda até demais.

Harriet ficou olhando para a irmã por um longo tempo e levantou-se com dificuldade.

— Sinto muito, Cassie. Nunca soube o peso que fui para você. Mas jamais poderia sacrificar um de meus filhos. E não, você não entenderia isso, porque nunca foi mãe. Nunca ouviu as batidas do coração de uma criança crescendo dentro de você, logo abaixo de seu coração. Não poderia matar esta criança, assim como não posso fazer isso com nenhum de meus outros filhos. — Respirava com dificuldade quando se apoiou com o corpo todo sobre uma pilha de caixas. Seu coração doía mais do que todo o resto. Sabia que teria de usar esse argumento várias e várias vezes, contudo, mais do que qualquer outra pessoa, queria que sua irmã compreendesse.

Cassie respirou fundo, tentando, sem conseguir, acalmar-se e abaixar a voz.

— Sou tão contra interromper uma gravidez quanto você, e nunca engravidei. Mas me dê um pouco de crédito neste momento, Har. Não é à toa que tenho um MBA. Você precisa olhar os prós e contras. Seus cinco filhos precisam de você, especialmente Maddie. Olhe para ela, meu Deus! Ela me lembra tanto a mim mesma nessa idade que chega a doer. Ela precisa desesperadamente de uma mãe. — Lágrimas escorriam-lhe pela face copiosamente, e ela, com raiva, as enxugou. — E Amanda? Quer que ela se lembre de você apenas através de fotos amassadas que Joe vai tirar da carteira? — Ela lançou as mãos no ar. — Não te entendo. Você está tomando esta decisão com o mesmo impulso de quando fugiu com Joe. Parece nunca pensar no que vai acontecer com aqueles que deixou para trás.

Harriet se encolheu sobre o baú fechado, sentindo-se derrotada e incerta sobre sua capacidade de se defender.

— Isso não é justo. Eu era apenas um adolescente na época, e não se tratava de uma situação de vida ou morte.

Cassie chutou uma boneca Raggedy Ann no chão, mandando-a contra a parede com um leve baque.

— Não, acho que para você não era uma questão de vida ou morte. Eu fui a única a querer morrer depois que você se casou com Joe.

Harriet parou de respirar por um momento, assustada, mas aliviada por Cassie ter finalmente expressado sua dor em palavras. Sabia que a irmã não tivera a intenção de feri-la, especialmente agora, mas antigas mágoas são difíceis de esquecer. O medo que Cassie sentia por Harriet arrancava-lhe pensamentos ruins das entranhas.

Harriet engoliu seco, tentando encontrar as palavras certas.

— Ainda não te pedi perdões suficientes. Eu sinto, sinto muito. Mas não sinto por ter me casado com Joe. Tomo todas as minhas decisões pelo coração, e posso dizer que não me arrependo de nenhuma. Mas sinto muito por tê-la magoado e por ter sido parcialmente culpada pela confusão que está sua vida agora. Mas você já é uma menina grande, Cassie, e alguém precisa te dizer algumas coisas que tem deixado passar. — Com a respiração trêmula, ela cravou os olhos na irmã. — Como papai e mamãe não estão aqui para fazer isso, vejo que é meu dever, então aí vai. Você tem esta coisa maravilhosa acontecendo entre você e Sam bem na sua cara, mas se recusa a reconhecer porque enfiou na cabeça que não vai ficar por aqui tempo suficiente para se envolver com nada nem com ninguém.

Harriet ergueu a mão, rebatendo os protestos da irmã.

— Ciente disso ou não, é teimosa demais para admitir que talvez precise de pessoas na sua vida que te conheçam bem e que te amem assim mesmo. Ou que Walton pode ser, sim, um lugar maravilhoso para se viver, ao lado das pessoas que te amam mesmo quando é intratável. E você precisa dessas pessoas, mesmo não as vendo, ou mesmo que você more em Nova York, Timbuktu ou seja lá onde decidir viver. Se é tão estúpida a ponto de não reconhecer isso, então não tem metade da inteligência que sempre pensei que tivesse. — Sem mais energia para continuar, Harriet descansou a cabeça nas mãos com esperança de ter dito o bastante.

Cassie se afundou numa caixa empoeirada e começou a chorar.

— Desculpe, Har. Não quis dizer aquelas coisas, não quis mesmo. — Ela se encolheu e apoiou os cotovelos sobre os joelhos e cobriu os olhos com as palmas das mãos. — Estou com tanto medo. E com raiva, com raiva por isso ter acontecido com você. Pela primeira vez na minha vida, não sei o que fazer. — Ela fungou alto, levantou-se e enxugou os olhos com as costas da mão.

Harriet levantou a cabeça para encará-la.

— Do que tem tanto medo, Cassie? Espero que não seja por mim. Não desperdice suas energias, porque tenho medo e insegurança suficientes por todos nós. Você está com medo de seus sentimentos por Sam? Ou talvez pelo fato de ter de admitir que está enganada quanto aos seus sentimentos por esta cidade e sobre o que ela representa para você? Tente, vai ver que é bem melhor esclarecer isso. E não tem problema em não saber o que fazer, faz parte da vida. Mas não exclua nenhuma opção. Por exemplo, já considerou a possibilidade de ficar? Acho que precisa parar de ser tão teimosa sobre tudo e ouvir o seu coração uma vez na vida.

Cassie pulou para fora da caixa, com sua voz cada vez mais alta.

— Por que todo mundo acredita que ficar aqui vai resolver todos os meus problemas? Vai precisar de muito mais do que o melhor sexo da minha vida para me prender aqui em Walton!

Alguém limpando a garganta fez que as irmãs se virassem para a escada. Sam Parker estava no último degrau, seus lábios comprimidos num sorriso apertado, o maxilar mexendo sem parar. Seu olhar encontrou o de Cassie.

— Obrigado por deixar isso claro, Cassie. E você gritou tão alto que também te agradeço em nome dos cidadãos desta cidade, que precisavam de esclarecimentos quanto ao que estávamos fazendo sábado à noite.

Cassie, de sandália, chutou o baú.

— Diacho! — Agarrou-se num pé, enquanto saltitava com o outro. Sam se aproximou, mas ela colocou a mão na frente a fim de detê-lo.

— Não encoste a mão em mim. Nunca te disseram que escutar conversa alheia é falta de educação?

— Ei, estou de pé aqui há uns dez minutos esperando que dessem uma trégua. Fico feliz por finalmente ter sua atenção, estava com medo que sua cabeça explodisse.

Sua boca abriu para retrucar, mas ela a fechou depressa. Ignorando-o, virou-se para Harriet e disse, calma:

— Acho que quebrei meu dedão do pé. Vou atrás de um médico de verdade para dar um olhada. Te procuro mais tarde, quando eu estiver mais calma para conversarmos racionalmente sobre você e o nosso próximo passo. Algo me diz que precisarei me desculpar sobre algumas coisas. — Dando as costas para Sam, ela desceu a escada mancado.

Harriet ficou a observando ir, sem saber se deveria rir ou chorar.

Cassie se recostou na parede do corredor respirando fundo e com o coração batendo forte. Seu primeiro impulso foi o de ligar para Andrew, para falar sobre trabalho. Precisava se lançar num projeto, acalmar-se com tabelas de números, negociar e entrar em acordo com um cliente resistente. Enquanto trabalhava, ela se sentia competente, respeitada e com tudo sob controle. Não havia medo, nem necessidade de berrar, e não havia a sensação de inadequação. Estava a meio caminho do telefone quando percebeu que Andrew talvez não fosse a pessoa certa para aplacar suas preocupações naquele momento.

Com um profundo suspiro, saiu mancando pela casa em direção às portas do fundo e foi para o gazebo. O Sol brilhava esporadicamente através das nuvens esparsas no céu. A grama molhada encharcava o seu pé dentro da sandália. Com folhas molhadas grudadas em seus dedos expostos, ela se jogou num dos bancos e apoiou a testa sobre os joelhos encolhidos. Queria chorar ou gritar, mas não conseguiu se decidir. Sentia saudade de seu mundo organizado em Nova York. Contudo, quando pensou na esterilidade branca e preta de seu apartamento ou nas paredes branquíssimas de seu escritório, sentiu frio.

Abrindo um pouco o olho, ficou examinando o dedão do pé, que latejava. Não era teimosa, simplesmente sabia o que queria. E claro, estava com medo. Com medo porque sua irmã tinha câncer. Mas com certeza não tinha medo de admitir que havia se enganado. Se enganado sobre o quê? Que ela não fazia parte de Walton? Seu enorme sucesso no mundo da propaganda de Nova York não havia provado isso?

Ela precisava de alguém com quem conversar. Mas a primeira pessoa que lhe veio à cabeça era a última no mundo que gostaria de ver de novo.

Como num passe de mágica, Sam saiu pela porta do fundo e caminhou lentamente na direção dela, pisando sobre a grama repleta de ferrões naqueles malditos jeans agarrados e botas de *cowboy*. Ele parou no fundo do gazebo, com uma das botas respingadas de água cravada no primeiro degrau da escada. Olhava com reserva quando falou.

— Então, quer que eu dê uma olhada no seu dedo? Sou eu ou o Dr. Clemens, o veterinário. Talvez o prefira. Você estava gritando como um animal lá dentro, e para o meu espanto, com Harriet. Devia sentir vergonha de si mesma.

Para sua total surpresa e humilhação, ela começou a chorar. Não simples lágrimas apenas, mas copiosas lágrimas lhe escorriam pela face acompanhadas de intensos soluços.

Sem dizer nada, Sam sentou-se ao seu lado e a envolveu nos braços, apoiando no peito a cabeça dela. Cassie não resistiu, deixou-se ser abraçada enquanto ensopava a sua camisa.

— É... meu... dedão — disse ela sem pensar, entre soluços. — Está doendo...

Sam a abraçou mais forte e passou-lhe as mãos nas costas.

— É, eu sei.

Ficaram assim até ela não ter mais lágrimas. Devagar, ela se soltou dele e aceitou o lenço que lhe estava sendo oferecido. Ela lhe deu um sorriso trêmulo.

— Vai ficar sem nenhum se continuar desperdiçando-os.

Os dentes brancos dele brilharam quando sorriu.

— Bem, não é para você ficar com eles. Deve lavá-los e depois me devolver.

— Ah. — Ela limpou as lágrimas e o rímel do rosto e, em seguida, assoprou alto o nariz dentro do quadrado de linho branco.

— Deixe-me ver seu dedo.

Ela lhe estendeu a perna e ficou observando enquanto seus dedos delicados lhe tiravam a sandália e a colocavam sobre o banco. Ela fez uma careta quando ele tocou no dedão, mas se manteve em silêncio. Com um sorrisinho, Cassie disse:

— Vou acabar me viciando nisso: eu com o pé machucado e nós dois aqui no gazebo enquanto você tenta curá-lo.

Ele não lhe sorriu de volta e apoiou a mão sobre as pernas expostas dela.

— É, alguns vícios são difíceis de se livrar.

A expressão nos olhos dele não a agradou, e ela retirou depressa a perna de seu colo.

— Então, qual o prognóstico, doutor?

— Não quebrou, só luxou. Tente usar sapatos com os dedos de fora ou ficar descalça até que melhore. Nada de salto alto.

Ela concordou e pairou entre eles um silêncio preenchido apenas pelo cheiro da grama cortada e do amaciante de roupa que exalava da secadora no fundo da casa.

— Sinto muito, Sam. — Ela queria acrescentar "pelas coisas que disse e pela maneira como te tratei", mas o próprio comportamento dela a intimidou, e ela ainda não podia suportar ser lembrada daquilo.

Ele esticou os braços sobre o banco e cruzou as pernas.

— Não pense mais nisso. Além do mais, vou lhe mandar a conta da consulta.

Cassie baixou os olhos constrangida, percebendo que ele tentava lhe poupar a humilhação de se desculpar por seu comportamento horrendo. Ela se sentiu como um criança poupada de uma surra muito merecida.

Sam olhava para o topo das casas em Farrellsford quando falou:

— Harriet quer que você conte a sua tia Lucinda. Pode fazer isso?

Cassie concordou.

— Sim. É o mínimo que posso fazer.

Ficaram em silêncio por um momento até Sam falar de novo.

— Estou indo para Atlanta agora. Tenho os resultados da biópsia de Harriet comigo e vou marcar algumas consultas para ela. — Ele descruzou as pernas e se levantou. — E tenho ainda a intenção de checar aqueles registros para você.

Ela ergueu a cabeça.

— Me esqueci completamente. Estava conversando com a Sra. Perkins na sua sala de espera hoje de manhã, e ela me contou uma coisa muito estranha. Disse que se lembrava, no dia do meu nascimento, de meu pai mencionar algo sobre não saber se o primogênito dele estava sendo mimado ou não e que, portanto, ele iria compensar isso me mimando.

Sam franziu a testa.

— Não parece que ele acreditava que seu filho estivesse morto, apesar do que dizia a carta da senhora "E.".

— Isso foi exatamente o que pensei. Ou eu tenho outro irmão vivo, ou meu pai teve mais de uma namorada, ou, mais provável ainda, a senhora "E." mentiu a respeito da morte do bebê. E há algo mais. — Ela enfiou a mão no bolso da calça jeans. — Encontrei isso na caixa de cartas. Veja as iniciais. — Ela soltou o medalhão e a corrente na palma da mão estendida dele.

— H.M. e E.L. Bem, H.M. provavelmente é seu pai. Mas E.L.... Ele enrugou a testa. — Não me vem ninguém à memória assim, de pronto. Mas vou pensar nisso e perguntar às pessoas. Se eu descobrir alguma coisa, te aviso.

Ele lhe devolveu o medalhão e ela o guardou em seu bolso, ao lado do pedaço de papel amassado com o número de telefone que havia anotado do celular de Harriet.

— Sam, você não precisa fazer isso, sabe? Tenho certeza de que eu e Harriet... — Ela parou, pois não estava mais tão certa quanto a Harriet.

— Olhe, Cassie, eu te disse antes: estou fazendo isso porque gosto de mistérios. Gosto de encontrar respostas. Talvez por isso tenha me tornado médico. E estou curioso também. Tive a oportunidade de conhecer o juiz relativamente bem nesses últimos 15 anos. — Seus olhos estavam cheios de intenção quando a fitou. — Acho que ele deixou aquelas cartas no sótão porque queria que você as encontrasse.

— Então, obrigada. — O silêncio pairou no ar outra vez, e Cassie desviou os olhos, completamente constrangida. Ela se perguntou se Sam a imaginava nua quando olhava para ela.

Sam se despediu.

— Acho que é melhor eu ir andando. É uma longa viagem.

Cassie se levantou também.

— Obrigada de novo, Sam. Por tudo.

Ele ergueu a sobrancelha como resposta.

Ela colocou as mãos nos quadris.

— Pelo que está fazendo por Harriet e por pesquisar os registros de nascimento. E pelo meu dedão. Sei que não mereço nem um pouco de sua bondade, mas quero que saiba que sou muito grata. — Ela sentiu o sangue correr-lhe pela face.

— De nada — respondeu ele, com um lento sorriso espalhando-se pelos lábios. — Viu, isso não doeu muito, doeu? — Ele se moveu antes que ela conseguisse lhe dar um tapa. Suas botas pisaram forte nos degraus do gazebo, sem se importar com a forte chuva que começara a cair de novo. — Tchau, Cassie. Nos falamos depois.

— Claro. Até logo. Dirija com cuidado. — Recomendou ela.

Ele andou vários metros antes de se virar e encará-la de novo.

— Melhor sexo de sua vida, hein?

Ela apanhou a sandália e a arremessou em suas costas, que se afastavam. Não as acertou por pouco. Cassie o observou erguer a calça e andar, de propósito, com exagerados ares de superioridade até a porta dos fundos. Enterrando o rosto de novo nos joelhos recolhidos, ela se permitiu rir.

Capítulo 20

Cassie esperou quase meia hora até a chuva parar e ela sair do gazebo e recolher seu sapato. Ela parou por um instante ao ver o carro azul e branco do delegado estacionado na entrada. O ano e o modelo do carro eram provavelmente bem mais atuais que o do delegado Hank Adamns, de quem Cassie se recordava da infância. No passado, ele havia sido jogador de futebol no time da Universidade da Geórgia. Um ferimento colocou fim à sua carreira e ele mudou de profissão. Depois, acabou voltando a viver em Walton. Pôs um distintivo de delegado e se sentou atrás da direção de um Ford Crown Victoria dado pelo governo. Por causa de breves desentendimentos com ele na mocidade, ela sabia que o seu coração era tão grande quanto o peito do buldogue que ele tinha. Mesmo assim, a visão do carro dele a assustou. Ela correu pelas escadas, perguntando-se o que acontecera.

Encontrou a tia servindo chá gelado para o homem da lei na sala de visitas da frente. Ele se levantou e lhe deu um forte abraço.

— Como está, Cassie? Ainda aprontando? — Ele piscou, fazendo-a enrubescer ao se lembrar de quando a pegou erguendo a cueca do diretor Purdy até o topo do mastro da escola. Prometera não dizer nada se ela devolvesse a peça de roupa ao varal onde a havia encontrado.

— Estou bem, obrigada por perguntar. — Ela enrugou o nariz. — E não sou mais uma adolescente, então não precisa ficar atrás de mim para ver o que estou fazendo. De noite, fico na cama, agora.

Ele piscou outra vez.

— Foi isso que escutei dizer. — Ele se virou para tia Lucinda e deu uma enorme gargalhada. — Parece que a senhora Crandall viu o Dr. Parker saindo da sua casa no domingo de manhã com a mesma roupa da noite anterior. — Ele piscou para ela, enquanto Lucinda baixava a cabeça e olhava para o chá. Cassie ficou chocada.

Recuperando a fala, ela perguntou:

— Isso aqui é só uma visitinha ou aconteceu alguma coisa?

— Bem, detesto dizer, mas é oficial. Sua tia me chamou por causa daquelas árvores. Parece que alguém as tem estragado propositalmente.

— Tem certeza? Quem estragaria árvores?

O corpulento homem deu de ombros.

— O mesmo tipo de gente que caça animais em extinção. Pura maldade, é isso. Suspeito que seja uma das crianças do novo bairro atrás de sua propriedade. Não têm nada melhor a fazer até começarem as aulas.

Cassie cruzou os braços.

— Há outras árvores danificadas? Estou achando um pouco estranha essa história.

— Sim, as suas e as de duas outras casas, dos Ladues e dos Pritchards. Parece que pularam os Haneys. Talvez porque não tenham nenhuma árvore grande desde o tornado de dois verões atrás, quando todas foram arrancadas. Mas seja lá quem tenha feito isso, descascou toda a base de seus 12 carvalhos. Eu disse para sua tia passar piche no tronco das árvores antes que a seiva saia toda e elas morram. — Ele bateu o chapéu no joelho. — Essas árvores têm mais de cem anos. Seria uma pena perdê-las.

Arrasada pelos acontecimentos do dia, Cassie se soltou sobre uma poltrona.

— Isto é inacreditável.

O delegado se levantou para ir embora.

— É. Com certeza. Vou mandar um carro de patrulha ficar de olho na sua casa de noite. Não se assuste se ouvir um barulho de carro. Mas duvido que vá ter mais problemas.

Ele estava prestes a sair, mas Cassie o chamou de volta.

— Delegado, será que se incomodaria de dar uma olhada neste número e me dizer se o conhece? — Ela tirou o papel do bolso.

Ele deu uma olhada e sorriu.

— Sim. Conheço este aqui muito bem. É o número do telefone público do lado de fora da lanchonete Dixie Diner. Eu o usava muito antes de ter um celular. — Ele lhe devolveu o papel. — Por que quer saber?

Cassie deu de ombros, amassando o papel em suas mãos.

— Por nada. Recebi uma chamada no telefone de Harriet com este número e queria saber de onde era.

O delegado bebeu todo o chá gelado, acenou com a cabeça, deu um tapinha no chapéu e disse:

— Madames. — E saiu.

Lucinda recolheu a bandeja com o chá e os copos e foi para a cozinha no mesmo instante em que o telefone tocou. Cassie o atendeu no vestíbulo, antes que tocasse uma segunda vez.

— Alô, Cassandra? É Andrew.

Ela fez uma longa pausa antes de responder.

— Andrew? Tudo bem? E por que está me ligando no telefone da casa? — Ela queria dar um tapa na testa. Não era boa com telefonemas inesperados.

— Estou bem. Estive pensando em você. — Ele fez uma pausa. — Estou ligando no telefone da casa porque achei que talvez não fosse me atender.

— É mesmo. Você esteve pensando em mim. — Ela não iria mentir e lhe dizer que havia pensado nele mais do que dois segundos desde que ele partira.

— É, verdade. Aliás, estava hoje mesmo falando de você com o pessoal da VisEx.

— Nossa. — Ela tentou aplacar a animação em sua voz. Há dois anos vinha batalhando para conseguir a conta da VisEx, e seria um grande êxito se essa empresa largasse a atual agência de publicidade e contratasse a de Andrew. — E o que disseram?

— Eles estão prontos para me entregarem a conta. Sob uma condição.

Um caroço parou no pescoço de Cassie. Ela sentiu um frio no estômago, pois sabia o que ele estava prestes a dizer.

— Só vão nos contratar se você administrar a conta.

Cassie segurou o telefone com força, seu olhar vagueou para fora, na direção da varanda e para além da magnólia, cujas folhas brilhantes tremulavam ao vento.

— Não sei o que dizer, Andrew. Seria uma excelente oportunidade para mim. Mas estava falando sério quando disse que havíamos terminado.

Tenho pensando muito nisso. Não tenho certeza se posso trabalhar com você agora, depois de tudo o que aconteceu entre nós.

Houve um longa pausa preenchida pelo vazio no ar.

— Sei. Posso entender o que está dizendo. Embora ainda não compreenda suas razões quanto a nós, te prometo que vou ficar na minha por enquanto, pois quero que pense seriamente nessa oportunidade para nós dois. Seria a maior conta que já tivemos, e você seria a responsável por ela.

Apenas um mês atrás, ela teria ficado mais que eufórica com essa notícia. Agora, porém, mal conseguia sentir o mínimo de animação. Não podia atribuir isso à doença de Harriet apenas, embora ela fosse a maior responsável. Havia algo mais, algo que não conseguia identificar.

— Não sei, Andrew. É tudo muito repentino.

— Cassandra. — Sua voz estava séria, como a de um pai se dirigindo a um filho teimoso. — Você batalhou duro por isso para desistir. Pense em como isso seria vantajoso para a agência.

Seu olhar vagueou até a escada e na direção do retrato de seu pentavô Madison. Os olhos dele pareciam ter se estreitado um pouco enquanto ela o examinava.

— Eu... eu realmente não sei. E não posso te dar uma resposta agora. Quando precisa saber?

— Até janeiro eles ficarão com o contrato atual. Mas não irão assinar com a gente até terem certeza de que você estará aqui. Vamos, Cassandra, quer que eu perca a conta? E não vamos nos esquecer de que eu ainda estou pagando todos os gastos de nosso apartamento. Estou até te encaminhando toda a sua correspondência sem reclamações. Não estou esperando por agradecimentos. Sei que falou que acertaria as contas quando retornasse. Mas tenho esperanças de que minha cooperação te estimule a tomar uma decisão sobre a conta da VisEx um pouquinho mais rápido.

A característica mais marcante de Andrew era a sua capacidade de fazer o outro se sentir culpado. E quase sempre dava certo.

— Agradeço muito por tudo isso, Andrew. De verdade. Mas como te disse, não posso te dar uma resposta neste momento. Preciso de tempo.

Ela ouviu a cadeira dele bater contra a parede atrás da escrivaninha, algo que fazia com frequência quando se sentia contrariado.

— Quanto tempo?

— Não sei. Um mês. Talvez mais. Simplesmente não sei.

— Cassandra... — Ela o visualizou fazendo sua técnica de respirar fundo. — Tudo bem, não tem problema. Se é de tempo que precisa, então tempo é o que terá. Vou conversar com o pessoal da VisEx e depois te dou um retorno.

— Está bem. Faça isso. Depois nos falamos.

— E, Cassandra?

Cassie esperou, embora não tivesse certeza do motivo de sua espera. Esperava por uma desculpa? Por um motivo para lhe dizer sobre Harriet e dividir com ele o que aquilo significava para ela? Contudo, percebeu que a época de tudo isso havia passado, se é que um dia ela existiu.

— Deixa pra lá. Tchau.

Ela continuou com o telefone no ouvido por um longo tempo, escutando o silêncio. Desligando-o devagar e absorta em pensamentos, caminhou até a porta de tela e olhou para a fileira de carvalhos. Seus olhos vaguearam pelo gramado, pelos carvalhos e se voltaram na direção da magnólia assustados. Abrindo a porta com força, ela correu para fora da casa até a árvore e deslizou a mão sobre o querido tronco. Ao verificar se havia feridas recentes, percebeu, com grande alívio, que a árvore estava intacta. Largou o corpo sobre as folhas molhadas e ficou observando tia Lucinda atravessar o gramado em saltos altos.

— Você está aqui, querida. Achei mesmo que tivesse corrido para cá.

Cassie ficou olhando aquela doce mulher que havia feito tanto por ela. Sabia que Lucinda amava Harriet e que elas eram como suas próprias filhas. O que estava prestes a contar lhe causaria imensa dor.

— Sente-se, tia Lu. Tenho algo a te dizer.

Sem hesitar, Lucinda sentou-se ao lado de Cassie, sobre as folhas molhadas.

— É sobre Harriet, não é?

Cassie concordou, nada surpresa com a intuição da tia, que sempre foi assim. A mulher tinha um radar secreto capaz de detectar corações partidos e mágoas a quilômetros de distância. Fora ela a fonte de consolo para todas as pancadas e contusões da infância e, mais tarde, para o maior sofrimento de todos.

Antes que pudesse falar, tia Lucinda esticou o braço e pegou-lhe a mão.

— É notícia ruim, não é? Estou com este pressentimento há mais de um mês e não consigo me livrar dele.

Cassie apertou-lhe a mão em busca de consolo.

— Tia Lu, Harriet está com câncer de mama. Sam vai marcar algumas consultas para ela em Atlanta, com especialistas. — Ela ficou com um nó na garganta e engoliu seco. — E está grávida, o que pode agravar o quadro. Ela olhou para a tia, pronta para deitar a cabeça sobre o velho ombro e esperar os tapinhas consoladores que sempre faziam as coisas parecerem melhores. Mas, em vez disso, notou quando o rosto de Lucinda se retraiu e lágrimas escorreram pela sua face cheia de rugas. Quando a tia apoiou a cabeça no seu ombro, Cassie, instintivamente, envolveu-a em seus braços e a apertou com força. Ela lhe deu suaves tapinhas, lembrando-se da enorme capacidade de cura que tinham, e esperou os soluços de Lucinda cessarem.

Um resquício de vento da tempestade chacoalhou a magnólia, fazendo que as folhas verdes brilhantes derramassem gotas de chuva sobre elas.

— Vamos entrar. — Cassie se levantou, oferecendo a mão para a tia. Elas caminharam de volta para casa juntas, Lucinda apoiada sobre ela. Cassie se perguntava quando foi que, finalmente, ela havia amadurecido.

A campainha sobre a porta da lanchonete Dixie Diner tocou alto quando Cassie a abriu. Às 6h30 da manhã havia um surpreendente tumulto no pequeno restaurante. O delegado, o senador Thompkins, Ed Farrell, Hal Newcomb e o chefe da redação do jornal *Walton Sentinel* estavam sentados num banco de canto e ergueram as xícaras de café quando a viram. Cassie notou um olhar de compaixão do delegado Adams e rapidamente desviou os olhos. A casa de Harriet já estava lotada de panelas, tortas e presuntos. Lembrava a Cassie um funeral. Ela quis gritar bem alto para toda a cidade que a irmã estava apenas doente e que ela não tinha a menor intenção de deixá-la morrer.

Viu a velha amiga Mary Jane no balcão com um exemplar do jornal da manhã e um café quente na frente dela. Com um sorriso comedido, ela fez sinal para que Cassie se sentasse ao seu lado.

Cassie retribuiu-lhe o sorriso, incerta sobre como estava a relação delas. Mary Jane fora sua melhor amiga ao longo de vários anos da infância e juventude, mas as coisas haviam mudado — e Sam Parker não tivera nenhuma influência nessa mudança. Ela beijou a amiga sem tocar-lhe o rosto, do jeito que aprendera em Nova York, perguntando-se por que fez isso.

— Obrigada por tomar café da manhã comigo. Sei que te prometi um almoço, mas estou com o pressentimento de que não terei muito tempo livre num futuro próximo.

Mary Jane deu um pequeno gole da caneca.

— Fiquei sabendo. Acho que é algo de muita coragem o que vem fazendo, cuidar de todas aquelas crianças enquanto Joe e Harriet estão em Atlanta. — Ela deu uma largo sorriso. — O que deu em você? Há tantas outras pessoas que vejo fazendo isso, como sua tia Lucinda, por exemplo.

Cassie ergueu a mão.

— Eu sei, mas Lucinda já tinha marcado uma viagem para Charleston com seu grupo da terceira idade, e eu não queria que ela a perdesse. Além do mais, Harriet é minha irmã e amo os filhos dela. São um pouco bagunceiros, é verdade, mas maravilhosos. Nada de que eu não dê conta.

Mary Jane não respondeu nada, apenas levantou uma sobrancelha. A garçonete se aproximou delas para anotar os pedidos, e Cassie disse o que queria. Pensando rapidamente nos gramas de gordura e nas calorias, pediu o prato especial do dia com ovos fritos, bacon, batata *rösti* e mingau de farinha de milho.

Enquanto Mary Jane fazia seu pedido, o olhar de Cassie vagueou pela lanchonete em busca da janela. As letras de trás para frente do nome do restaurante, dispostas em arco sobre o vidro, transformavam a luz amarelada da manhã, que brilhava entre elas, em feixes rosados de luz que chegavam até as mesas laminadas. Ela se lembrou de quando ela e Harriet eram pequenas e o pai costumava trazê-las àquele lugar para almoçarem. Eles sempre se sentavam na mesma mesa de canto e Harriet sempre lia as letras da janela de trás para frente, achando muita graça naquilo. Um dia Cassie a chamou de estúpida porque Harriet não conseguia decifrá-las.

A garçonete lhe disse algo, trazendo-a de volta ao presente. Cassie lhe devolveu o menu e então se dirigiu a Mary Jane.

— Você já teve vontade de apagar palavras que disse ao seu irmão no passado?

Mary Jane se inclinou para mais perto dela.

— Todos nós, Cassie. Especialmente aos nossos irmãos. Acho que aprendemos a importuná-los já no ventre. É assim mesmo. E nunca se esqueça, você está sentada ao lado da única pessoa responsável pelo duradouro apelido do irmão. Isso sim é algo de que se orgulhar.

A garçonete enchia a caneca de Cassie com café quando a campainha da porta soou de novo. Dois homens com botas pesadas de trabalho, camisas manchadas e barbas por fazer entraram na lanchonete e se sentaram na outra extremidade do balcão. Cassie e Mary Jane olharam para eles discretamente.

Mary Jane se inclinou.

— Aqueles são funcionários da Roust. Estão trabalhando na antiga propriedade dos Olsen. Lembra-se daquela casa velha? Vão colocá-la abaixo e construir no lugar um novo Walmart. — Ela enrugou o nariz como se os homens sentados a menos de meio metro delas já estivessem cheirando a suor e concreto da Geórgia.

Cassie olhou de esguelha para os trabalhadores.

— O que há de errado com o antigo Walmart?

Mary Jane balançou a cabeça.

— Exatamente. É isso que Sam está tentando enfiar na cabeça dura dos membros do conselho.

Ela agradeceu à garçonete quando o prato foi colocado na sua frente.

— Sam vai perder uma reunião importante do conselho hoje à noite. Vão votar aquela moratória. Se for aprovada, vai salvar a casa dos Olsen. Pelo menos por enquanto. — Deu uma mordida na torrada e, delicadamente, limpou a boca com o guardanapo. — Sam me pediu para ir em seu lugar e falar por ele, mas eu não tenho a eloquência que ele tem. Ele consegue ser muito convincente quando quer.

Cassie se sentiu corar e deu uma bocada no mingau para disfarçar.

Prosseguiram comendo e conversando sobre antigas amizades e novas roupas, acenando para as pessoas da cidade que entravam e saíam pela porta da frente. A campainha tocou sem parar. Parecia lembrá-las do assunto que pairava entra elas, mas que precisava ser evitado.

Quando Ed Farrell se levantou para partir, aproximou-se delas no balcão. Com um aceno para Cassie, dirigiu-se a Mary Jane.

— Imagino que vou te ver hoje à noite na reunião. É uma pena que Sam não esteja aqui, mas será uma reunião mais curta sem ele.

Mary Jane girou no banco.

— Não tenha tanta certeza disso, Ed. Sam me deu um discurso de dez páginas para ler na reunião. Se fosse você, não marcaria nenhum compromisso logo de manhã.

Ele parecia agitado.

— Bom, preciso ir. Tenho que podar a cerca da D. Lena, mas antes vou mostrar sua casa, Cassie. — Ele se aproximou dela. — Tia Lucinda me contou sobre a ligação de Nova York. Queria te dizer que andei pensando muito no assunto, e terei imenso prazer em te ajudar comprando eu mesmo a casa. Não para viver nela, claro, mas pelo menos ficaria com ela, para alugá-la, pelo tempo que fosse preciso até vendê-la. Talvez seja a solução de seus problemas. Poderia voltar para Nova York e sua linda casa ficaria em mãos competentes.

Cassie fez que sim com a cabeça.

— Obrigada, Ed. Com certeza pensarei sobre o assunto.

Ele acenou e saiu. Mary Jane a olhou como se ela tivesse enlouquecido.

— Você só pode estar brincando, né? Não venderia minha casa para este homem nem que me pagasse um milhão de dólares. Não se lembra de como era maldoso na escola? De como costumava perseguir Sam?

Cassie tomou um pequeno gole de café.

— Isso foi há anos, ele está mudado. Parece que você não se lembra de como todo mundo costumava persegui-lo. É um milagre ele ter se tornado um bem-sucedido homem de negócios e não um assassino em série ou algo assim.

Mary Jane balançou a cabeça.

— Ele tem alguma coisa. Só não descobri o que é ainda.

O senador Thompkins saiu da outra mesa e se aproximou dela, virando-se para Cassie com um olhar severo.

— Queria que convencesse Sam a deixar essa bobagem de lado. Está apenas gastando energia insistindo nessa tecla. E tenho certeza de que você sabe como desviar a atenção dele.

Cassie sentiu-se corar de novo enquanto a grelha chiava atrás do balcão com um novo pedido de mingau. Ela deu um grande gole do café escaldante, que a fez queimar a língua. Contudo, ficou feliz por ter uma desculpa que a livrava de responder. Bebendo avidamente água gelada, acenou para o senador, que saía pela porta.

— A cidade inteira sabe?

Mary Jane largou o garfo.

— Por favor, Cassie. Talvez falemos devagar, mas as notícias aqui correm rápido. — Ela arrumou o guardanapo de papel sobre o colo. — Mas o que eu gostaria de saber é: qual o significado disso? Depois de uma noite juntos, o que você está querendo agora? — Sua voz tinha um tom artificialmente calmo. — Gostaria que falasse logo e deixasse claro quais são seus interesses ou que fosse embora da cidade porque este suspense está me mantando. Preciso saber se devo cuidar do meu coração partido ou se devo dar a ele uma outra chance.

Cassie soltou a caneca sobre o balcão com um leve baque.

— Eu... eu não sei...

Mary Jane se aproximou mais dela.

— Sam Parker é o cabeça-dura mais teimoso que conheço. Sei também que é o mais sincero e bondoso, e um excelente médico. Além de tudo isso, fica maravilhoso num par de jeans. Daria meu braço esquerdo para que ele me olhasse uma única vez do jeito que olha para você. — Ela esfregou as costas da mão com força sobre os olhos e virou a cabeça. — Não sei por que o estou te entregando de mãos beijadas. Deveria te entregar uma passagem só de ida para longe da cidade, isso sim. É que não suporto vê-lo sofrer. Ele não merece.

— Olha, não quero machucar ninguém. Sam sabe em que pé estão as coisas entre nós. E, Mary Jane, você, mais que todo mundo, deveria entender. Você esteve comigo durante grande parte de minha vida. Nunca pertenci a este lugar. Nunca quis ficar aqui. Sam pertence a esta cidade, e eu, a outra, onde ninguém me conhece ou se importa onde e com quem eu durmo, e é isso. Ele não é meu.

Mary Jane pegou a conta na fórmica verde-água e se virou para Cassie.

— Você fingiu que seu lugar não é aqui para se separar de Harriet. Isso fez que chamasse a atenção, assim como suas abusivas travessuras. Mas agora já é adulta e é hora de agir como tal. — Ela escorregou no banco e se levantou. — Eu o amo, e achei que tinha uma boa chance com ele até você chegar na cidade. Então cresça e tome suas decisões, porque assistir a vocês dois está me matando. — Ela ajeitou o banco no lugar. — Obrigada por tomar café da manhã comigo, mas preciso ir para a clínica.

Cassie ficou olhando sua velha amiga pagar a conta e sair pela porta, com a campainha anunciado sua partida. Deu outro gole no café, tentando engolir o gosto amargo da boca.

Ficou na lanchonete para mais uma xícara de café, acenando para as pessoas que entravam pela porta e saboreando o que provavelmente seriam seus os últimos momentos de paz e silêncio por um longo período.

Ao pegar a bolsa para pagar a conta, o celular de Harriet tocou. Abrindo-o ela disse:

— Alô?

De novo não houve resposta, apenas uma respiração suave do outro lado da linha e um rápido estalido da pessoa desligando. Cassie olhou para o número registrado na tela e o reconheceu como o mesmo de antes. O do telefone público do lado de fora da lanchonete. Ela virou abruptamente a cabeça na direção das duas janelas da frente do prédio, mas percebeu que não tinham vista para a esquina onde ficava o telefone.

Saltando do banco, correu até a porta, quase esbarrando nas gêmeas Sedgewick, que ainda estavam entrando. Fazendo de tudo para passar entre elas, lançou-se para fora na calçada apenas para encontrar o telefone abandonado e o fone dependurado pelo fio.

Cassie olhou em volta à procura de alguém correndo. Parecia estar no lugar errado ou que alguém a observava atentamente. Viu apenas pessoas indo para o trabalho num ritmo lento, típico de uma cidade pequena, o qual aprendera a reconhecer. Com um suspiro, virou-se de costas e voltou para dentro da lanchonete para pagar a conta. Agora, fortalecida com adrenalina e cafeína suficientes para atravessar qualquer dificuldade, guiou o carro cor-de-rosa de Lucinda até a casa de Harriet.

Maddie escutou o barulho do carro lá fora e se sentou no primeiro degrau da escada à espera de tia Cassie. Seu pai, com Amanda no colo, lançou-lhe um de seus olhares quando viu que Maddie não fora atender a porta. A fralda da bebê fedia e Maddie encarou o pai, desafiando-o a pedir que ela a trocasse.

Ele abriu a porta.

— Ei, Cassie. Obrigado por vir.

Tia Cassie enrugou o nariz.

— Que cheiro é esse?

— Desculpe. Não consegui parar um minuto. — Ele segurou Amanda no alto. — Você se importa?

Cassie hesitou apenas por um segundo. Ao esticar os braços para pegar a bebê, respondeu:

— Não, de jeito nenhum.

Ele lhe deu a bebê e disse:

— Obrigado, Cassie. Tem uma mamadeira na geladeira, caso ela sinta fome. Estou lá em cima ajudando Harriet a fazer as malas. Se precisar de alguma coisa... — Fechou a porta atrás dela, lançou um olhar de advertência para Maddie, passou por elas correndo e subiu a escada.

Olhando para ela, a tia disse:

— Bom dia, Maddie.

— Hum.

Cassie ergueu a sobrancelha, segurando a bebê na frente do corpo, como um saco de roupa suja, e levou Amanda para cima.

— Venha, querida — disse ela para a bebê. — Tenho certeza de que nós duas juntas conseguimos descobrir como se faz.

Maddie a seguiu pisando firme nos degraus. Ela se recostou na parede do quarto que Amanda dividia com Knoxie. Ficou observando a tia deitar a bebê sobre o trocador e analisar a fralda como se fosse um experimento científico.

Sem olhar para ela, tia Cassie disse:

— Sei que seus pais te contaram o que está acontecendo. Sei como é difícil para você e sinto muito. — Ela apontou para a cadeira de balanço. — Por que não se senta para que possamos bater um papo?

— Não estou a fim de bater papo. — Maddie fechou a porta com mais força do que queria e afundou-se na cadeira de balanço, mas só porque não conseguiu imaginar outro lugar para se sentar. Além disso, ela não tinha motivos para brigar com a tia, afinal nada daquilo era culpa dela.

Tia Cassie abriu a fralda e a dobrou para baixo. Com uma cara engraçada, dirigiu-se a Maddie de novo.

— Como você tem passado?

Maddie cruzou os braços na frente do peito.

— A vida é uma droga.

Com uma mão, Cassie alcançou a caixa de lenços umedecidos e pegou um punhado deles, balançando-os com força na tentativa de desgrudar um do monte.

— É. Às vezes é mesmo, Maddie. — Ela balançou os lenços com mais força. — Por isso é bom ter família e amigos que se importam com você. Sabe que estaremos aqui para nos ajudarmos durante essa fase difícil. — Um punhado de lenços caiu no chão e um deles grudou na perna de tia Cassie.

Maddie virou os olhos para cima.

— É, sim. Minha mãe está morrendo, meu pai está perdido e você está indo embora. Por que isso não está acontecendo com Lucy Spafford? A mãe dela é uma bruxa e Lucy não tem um milhão de irmãos. Não é justo.

A voz de Maddie falhou, mas sua tia não se virou para olhar. Estava concentrada em colocar a fralda do jeito certo.

— Não, Maddie. A vida raramente é justa. Mas você não pode ser tão negativa agora. Sua mãe vai precisar de seu apoio. Lembre-se: ela não escolheu ficar doente.

— Mas está preferindo aquele bebê a nós. Parece que nem nos ama. Ou por que, então, se arriscaria tanto?

Com uma mão sobre a barriguinha contorcida da bebê e a outra tentando tirar as fitas adesivas da fralda limpa, Cassie falou com uma voz tranquila:

— Há uma coisa que nunca deve esquecer. Sua mãe te ama profundamente, como só uma mãe pode amar. Ela está tomando a melhor decisão que pode. Ela me disse que não poderia sacrificar o bebê, assim como não poderia sacrificar nenhum de vocês. É uma coisa de mãe. Um dia entenderá. — Ela suspirou fundo, com as mãos paradas. — E é cedo demais para nós supormos que terá de haver uma escolha. Se o câncer estiver no começo, pode ser tratado sem prejudicar o bebê. Temos de esperar e sermos fortes. E confie nos instintos maternos de sua mãe para fazer o que é certo para todos nós.

Maddie fez uma cara de desdém.

— Como se você soubesse o que é instinto materno.

Sem tirar os olhos da bebê, tia Cassie respondeu:

— Perdi minha mãe quando era mais nova do que você. Posso muito bem compreender o que você está passando. E eu, com certeza, compartilho de sua raiva. Mas esta foi a decisão de sua mãe. A nós cabe apoiá-la. — A bebê murmurou e começou a bater as perninhas gorduchas como um sapinho, dificultando para Cassie fechar a fralda. — Seja amável com ela, Maddie. Neste momento, ela precisa de seu amor e de sua compreensão tanto quanto você precisa dela.

Maddie observou a tia voltar à batalha da fralda, sentindo vontade de gritar e chorar ao mesmo tempo. Estava triste e com raiva, e não sabia qual dos dois deveria sentir, então ficou quieta. "Seja amável com sua mãe." As palavras de tia Cassie não saiam de sua cabeça, mesmo que quisesse muito esquecê-las ou que achasse que a tia estava errada.

Cansada de assistir à batalha da tia, Maddie se levantou.

— Deixe-me fazer isso, você está com a fralda de ponta cabeça. — Com um leve sorriso atravessando sua cara zangada, Maddie, habilmente, colocou a fralda e o *body* na irmã. Quando levantou a menina do trocador, Amanda se aconchegou no ombro dela, esfregando os olhos com a mãozinha. — Isso quer dizer que ela está cansada. Vou colocá-la para dormir. Suponho que não saiba fazer isso também.

Cassie lhe deu um sorriso agradecido.

— Não, não sei. Vou observá-la, assim posso aprender.

Quando terminou, fez sinal para que a tia a seguisse para fora do quarto e fechou a porta devagar. Sarah Frances as encontrou no começo da escada com uma expressão patética nos olhos.

— Estou com fome.

Maddie virou os olhos para cima de novo, mas não disse nada. Observar a tia cuidar dos irmãos talvez fosse a coisa mais interessante acontecendo em Walton.

Tia Cassie acariciou o cabelo de Sarah Frances.

— Já tomou café da manhã?

A menininha fez um solene sim com a cabeça.

— Sim, senhora. Mas ainda estamos com fome. Precisamos de um lanchinho.

Cassie olhou para o relógio.

— São só nove horas da manhã. Mas acho que é uma boa hora para um lanchinho. — Ela pegou na mão de Sarah Frances e a levou para cozinha. Knoxie e Joey já estavam sentados à mesa. — Ótimo. O que vocês têm aqui para um lanchinho?

Maddie parou na porta, disposta a esperar pelo desenrolar da história e ver quanto tempo demoraria para a tia pegar o jeito.

Numa voz precisa, Sarah Frances pediu:

— Bolachas recheadas Moon Pie.

Knoxie e Joey se entreolharam, com os olhos arregalados.

Cassie foi até a despensa.

— Tudo bem, então. Aqui estão as Moon Pie. — Ela encontrou a caixa e pegou quatro bolachas. — O que querem beber?

Os três olharam um para o outro e Sarah Frances disse:

— Co-cola. Por favor.

— Tudo bem. Três cocas vindo num segundo. — Tia Cassie deu uma olhada para o canto, na direção de Maddie, e segurou no alto a quarta bolacha. — Quer uma?

Maddie fez uma careta.

— Até parece que eu como isso às nove da manhã. Nojento!

Tia Cassie encolheu os ombros e voltou para servir as bebidas. Estavam desfrutando do lanchinho quando os pais de Maddie entraram na cozinha. Sem olhar na direção deles, Maddie se retirou pela porta dos fundos e sentou-se num banquinho. Tia Cassie acenou enquanto tomava um gole de sua coca, e as crianças sorriram com a boca cheia de Moon Pie.

— Tia Cassie deixou a gente fazer um lanchinho. — Farelos de bolacha voaram da boca de Sarah Frances quando falou.

— Não fale com a boca cheia, querida. — Harriet colocou a mão sobre a cabeça de Sarah e beijou-a no rosto. — Imagino que não tenha dito à tia Cassie sobre a vasilha de frutas que temos para lanchinho, né?

A menininha fez que não com a cabeça.

Cassie se levantou.

— Desculpe, Har. Acho que fui enganada.

— Tudo bem. Um docinho especial não tem problema. Além disso, é você quem vai ter de lidar com o alto teor de açúcar deles daqui a uma hora.

— Ela se virou para as crianças. — Tudo bem, crianças. Venham aqui me dar um beijo e um abraço apertado.

Maddie ficou onde estava quando cadeiras se arrastaram no chão e todos correram para beijar e abraçar a mãe. Quando terminaram, ela se endireitou e dirigiu-se a Maddie.

— E você?

Maddie encolheu os ombros, achando muito difícil continuar brava quando tentava não chorar. A mãe se aproximou e se pôs ao lado dela. Cingiu-a com o braço, e Maddie fez força para não abraçá-la também. Por fim, Harriet afastou o corpo e tocou no rosto da filha.

— Eu te amo. Você sempre será meu primeiro bebê, minha menina grande. Não se esqueça disso.

A filha fez que sim uma vez com a cabeça, mas não olhou para a mãe que partia.

Todos foram até o corredor da frente, mas Maddie se pôs bem para trás. Ficou olhando a mãe abraçar a tia com força.

— Obrigada por deixar as crianças ficarem na sua casa. As malas deles estão arrumadas e ao lado da porta.

Cassie deu um leve sorriso.

— Sinto-me uma tola por querer ficar em casa só para não tirar o olho daquelas árvores. Espero que as crianças fiquem bem, longe da casa delas.

A mãe tocou na face de tia Cassie.

— Estão apenas a alguns quarteirões de casa. E acho que será uma aventura tão grande para eles que nem se lembrarão de sentir saudades de mim.

Cassie ergueu os olhos para o teto, fingindo olhar a instalação de luz. Maddie, no entanto, sabia que ela tentava impedir que lágrimas lhe escorressem pela face, pois ela estava fazendo a mesma coisa.

— Ah, planejei um monte de coisas para eles. Pintar varandas, encher camisinhas, vestir estátuas, todo tipo de coisa. Você cuide apenas de você, e eu cuido de todo o resto.

Maddie riu sem querer, embora tenha saído como um ronco. A mãe e tia olharam para ela.

Sorrindo, a mãe se dirigiu a Cassie de novo.

— É disso que tenho medo. — Ela esticou o braço e segurou no colar da irmã. — Talvez eu devesse comprar mais corações para você pendurar nesta corrente.

Balançando a cabeça de um lado para o outro, Cassie fechou a mão sobre a de Harriet.

— Nossa, não, Har. Você precisa apenas começar o seu próprio colar.

Harriet abraçou a irmã uma vez mais.

— É verdade, obrigada. E estou falando sério. O que está fazendo por nós é muito importante e agradecemos muito. E pelo quarto de hotel também. Não sei como conseguiu todas as milhas de viagens, bônus de hotel e sei lá o que mais para nos arranjar um quarto de graça, para não termos de dormir no carro.

Cassie piscou com força.

— Ei, é o mínimo que eu poderia fazer. Especialmente depois do que eu disse...

Harriet colocou o dedo sobre o lábio da irmã.

— Não. Todos nós ficamos assustados e com raiva e dizemos coisas sem pensar. Não me deve desculpas, nunca. O que está fazendo por nós fala mais alto que qualquer palavra. — Com mãos suaves, ela enxugou as lágrimas e limpou o rímel borrado dos olhos de tia Cassie.

O pai havia acabado de guardar as malas no carro e se aproximava delas já com o suor escorrendo-lhe pela testa e pelo lábio superior. Deu abraços fortes e beijos estalados nas crianças. Ao se virar para Cassie, envolveu-a em seus braços.

— Você tem o número de meu celular. Se tiver alguma dúvida, é só ligar. — Ele olhou para Maddie. — E sei que Maddie será seu braço direito. Ela sabe como tudo funciona por aqui, não é mesmo, Maddie?

Sem saber o que dizer, ela respondeu:

— Se você está dizendo...

Ele passou a mão na cabeça dela, como fazia quando ela era uma menininha, e se voltou para a mãe.

— Precisamos ir se não quisermos nos atrasar para a primeira consulta. — Levando nos ombros uma sacola de mão, ele conduziu o grupo até a entrada da casa e ajudou a mãe a entrar no carro, deixando a minivan para tia Cassie.

Maddie ficou a distância, pois não queria ver a mãe acenando ou o carro desaparecendo ao longe. Havia algo de derradeiro naquilo, como num filme de cujo final não se gosta.

As portas se fecharam e seu pai deu ré no carro até chegar à rua com um ruído de cascalho. Lentamente, o carro começou a se distanciar. Todos ficaram vendo-os partir e olhando fixamente para a rua vazia por um longo tempo.

— Tia Cassie, preciso fazer xixi. — Knoxie puxou o short da tia, quebrando o silêncio.

Com um sorriso torto, Cassie levou as crianças para dentro da casa de novo, mas Maddie permaneceu do lado de fora olhando o lugar onde o carro estivera. Devagar, começou a correr pela rua, depois mais e mais rápido até não conseguir mais respirar. Seu coração doía tanto que ela pressionou o punho contra o peito. Por fim, parou e colocou as mãos nos joelhos, tentando recuperar o ar dos pulmões e fazer seu coração parar de doer. Durante todo o percurso, desejou que tivesse dado um abraço de despedida na mãe.

Capítulo 21

— Tem um gambá na casa de novo!

O berro fez Cassie se levantar assustada da cadeira sob a janela da sala da frente, onde estava sentada, meio encolhida, à espera de sombras furtivas no gramado. A única coisa que vira foram círculos idênticos aos de luzes de faróis percorrendo o gramado quando um carro fez a curva na entrada da casa. As luzes da varanda iluminaram o carro de polícia e Cassie se sentou de novo, aliviada.

Com a adrenalina no pico de novo, ela correu até a sala de televisão, onde as crianças mais velhas, com exceção de Maddie, estavam absortas num desenho da Disney. Movendo-se devagar e desajeitadamente pelo carpete oriental, uma espécie de roedor enorme torceu o nariz para ela.

— Meu Santo Deus, como esta criatura entrou aqui?

O animal parou por um instante, como se estivesse se preparando para responder e continuou seu passeio pelo chão da sala de televisão.

Sem tirar os olhos da televisão, Joey disse:

— Pela portinha do gato na cozinha.

Com esperança, Cassie perguntou:

— Um gato?

Joey fez que não com a cabeça.

— Vovô tinha uma gata, mas ela morreu no ano passado. Papai ainda não teve tempo de arrumar aquela porta, e vovô não sabia como. O gambá enfia o focinho na porta de tela, a abre e depois entra pela portinha. Tia Lucinda também não gosta dele.

Amanda, balançando feliz na sua cadeirinha, gritou e arremessou um chocalho em direção ao animal e por pouco não o atingiu. Em resposta, ele se encolheu como uma bolinha de pelúcia e se fez de morto.

— Isso acontece sempre? — Cassie se moveu para ficar entre a bebê e o gambá.

Knoxie fez que sim com a cabeça.

— Sim, senhora. Você vai cozinhá-lo? Tia Lucinda sempre diz que vai fazer uma torta com ele se ele entrar aqui de novo, mas nunca fez. Você sabe como fazer uma torta de gambá?

Sem dar as costas para o animal, Cassie tirou a bebê da cadeirinha e a ajeitou em seu colo.

— Não, não sei. E também não acho que um animal potencialmente raivoso deva andar pela casa, livre. Como tia Lucinda não o cozinha, imagino que tenham outro jeito de tirá-lo daqui, certo?

Knoxie enfiou o dedo na boca e começou a girar o cabelo vermelho. Sarah Frances levantou a cabeça do sofá.

— Quando vovô não estava em casa, papai aparecia com uma enorme caixa de sapato, colocava rapidinho ele dentro e depois jogava lá fora de novo.

Cassie olhou para o animal imóvel, perguntando-se onde encontraria uma caixa de sapatos suficientemente grande para isso. Naqueles cinco dias cuidando das crianças, pensou que tivesse visto tudo. Aprendera que a manteiga de amendoim não tira chiclete do cabelo, que pequenos objetos de metal atravessavam o trato digestivo de bebezinhos com pouca ou nenhuma consequência e que ioiôs de plástico que brilham no escuro nunca deveriam ser colocados sobre uma lâmpada acesa para deixá-los mais brilhantes. Mas ela não havia considerado aprender a expulsar um animal selvagem de casa.

Maddie, que durante todo o tempo estivera lá em cima, apareceu na porta.

— Vejo que o gambá entrou de novo. Acho que terá de chamar o Dr. Parker. — Sorriu, inocente, para a tia.

— Para quê? Sou perfeitamente capaz de lidar com isso. Eu morei na Geórgia por quase vinte anos, você sabe. — Cassie olhou para o relógio.

Pelas frequentes ligações com Harriet e Joe ao longo da semana, ela ficara sabendo que Sam retornaria de Atlanta hoje.

— Além disso, ele deve estar acabando de chegar e seria bobagem incomodá-lo com algo assim.

O bicho se virou no chão, mexendo a ponta do rabo. Cassie olhou para a sobrinha.

— Aqui, pega a bebê e fique de olho no gambá enquanto procuro uma cesta de roupa suja. — Ela retornou com uma da lavanderia e, com êxito, jogou o animal assustado dentro. Com o pé, começou a arrastar, centímetro por centímetro, o cesto e o seu prisioneiro pelo chão. Maddie desapareceu para dentro de um outro quarto antes mesmo de Cassie ter chegado ao final do tapete.

Vinte minutos depois, quando finalmente chegara à mesa da cozinha com a cesta e o animal intactos, a campainha soou.

Sam tocou a aba de um chapéu imaginário.

— Senhora — disse ele, cumprimentando-a. — Fiquei sabendo que você tem um animal daninho do qual precisa ser salva.

— Meu herói. — Cassie virou os olhos para cima quando fechou a porta atrás dele, mas não conseguiu deixar de rir. — Imagino que Maddie tenha ligado para você. Estou me virando muito bem, muito obrigada. Mas já que está aqui, sinta-se em casa. — Ela fez sinal para que ele a seguisse. — Venha, o animal daninho está aqui atrás. — Ela o levou até a cozinha.

Ele cumprimentou Joey com a mão espalmada e deu suaves tapinhas na cabeça das meninas. Bebê Amanda recebeu um beijinho na bochecha e Madison, uma piscadela.

Cassie pegou a bebê de Maddie e a ajeitou no quadril.

— Consegui trazê-lo da sala de televisão até aqui, mas não sei muito bem como fazê-lo sair pela porta.

Ele balançou a cabeça, compreensivo, enquanto seu olhar se dirigia ao cesto e seu prisioneiro ainda encolhido dentro dele.

— Hum. Aí está um prato apetitoso.

Ela enrugou o nariz.

— Que nojo, Sam.

— Estou vendo que nunca comeu guisado de gambá, então.

— Não, não posso afirmar que tenho o hábito de comer animais mortos na estrada.

Sam resmungou.

— Não sabe o que está perdendo. — Ele se ajoelhou em frente à cesta. — E aposto que acha que comer peixe cru não é nojento.

Ela colocou a mão que estava livre no quadril.

— É diferente.

Ele olhou para ela e ergueu a sobrancelha.

— É mesmo?

— Sim, é. E como você sabe que essa coisa não é raivosa?

Ele se ajoelhou para olhar dentro do cesto.

— Bem, por uma única coisa: não está espumando pela boca. Além disso, está agindo como um gambá. Se estivesse latindo ou perseguindo alguém, então eu ficaria preocupado.

Ela o olhou, sem saber se era brincadeira ou não.

— Mas você está certa, raiva é algo a se considerar. Vou lacrar aquela porta, assim não precisamos temer uma próxima vez.

— Tia Cassie, Sarah Frances está assoprando em mim. — Cassie entrou na sala de televisão bem na hora que Joey ia jogar um travesseiro para acertar a irmã na parte de trás da cabeça.

Cassie desligou a televisão.

— Muito bem, pessoal, o filme acabou. Hora de dormir. Todos para cima para vestir os pijamas. Já subo num minuto para colocá-los na cama.

— Pra gente rezar, né? — O dedão molhado de Knoxie aguardava bem do lado de fora da boca.

— Digam suas preces — ecoou Cassie.

A menininha enfiou o dedo de novo na boca e correu atrás dos irmãos, os pezinhos com passos surdos sobre o piso de madeira.

Amanda chorou e Cassie colocou a língua para fora e assoprou no pescocinho dela, fazendo a bebê dar uma risadinha. Ela se dirigiu a Sam.

— Vou dar uma mamadeira para ela e colocá-la para dormir enquanto você se livra desse bicho daninho. — Ela fez uma pausa, tentando falar numa voz indiferente. — Tem cerveja na geladeira. Fique à vontade. — Ajeitando a bebê no ombro, ela subiu.

Depois de colocar Amanda no berço e ligar a babá eletrônica, Cassie passou pela cama temporária de cada criança. Malas e roupas ainda estavam espalhadas pelo chão, mas Cassie ainda não encontrara tempo de ajudá-las a desfazer as malas e guardar tudo.

Ao se aproximar do quarto de Knoxie, Cassie parou e ficou olhando a menininha sobre o tapete em frente da cama dar um enorme salto e cair em cima das cobertas.

— O que você está fazendo, querida?

Olhos verdes arregalados a encararam.

— Eu não quero que o monstro debaixo da cama agarre meu pé, então eu pulo. — Knoxie se enfiou debaixo das cobertas.

— Ah, querida, não há nenhum monstro debaixo da sua cama. — Ela se ajoelhou de quatro e espiou o lugar escuro. — Bem, tudo vazio.

— Minha mãe usa *spray* de monstro para afastar eles.

— Ela joga *spray* debaixo da cama?

Knoxie respondeu que sim com a cabeça, com seu cabelo vermelho balançando.

Cassie curvou o dedo indicador, ajoelhou-se de novo de quatro e fez um som sibilante com a boca.

Knoxie deu uma risadinha.

— Não, tia Cassie. Ela usa um *spray* de monstro de verdade.

Cassie pôs a cabeça sobre a beira da cama.

— Um *spray* de verdade?

— Sim, senhora. E funciona mesmo.

Levantando-se de novo, Cassie atravessou o corredor, foi até o banheiro e pegou um *spray* desinfetante. Ao retornar ao quarto da menininha, ela o segurou no alto.

— Só tenho este tipo de *spray* de monstro. — Ela se agachou e borrifou bem a região sob a cama, levantando a ponta da colcha para mais uma esguichada. — Tudo bem, lindinha. Isso deve manter qualquer monstro horroroso longe daqui.

Sentando-se na beira da cama, Cassie segurou na mão da sobrinha, e com as cabeças baixas, elas disseram as preces de boa-noite. Cassie escondeu a risada diante da estridência da voz da menina quando pediu a benção de Deus sobre todas as pessoas, bichos e insetos que ela conhecia. Assim que Cassie começou a cair no sono, as palavras de Knoxie lhe chamaram a atenção.

— Deus abençoe papai e mamãe, e por favor cuide deles na viagem. Sinto saudades deles e que quero que voltem logo. E, Deus, abençoe tia Cassie por tomar conta de nós e, por favor, diga a ela que a amamos mesmo quando ela grita com a gente porque colocamos os tênis no forno para secar. Amém.

Cassie se levantou, sem saber o que dizer. Inclinando-se, beijou o narizinho cheio de sardas, arrumou as cobertas bem firmes em volta da sobrinha e lhe entregou alguns bichinhos de pelúcia.

— Boa noite, lindinha. Também te amo. E peço desculpas por ter gritado.

Ela acendeu a luz noturna e saiu do quarto, tomando cuidado para deixar a porta bem aberta. Recostando-se no batente, fechou os olhos, desejando acreditar, mesmo por um instante que um monstro pudesse ser detido com um *spray*.

Ao abrir os olhos, viu Sam esperando-a no topo da escada, apoiado no corrimão.

— Você se virou bem.

— Obrigada. — Ela passou a mão atrás do pescoço. A exaustão de cuidar de cinco crianças há cinco dias tomou conta dela inteiramente. Com cuidado, evitou olhá-lo nos olhos. — Estou quebrada. Acho que vou direto para cama. Espere um segundo que te acompanho até a porta.

— Onde vai com isso?

Ela jogou a coberta sobre o ombro.

— Vou lá fora, na velha árvore de magnólia que minha mãe plantou. Com tanta coisa acontecendo por aqui, detestaria se algo acontecesse com ela. Quer dizer, é muito velha e tudo, então alguém tem que cuidar dela. Já disse a Maddie onde estarei, ela sabe onde me encontrar se alguém precisar de mim. — Cassie mostrou a babá eletrônica. — E conseguirei ouvir Amanda se ela acordar.

Sam abriu a porta da frente e a seguiu para fora. Ela parou um pouco sem jeito, com o travesseiro na frente do corpo.

— Boa noite, então. E obrigada por cuidar do Sr. Gambá por nós.

— De nada. Foi um prazer, como sempre. — Ele tocou a aba do chapéu imaginário e, devagar, desceu os degraus da varanda.

Quando ele foi para a caminhonete, Cassie atravessou o gramado até magnólia de sua mãe. Suas folhas refletiam intensamente a luz da Lua, quase fazendo-a brilhar. Ela apoiou a babá eletrônica no tronco e arrumou a coberta e o travesseiro no chão. Ao se deitar, viu Sam atravessando a gramado na sua direção com uma coberta sob o braço.

Ela se sentou.

— O que está fazendo?

— Achei que talvez precisasse de companhia. Além disso, venho carregando esta coberta na caminhonete há anos, e acho que é hora de colocá-la em uso.

— Bom, não achei que precisasse de companhia. Mas se não tem nada mais a fazer, sinta-se à vontade.

Ele esticou a coberta no chão, perto do pé dela, para que pudesse mirar o céu. O vento agitou a árvore acima deles, fazendo as folhas sussurrarem como crianças compartilhando segredos. Os cheiros de verão de grama recém-cortada e jasmim eram carregados pelo ar úmido, cobrindo-os como uma manta. Sam cruzou os braços atrás da cabeça e olhou fixamente para o alto.

— A propósito, eu chequei os registros de nascimento enquanto estava em Atlanta. Mesmo com as iniciais do medalhão, não encontrei nada que pudesse ser uma possibilidade remota. Claro, não estou muito surpreso. Algo me diz que na época isso deveria ser tão secreto que os pais da Sra. "E." esconderam os documentos muito bem.

Cassie escorou o corpo no cotovelo.

— Lembra-se daquele anúncio que Harriet e eu colocamos no jornal, aquele com o número de celular dela, mas nenhum nome? Recebi duas ligações e tenho quase certeza de que eram da mesma pessoa, mas ela não disse nada. Esperou eu falar e depois desligou. — Ela se sentou. — Sei que o telefone era aquele do lado de fora da lanchonete Dixie Diner, e quando recebi a segunda ligação, eu estava dentro da lanchonete. Parecia que a pessoa sabia que eu estava lá. Mas quando saí, já havia fugido.

— Parece que essa pessoa quis saber quem você era, sem deixar você descobrir quem ela é.

Cassie respirou fundo, sentindo o cheiro de grama de verão.

— É, isso que pensei também. — Ela passou o pé descalço na grama, sentindo-a fria e molhada sob as solas. — Queria que meu pai tivesse me encarregado disso antes de morrer. Estou impressionada por ele desejar que esse tipo de segredo morresse com ele. Harriet acha que é porque a Sra. "E." ainda está viva e ele quis protegê-la. — Ela encolheu os ombros. — Não sei mesmo qual o próximo passo a ser dado. Se ela não quer ser encontrada, talvez eu devesse deixar as coisas como estão. Mas e se o bebê não morreu e nós tivermos um irmão? Gostaria de saber. É que... sei lá, tenho o bastante com que me preocupar agora, especialmente com Harriet... — Ela deixou a voz sumir e virou a cabeça. — Suponho que Harriet e Joe pediram para você não me dizer nada sobre o que realmente está acontecendo lá neste momento.

Ele estava calado, limitando-se apenas a responder suas perguntas.

— Tudo que me disseram até agora é tão... sei lá, inconclusivo. Ainda estão fazendo exames e estudando todas as possibilidades, é isso que disseram. O que queria, mesmo, era estar lá com eles para ajudá-los a tomar qualquer decisão necessária.

Sam a olhou sob a luz da Lua.

— Eu sei e eles sabem disso, também. Mas esta batalha é deles, não sua. Você está fazendo o que querem que faça neste momento e terá que aceitar isso.

Ela concordou rangendo os dentes. Era contra sua natureza ficar sentada, esperando, mas ela tinha cinco crianças que precisavam dela agora, quase tanto quanto ela começava a precisar deles.

Ficaram em silêncio por um tempo, observando as luzes de um jato que passava bem acima deles. Por fim, Sam se virou para encará-la.

— Ed Farrell tem aparecido por aqui ultimamente?

Cassie fez que sim.

— Trouxe vários casais na semana passada. Mas eles ficaram sabendo sobre os vandalismos e sobre o roubo da bicicleta de Maddie na última segunda-feira à noite, bem na varanda da frente. Diria que ficaram um pouco desconfiados. Nada do que eu dissesse faria a mínima diferença. Uma das mulheres até disse alguma coisa sobre o bairro estar decadente. Pode imaginar? Me deu vontade de dar-lhe uma porrada.

Ele virou a cabeça e disse rindo:

— Uma porrada?

Ela pôs a mão na boca.

— Ai, que droga, é contagioso.

— Parece que tem andado demais com Ed Farrell. — Ele se zangou de leve. — Aquele Ed é igual meleca que não desgruda.

Ela o golpeou com o travesseiro, acertando-o no peito.

— Você é um tremendo de um caipira.

— Verdade. E dizer que vai dar uma porrada em alguém é muito refinado.

— Escapou, só isso. Além do mais, o que você disse foi nojento.

Ele se apoiou sobre o cotovelo com um sorriso visivelmente malicioso no rosto.

— Então por que está rindo?

Ela se jogou de novo sobre a coberta ao lado dele.

— Você consegue ser tão irritante, Sam Parker.

— Então, é assim que você me chama. Sempre achei que "irritante" fosse um termo pejorativo.

Uma risada se alojou na sua garganta e explodiu no ar da noite. Ela teve o desejo mais extravagante de se aproximar dele e lhe dar um beijo. Só uma vez.

Cassie ficou de bruços e escorou o queixo nas mãos.

— Dê um tempo a Ed, Sam. Ele não é o mesmo brigão que você conheceu na escola. Mudou muito. Eu até gosto dele. Quer dizer, ele ainda é um pouco grosseiro, mas está tentando melhorar. Eu o respeito por isso.

Os olhos de Sam brilharam sob a luz da Lua quando se sentou para encará-la.

— Eu o respeitaria muito mais se soubesse de onde vem todo o seu dinheiro. Como conseguiu ir para uma faculdade e começar o seu próprio negócio. São aventuras dispendiosas, e ele veio do nada. Há algo errado nisso. E depois tem a questão do que está querendo fazer com esta cidade, transformá-la numa daquelas malditas comunidades planejadas. — Ele se deitou olhando para o céu. — Nem por um segundo acredito que ele se preocupe com qualquer coisa que não sejam seus próprios interesses.

Cassie abriu a boca para lhe contar sobre Ed ter se oferecido para comprar a casa, mas Sam a interrompeu. Havia um tom de urgência em sua voz.

— Cassie, olhe para cima.

Ela colocou a cabeça para fora do abrigo das folhas e olhou para o céu escuro. A cauda de uma estrela cadente deslizava sobre o cinturão de Orion, brilhando como um fio dourado por um breve momento, para em seguida desaparecer no vazio. Cassie se levantou e ficou olhando a luz que diminuía, dando-se conta de há quanto tempo não via uma estrela como aquela. Ela se perguntou onde foram parar todas aquelas noites vazias.

— Faça um pedido — sussurrou ela, lembrando-se de verões de há muito tempo, passados com Harriet e o pai, vendo o Sol se pôr, a Lua nascer e as estrelas surgirem brilhando. — Os pedidos se realizam quando se faz o pedido assim que se vê a estrela cadente.

Sam se levantou ao lado dela, com os olhos brilhando intensamente. A Lua os fazendo reluzir num tom prateado.

— Às vezes. Há anos que faço pedidos ao ver estrelas cadentes, e ainda estou esperando.

— Cuidado com o que pede. — O hálito quente de Sam tocou-lhe a face. Olhando para baixo, notou que ele estava descalço. — Vou pedir que Harriet fique melhor e todos vivamos felizes para sempre.

Ele não disse nada, então Cassie ergueu a cabeça. Ele a estudava com cuidado e tinha os lábios num beicinho.

— Como você é poliana. É uma das coisas que sempre amei em você.

Ela colocou alguns fios de cabelo atrás da orelha, sentindo-se pouco à vontade.

— Andrew me chamava de sonhadora. Acho que disse que tinha como obrigação na vida mudar esse meu hábito.

— Então, ele não conseguiu. Fico feliz.

Olhando outra vez para o céu, sentiu-se pequena e insignificante sob sua vastidão. Respirou fundo. A infinitude celeste, por alguma razão, a fazia dizer o inexprimível, pois a atmosfera poderia engolir as palavras e levá-las embora para sempre.

— E se Harriet morrer, Sam? Como vamos seguir em frente?

Sam se moveu para ficar atrás dela e colocou as mãos nos ombros de Cassie. Ela resistiu ao impulso de apoiar a cabeça em seus dedos.

— Bem, você vai sair da cama, comer seu mingau, cumprimentar seu vizinho, dar mais amor aos filhos dela e viver sua vida. O Sol é um cara muito teimoso, e ele vai nascer todos os dias só para te desafiar. Mas a vida continua. — Ele apertou os ombros dela. — Você sobreviveu à morte de sua mãe, mas penso que ainda sinta falta dela, como eu sinto de Tom. Mas acho que seguiu seus sonhos do modo como ela gostaria que você tivesse feito, com exceção da parte de fugir para Nova York, e deveria se orgulhar disso.

Os dedos de Cassie automaticamente começaram a brincar com os pingentes em volta do pescoço.

— Não, acho que ela está chorando de vergonha no céu. Maddie está com quase 15 anos e este é o primeiro verão que passo com ela. Nunca enviei um cartão de aniversário ou um presente de bebê em todos esses anos. — Ela engoliu seco. — Sinto-me feliz por estar aqui agora. Não quero mais pensar em mamãe chorando.

Ele a virou para encará-lo. A expressão de Sam estava séria.

— Ela não está chorando, só está aguardando. Este capítulo do livro ainda não acabou, Cassie. Agora, só vou dizer isso porque sei que já pensou nisso. — Ele se aproximou dela, seus olhos buscando os de Cassie. — Se aquelas crianças ficarem sem mãe, o que você vai fazer? Visitá-los duas vezes ao ano e enviar-lhes presentes de Nova York no aniversário e no Natal?

Ela tentou se afastar, mas ele não a largou.

— Não serei coagida a ficar aqui. E não vou pensar em nada disso agora. Só sei que a decisão que eu tomar será baseada em meus desejos. E os de ninguém mais, inclusive os seus, Sam Parker.

Ficaram se olhando por um longo período, a respiração se misturando no pequeno espaço entre eles. Os sapos marcavam o seu ritmo na noite, ecoando a forte batida do coração dela. Os lábios deles se encontraram. Cassie não sabia quem havia tomado a inciativa, apenas que ela estava onde deveria estar.

Por um longo momento ela se desligou dos sapos, da Lua e do mundo que continuava a girar sob seus pés, ela querendo ou não. Sam pegou nas mãos dela, tirou-as de seu pescoço e deu um passo para trás. Desvencilhando-se devagar, ele disse:

— Boa noite, Cassie.

Ela largou os braços ao lado do corpo, sentindo-se de repente prostrada.

— Boa noite?

— Já te disse, comigo é tudo ou nada.

Pegando um punhado de terra e folhas secas, ela as arremessou nele.

— Agora é um ótimo momento para começar a agir como um cavalheiro sulista!

Ele se aproximou e a segurou pelo pulso, antes que Cassie lhe jogasse outro punhado.

— Eu quero você, Cassie. Deus sabe o tanto. Mas eu te disse antes, não serei usado. Quero ser mais para você do que apenas um bom parceiro sexual. — Ele soltou a mão dela e ergueu a sobrancelha. — Mesmo que seja o melhor sexo que você já tenha tido.

— Inventei isso. Além do mais, foi você quem começou.

— Eu não.

Arrumando a saia, ela disse:

— Você também.

— Eu não.

Ela lhe arremessou o travesseiro.

— Não acredito! Você é tão infantil. Vou embora. — Ela pegou a coberta e se virou para sair, sem se importar com os galhos e folhas grudados nela.

— Se quiser, posso ficar aqui e cuidar de sua árvore.

Ela se virou para encará-lo quando ele se recostou na árvore, olhando para ela com um largo sorriso.

— Obrigada. — Ela se virou de costas e saiu pisando firme pelo gramado. Na base dos degraus da varanda, gritou para ele: — Te trago café da manhã.

Em silêncio, ela entrou na casa e subiu com cuidado a escada, largando a coberta e o travesseiro nos degraus do corredor. Em seguida, deu uma olhada nas crianças que dormiam, tranquilizando-se com o suave ritmo da respiração deles. Amanda havia chutado a coberta, então Cassie, com cuidado, a envolveu em seu corpinho de novo. Ao sair do quarto, notou que a babá eletrônica estava sobre a penteadeira. Dando-se conta de que a outra parte do equipamento havia ficado sob a magnólia, ela caminhou nas pontas do pé até ele, se inclinou sobre o autofalante e sussurrou alto:

— Você também.

Sorrindo, satisfeita, saiu do quarto e fechou a porta atrás de si em silêncio.

Capítulo 22

Harriet estava sentada numa cadeira perto da janela do hotel observando o tráfego de Atlanta ficar cada vez mais intenso e ziguezaguear lá embaixo enquanto aguardava o Sol despontar no céu. Joe se mexeu em seu sono e ela se virou para olhá-lo. Todas as linhas e rugas de preocupação no rosto dele se apagaram por algumas poucas horas. Impressionava-a que após todos aqueles anos ainda se sentisse como uma jovenzinha apaixonada pela primeira vez: ficava sem ar ao vê-lo entrar pela porta. Mas agora, naquela fase mais sombria do casamento deles, algo havia mudado. De certa forma, o amor ficou mais forte. Mas diferente. Fora submetido a uma prova de fogo que lhe dera nova forma e brilho.

O olhar dela se voltou para a luz vermelha do despertador. Os números digitais mostravam seis e meia. Harriet sabia que se Amanda já não tivesse acordado Cassie, Knoxie o faria nos próximos dez minutos. Pegando o celular de Joe da mesa, foi até o banheiro, fechou a porta, se sentou na lateral da banheira e ligou para a irmã.

Cassie atendeu no segundo toque, a voz assustada.

— Har? Está tudo bem?

— Sim, está. Queria falar com você antes de os animaizinhos começarem a se mexer em suas gaiolas.

Harriet podia ouvir o sorriso na voz de Cassie.

— Os queridinhos estão todos dormindo, graças a Deus. Coloquei o alarme para as cinco e meia para que pudesse me vestir e estar com cafeína no corpo antes de encará-los. Claro, isso quer dizer que terei que tirar um soneca com Amanda depois do almoço, mas Lucinda já voltou de Charleston e disse que cuidaria de Joey e das meninas, então está tudo certo.

Harriet fechou os olhos, imaginando o rostinho doce dos filhos.

— Apesar do que disse Joe, sabia que você seria perfeita para cuidar das crianças. Obrigada. Muito, muito obrigada.

A voz de Cassie soou defensiva.

— O que Joe disse?

— Nada do que precise ser conversado agora. Como está Maddie?

Houve um pausa. Parecia que Cassie queria discutir. Por fim, respondeu:

— Maddie está ótima. Um anjinho, na verdade, o que não esperava de jeito nenhum. Ela faz suas obrigações sem que eu precise pedir, e tem sido de grande ajuda com Amanda.

Harriet expressou preocupação no rosto.

— Está aprontando alguma.

— O quê?

— Ela está deixando as coisas dela em ordem e guardando tudo?

— Sim, para falar verdade, está. Sua roupa suja foi para o cesto da lavanderia todos os dias, muito diferente do irmão dela, que parece ter problemas com isso, não interage bem com o cesto.

Sorrindo, Harriet disse:

— É, bem, Joey herdou isso. Sendo filho de quem é e carregando aquele cromossomo Y, é um castigo para ele colocar as roupas sujas no cesto. Mas quanto à Maddie, um quarto limpo significa que definitivamente ela está aprontando alguma coisa.

Harriet podia sentir Cassie enrugando a testa.

— Como pode dizer isso? Talvez esteja com pena de mim, apenas tentando me ajudar.

Ela fez que não com a cabeça.

— Cassie, quando você tinha a idade da Maddie e estava planejando algo, o que fazia?

Houve uma longa pausa.

— Me comportava muito bem e mantinha meu quarto limpíssimo para não ficar sob a mira de papai.

— Exatamente.

— Estou ferrada.

— É, bom, você vai aprender.

A voz de Cassie ficou um pouco mais alta.

— Não diga isso desse jeito, Harriet. Parece até que você não vai mais voltar, sei lá.

Algo se mexeu dentro dela e Harriet colocou a mão sobre a barriga, sentindo a criança dentro.

— Desculpe. Estava me referindo a quando você for mãe. Vai aprender coisas que jamais pensou que seriam importantes.

— Como, por exemplo, que existe um *spray* antimonstros?

Ao pensar em Knoxie e em seu medo do escuro de debaixo da cama, Harriet ficou com os olhos cheios de lágrima.

— Algo assim.

— Então, como está tudo por aí? Diga-me a verdade. Não precisa dourar a pílula comigo.

Harriet passou a mão na barriga e recostou a cabeça na parede no box.

— Estamos ainda conversando com especialistas em câncer de mama que mencionaram a possibilidade de participarmos de alguns ensaios clínicos. Saberemos mais sobre isso amanhã. Querem fazer mais alguns exames.

— Meu Deus, Harriet. Por que isso está demorando tanto? A cada dia que esperam, você pode ficar mais doente. Não percebem isso? Ficarei aqui com as crianças o tempo que for necessário, até você melhorar, então não há nada que se preocupar com isso. Só precisa dizer a esses médicos para trabalharem rápido.

Harriet teve pena de si mesma e ficou insegura se conseguiria continuar a conversa sem chorar. Sua garganta ficou apertada, ela engoliu seco e se esforçou para sorrir, com a esperança de enganar a pessoa que melhor a conhecia no mundo.

— Farei isso. E vou ameaçá-los dizendo que darei o número do telefone deles para você se não trabalharem direito.

A voz de Cassie quase soou alegre quando falou. Ocorreu a Harriet que Cassie talvez também estivesse tentando enganá-la.

— Tudo bem. Qualquer coisa que surta efeito.

Harriet ficou olhando para o teto por um longo tempo antes de conseguir falar de novo.

— É melhor eu ir, assim pode tomar outra xícara de café enquanto está quente. — Ela sorriu ao telefone, ignorando as lágrimas que pingavam em sua boca. Ela se lembrou de uma antiga brincadeira que costumavam fazer. — Cassie?

— Sim?

— Você ainda é minha irmã preferida.

Cassie fez um barulho, tinha se engasgado.

— Você também.

— Dê um abraço e um beijo nas crianças por mim e por Joe, e peça a Maddie para me ligar quando ela chegar dos testes para animadora de torcida. As aulas começam na semana que vem e ela vai precisar de roupas novas, pois cresceu como uma vara neste verão. — Ela engoliu seco. — Ela nunca está quando ligo, parece.

Depois de um breve intervalo, Cassie disse:

— Pode deixar. E se você não voltar logo, vou levá-la para Atlanta e comprar as coisas dela aí, como uma forma de agradecer a Maddie por toda a sua ajuda.

Elas se despediram e Harriet desligou o celular. Depois de um longo tempo, apagou a luz do banheiro e voltou para cama. Sem abrir os olhos, Joe puxou-a e ela se encaixou nele, como duas colheres numa gaveta. Ele a beijou no pescoço e, em seguida, caiu no sono de novo, com sua mão sobre o quadril dela. Ali acordada, observando o Sol iluminar a parede à sua frente e sentindo o bebê se mexer de novo em um movimento suave como a neve caindo, ela sentiu na pele o hálito morno de Joe.

Cassie estava tendo dificuldade com a caçarola tampada e com o guarda--chuva. O saboroso aroma de quiabo frito fazia seu estômago roncar. Joey, vestindo uma capa de chuva amarela e botas da mesma cor, vinha atrás dela, chapinhando na água. Ele segurava um prato de bolo da Sra. Crandall. Lá estava — um pouco instável e envolto em papel filme — o primeiro bolo de abacaxi feito por Cassie.

Uma buzina de carro soou e os dois pararam e ficaram olhando Sam estacionar na guia.

— Lucinda me ligou e disse que talvez precisassem de uma carona.

— Estamos bem. — Cassie seguiu andando, inclinando o guarda-chuva para evitar que o vento soprasse a chuva em seus olhos.

— Tia Cassie! — gritou Joey. — Este bolo está pesado e ficando molhado! Não podemos ir com o Dr. Parker?

Cassie parou por um momento e olhou para o sobrinho encharcado, com suas sardas marrons realçadas na brancura da pele.

— Tenho certeza de que o Dr. Parker tem outras coisas para fazer, Joey. De qualquer forma, já estamos quase chegando

Sam saltou da caminhonete e pegou o prato de bolo de Joey.

— Entre na caminhonete, garotão, vou colocar isso no seu colo.

Cassie resistiu quando ele tentou tirar o quiabo frito de suas mãos.

— Você não tem coisa melhor para fazer? Como salvar uma casa ou lancetar um furúnculo?

Ele arrancou a caçarola das mãos dela.

— Nada tão glamoroso, infelizmente. A clínica está tranquila hoje e eu tenho mesmo que examinar a D. Lena. — Ele segurou a porta aberta para Cassie. — E o que aconteceu com o carro de Lucinda?

Ela esperou ele se sentar na caminhonete para responder.

— Alguém furou os pneus dela ontem à noite. E o carro estava estacionado bem em frente de casa. Fiquei sabendo que aconteceu a mesma coisa com a moto de Johnny Ladue. Detesto ter de admitir, mas todo esse vandalismo está começando a me irritar. E pelo modo como todos estão falando sobre isso, nunca venderei a casa.

Sam esticou o braço e abaixou o volume do rádio.

— Quem você acha que é o culpado?

— O delegado Adams me fez a mesma pergunta. Tirando você, o mais provável seria o pessoal da Roust.

Sam ergueu a sobrancelha.

— Me tirando?

Cassie deu de ombros.

— Bom, sim. Você tem umas ideias arcaicas sobre deixar minha casa intocável para sempre, o que é muito interessante, pois nem proprietário do lugar você é.

— A-ham. — Ele não disse nada mais, e manteve o olhar fixo na rua à frente.

— Mas depois pensei que, com tantos furúnculos para tirar, bebês nascendo, árvores para cuidar e seu trabalho como conselheiro da prefeitura, você não teria tempo para fazer vandalismo. — Cassie parou por um momento, esperando uma resposta. Como não obteve nenhuma, prosseguiu. — De qualquer forma, o delegado primeiro achou que eram moleques fazendo bagunça, como os garotos Haney. Ed disse que eles são bem levados e que agora Richard Haney trabalha para a Roust, então isso faria sentido. O delegado Adams encontrou marcas de pé na lama em volta da casa, então temos uma primeira pista. Ele está analisando-as e poderá dizer se os Haneys estão envolvidos ou não.

Ela se mexeu no assento, arrumando o quiabo frito no colo.

— E Jim Roust não para de me ligar. Pelo menos aquele cara da revista *Preservation* é educado quando telefona. Na verdade, antes de desligar na cara dele, eu sempre digo "não, obrigada". Quando o Roust liga e eu reconheço a voz dele, desligo logo em seguida. Acho que ele não me vê com bons olhos. Contudo, é difícil de acreditar que um homem com a posição que ele tem no mundo dos negócios recorrera a táticas de guerrilha. Especialmente depois do que fez com o loteamento de Ed Farrell.

Um cachorro atravessou a frente da caminhonete correndo, obrigando Sam a pisar no freio. Por pouco o quiabo frito não escorregou do colo de Cassie. Uma rápida olhada no banco de trás assegurou-a de que o bolo não teve o mesmo destino.

Joey a encarou com olhos arregalados.

— Peguei, tia Cassie. Eu estava segurando bem firme. Escorregou um pouquinho, sim, mas acho que endireitei o bolo.

Sam riu, divertido, e Cassie lhe deu uma cotovelada.

Limpando a garganta, Sam perguntou:

— O que aconteceu com o loteamento de Ed Farrell?

— Ele disse que todas as instalações dos banheiros foram tiradas do condomínio no meio da noite. Ele tinha quase certeza de que foi o Roust.

Sam erguei as sobrancelhas.

— Engraçado. Não escutei nada sobre isso. Foi o Ed que te contou?

Cassie fez que sim com a cabeça.

Sam começava a falar alguma coisa quando viu Joey pelo retrovisor.

— Que tipo de bolo é esse?

O menininho enrugou o nariz.

— Bolo de abacaxi virado para baixo. Tia Cassie fez tudo sozinha.

Com uma rápida olhada para o banco de trás, Sam disse:

— Posso ver. Mas acho que nunca tinha visto um com... é... um formato tão interessante. Para quem é?

Cassie o fitou com um olhar maldoso.

— O quiabo frito é para a D. Lena, mas o bolo é para a Sra. Crandall. Minha mãe sempre me ensinou que não se deve retornar um prato vazio.

Sam tentou, sem êxito, esconder uma risada.

— Você acha que eu deveria ficar um pouco por perto até ter certeza de que ela ficará bem depois de comê-lo?

Ela bateu no ombro dele com seu guarda-chuva molhado, espirrando água por toda a cabine da caminhonete. Mesmo assim, ela não resistiu a um sorriso, mesmo quando as notícias de Atlanta não eram as que ela estava esperando. Apesar do tom otimista de Harriet e Joe e das eternas palavras de esperança "mais exames", Cassie sabia que não estavam contando a história toda. Ela estava quase contente. A verdade viria à tona, cedo ou tarde, e Cassie teria de lidar com ela. Mas, por enquanto, estava gostando de ficar com os sobrinhos, permitindo-lhes desfrutar de seus últimos dias de alegria sem preocupações, antes que suas vidas mudassem para sempre. Ela olhou para Sam, notando em seu rosto as rugas de um sorriso e o brilho azul de seus olhos. É, era bom rir de novo.

A Sra. Crandall abriu a porta da frente e Cassie ficou olhando a velha mulher fazer uma careta ao examinar o bolo.

— É um bolo de abacaxi virado para baixo — explicou Cassie.

A Sra. Crandall se animou.

— Ah, claro. Estou vendo. É o meu favorito. Muito obrigada, querida.

Um pequeno *poodle* preto apareceu, saindo detrás da porta, e começou a mordiscar os tornozelos de Cassie. Ela quase sugeriu dar o bolo para o cachorro antes, só por segurança.

— De nada. — Com um aceno, caminhou até a calçada e subiu na caminhonete de Sam.

Enquanto ela colocava o cinto de segurança, disse:

— Parece que tem gente que nunca viu um bolo de abacaxi virado para baixo antes.

— Bem, a Sra. Crandall com certeza já. Ela é uma das grandes competidoras na disputa de melhores pratos do festival kudzu, ela concorre com suas próprias criações. Talvez ela te ligue mais tarde para saber como você conseguiu aquele formato tão interessante.

Cassie escorregou no banco com um resmungo.

— Bem, pelo menos foi Lucinda quem preparou o quiabo frito. Detestaria ser acusada de matar D. Lena.

Joey riu do banco de trás, então se juntou a Sam para cantar, em voz bem alta, com o homem no rádio que falava poeticamente sobre uma mulher de nome Carlene.

Apesar da chuva, D. Lena estava sentada do lado de fora da varanda, com o cardigã cor-de-rosa de sempre sobre os ombros e as meias enroladas no tornozelos, com um novo romance entre as mãos envelhecidas.

Ela olhou com um alegre sorriso quando Sam se aproximou dela. Cassie e Joey vinham logo atrás com o quiabo frito.

— Boa tarde, D. Lena. — Sam se inclinou e deu um beijinho na velha senhora.

— Bem, bom dia. Que surpresa boa. Eu tinha consulta hoje? — Seu sorriso enfraqueceu um pouco quando a confusão pareceu ter tomado conta dela.

Gentilmente, Sam respondeu:

— Não, D. Lena. Mas queria dar uma carona para Cassie nesta chuva e pensei que, enquanto estivesse aqui, talvez pudesse examiná-la. A senhora se lembra de Cassie, a filha mais velha de Harrison e Catherine Anne. E este garotão... — Ele empurrou Joey para colocá-lo na frente da mulher. — Este é Joey, o filho de Harriet e Joe Warner.

Os olhos de dona Lena se aguçaram.

— Joey? — Ela balançou a cabeça. — Não, isso não está certo. Não é assim que o chamavam. — Ela olhou para o colo, com os lábios se mexendo. — Era Frank ou Fred... — Suas sobrancelhas escassas ficaram contraídas, os dedos puxaram o casaco cor-de-rosa, agitados. — Não consigo, não consigo me lembrar. — Sua voz falhou e os olhos encararam Joey atentamente.

— Me chamo Joey. — O menininho trouxe para frente o lábio inferior, depois escondeu o rosto na blusa de Cassie.

Cassie colocou a mão sobre o ombro de Joey.

— Trouxemos para a senhora um pouco de quiabo frito para o jantar. Foi tia Lucinda que fez. Disse que é seu preferido.

D. Lena não parecia ter escutado. Seus olhos pareciam estar focados em algum lugar atrás do ombro de Cassie.

— Só o vi naquela vez, e depois o levaram embora...

Sam pegou a caçarola da mão de Cassie.

— Vou trazer Joey mais vezes, se quiser. Sempre pensei que esse menininho pudesse ser um pouco travesso para a senhora.

Um leve sorriso atravessou-lhe os lábios.

— Ah, não. Meninos são uma maravilha.

Cassie ajudou a velha mulher a se levantar da cadeira e levou-a para dentro da casa, atrás de Sam e Joey.

Enquanto Sam colocava a caçarola na cozinha, Cassie arrumou, confortavelmente, D. Lena em sua poltrona favorita. Joey se sentou sobre um gasto sofá forrado de tecido de algodão, o mais longe possível da mulher, e ficou olhando-a de modo reservado.

D. Lena se recostou na poltrona e abriu o livro de novo.

— Este livro é maravilhoso. É uma daquelas histórias sobre os *vikings*. Não tinha ideia de como eram sensuais naquela época.

Cassie lançou um rápido olhar para Joey e reparou que ele escutava atentamente. Quando D. Lena começou a ler o livro em voz alta, Cassie rapidamente tapou os ouvidos do sobrinho com as mãos.

— Desculpe interrompê-la, D. Lena, mas notei que há alguns matinhos no seu gramado da frente e quero levar Joey ali fora, para cuidar disso para a senhora. Já volto. — Agarrando o braço dele com força e ignorando a chuva que caía, ela o levou para fora da casa.

Quando voltou, a maleta de Sam estava aberta no chão e D. Lena, dormindo em sua poltrona. O livro havia caído ao lado dela, e o peito roncava suavemente. Em silêncio, Cassie apanhou o livro e o colocou sobre a mesa num lugar fácil de encontrar.

Ela se sentou numa otomana e ficou observando D. Lena de perto.

— O que está fazendo?

Cassie virou o rosto abruptamente ao escutar a voz de Sam. Ele segurava seu estetoscópio, evidentemente esquecido na caminhonete.

Encolhendo os ombros, ela se levantou.

— Apenas olhando para ela. E pensando. Pensando qual é a sua história. Ela não tem família, exceto uma irmã em Mobile, mas muitos amigos, e nunca se casou. Gostaria de saber por quê.

Sam se recostou na estante de televisão e cruzou os braços sobre o peito.

— Pelo o que sei, não foi por falta de interesse dos rapazes de Walton da época. D. Lena era de uma beleza rara, todos dizem. Veja isto.

Ele deu dois passos e atravessou a sala até uma cristaleira. Abrindo-a, tirou de dentro um porta-retratos e o entregou a Cassie.

A mulher na foto usava um vestido do final dos anos 60, rodado, de bolinhas, de comprimento um pouco acima do joelho e gola alta. Os cabelos escuros brilhavam num corte reto, bem liso, que moldavam um rosto oval de traços delicados e olhos grandes em forma de amêndoas. Seu sorriso sedutor trazia um grande segredo ainda a ser revelado.

Cassie gentilmente passou a mão sobre o vidro, limpando a poeira.

— Ela era muito bonita mesmo, não? — Ela olhou de novo para a mulher que dormia. — Com certeza há uma história em algum lugar. Olhe, veja esta expressão, ela definitivamente estava envolvida em alguma coisa.

Sam concordou.

— É, sempre achei isso. Já tentei fazer que contasse algo, escrevesse, mas sua mente não se concentra em um único assunto por muito tempo. Detesto, de verdade, pensar que talvez suas histórias morram com ela.

Uma tristeza profunda e inexplicável percorreu Cassie como uma grande onda, arrancando-lhe toda a força. Ela ficou olhando para as mãos enrugadas sobre o braço da cadeira e se perguntou se elas já tinham acariciado o rosto de algum amor, ou segurado a mão de alguém no cinema, ou agarrado um ombro num ímpeto de paixão. Dona Lena havia se privado de uma companhia todos esses anos por não aceitar o que a vida lhe apresentava ou simplesmente envelhecera à espera do grande amor de sua vida?

Cassie olhou para o retrato de novo e, ao levantar o dedo para tirar uma sujeira do vidro, ficou paralisada. A sala parecia ter desaparecido de sua visão periférica quando baixou a cabeça para examinar a foto mais de perto. Sua respiração parou ao estudar o colar que a mulher usava — um pequeno medalhão.

— Sam.

Ele se virou rapidamente, notando o tom de urgência em sua voz. Sem dizer nada, ela lhe entregou o porta-retratos, apontando para o medalhão.

Ele o examinou por um bom tempo, com a testa enrugada, até que, por fim, olhou de novo para Cassie.

— Não acredito que deixei passar isso. — Ele balançou a cabeça de um lado para o outro.

— Isso o quê?

— O nome completo dela é Eulene. Eulene Larsen. Está escrito em seus registros, no meu escritório, e nunca me ocorreu.

— E.L. — disse Cassie, com seus olhos se concentrando na foto de novo.

— Exatamente. — Em silêncio, ele colocou o porta-retratos onde o havia encontrado.

Cassie se moveu, despertando de um estado de estupor, e puxou um xale de lã de detrás do sofá. Ajeitando-o gentilmente sobre o colo de D. Lena, ela o envolveu nas pernas dela. Com receio de falar, ela se juntou a Joey na varanda da frente enquanto aguardavam Sam acabar.

A volta para casa ocorreu em silêncio, exceto por Joey no banco de trás cantando com o rádio. Uma breve trégua no calor de verão havia sido assoprada com a tempestade, e as janelas estavam abertas para que desfrutassem do frescor do ar suavizado pela chuva.

Finalmente Sam falou:

— Então, o que vai fazer?

Cassie continuou a olhar para fora da janela.

— Não sei mesmo. Acho que papai manteve esse segredo para proteger D. Lena e a reputação dela. Não tenho certeza se seria certo ela saber que descobrimos tudo.

A voz de Sam estava calma.

— Não que ela vá se lembrar. Há uma boa chance de ela ter bloqueado completamente tudo isso.

Ela esfregou os olhos com a parte de trás das mãos.

— Talvez não tenha importância. Mas é possível que eu tenha um irmão em algum lugar, e D. Lena talvez possa me dizer isso de algum jeito.

Relutante, seus olhos encontraram os de Sam, que estavam sérios e duros.

— Faça o que achar ser certo, Cassie. Mas não penso que um pouquinho de areia movediça machuque ninguém. — Sam enfiou a cabeça para fora da janela e respirou fundo. — Sinto cheiro de algo queimando, como folhas. Mas é muito cedo para isso e está molhado demais.

Cassie respirou fundo também, e estava prestes a comentar isso quando viu um caminhão de bombeiros sair da entrada da casa e passar por eles na Madison Lane. Soltando o cinto de segurança, agarrou com força a maçaneta da porta.

— Depressa, Sam.

Ele mal havia brecado quando Cassie abriu a porta, pulou para fora da caminhonete e começou a correr. Sem parar, ela gritou sobre os ombros:

— Sam, fique com Joey.

Tia Lucinda e um pequeno grupo de pessoas estavam em volta da árvore de magnólia no gramado da frente. Ela reconheceu alguns dos vizinhos também, e todos balançavam a cabeça de um lado para o outro.

— As crianças estão bem? O que aconteceu? — Sua respiração estava bastante ofegante.

Lucinda tocou-lhe no braço.

— As crianças estão bem, e tudo está bem agora, graças a Deus. Mas alguém botou fogo nas folhas secas debaixo da magnólia. Por sorte, muitas estavam úmidas por causa da chuva, caso contrário toda essa parte do gramado teria pegado fogo rapidinho.

Cassie ficou olhando para as folhas enegrecidas na base da árvore, sentindo o fedor pungente de folhas molhadas e algo parecido com gasolina. Sentiu a garganta apertar.

— A árvore... foi danificada?

Richard Haney, o antigo vizinho de seu pai, deu um passo para frente.

— Acho que não, parece apenas que chamuscou um pouco. Mas eu chamaria um arboricultor, por via das dúvidas. Terrível perder uma árvore assim tão bonita. — Ele balançou a cabeça, triste.

A Sra. Haney enfiou a cabeça atrás dos ombros do marido.

— Não sei o que está acontecendo com nossa vizinhança. Costumava ser tão tranquila. Talvez devêssemos nos mudar para mais longe. — Lançou os olhos na direção do Farrellsford. — E pensar que na noite passada dormi com as portas abertas. Acho que não vou mais fazer isso.

Cassie olhou com cuidado para os Haneys, perguntando-se por que estavam ali.

— Como aconteceu isso?

Tia Lucinda tirou o cabelo da testa e ficou olhando Sam se aproximar com Joey.

— Estava no escritório, mexendo nas coisas de seu pai, como você havia me pedido, quando senti cheiro de fumaça. Olhei pela janela e não tirei os olhos do gramado até ver uma fumaça saindo desta árvore. Nem pensei duas vezes. Liguei para o corpo de bombeiros e tirei todas as crianças de dentro de casa. Madison tinha acabado de chegar da escola e correu para pegar uma mangueira, mas o caminhão de bombeiros chegou antes mesmo que ela conseguisse trazê-la até aqui. O chefe dos bombeiros disse se tratar, sem dúvida, de incêndio criminoso. Disse algo sobre detectar um catalisador, sei lá o que é isso. — Um leve brilho de transpiração reluziu sobre a impecável maquiagem de Lucinda.

Cassie manteve os olhos fixos na base chamuscada da árvore, com uma pequena ruga entre as sobrancelhas.

— Por que alguém machucaria minha árvore?

O pequeno grupo começou a se dispersar, sorrindo para Cassie em solidariedade e dando tapinhas em suas costas ao partir. A Sra. Haney mencionou algo sobre montar um grupo de vigília na vizinhança e disse que ligaria depois.

Cassie encarou os Haneys com os punhos nos quadris.

— Faça isso mesmo. E diga também ao Sr. Roust que não importa o que ele faça, não venderei a minha terra. As pessoas que estão fazendo isso para ele serão pegas cedo ou tarde, então talvez deva dar esse recado para os seus meninos.

Os Haneys a olharam, estupefatos. Richard Haney deu um passo para frente, com o rosto bem sério.

— Conheço-a há muito tempo, Cassie, para acreditar que você suspeite que nossos meninos tiveram alguma coisa a ver com isso! Claro, são levados e tudo o mais, mas nunca fariam algo assim. E quanto ao Roust estar por trás de tudo isso, acredite em mim, ele tem coisas bem mais importantes a fazer. Se quisesse esta terra, já a teria conseguido há muito tempo. — Segurou no cotovelo da esposa e saiu pisando bravo.

Sam se agachou na frente da magnólia.

— Sua árvore vai ficar bem, Cassie, não se preocupe. Talvez devesse iluminar esta parte do gramado. A menos que queira acampar aqui fora de novo hoje à noite.

Sarah Frances veio correndo pela porta da frente.

— Tia Cassie, telefone. É o diretor Purdy. — Ela olhou para a irmã mais velha com um sorriso travesso e começou a cantarolar. — Maddie aprontou, Maddie aprontou.

— Quieta, menina. — Tia Lucinda segurou a menina pelos ombros, pressionando o rosto dela ao lado do corpo para abafar a sua voz.

Cassie suspirou. Queria saber se isso tinha algo a ver com Maddie não fazer parte do grupo de animadora de torcida de novo. As aulas haviam recomeçado há uma semana, e a decepção nem parecia ter perturbado Maddie. Ao contrário, ela parecia quase feliz.

— Deixe-me atender essa ligação. Você se importaria de vir comigo, Sam? Estou com um cheque para pagar seu pai pelo carro de Andrew. Sempre esqueço de trazê-lo comigo.

Enquanto atravessavam o gramado, Cassie viu Maddie desaparecer na lateral da casa. Parecia estar com pressa.

Ela pegou o telefone no escritório do pai, depois de procurá-lo entre as pilhas de papel e caixas. Sam tirou um taco de golfe do suporte da parede e começou a praticar suas tacadas.

Cassie levou o fone ao ouvido e disse alô. A voz do diretor parecia tensa.

— Alô, Cassie. Receio que esta não seja uma ligação para bater papo. Parece que é você quem está cuidando de tudo enquanto Joe e Harriet estão em Atlanta.

— É, sim. Isso mesmo. O que posso fazer pelo senhor?

— Bom. — Fez-se uma longa pausa. — É sobre Maddie. Houve uma espécie de... incidente e preciso me encontrar com você para falarmos sobre isso.

— Que tipo de incidente?

— Envolve Lucy Spafford. E, bom, prefiro não falar sobre isso pelo telefone. Gostaria que viesse até minha sala. Estaria livre em uma hora, digamos por volta das cinco?

— Sim, senhor. — Ela ergueu as sobrancelhas, perguntando-se por que uma mulher formada de 35 anos de idade ainda temia seu diretor de escola.

Depois de desligar o telefone, foi até a gaveta da escrivaninha e entregou a Sam o cheque pelo conserto do carro. Ele o pegou, encarando-a, curioso.

— O que aconteceu?

Ela cruzou os braços sobre o peito.

— Não tenho certeza. Mas tem a ver com Maddie e Lucy Spafford. O diretor Purdy quer conversar comigo na sala dele. Estava pensando...

Ela parou e Sam inclinou a cabeça para o lado com os olhos semicerrados.

— O quê?

— Bem, se você poderia vir comigo. Não sou boa nesse negócio de pais, e acho que precisarei de apoio moral.

Sam pendurou de volta na parede o taco de golfe.

— Não é você quem está com problemas, sabe? Mas se acha que posso ajudar, será um prazer te acompanhar. Afinal, sou o padrinho de Maddie. Só preciso ligar na clínica para avisar Mary Jane onde estou.

Ela o tocou no braço.

— Não lhe diga por quê, tá?

Seu rosto expressava surpresa, mas não disse nada.

Era claro que Maddie havia saído de casa quando ela e Sam entraram na caminhonete. Cassie tinha um pressentimento ruim de que logo descobriria o porquê.

O Sr. Purdy os recebeu de modo cordial quando entraram em sua conhecida sala. Exceto pelo computador de mesa e a máquina de fax, quase nada havia mudado dos tempos em que ela era uma visitante assídua. O diretor concordou com a presença de Sam e os conduziu para dentro da sala antes de fazer um sinal para que se sentassem em duas cadeiras de frente para a mesa dele.

Depois de sentado, o diretor cutucou os dedos e não disse nada por alguns longos minutos, em busca das palavras certas. Seu cabelo, agora completamente branco, estava bem mais ralo, com apenas alguns fios esparsos sobre sua careca, à semelhança de uma teia de aranha.

Por fim disse:

— Acho que a melhor maneira de enfrentarmos isso é falarmos sobre isso, então deixe-me começar. — Ele limpou a garganta. — Como provavelmente já sabem, a professora de educação cívica, a Sra. Anderson, levou o primeiro ano do ensino médio para uma viagem de campo até o capitólio do estado na quinta-feira passada. É uma honra fazer parte dessa classe, e por isso permitimos que a Sra. Anderson apresentasse o assunto de sua aula levando esses seletos alunos para o capitólio na primeira semana de aula. Como um prêmio, poderia se dizer, antes de começarem o estimulante trabalho de classe. Sua sobrinha — ele apontou Cassie com um sinal de cabeça — estava na viagem, juntamente com Lucy Spafford.

Ele se levantou e pegou um copo de papel de uma mesa ao lado de um bebedouro.

— Alguém quer água? — Cassie e Sam responderam que não e aguardaram o diretor encher o copo e retornar a sua cadeira.

— Bom. Na entrada do capitólio há um detector de metal pelo qual todos os visitantes precisam passar. — Ele bebeu toda a água do copo de uma só vez. — Quando Lucy Spafford passou a bolsa pelo detector, o alarme foi acionado. O pessoal da segurança, fazendo o trabalho deles, tiveram de examinar a bolsa para encontrar a causa do barulho. — Ele parou de falar, então baixou a cabeça, olhando para Cassie através de pestanas enormes.

— O que foi? — A voz de Cassie falhou e ela engoliu seco. De repente lhe veio à memória a nítida imagem da cueca samba-canção do Sr. Purdy, listrada de vermelho e branco, voando alto no topo no mastro. Ela mordeu o lábio com força.

Ele limpou a garganta de novo.

— Foi um... um... dispositivo sexual. Acho que o termo apropriado é vibrador. Um modelo movido à pilha.

Sam tossiu, mas Cassie continuou a encarar o diretor, séria.

— E o que isso tem a ver com Maddie?

— Bem, a melhor amiga de Lucy, Lauren North, disse ter visto hum... bem... um catálogo da loja de artigos eróticos, Adam & Eve, no armário de Maddie. Parece que qualquer um pode ligar para o 0800 e pedir esse catálogo. — Ele limpou a garganta. — Talvez devam checar as faturas do cartão de crédito por causa dessa compra. E digam a Harriet e Joe para fazerem o mesmo. — Sam e Cassie esperaram o diretor se servir de outro copo d'água. Ele se sentou de novo e prosseguiu. — Quando perguntei a Maddie, ela confessou ter colocado o... bom... o aparelhinho na bolsa de Lucy. Ela nem tentou negar. Acho que gosta de chamar a atenção. — Ele olhou bem para Cassie, que tentava manter uma expressão impassível no rosto.

Cassie cruzava e descruzava a perna.

— Isso aconteceu na quinta-feira passada? Por que não me disseram nada antes?

— Eu, é que... — Ele tossiu de novo sobre o pulso cerrado. — Estava esperando pela volta de Harriet e Joe, mas sei que devem ficar fora por um tempo. — Depois de uma breve pausa, continuou. — E Lucy e os pais dela estão ansiosos para encerrar isso... esse incidente.

Cassie concordou, com uma expressão de mulher adulta escancarada no rosto.

— Vou conversar com Maddie sobre isso e chegar a uma punição cabível.

O diretor Purdy se mostrou de acordo e aliviado. Em seguida, deslizou a cadeira para trás num claro sinal de que a reunião havia acabado.

— Não acho que seja caso de uma suspensão, não desta vez. Tenho certeza que muito disso tem a ver com a doença de Harriet, e é comum que uma menina como Maddie reaja de alguma forma. Sua sobrinha é muito esperta, Cassie, e uma boa aluna também. Me lembra uma outra aluna que costumávamos ter. — Ele piscou para ela. — Precisa apenas conter essa energia, canalizá-la para algo mais produtivo.

— Sim, senhor. Entendo. Vou ficar atenta e conversar sobre isso com Harriet e Joe quando eles voltarem. — Levantando-se, ela se inclinou e se despediu do diretor com um aperto de mão. Sam fez o mesmo.

Eles saíram da sala em silêncio. Apenas a batida de seus saltos os seguia pelos corredores desertos da escola, cujas aulas já haviam acabado. Permaneceram impassíveis até a caminhonete de Sam sair do estacionamento da escola. Mal haviam passado o cruzamento, os dois caíram na gargalhada.

Sam estacionou a caminhonete na calçada, matando-se de rir. Cassie recostou a cabeça no banco, tentando recuperar o fôlego.

— Minha nossa, que cena. Você consegue imaginar a cara de Lucy Spafford quando tiraram aquilo da bolsa dela? É tão engraçado.

Sam apoiou a testa no volante.

— Cara, até imagino todas aquelas crianças olhando para aquele negócio e pensando que diabos seria. — Ele balançou a cabeça e olhou para Cassie. — Essa foi a traquinagem mais engraçada que já escutei. Acho que precisamos passar a sua coroa, ela te superou.

— É com satisfação que a entrego. Ela é uma sucessora digna de mérito.

— Ficaram calados por um instante, até Cassie se dirigir a Sam de repente.

— Ah, meu Deus! Agora me lembro de ela me perguntando se baterias eram feitas de metal. Foi quando Andrew estava aqui. Pensar que esteve conspirando isso durante todo esse tempo!

Sam a acotovelou de leve, ainda rindo.

— Herdou de alguém!

Cassie deu um largo sorriso.

— É. Verdade. Está no sangue.

— Você vai contar aos pais dela?

Cassie balançou a cabeça.

— Não, pelo menos não agora. Acho que eles já têm problemas suficientes por ora. Além disso, não quero ser eu a pessoa a ter que explicar a Harriet o que vem a ser um vibrador.

— Você, ao menos, vai punir Maddie?

Cassie ficou observando um carro conversível passar por eles com várias adolescentes dentro.

— Com certeza. Além de obrigá-la a se desculpar com Lucy, direi que o térreo inteiro da minha casa precisa ser encerado. Você não faria isso?

Sam deu a partida no motor.

— Acho que me lembro de você com cera sob os dedos algumas vezes.

Cassie concordou.

— E sou muito boa em encerar chão também, só pra te informar. — Ela abriu o espelhinho do para-sol e arrumou o cabelo. — Mas se ela puxou a mim, isso não vai fazê-la se arrepender nem um pouquinho. Vai fazer apenas que ela pense que, na próxima vez, precisará se esforçar mais para não ser pega.

Sam riu, divertido.

— Não consigo acreditar que ela seja filha de Harriet. Ela é igualzinha a você, dos pés à cabeça, de trás para frente. Pobre Har. — Ele balançou a cabeça, com um sorriso escancarado no rosto. — Não paro de pensar em Maddie explicando à mãe o que é um vibrador. Se chegar a esse ponto, quero gravar a cena para colocar no YouTube.

Isso fez que Cassie caísse na risada de novo, mal conseguindo se conter. Ela riu até começar a chorar, pensando na menina maravilhosa que era a sobrinha e na mãe dela, que talvez não estivesse presente para ver a filha se tornar um mulher adulta.

Percebendo sua mudança, Sam passou o braço sobre a cabeça dela e a deixou se aninhar em seu ombro. Nenhuma palavra mais foi dita, mas o carinho e compreensão dele bastaram. Ela enterrou a cabeça na camisa jeans escura de Sam e chorou por sua infância sem mãe, por Harriet e, acima de tudo, por Maddie.

Capítulo 23

Cassie saltitou num pé só, com dificuldade para colocar o seu maiô rapidamente. Sarah Frances e Joey já estavam lá embaixo, no vestíbulo, com seus trajes de banho, bloqueador solar no rosto e corpo, aguardando, impacientes, que ela descesse para levá-los até o riacho.

Enquanto amarrava o maiô nas costas, notou um talho profundo na madeira ao pé da cama. Tratava-se de um estrago recente. A madeira estava mais clara e lascada, e era evidente que algo pesado e grande havia caído sobre aquele lugar e arrancado um pedaço da cerejeira. Inclinando-se para pressionar o dedo na marca, viu três envelopes meio escondidos sob a saia da cama e se ajoelhou para pegá-los.

Um de cada vez, ela puxou os três e os examinou. Os dois primeiros já haviam sido lidos: estavam na pilha de cartas da caixa. Mas o terceiro era menor que os outros e estava completamente vazio: nada escrito, nem carimbo postal ou selos. Estava aberto e parecia nunca ter sido lacrado. Tinha, porém, um rasgo numa das laterais, o que a fez pensar que fora enfiado de forma pouco cuidadosa dentro de outro envelope, que se perdeu. Ela tinha quase certeza de que não o vira antes. Virando-o de lado, tirou a carta de dentro e a abriu. Seu coração ficou apertado ao reconhecer a letra do pai, com traçados fortes e letras maiúsculas grandes.

18 de agosto de 1985

Meu querido filho,

Peço perdão por não estar escrevendo esta carta em seu nome, mas, apesar de todas as minhas tentativas, nunca consegui descobrir se você é um menino ou uma menina ou qual nome te deram.

Na possibilidade de eu morrer sem te conhecer, escrevo esta carta para, quem sabe, você compreender as razões de nunca termos nos encontrado. É provável que nunca venha a ler estas linhas e que eu as esteja escrevendo apenas para suavizar a minha consciência. É um consolo pequeno, mas o único que fui capaz de encontrar.

Sua mãe, com as melhores das intenções, o entregou para adoção sem meu conhecimento. Ela me disse que você havia morrido, e eu não tinha motivos para pensar o contrário. Por favor, gostaria que soubesse que eu o teria encontrado e o teria adotado se tivesse qualquer conhecimento de teu paradeiro. O único segredo que guardaria seria a identidade dela. Ela é uma boa mulher e jamais me agradaria comprometer sua reputação, mesmo que isso significasse manter a tua identidade em segredo para o mundo de fora.

Você já tinha quase 3 anos de idade quando vim a saber que não morrera ao nascer e que fora adotado. Sua mãe só me contou isso depois do nascimento de sua irmã, Cassandra. Suponho que ela acreditava que isso curaria antigas feridas, mas não curou. Fez-me querer encontrá-lo e fazer parte de sua vida. Mas você já tinha sido adotado e sua mãe achou melhor não divulgar nada sobre seu paradeiro ou qualquer outra informação que me ajudasse a encontrá-lo.

Desde então, eu venho tentando encontrá-lo, não para tirá-lo da família que aprendeu a amá-lo e o aceitou como se fosse dela, mas para me certificar de que estava feliz. Mas seus avós maternos, os quais na época já não estavam mais entre nós, conduziram a adoção sigilosamente, e não há registros que eu consiga encontrar. Mas continuarei tentando.

Imagino como você deva ser. Espero, apenas, um dia ter a oportunidade de vê-lo pessoalmente e lhe dizer que tem os olhos de sua mãe, ou o meu nariz, ou as mãos de meu pai.

Saiba que o amo da mesma forma que amo suas duas irmãs, e o meu maior desejo é o de um dia estarmos todos juntos. Manterei essa esperança viva até que seja abençoado a ponto de ver seu rosto, ou até o dia em que eu parta para encontrar o meu Criador. Então, terei de me reparar pelos erros que cometi com sua mãe. Por favor, perdoe-me por não ter lhe dado um nome. Entregaria minha própria casa só para poder segurá-lo nos braços uma única vez.

Eternamente teu,
Harrison R. Madison III

Cassie ficou segurando a carta por um longo tempo, com um alívio tomando conta dela. Aliviada porque o pai sabia sobre o filho e nunca desistiu de procurá-lo. Sentiu-se animada também. "Tenho outra irmã ou um irmão em algum lugar". Seu olhar se voltou de novo para o talho ao pé da cama, e ela se levantou tão bruscamente que sua cabeça ficou girando. "A caixa de cartas. A caixa de cartas sumiu".

Ela a havia deixado na cama e ainda era possível ver as marcas sobre a colcha. De joelhos, examinou debaixo da cama, mas não encontrou nada senão os chinelos de dormir.

Enfiou as cartas na bolsa e vasculhou o quarto com os olhos para ter certeza de que a caixa não estava lá. Desceu a escada correndo, gritando o nome de tia Lucinda.

A tia enfiou a cabeça para fora da cozinha, com o nariz sujo de farinha de seus biscoitos caseiros.

— O que aconteceu, lindinha?

Cassie se esforçou para acalmar a voz.

— Você viu uma caixa de cartas de madeira, grande? Deixei-a no meu quarto e sumiu.

Lucinda ergueu as sobrancelhas feitas a lápis.

— Não, não vi. E você sabe que não tiraria nada de seu quarto sem sua permissão. Tem certeza de que não a guardou em algum outro lugar?

Cassie balançou a cabeça.

— Sim, tenho certeza.

— Tia Cassie, podemos ir agora? — A voz de Joey na entrada carregava cada consoante num arrastado lamento.

— Estarei aí em um minuto. — Ela se dirigiu a Lucinda de novo. — Era a caixa de cartas do papai, tem as inicias dele na tampa. — Ela pensou por um instante. — Alguém veio ver a casa hoje de manhã, enquanto estive fora?

Lucinda balançou a cabeça.

— Não. Não que eu saiba. Estava nos fundos, tirando as ervas daninhas da minha horta.

Cassie enrugou a testa pensativa.

— Bom, se encontrá-la, poderia guardá-la de volta no meu quarto?

Lucinda concordou e Cassie, devagar, saiu da cozinha, perguntando-se o que havia acontecido com aquela caixa. Talvez por estar tão preocupada, ela a tivesse tirado da cama e se esquecido de onde a guardara. Ou talvez alguém a tivesse pego e ao fazer isso deixou-a cair no chão, derrubando as três cartas. Ela balançou a cabeça, com medo de pensar nas consequências.

Virou o olho em direção à entrada e viu os sobrinhos sentados no primeiro degrau. Eles já estavam com a máscara de mergulho e o *snorkel* no rosto. Não pôde fazer nada senão sorrir. Pensaria na caixa depois. Ela não saíra andando sozinha e certamente apareceria de novo.

Cassie estava empoleirada sobre uma pedra perto do riacho. Seus dedos descalços se agarravam com força à superfície lisa. Pelo cabelo puxado para trás escorria água em suas costas. A temperatura esteve perto dos 33 °C durante toda semana e o frescor da água vinha a calhar.

— Ataque de tubarão! — gritou ela ao pular na água. Quando colocou a cabeça para fora, com os olhos completamente fechados, guiou-se pelo delicioso grito das crianças no riacho para encontrar o lugar onde estavam escondidas suas vítimas.

— Tubarão! — gritou ela de novo, mergulhando para pegar um delator próximo, que se parecia muito com Sarah Frances. Agarrando um corpo com boias de plástico em volta dos bracinhos, Cassie fez cócegas, sem piedade na menina até ela gritar:

— Isca de tubarão! — Cassie a abraçou e soltou. — Sua vez de ser o tubarão.

Enquanto Sarah Frances, ensopada, subia na pedra, Cassie mergulhava de novo, deliciando-se com a água fresca no corpo. Ela abriu os olhos e fitou o céu sarapintado. O Sol surreal lançava uma luz irregular sobre a superfície. Estava silencioso e calmo ali: sem preocupações, doenças, ninguém berrando por sua atenção. E nada de Sam para perturbar seus pensamentos. Ela fez bolhas com a boca, pequenas bolinhas que subiram à superfície e explodiram na luz e no ar. Um grito vindo da margem a trouxe rapidamente à realidade.

Piscando para tirar a água dos olhos, ela viu Ed Farrell se aproximando.

— Ei, Ed — disse ela. Ao acenar, formou um arco com a água.

— Ei, Cassie. — Ele deu um largo sorriso e acenou de volta. — Vi Lucinda andando com Knoxie e Amanda e ela me disse onde a encontraria. Pensei em nadar, também. — Ele parou perto da margem, com o cabelo grudado na testa suada. Vestia uma camiseta e um traje de banho florido, que chegava quase à metade da panturrilha, chinelos azuis-claros e trazia uma toalha do time de beisebol do Atlanta Braves. — Se importa se eu nadar com vocês?

— De jeito nenhum, entre.

Largando a toalha, ele tirou a camiseta larga e entrou devagar na água.

— Estou apenas tentando encaixar o exercício diário, e nadar é tão bom quanto qualquer outro. — Ele rapidamente se agachou, afundando o corpo inteiro na água. — Por falar nisso, estou planejando uma academia de ginástica no centro de Walton. Posso garantir que teremos uma piscina de tamanho olímpico lá. Mais fácil de dar as voltas e tudo o mais do que no riacho.

Cassie concordou.

— Com certeza — disse ela, embora não tenha expressado o que lhe passou pela cabeça sobre como seria sem graça uma piscina fechada em comparação ao riacho do senador Thompkin. — Ei, Ed, você se lembra da caixa de cartas de meu pai? Eu estava com ela nas mãos uma vez que você foi lá em casa, e você a achou linda.

Ed concordou.

— Claro que sim. Uma linda antiguidade. Por quê? Mudou de ideia quanto a vendê-la?

— Não. É que não consigo encontrá-la. Não acredito que a tenha guardado em algum outro lugar, mas não consigo saber por que não está onde a deixei. Se alguém que você trouxe para ver a casa a tivesse levado, você teria percebido, não é?

Ed jogou água no próprio rosto.

— Com certeza. Seria meio difícil esconder uma coisa como aquela em meu carro sem que eu visse, não acha?

Ela praticou o nado de peito para longe dele, apreciando a água fria a lhe percorrer o braço e o peito.

— É, acho que sim. Só não consigo entender o que aconteceu com ela.

Joey deu um berro bem alto e agudo antes de cair na água em forma de bomba e encharcar todo mundo com êxito.

Ed segurou o fôlego quando a água fria lhe tocou a pele.

— Ei, garoto, preste atenção em quem está jogando água.

Cassie lançou um olhar de reprovação para o sobrinho, que não teve tanto êxito assim. Joey abafou uma risada e disse de forma forçada:

— Desculpe, Sr. Farrell. — Em seguida, nadou até a irmã.

Cassie balançou a cabeça, contando os dias para que a escola dos pequenos começasse. Maddie já tinha retornado às aulas há mais de duas semanas. Joey e Sarah Frances frequentavam um escolinha infantil administrada pela igreja, onde as aulas começavam mais tarde, para o desespero de Cassie. Seus dias eram preenchidos com distrair três crianças levadas e um bebê, apartar brigas e alimentar as crianças sem parar. Quando Maddie voltava da escola, começava a batalha das tarefas do lar. Demorou três dias para Cassie perceber que sua sobrinha mais velha podia ser chantageada com histórias de sua própria vida em Nova York ou com a promessa de experimentar uma de suas roupas.

Ed entrou até o meio do riacho e apoiou o pé no fundo para ficar com a cabeça fora d'água.

— Eu tinha outro casal que demonstrou interesse pela casa hoje, mas quando lhes disse onde ficava, declinaram. Disseram que andaram conversando com um antigo vizinho seu sobre todos os problemas com vandalismo e não estavam interessados em se mudar para uma vizinhança duvidosa.

Cassie tocou o pé no fundo cheio de pedregulhos.

— Vizinhança duvidosa? Será que esse vizinho era Richard Haney?

— Acho que sim. E se isso é verdade ou não, não interessa. O fato é que está cada vez mais difícil encontrar alguém para a sua casa.

Ela ficou olhando atentamente para ele, perguntando-se de novo quem ele lhe lembrava.

— Sabe, Ed, estive pensando sobre sua oferta de comprar a casa. Acho que prefiro ficar com ela e alugá-la por um período, pelo menos até encontrarmos uma família para comprá-la.

Ele mergulhou a cabeça na água, colocando o cabelo para trás.

— Bem, talvez assim as coisas fiquem mais fáceis, com certeza. E também vai te dar tempo para pensar e ponderar sobre o que realmente deseja fazer com ela. — Ele se pôs de lado e começou a nadar pelo riacho. — Imagino que esteja sabendo da reunião do conselho da prefeitura. Sam pode ter ganhado a batalha em relação a um decreto para impedir que mais propriedades venham abaixo, mas não ganhou a guerra. É apenas uma questão de tempo. Teremos um referendo em janeiro e posso garantir que as pessoas serão contra o decreto. A maioria de nossos cidadãos é a favor do progresso. Alguns cabeças de bagre, como Sam Parker, não farão a mínima diferença.

Ele enfiou o rosto na água de novo e, quando subiu, cuspiu água através dos dentes.

— Mas me diga o que fazer, Cassie. Sei como está ansiosa para voltar para seu emprego e talvez acertar as coisas com seu noivo. Estou aqui às suas ordens.

Cassie parou de empurrar a água e ficou imóvel por um instante, considerando voltar para Nova York e enfrentar Andrew de novo. Como ele não a procurou mais para falar sobre a conta da VisEx, ela supôs que ele a tinha descartado por completo ou conseguido mais tempo. Estranhamente, isso não parecia mais lhe importar. Aquela vida estava a milhares de anos-luz do riacho manso e das crianças formidáveis. Ela se virou de costas, com a água em suas orelhas abafando o som.

Parecia que todos, naqueles dias, estavam, tentando obrigá-la a tomar uma decisão sobre algo. Até mesmo o repórter da revista *Preservation* estava implacável com seu pedidos semanais para um futuro artigo e uma seção de fotos.

Ela nadou de costas até a margem e saiu do riacho. Subindo na enorme pedra que usavam de trampolim, pegou a toalha e começou a se secar.

— Ed, quanto acha que deveria ser o aluguel mensal? — Suas palavras foram interrompidas por um grito de Sarah Frances.

Cassie pulou de novo na água e nadou o mais rápido que conseguiu até a sobrinha. A menina estava presa a alguma coisa debaixo d'água e não conseguia manter a cabeça fora da superfície. Estava gritando e engasgando quando Cassie a pegou e a puxou até a margem.

Um tremendo rasgo, com cerca de cinco centímetros de comprimento, dividia a sola do pezinho esquerdo. O sangue jorrava da ferida, pintando de rosa a pele encharcada. Quando o viu, Sarah Frances começou a gritar mais alto, e continuou a choradeira enquanto Joey trazia a tampa de lata enferrujada da água.

Automaticamente, Cassie pegou a camiseta que vestira sobre o maiô. Era uma miniblusa de alcinhas, num tamanho perfeito para enfaixar um pé pequeno. Ela a amarrou o mais forte que conseguiu, tentando, ao mesmo tempo, acalmar a criança histérica.

Ed vestiu a sua camiseta depressa.

— Venha, vamos colocá-la no meu carro. Levo vocês até a clínica.

Cassie concordou.

— Vou envolver o pé dela com toalhas para não sujar o estofado de sangue.

Ele concordou com a cabeça, enquanto Cassie carregava a menina aos prantos e a acomodava no banco de trás. Ela rapidamente recolheu o restos dos pertences antes de Joey entrar no carro. Ed guiou um pouco mais rápido do que ela gostaria, mas chegaram à clínica em tempo recorde, mesmo deixando Joey em casa com Lucinda.

Para surpresa de Cassie, Ed carregou Sarah Frances sozinho para dentro da sala de espera vazia. Mary Jane ficou olhando, encantada, ele carregar a menininha, mas rapidamente mudou de expressão. Cassie, usando apenas a parte de cima do biquíni e um short rasgado, explicou a situação, e Mary Jane saiu para buscar Sam.

Sam apareceu e pegou a menininha, tirando-a dos braços de Ed. O choro dela ficou mais brando quando estava nos braços do médico. Cassie não pôde deixar de notar que ele parecia exercer esse mesmo efeito na maioria das mulheres.

Ela os seguiu para dentro de uma sala de exames que parecia uma aventura submarina. Paredes azuis com bolhas pintadas e peixes atarracados nadavam por todo o contorno, e brilhantes raios de Sol cobriam o teto. A menininha se sentou sobre um papel branco no meio da mesa de exames.

Suas pernas finas estavam para fora, na frente dela, e o rostinho manchado de lágrimas numa máscara de sofrimento infantil. Cassie a envolveu em seus braços.

— Ela pisou numa lata enferrujada no riacho.

Sam fez que sim com a cabeça antes de se ajoelhar para examinar o pé.

— Você fez um bom trabalho com esta atadura — disse ele ao retirar a camiseta de Cassie do pé da menina. Ele ficou olhando para ela por um momento, antes de jogá-la no chão.

Ele deu um sorriso tranquilizador para Sarah Frances enquanto a examinava. Ao terminar, apertou um botão na parede e se dirigiu à menininha:

— Não acho que precisaremos de pontos. Vou chamar a Srta. Harden para que limpe seu ferimento e faça um curativo. Depois, você pode pegar alguma coisa da caixa de guloseimas, tudo bem? — Sarah Frances concordou com um gesto de cabeça. Suas bochechas estavam pálidas e manchadas com lágrimas secas.

Ele se dirigiu a Cassie:

— Você não saberia dizer se a vacina de tétano dela está em dia, né?

— Sei sim. Está. Fiz Harriet ver tudo isso comigo antes de ela partir. — Cassie deu de ombros, tentando não parecer orgulhosa demais. — Sabe, por via das dúvidas.

Parecia que ele estava prestes a dizer alguma coisa, mas foi interrompida pela entrada de Mary Jane. Sam lhe deu instruções e pediu permissão a Sarah Frances para conversar em particular com a tia. Com a promessa de não se demorar, ele conduziu Cassie até sua sala, no final do corredor.

Ele foi até uma pequena geladeira e tirou duas cocas, entregando uma a Cassie. O ar-condicionado soprava forte, fazendo que ela tomasse consciência de como estava vestida. Ela abriu a lata e deu um grande gole.

Sam não parava de observá-la com atenção, mas sem dizer nada. Ela se virou de costas para ele e examinou a sala pequena, muito bem mobiliada.

— Então. Aqui é onde você trabalha.

— Sim. Quando não estou tirando furúnculos ou salvando casas, é sim.

Ela lhe lançou um olhar travesso e voltou a admirar os tons neutros, intercalados com cores vivas de almofadas, cortinas e uma tapeçaria na parede. Cassie caminhou até a tapeçaria e a tocou, encantada com os minúsculos pontos feitos à mão.

— Sua mãe fez isto para você?

Ele deu um longo gole da coca.

— Na verdade, foi Mary Jane.

— Nossa. — Ela se virou para encará-lo. — Então, o que precisava falar comigo?

Ele se recostou na parede e respirou fundo, exatamente como um homem prestes a abrir uma caixa que sabia conter coisas desagradáveis.

— Acabei de falar com Joe ao telefone, um pouco antes de vocês entrarem aqui. Estão voltando para casa amanhã.

— Amanhã? Por que não me ligaram para me avisar?

— Eles ligaram. Você deve ter deixado o celular em algum lugar onde não o escutou, e não estava em casa. Estava divertindo-se com Ed Farrell, suponho.

— Eu não me divirto com ninguém, especialmente com Ed. Eu estava no riacho e ele apareceu. — Ela cruzou os braços sobre o peito, abraçando-se. — Então, essas são notícias boas, certo? Que estejam voltando para casa?

Sam se sentou na beira da mesa mais próximo dela.

— Por que não se senta?

A voz dele ficou séria de repente, e ela obedeceu sem questionar.

— Harriet me pediu para falar com você primeiro, antes que chegassem em casa. Acho que precisam que você saiba, para que assim possa ajudá-los com as crianças. Especialmente Maddie. — Seus olhos azuis estavam carinhosos quando olhou para ela, mas não aplacaram o medo que crescia dentro de Cassie.

Espontaneamente, seus dedos se agarraram aos pingentes de ouro no pescoço e começaram a tocá-los um a um. Ela lhe retribuiu o olhar e manteve a voz firme.

— O que querem que eu saiba?

— Eles me enviaram por fax os pareceres médicos e os resultados dos exames. Conversei com o oncologista dela por mais de uma hora nesta manhã. Então... — Ele olhou para as mãos por um momento. — Então posso te explicar isso em termos vagos, em terminologia médica, ou em palavras que não farão muito sentido para você. Ou posso te dizer aquilo que não quer ouvir.

Cassie se levantou, caminhou até a janela e ergueu depressa as venezianas, fazendo que pequenas partículas de pó fossem lançadas nos raios de Sol do final da tarde.

— Diga-me... — Ela limpou a garganta, a voz mais forte agora. — Conte-me tudo, em termos médicos ou não. Preciso saber de tudo. — Sua voz lhe pareceu distante, lembrando-a da mesma voz que o pai usara quando contou-lhe que a mãe fora para o céu. Ela se sentiu pequena e com medo de novo. A necessidade de fugir e de se esconder fez que seus pés virassem. Mas ela buscou forças dentro de si e encontrou sua reserva interna, sua marca particular de teimosia, à qual se agarrou firmemente. — Manda — disse ela, numa falsa bravata.

Ele respirou fundo.

— Ela tem câncer de mama com comprometimento do sistema linfático, um câncer em metástase. Uma terapia agressiva e multimodal é necessária, mas temos de tomar cuidado por causa da gravidez. Radioterapia está fora de questão porque os tumores estão muito espalhados, e Harriet não quer quimioterapia porque aumenta as chances de aborto, por menores que sejam os riscos neste estágio da gravidez. Cirurgia também não é uma opção nesta fase, pois a doença está muito espalhada. — Ele fez uma breve pausa, para juntar forças. — Com o consentimento de seu médico, ela vai esperar o bebê nascer para dar início ao tratamento, caso seja aconselhável conduzir um na ocasião.

Cassie andou até a cadeira de novo e se jogou sobre ela. As pernas já não conseguiam mais mantê-la em pé e ela começou a tremer. No início eram leves tremores, que evoluíram para perceptíveis movimentos dos membros. Percebeu que ainda segurava a lata de coca e deixou que Sam a pegasse de sua mão trêmula. Em seguida, ele se colocou ao lado dela, cobrindo os ombros de Cassie com seu jaleco.

Ela fitava a parede.

— Se ela está em metástase agora e vai esperar mais quatro meses até começar o tratamento, quais as chances de sobrevivência?

Ele se agachou perto da cadeira e a olhou no rosto.

— As chances já são bem pequenas, Cassie. As células cancerígenas estão em toda parte, até mesmo no fígado. Mesmo sem a gravidez, as chances de sobrevivência são muito, muito pequenas. Um tratamento agressivo provavelmente só lhe daria alguns meses a mais, com grandes chances de prejudicar o bebê.

A voz dela estava calma, desdizendo o tremor de seus braços.

— E o bebê?

— O bebê está saudável. Não há casos conhecidos de uma transferência materna de células cancerígenas para o bebê. — Ele tocou em seu braço, com um vislumbre de alegria na voz. — É outro menino.

— Um menino. — Ela segurou com força o casaco em volta dos braços, incapaz de fazê-los parar de tremer. Endireitando os ombros, ela se sentou com a coluna reta na cadeira e olhou bem nos olhos dele. — Então, depois que o bebê nascer o que faremos?

Ele a ficou encarando por um instante, antes de responder.

— Isto não é um planejamento de publicidade, Cassie, em que há uma solução para tudo. É o corpo humano, e infelizmente não funciona assim. Estamos agora aguardando para ver o que vai acontecer.

Ela se levantou tão depressa que a cadeira inclinou para trás.

— Então, o que faremos? — Repetiu ela, com a voz cada vez mais alta e falha. — Qual o próximo passo do tratamento?

Ele se levantou também, mas devagar e com cuidado.

— Nós faremos que ela se sinta bem. E nós... controlaremos a dor. O bebê nascerá de cesariana, tão logo seja possível fazer isso, sem comprometer a saúde dele.

A ventilação da sala parou e tudo ficou em silêncio, com exceção das vozes abafadas no final do corredor e a risada infantil de Sarah Frances. Cassie segurou com força a beirada da mesa, incapaz de se mover ou articular qualquer palavra. Arrancando o jaleco de seus ombros, ela o jogou no chão.

— Não há nada que possamos fazer? — Ela bateu com força as mãos na superfície de madeira escura da mesa, o que fez um pedaço de papel voar e flutuar devagar até o chão.

Ela tentou se mover, mas ele a segurou pelos ombros com as duas mãos.

— Neste momento, não. Esta é a decisão de Harriet, e ela precisa de seu apoio.

Cassie se debateu, sem nem tentar manter a voz baixa.

— Eu sou a única que quer lutar contra isso? — Mordendo os lábios, ela se contorceu para se livrar dele.

Carinhosamente, ele disse:

— Não, Cassie. Acho que percebemos quando é hora de recolher os pedaços e voltar para casa, seja lá o que isso venha a ser. Harriet já tomou sua decisão, deixe-a fazer isso em paz.

— Não! — Ela se livrou dele com força e se dirigiu à porta, deixando Sam para trás.

Cassie correu para a sala de exames e não encontrou ninguém. Em pânico, começou a abrir todas as portas do corredor, gritando o nome de Sarah Frances. Quando chegou à sala de espera, parou. A menininha estava sentada a uma mesinha, pintando. Ela olhou para a tia com um sorriso e mostrou de longe o desenho que vinha fazendo. Nele havia uma casa e sete pessoas em forma de palito na frente. Uma das figuras tinha um longo cabelo loiro e carregava um bebezinho no colo.

— Estou fazendo este desenho para mamãe. Vou dar para ela quando ela chegar em casa.

Cassie se ajoelhou perto da criança e a abraçou com força.

Percebendo alguma coisa, a menina não se mexeu e começou a chorar.

— Quero minha mamãe.

Cassie bateu de leve na parte de trás da cabeça da sobrinha e sussurrou baixinho:

— Eu sei, querida. Vamos para casa.

Então, ela ergueu a menina, cuja mãozinha fechada segurava com força o desenho, e a levou para fora.

Capítulo 24

Numa tarde de sábado, Maddie se sentou com tia Cassie no balanço da varanda da casa do avô e enxugou o suor do nariz com o cotovelo outra vez. Tia Lucinda não parava de se referir a esse calor como os dias de cão do verão, e todos procuravam meios de se refrescar. Naquela manhã, tia Cassie levara todos eles ao supermercado Piggly Wiggly para o café da manhã com bolachas Moon Pie e coca. Eles se demoraram nos corredores de comidas congeladas até ficarem com os pelos do corpo arrepiados. Para Maddie, isso só podia ter sido fruto de puro desespero.

O ventilador do teto girava acima delas e ao lado havia um vasilha cheia de ervilhas. Papai e mamãe estavam prestes a voltar para casa. Maddie tinha um pressentimento de que Cassie estava usando aquela terrível tarefa de descascar ervilhas para mantê-las ocupadas e não se preocuparem. Não que estivesse dando certo, pois Maddie tinha tempo suficiente para se preocupar, mas pelo menos mantinha suas mãos ocupadas.

Tia Cassie tentou esconder um bocejo enquanto lutava para descascar uma ervilha. Maddie a havia encontrado na cozinha, debruçada sobre o *laptop*, por volta das três da manhã, quando se levantou para buscar um copo d'água. No início, tia Cassie tentou esconder a tela, depois desistiu, quando Maddie não foi mais embora. A mãe de Maddie sempre lhe dissera que ela era tão teimosa quanto a tia, mas naquele momento provara que se enganara: Maddie parecia ser muito mais teimosa.

Tia Cassie ficara acordada quase a noite toda pesquisando na internet sobre câncer de mama, com a esperança de encontrar alguma droga nova, alguma cura milagrosa. Muito do que mostrara a Maddie era uma linguagem inacessível para elas, mas ela imprimiu o material mesmo assim, certa de que faria sentido para alguém. Maddie queria compartilhar da esperança da tia, mas não era capaz. A diferença entre realidade e fantasia lhe era muito clara. Ela foi criada cercada por porta-retratos de uma tia que nunca a visitou, apesar das promessas da mãe de que um dia ela o faria. E ela nunca acreditou em Papai Noel também.

Maddie tentou jogar um punhado de ervilhas na tigela, mas errou o alvo e espalhou vários projéteis verdes pelo piso de madeira. Ao se agachar para recolher as irritantes ervilhas, ouviu o som de pneus sobre o cascalho. Quando ergueu os olhos, viu o carro do pai e, logo atrás, a caminhonete do Dr. Parker. Tia Cassie se levantou e caminhou até a porta de tela, abrindo-a e gritando para as crianças menores virem para fora.

Maddie continuou a descascar ervilhas, aturdida por tanta raiva e tanto amor conviverem dentro dela ao mesmo tempo. Seus dedos continuaram a trabalhar enquanto ela observava os dois veículos estacionarem numa nuvem de poeira. Seu pai e o Dr. Parker saíram e foram ajudar sua mãe a sair do carro.

Harriet parecia menor e, de alguma forma, mais frágil. Eles estiveram longe por apenas três semanas, mesmo assim a mulher que saiu do carro mal se parecia com a mãe que Maddie conhecia. A barriga de grávida estava maior, despontando sob aquele vestido sem forma, e fez que Maddie virasse o rosto. Ela se concentrou nas ervilhas enquanto percebia sua mãe se aproximando do primeiro degrau, onde se sentou com um profundo suspiro. O som de pés correndo podia ser ouvido na entrada principal. A porta de tela bateu e Maddie notou a mãe abrir bem os braços.

Knoxie, Joey e Sarah Frances brigaram pelo pequeno espaço no colo dela. Cada um teve a sua vez antes de ser entregue ao pai para um abraço apertado e muitos beijos. Tia Lucinda apareceu com Amanda em seus braços. Quando a bebê viu a mãe, ela gritou e estendeu os bracinhos gorduchos.

Maddie ficou no balanço, descascando ervilhas e jogando-as no balde, até seu pai se aproximar.

— Ei, querida. Não vai dar um grande abraço e um beijo no seu pai favorito? — Os olhos dele estavam cheios de preocupação, mas não tirou o tenro sorriso do rosto.

Maddie deu de ombros, fazendo que tia Cassie a cutucasse no braço. Relutante, ela se levantou e abraçou o pai e lhe deu um rápido beijo na face antes de voltar às ervilhas. Sua vontade era de se jogar nos braços dele e chorar em seu ombro, como fazia quando criança. Mas não podia. Era velha demais para isso e estava com muita raiva.

A mãe se levantou com Amanda nos braços, desequilibrando-se um pouco. Lucinda pegou a bebê enquanto Harriet se aproximava de Maddie.

— Ei, Maddie. Também posso ganhar um abraço?

Maddie ergueu os olhos e viu a pequena barriga de grávida sob o vestido da mãe. Contudo, não conseguiu se mexer mais que isso e retornou às ervilhas, com esperança de que ela fosse embora.

Tia Cassie se colocou entre elas e deu um grande abraço na irmã e a segurou com o braço estendido.

— Bem-vinda de volta, Harriet. — Largando a sua mão, voltou-se para o pai de Maddie e lhe deu um abraço também. Maddie ergueu os olhos e viu no rosto da tia a expressão que a fez ter vontade de chorar de novo. Era como assistir a um filme em ritmo acelerado. Os últimos 15 anos da vida de seus pais e de tia Cassie vividos separadamente. E só agora, era tarde demais, eles se davam conta do tempo perdido.

Tia Cassie disse para todos irem para a cozinha, onde Lucinda havia preparado um almoço de boas-vindas. Maddie largou seu último punhado de ervilhas e seguiu atrás de sua família. Quando os pequenos terminaram de brigar sobre quem se sentaria ao lado da mãe, Maddie se enfiou num lugar do outro lado da mesa, entre o Dr. Parker e a tia, e deu as mãos para os dois, quando seu pai disse a prece.

Maddie notou quando a mãe pegou um bocado da salada de frango e mastigou devagar. Largando o garfo, ela se levantou e se debruçou sobre a mesa com força.

— Com licença. Preciso me deitar no sofá da sala de visitas. Estou muito cansada da viagem.

Cassie pediu licença e a seguiu. Maddie, que também havia perdido o apetite, seguiu-as, mas ficou parada na porta, sem saber a que lugar pertencia.

— Você está se sentindo bem? — Tia Cassie pegou uma manta da cadeira de leitura do pai e cobriu com ela todo o pequeno corpo da mãe no sofá.

— Tirando o câncer, sim, estou bem. Apenas cansada, só isso.

Maddie estremeceu diante das palavras da mãe e viu, pela expressão da tia, que ela teve a mesma sensação.

— Desculpe, não quis dizer... Bom, não acho que possa fazer piada sobre isso.

Mamãe se recostou e fechou os olhos.

— Desculpe, Cassie. É que se eu não rir... — Sua voz sumiu.

Tia Cassie foi até a estante e pegou um pilha de papéis. Puxando o banquinho otomano na frente do sofá, ela os mostrou.

— Imprimi estes aqui da internet ontem à noite. É um monte de ensaios clínicos dos quais você pode participar. Há também alguns artigos sobre remédios aguardando a aprovação do FDA para o ano que vem. Acho que você, Joe e Sam precisam dar uma olhada neles.

Mamãe concordou, com os olhos suaves, e esticou a mão. Cassie lhe deu os papéis, esperando que fossem lidos e examinados logo em seguida. Em vez disso, mamãe os colocou no sofá, ao seu lado.

— Vou te deixar à vontade para dar um olhada neles enquanto checo se as crianças estão comendo direito, tudo bem?

Mamãe fez que sim com a cabeça. Seus olhos já fechavam antes de tia Cassie sair da sala. Maddie ficou observando a mãe dormir e notou que sua pele estava quase da mesma cor bege do sofá e que seus cabelos pareciam não brilhar mais. Deitada, ela parecia tão pequena e indefesa quanto Knoxie. Sabia que ela era miúda, mas nunca lhe ocorrera até aquele momento ver a mãe de outra maneira senão como uma mulher grande e forte — sua protetora em todos as pequenas agruras da vida. Escorregando pela parede, Maddie se sentou no chão, onde podia observar a mãe e continuar acompanhando a conversa na cozinha. Deixou que as lágrimas caíssem pela face porque ninguém podia vê-las.

Tia Cassie se sentou no lugar deixado pela mamãe e começou a amassar as bananas para o bebê. Ela não falou com papai ou com o Dr. Parker até que as outras crianças tivessem saído da cozinha correndo, quando tia Lucinda prometeu o sorvete caseiro. Como sempre, eles deixaram a porta dos fundos aberta e o Dr. Parker se levantou para fechá-la.

Tia Cassie limpou a boca de Amanda e, então, sentou-se.

— Andei pesquisando muito na internet. Acho que há alternativas que Harriet ainda não conhece. — Com um olhar esperançoso, seus olhos se moviam de um homem para o outro.

Maddie sentiu a garganta apertar quando os dois trocaram olhares e papai se mexeu, incomodado, na cadeira. Até Maddie sabia a verdade. Seu pai lhe havia dito tudo pelo telefone. Sua mãe fizera sua escolha. Tia Cassie esteve distante por tempo demais, por isso acreditava que seria capaz de fazê-la mudar de ideia.

Dr. Parker largou o sanduíche.

— Já analisamos todas as alternativas viáveis, Cassie. Esgotamos todas as possibilidades, e esse é o caminho que ela, Joe e os médicos escolheram. E você não pode se esquecer que é da vida *dela* que estamos falando.

Cassie largou o garfo que usou para amassar as bananas e soltou a comida de uma vez sobre a bandeja da cadeirinha. Amanda imediatamente mergulhou nela com as duas mãozinhas.

— Então vocês estão me dizendo que aquelas cinco crianças, logo seis, não precisam de uma mãe? Vocês estão desistindo.

Dr. Parker arrastou a cadeira para trás, inclinando-se sobre a mesa, enquanto falava com ela de modo bem claro.

— Não estamos desistindo, estamos tomando a melhor decisão possível diante da situação.

Ela arrastou a própria cadeira para trás, batendo na parede. A bebê parou de enfiar comida pela boca e ficou olhando para tia Cassie. Abaixando a voz, Cassie disse:

— Tem de haver algo mais. Algum tratamento em algum lugar. Se ao menos desse uma olhada...

Dr. Parker respondeu, controlando-se muito para manter a voz baixa.

— Que droga, Cassie. Não acha que já não olhei? Talvez se visse as imagens da tomografia entendesse melhor a situação.

Tia Cassie se levantou e bateu as mãos na mesa.

— Não quero ver nenhuma tomografia. O que vejo agora é minha irmã e aquelas crianças. Simplesmente não consigo aceitar que ela não vá estar aqui para eles. E eu sou a única? Está errado. E preciso que a ajude. — Ela passou as mãos no rosto, constrangida por mostrar as lágrimas.

Amanda começou a choramingar, e o pai a tirou da cadeirinha e saiu pela porta dos fundos sem dizer uma palavra. Lucinda veio logo atrás.

Maddie deslizou pela parede para se levantar, certa de que nunca vira Dr. Parker tão bravo. Com dois passos, ele deu a volta na mesa e ficou bem perto de tia Cassie.

— Você não é a única que está abalada aqui, Cassie. Você não acha que Joe atravessaria o mundo para ajudá-la se houvesse a menor chance? Não acha que estamos todos com raiva do que aconteceu? Porque eu estou com muita raiva. Estou com raiva por isso ter acontecido com Harriet. Com toda a sua família. — Ele se virou para a parede e socou com o punho o papel de parede azul-claro de centáureas que Maddie havia ajudado a mãe escolher. — Deveria agradecer a Deus que esta não foi uma decisão que você teve de tomar, e respeitar Harriet o suficiente para atender ao desejo dela e não tornar isso ainda mais difícil para ela. — Ele respirou fundo e encarou Cassie de novo. — Não discuta com ela sobre isso.

Tia Cassie tentou sair, mas ele entrou na frente dela. A voz dela tremeu ao falar.

— Não posso desistir, Sam. Não faz parte de mim.

Ela se moveu para se distanciar dele, mas ele a segurou pelos braços com as duas mãos e a chacoalhou de leve.

— Agora, escute-me, porque não vou repetir. Deixe Harriet morrer em paz. E se achar que não consegue, então volte para Nova York. É àquele lugar que você acredita que pertence mesmo.

Um choro silencioso saiu pela garganta de Maddie. *Morrer*. Era a primeira vez que ouvia aquela palavra ser pronunciada em voz alta. Embora vinha pensando nela há muito tempo, escutá-la fez que tudo parecesse de fato real, como precisar ver uma estrela cadente com os próprios olhos para acreditar que elas existem.

Maddie seguiu a tia até a sala. Ambas repararam que todas as folhas que Cassie imprimira na noite anterior haviam escorregado do sofá, numa cascata branca, e estavam agora cobrindo o tapete sob a mesinha de centro.

— Cassie?

Parando, Cassie se ajoelhou perto do sofá e pegou a mão da irmã.

— Precisa de alguma coisa?

Mamãe fez que sim.

— Da sua compreensão.

Cassie olhou para baixo.

— Pensei que estivesse dormindo. Sinto muito que tenha escutado tudo aquilo.

— Estou feliz de ter escutado, porque preciso que entenda uma coisa. Mesmo sem a gravidez, minhas chances de sobrevivência são quase nulas. Nem que eu tentasse lutar contra o câncer tomando tudo o que os oncologistas me dessem, isso só prolongaria a minha vida em alguns meses, na melhor das hipóteses. Por que arriscar a vida do meu filho que nem nasceu, só para me dar um pouco mais de tempo? — Ela engoliu, fechando os olhos por um longo tempo. — Maddie?

Maddie pressionou o corpo contra a porta, tentando ficar invisível. Sua tia olhou nos olhos dela e fez sinal para que ela se aproximasse do sofá. Devagar, Maddie caminhou até onde estava deitada a mãe e deixou que ela pegasse sua mão.

— Querida, sei que está com raiva por causa do bebê. Acha que estou preterindo vocês por causa dele. Mas quero que saiba de uma coisa. — Respirava com dificuldade e a pele estava tão clara que chegava a parecer transparente. — Fui abençoada por ter tido você e seus irmãos, e vocês todos são minhas maiores conquistas. E vida é tudo o que esta criança me pede, e é tudo o que poderei lhe dar. Deixe-me fazer isso, por favor. — Ela fechou os olhos de novo. — Por favor — pediu ela outra vez. Sua voz era quase um sussurro.

Maddie enterrou a cabeça nas mãos fechadas, por onde escorriam lágrimas. Ela desejava discutir, gritar e se apoiar no colo da mãe. Tinha tanto a dizer, mas não conseguia encontrar as palavras certas. Em seguida, a mãe fechou os olhos e adormeceu, e Maddie não precisou falar absolutamente nada.

O telefone tocou e Cassie correu para atendê-lo no escritório do pai para não perturbar Harriet.

— Alô, Cassandra, sou eu.

— Andrew. — Ela esperou por uma torrente de emoção qualquer emoção, mas não sentiu nada. Estava completamente arrasada. — Como você está? — Com o barulho ao fundo, uma música pulsante e pessoas rindo, estava difícil de ouvir. Ela limpou as lágrimas do rosto e tentou falar numa voz mais firme.

— Nunca estive melhor. Para falar a verdade, estou no meio de uma comemoração.

Ela se inclinou na mesa e sentindo-se muito cansada, de repente.

— Comemorando o quê? — Dava para ouvir a voz de uma mulher perto dele. Parecia muito com a de Carolyn Moore.

— Fechamos hoje o negócio com a VisEx, é meu.

Cassie sentiu um leve formigamento de excitação, de uma adrenalina remanescente, percorrer-lhe pelas veias.

— Isso é maravilhoso, Andrew, parabéns.

A voz dele saiu mais alta do que o som atrás.

— Não teria conseguido isso sem você, Cassandra. Foi você quem fez o contato inicial e preparou o terreno. Merece tanto crédito quanto qualquer um.

— Para ser honesta, estou surpresa. Quando não ligou depois da nossa última conversa, supus que o negócio tivesse dado errado. Imagino que tenha conseguido que concordassem em assinar sem a participação do meu nome.

Fez-se uma longa pausa e a voz da mulher outra vez, fraca, mas insistente. Então, Andrew falou:

— Na verdade, esse termo do acordo não mudou. Eu lhes disse que você estaria de volta em janeiro para administrar a conta.

Ela ficou olhando para o telefone, incapaz de falar por um momento.

— Você falou o que para eles? Andrew, isso não é verdade. Eu te falei que não tinha certeza. Como pôde fazer isso? — Ela passou a mão pela testa, sentindo um começo de dor de cabeça a qual ela quase a recebeu com alegria, pois era mais fácil lidar com a dor física que com a tristeza.

— Porque eu tinha certeza de que você retornaria quando eu te oferecesse uma parceria.

O ar saía de sua boca como se saísse de uma bola de praia furada.

— Uma parceria? Do tipo Wallace e Madison?

— Sim. Isso mesmo. O que acha?

— O que eu acho? Meu Deus, o que eu poderia achar? Estou... lisonjeada. Mais do que lisonjeada, na verdade. Não sei o que dizer. — Ela tentou demonstrar entusiasmo na voz.

— Que tal dizer apenas: "Tudo bem, Andrew, estou partindo no próximo voo?".

Ela tirou o cabelo do rosto, sentindo a mão trêmula. Por que não conseguia apenas dizer "sim"? Ela se sentia impotente naquele lugar, de mãos atadas para fazer qualquer coisa para salvar Harriet. Em vez disso, escutou-se respondendo:

— É que... bem, as coisas estão complicadas por aqui. Preciso de mais tempo. — Estava relutante em lhe contar sobre Harriet. Talvez porque não quisesse que ele banalizasse a situação, assim como ele fizera com outras agonias pessoais. Só recentemente ela havia percebido isso. Ou talvez porque acreditava que se guardasse o problema para si, ele desapareceria.

Fez-se outra pausa, com o distinto som de copos brindando chegando ao fone.

— A Cassandra Madison que conheci não demoraria mais de um segundo.

Irritada, ela disse:

— Bom, talvez eu não seja a mesma Cassandra Madison de suas recordações.

— É. Bom. A verdade é que você não precisa decidir agora, embora eu tivesse esperanças de que o fizesse para colocar todo o meu pessoal a postos. Mas o pessoal da VisEx não vai conseguir fazer a mudança até depois do primeiro dia do próximo ano. Que tal eu te dar até primeiro de janeiro para decidir? Será que terá tempo suficiente para organizar suas complicações?

Seu olhar se fixou no retrato de família, com Harriet, Joe e as crianças, e se desviou para um desenho emoldurado, que a retratava catando vaga-lumes com os sobrinhos.

— Sim. Esse tempo deve ser suficiente. — Como se a vida de Harriet fosse uma complicação. Como se janeiro pudesse ser esperado sem pensar no que ocorreria nesse meio-tempo e no espectro da vida que ia se apagando.

— Maravilha. Porque também há a questão do apartamento. Precisamos sentar e conversar sobre isso, entre outras coisas. Sinto que ainda não resolvemos tudo entre nós.

Ela concordou com a cabeça e se lembrou que estava ao telefone.

— Sim. Você tem razão. Temos muito o que conversar. Pode deixar que te aviso.

— Cassandra?

— Sim?

— Você está diferente. Mal a reconheço.

Ela dedilhou os pingentes do pescoço, estranhamente aliviada pela presença deles.

— Sim, mal me reconheço. — Ela fungou, esperando que ele não tivesse escutado. — Preciso ir. Conversaremos em breve. — Ela desligou o telefone e ficou olhando para ele por um longo tempo. Seu sangue bombeava o cérebro com força. Quando ergueu os olhos, viu dois chapéus conhecidos pela lateral da porta. Correu para abri-la, antes que as gêmeas Sedgewick tivessem chance de tocar a campainha.

O batom laranja delas combinava com a flor de plástico do chapéu e com as antiquadas caçarolas de porcelana em suas mãos com luvas. Thelma falou primeiro.

— Ficamos sabendo que Harriet está de volta, então trouxemos um pouco de comida. Paramos na casa deles primeiro, mas concluímos que provavelmente ainda estariam aqui. É costela, bolinho frito e torta de macarrão.

Selma deu um leve tapinha no braço de Cassie antes de passar marchando por ela com o que parecia ser a torta.

— Não queremos que você, ou Lucinda, ou Joe, se preocupem, nem por um segundo, com qualquer coisa que não seja cuidar de Harriet e daquelas preciosas crianças. Deixe-nos fazer o resto. O grupo de jardineiras já organizou uma lista de senhoras para trazer flores frescas para a casa, e as Filhas da Confederação já montaram um cronograma de comida. — Ela deu um sorriso laranja para Cassie. — Acabamos sendo as primeiras, porque somos as vice-presidentes das duas associações.

Ao verem Harriet dormindo no sofá, as senhoras, com seus práticos sapatos azul-marinho de salto, passaram por ela nas pontas dos pés e caminharam em direção à cozinha.

Sentindo-se estranhamente derrotada e completamente inútil, Cassie subiu a escada devagar, ignorando o ar de reprovação do pentavô Madison.

Capítulo 25

Cassie agarrou o saco de lixo e o ergueu sobre a já lotada lixeira do lado de fora da porta dos fundos. Ela viu de relance sua foto de primeiro ano de faculdade fitando-a através do fino plástico. O mesmo cabelo castanho opaco e o eterno sorriso bobo. Com os dois punhos, enfiou o saco dentro da lixeira e a fechou.

Harriet e Joe já estavam de volta há quase duas semanas. Embora Cassie viesse exercendo seu papel de irmã zelosa, cuidando das crianças e dos afazeres da casa, ela evitava qualquer conversa mais séria com Harriet. Não vira mais Sam, por meio de um acordo velado. Queria se desculpar por ter insinuado que ele, de alguma forma, falhara como médico com Harriet, mas as palavras dele, sobre deixar a irmã morrer em paz, ainda doíam.

Ao abrir a porta de tela para entrar, o distinto som de um zunido passou rapidamente pelos seus ouvidos. A princípio, era tão fraco que ela pensou estar imaginando, até escutá-lo de novo. Lucinda vinha passando uma temporada na casa de Harriet. Portanto, Cassie sabia que estava só. Com cuidado, ela fechou a porta para não fazer barulho.

Caminhou bem devagar até a lateral da casa e colocou a cabeça para fora. Um velho balanço de pneu, exatamente igual ao do gramado de Harriet, estava pendurado num galho baixo de um enorme carvalho, e movia-se para frente e para trás. A menina acomodada dentro dele estava distraída.

— Maddie?

A menina parou o balanço de repente, fazendo que a corda vibrasse sem parar.

— Ei, tia Cassie.

Cassie caminhou até a sobrinha, com as mãos atrás das costas.

— Você não deveria estar na escola?

Maddie se agarrou às laterais do balanço e inclinou o corpo para trás. Seus cabelos castanho-claros voavam atrás dela e tocavam as pontas da grama seca.

— Não estava com vontade.

— Hum. — Cassie se recostou no tronco da árvore e olhou com cuidado para a sobrinha. — Isso tem a ver com Lucy Spafford querer te dar o troco pelo o que aprontou com ela?

Maddie se sentou direito. Seu rosto estava vermelho por ter ficado de ponta-cabeça. Um sorriso endiabrado iluminou seu rosto.

— Claro que não. Isso até me fez ficar bem popular. — Ela inclinou a cabeça, enquanto o pé descalço empurrava o balanço de um jeito irregular. — Como está o seu piso, a propósito?

— Muito bem, obrigada. O do andar de cima precisa ser limpo também, então fique atenta, pois estou procurando a primeira oportunidade para fazer isso.

Com um suave resmungo, Maddie começou a girar o balanço, fazendo a corda se aglutinar no galho da árvore.

— Por que não contou aos meus pais?

Cassie estendeu o braço e arrancou uma folha de um galho.

— Porque não queria vê-la encrencada e porque não acho que seus pais precisem desse tipo de preocupação agora.

Maddie ergueu os pés, fazendo que o balanço girasse em pequenos círculos. Com as mãos balançando e o cabelo sobre o rosto, ela disse:

— Obrigada.

— Então, sério, por que não está na escola?

Maddie deu de ombros como resposta.

Largando a folha rasgada de sua mão, Cassie falou:

— É por causa de sua mãe? Está tentando puni-la?

Maddie manteve a cabeça abaixada. Seus cabelos eram uma cortina de confessionário.

— Pode ser.

Cassie escorregou pelo tronco e se sentou na base dele.

— Queria que conversasse comigo, Maddie. Talvez possa te ajudar. Sei o que é ser a filha mais velha e ter uma mãe doente.

Fez-se uma longa pausa, mas Cassie esperou, paciente, a sobrinha falar. Maddie chutou uma pedra com o dedão do pé.

— É, mas pelo menos sua mãe não *escolheu* morrer. Minha mãe não me ama o suficiente a ponto de querer lutar. — Sua voz falhou, mas seu cabelo ainda tampava o rosto.

Cassie olhou para cima, para os galhos mais baixos, segurando a vontade de chorar.

— Para mim também tem sido difícil entender tudo isso. Sua mãe teve de tomar a decisão mais difícil de toda sua vida. Nem eu nem você podemos saber pelo o que ela tem passado, e espero que jamais venhamos a descobrir. Mas estou fazendo de tudo para me colocar no lugar dela. Talvez você devesse fazer o mesmo. Ela tomou essa decisão sem pensar nela. Para ela, não se trata de sua vida *versus* a do bebê, mas sim de alguns meses a mais *versus* uma vida inteira. Consegue entender isso? Isso requer mais coragem do que eu tenho em meu corpo inteiro.

Cassie fechou os olhos. *Coragem*. Era a primeira vez que definia o sofrimento da irmã daquela maneira. Mas isso fez que visse as coisas de modo mais claro. Finalmente ela reconheceu que nada daquilo era sobre ela ou sobre alguma necessidade, atrasada, de corrigir 15 anos de estupidez. Era sobre a imensidão do amor materno e a coragem de se despedir ao invés de lutar contra os caprichos do universo. Cassie agora se dava conta de que lutar contra isso teria sido o caminho mais fácil.

Ela pegou uma folha morta entre as raízes da antiga árvore e a deixou repousar sobre a palma da mão aberta. Disse uma breve prece de agradecimento pela sua nova percepção e deixou sua graça se acomodar dentro dela. Com um fervor renovado, encarou Maddie.

— Você precisa ir até sua mãe. Fale com ela. — Ela esticou o braço e tocou o joelho da menina. — Haverá momentos na vida, lá para frente, em que desejará ter feito isso. Faça-o agora, assim não haverá arrependimentos.

Maddie soluçou e Cassie se levantou. A necessidade de confortá-la fazia seu coração doer, não apenas por Maddie, mas pela menina que ela própria fora um dia. Maddie estendeu o braço na direção dela e Cassie correspondeu ao abraço, apertando-a com força, e deixando a cabeça de Maddie repousar em seu ombro. Sua mão acariciou a cabeça da sobrinha, e ela sentiu uma mão invisível acariciar a sua também. Voltara a ser uma menina de 8 anos, que por meio da própria raiva e dor, sentiu o amor da mãe.

— Você nunca estará sozinha, Maddie. Enquanto eu estiver viva, você nunca ficará sozinha.

O corpo de Maddie chacoalhava de tanto soluçar.

— Mas estou com tanta raiva, com raiva porque mamãe está morrendo, e com raiva do mundo inteiro por ter deixado isso acontecer. Sei que não é culpa dela, mas não consigo evitar. Não consigo evitar esse sentimento quando penso que a vida é tão injusta. — Ela perdeu a fala e Cassie a abraçou com força. Suas próprias lágrimas caíram de leve sobre os cabelos castanhos que se pareciam tanto com os seus.

— Você tem toda razão, não é justo. Mas nem sempre podemos escolher. Algumas vezes essas coisas horríveis são colocadas no meio de nossas vidas e nos resta apenas lidar com elas. Algumas pessoas lidam melhor, mas todos nós encontramos uma maneira. Você é forte, Maddie. Você encontrará a sua maneira. Assim como eu.

Maddie ergueu os olhos, com o rosto vermelho e marcado de lágrimas e suor.

— Você fugiu.

Com a parte interna das dedos, Cassie limpou um pouco das lágrimas.

— É, e essa não foi a melhor coisa a fazer. Acho que agora quase fechei o ciclo, mas teria sido bem mais fácil se seu tivesse escolhido um caminho mais direto.

Sua sobrinha olhou-a, confusa. Cassie sorriu.

— O que quero dizer é que fugir costuma ser a atitude mais fácil a se tomar. Mas, no final, raramente é a certa.

— Mas você tinha uma vida tão maravilhosa em Nova York. Trocaria tudo aquilo por nada?

Cassie ficou imóvel. A resposta que vinha à sua cabeça era aterrorizante demais para ser desafiada.

— Se me tivesse feito essa pergunta ano passado, eu teria dito não. Amo minha carreira. Amo Nova York e todas as pessoas que conheci e as coisas que vivenciei. — Ela tirou uma faixa de cabelo molhado do rosto de Maddie. — Mas tudo aconteceu a um altíssimo preço. Minha decisão de fugir custou-me 15 anos com sua mãe.

Maddie aspirou alto pelo nariz e bateu o punho na lateral do pneu.

— Estou tão brava que tenho vontade de cuspir.

A corda rangeu ao deslizar pelo tronco da árvore.

— Vá em frente e cuspa, se vai te fazer se sentir melhor, mas você precisa falar com sua mãe, sim. Ela te ama e está preocupada com você. Acho que seria muito bom para ela neste momento o seu perdão e a sua compreensão.

— Não sei... como. É difícil demais.

Cassie piscou, reprimindo um estranho desejo de rir. Maddie era tão teimosa quanto uma mula no quesito pedir perdão. Certamente, na família Madison eram todos muito parecidos.

— Tentar é o mínimo que podemos fazer. Algumas vezes é tudo o que conseguimos fazer e, sem dúvida, já é um passo na direção certa.

Maddie suspirou.

— Então, o que eu deveria fazer?

— Vá ver sua mãe. Nem precisa dizer nada. Duvido que ela note que você está cabulando aula, porque ficará muito feliz em vê-la. — Ela puxou a sobrinha pelo braço. — Vá. Agora.

Maddie não se moveu, pois estava muito insegura.

— Lembre-se, tudo que tem a fazer é tentar. É um começo. Todo o resto virá como consequência.

Maddie fez que não com a cabeça.

— Não consigo. Não consigo! Não agora, talvez depois. Prometo, tentarei depois. — Ela abraçou Cassie e saiu com um passo lento. Seu cabelo castanho balançava suavemente.

Cassie se envolveu com os braços, sentindo a pele arrepiar. Suas próprias palavras reverberavam em sua cabeça e ela se sentiu uma hipócrita. Dar conselhos a outros havia sido sempre fácil. Segui-los, não. Agarrando o balanço, arremessou-o num grande arco, e o observou girar em círculos cada vez menores.

Sem nem mesmo saber aonde estava indo, seguiu os próprios pés, que atravessaram o gramado em direção à rua. Harriet lhe havia contado que Sam acabara de comprar a antiga casa dos Duffys e estava começando a reformá-

-la, com planos de fazer todo o trabalho ele mesmo. Na última semana, ele saiu do apartamento de segundo andar que alugava da Sra. Cagle e se mudou para a casa nova no mesmo dia. Os vizinhos diziam que ele trabalhava diligentemente nela quando não estava na clínica ou de plantão.

Ao se aproximar, Cassie viu Sam no gramado da frente, trabalhando sobre uma serra. Seu peito nu brilhava de suor e ela reparou que ele usava botas e short. — Era a primeira vez que o via vestindo algo que não fossem botas de *cowboy* e jeans.

George latiu e se mexeu para correr na direção dela. Sam o segurou e voltou ao trabalho, de costas para Cassie.

Ela teve de gritar mais alto do que a serra.

— Vim aqui para me desculpar.

Ele a desligou.

— Nossa, isso sim são novidades. Você ligou para o jornal *Walton Sentinel*? — Sem esperar por uma resposta, ele ligou de novo o instrumento.

— Sam — gritou ela outra vez, chegando mais perto dele para que a escutasse.

Ele desligou a serra, largou-a, endireitou as costas e ergueu a sobrancelha, expectante.

— Recebi uma ligação de Andrew. Ele está me oferecendo uma parceria na agência.

O rosto dele continuou severo.

— Parabéns. Quando vai partir?

— Ainda não lhe dei uma resposta. Tenho até janeiro.

Ele tirou um lenço do bolso de trás e enxugou a testa. Com uma falsa alegria, ela disse:

— Vejo que ainda tem um sobrando.

— É, acho que sim. Você pode me mandar os outros de Nova York pelo correio. Só não se esqueça de lavá-los primeiro. — Ele se debruçou sobre um pedaço de madeira com a serra e começou a marcar as medidas nele.

— Sam, você não está facilitando as coisas para mim.

— Isso é raro. — Ele segurou um lápis na boca, para efetivamente acabar com qualquer conversa, e ligou a serra de novo.

Ela ficou olhando para as costas dele, nuas e bronzeadas do Sol, e de repente percebeu como precisava tocá-lo. No momento em que a ponta de seus dedos o tocaram na pele nua, ele parou e respirou fundo. Desligou a serra e largou-a sobre a mesa.

Aproximando-se dele, ela disse:

— Queria pedir desculpas, e você sabe que isso não é fácil para mim. Desculpa pelo jeito que falei com você sobre Harriet. Você tinha razão. Percebo isso agora. Sei que preciso me concentrar nas necessidades dela e não no que eu quero ou acho que seria melhor. — Ela apoiou a face nas costas dele, sentindo sua respiração. — E... preciso de você. Você é uma das pouquíssimas pessoas que me entendem e que me suportam mesmo assim. Harriet está morrendo e não consigo enfrentar isso sozinha. — Ela fechou os olhos. As lágrimas queriam sair pelas pálpebras. — Não posso te prometer o que vai acontecer em janeiro, mas... — Ela parou, tentando encontrar ar nos pulmões para continuar.

A respiração dele vinha longa, profunda, num ritmo ponderado, com os músculos tensos.

— E daí?

— Eu preciso de você. Preciso de você agora. Nunca me senti assim. — Ela pressionou os lábios na pele macia de suas costas, entre os ombros e as omoplatas. — Você mexe comigo, Sam Parker, me faz perder a cabeça. Talvez eu suporte comer mingau todas as manhãs pelo resto da minha vida, ou talvez meu destino seja comer um *bagel* numa padaria de esquina, não sei. Mas todas as vezes que imagino um futuro sem você, sinto-me mais perdida e sozinha do já estive em toda a minha vida.

Ela o abraçou e o acariciou, mas ainda assim ele não disse nada. Ela podia sentir a tensão em cada músculo do corpo dele.

— Por favor, diga que isso basta, por enquanto.

Finalmente, ele se virou para ela. Os olhos estavam escuros e pensativos. Contudo, ela percebeu o brilho de esperança neles. Ele analisou o rosto dela, ponderando as palavras.

— Basta, por enquanto. Mas não vou esperar para sempre. Até mesmo Jó teve seu limite. — Ele a encarou e seu olhar se voltou para os lábios dela. Olhou rapidamente em volta, para as casas vizinhas. — Tenho um pressentimento de que essas árvores têm olhos. Gostaria de entrar e tomar um copo de chá doce?

Ela lambeu os lábios. Não que precisasse de algo para beber. Ela foi na frente, tentando ignorar a sensação de moleza de suas pernas. Ele a seguiu para dentro do pequeno vestíbulo, fechando a porta com o salto da bota, ao mesmo tempo em que a encostava na parede.

Cassie olhou para ele, tentando se manter calma e racional.

— Não precisamos fazer nada agora, se acha que estou brincando com você. Talvez morra de frustração, mas prefiro isso a ver você duvidar da sinceridade dos meus sentimentos.

Ela leu a resposta em seus olhos quando ele aproximou seu rosto do dela.

— Preciso de você, Cassie Madison. Você é teimosa e cabeçuda, mas, Deus me ajude, preciso de você. — Ele colocou a boca no pescoço dela por um longo tempo. — Também preciso de um banho.

Desvencilhando-se de Sam, ela o segurou pela mão.

— Vamos, então — disse ela ao conduzi-lo até a escada. — Você precisa de mais do que uma simples chuveirada. Deixe-me ver se posso ajudá-lo.

Ela ouviu um ruído na garganta dele quando ele riu.

— Sim, senhora — disse ele ao erguê-la no colo e carregá-la escada acima.

O telefone tocou às quatro e meia da manhã do dia seguinte. Sam despertou imediatamente, lembrando a Cassie que acordar no meio da noite era algo que ele fazia com frequência. Ele atendeu o telefone e o entregou a ela.

Cassie imediatamente reconheceu a voz de Lucinda.

— Como sabia que eu estava aqui?

A voz da tia parecia grogue de sono.

— Diane Eames, ao lado da casa dos Duffys. Ela me ligou ontem à noite para avisar que tinha visto você e Sam no gramado da frente por volta das três horas da tarde e que depois não te viu sair.

Cassie passou a mão pelo rosto.

— Você está ligando para me mandar voltar para casa?

— Não, queria te avisar que houve outro incidente e o delegado gostaria de conversar com você de novo. Ele supôs que eu soubesse onde te encontrar. Você deixou seu celular sobre a mesa da cozinha, caso esteja sentindo falta dele. Eu o encontrei quando Joe me trouxe para sabermos por que você não estava respondendo às ligações.

Cassie se sentou e Sam acendeu a luz ao lado da cama.

— É a magnólia de mamãe...

— Está bem, mas a grama no meio do jardim, não.

— O que aconteceu? Alguém se machucou?

Ela ouviu Lucinda bocejar do outro lado da linha.

— Não, por sorte, ninguém se machucou. Alguém usou gasolina ou algo parecido para escrever uma palavra obscena no gramado da frente e depois colocou fogo. Não sei o que impediu o fogo de se espalhar pelo gramado e atingir a casa, já que ninguém estava lá para ver. Richard Haney estava passeando com o cachorro quando viu o fogo, graças a Deus. Foi ele quem chamou o corpo de bombeiros.

Cassie ignorou o tom de reprovação na voz da tia.

— Uma palavra obscena? Qual?

— Falando sério, Cassie. Não acho que eu possa dizer.

— Tia Lu. — Ela revirou os olhos para cima. — Pode ao menos soletrar?

— É aquela que começa com "b-o". Mas assim que vier para casa, vai vê-la. Joe está bravo, querendo saber onde você está e tentando responder às perguntas do corpo de bombeiros e do delegado.

— Minha nossa, tia Lucinda! Estou com 35 anos de idade! Se todos vão ficar contentes, voltarei para casa agora mesmo, tá? Só mais uma coisa: quando vir o delegado, diga-lhe que foi Richard Haney quem ligou para o corpo de bombeiros. Acho estranho esse homem estar andando com o cachorro a esta hora.

— Ele sempre andou com o cachorro no meio da noite, queridinha. — Ela bocejou no telefone. — Mas sei que Hank já o indagou. Ele está fora de suspeita, mas acho que seus filhos não. Alguém viu o mais velho correndo pela rua, logo antes de encontrarem o fogo.

— Que maravilha. Se vir o delegado, diga-lhe que ligarei para ele logo de manhã e conversarei sobre isso.

Lucinda bocejou outra vez ao telefone.

— Sam vai te trazer?

— Acho que sim. Logo estaremos em casa, você e Joe podem voltar para casa com Harriet. Vou pedir para Sam ficar comigo.

Despediram-se e Cassie colocou o telefone no gancho.

Sam se inclinou para beijar o pescoço dela.

— O que aconteceu?

— Bem, a cidade inteira logo saberá que dormi com você outra vez, e alguém escreveu com fogo uma palavra obscena no gramado de minha casa.

Os lábios dele deslizaram até a clavícula de Cassie.

— Eu, pelo menos, tenho um álibi. E pensar que achava a cidade de Nova York animada...

Ela bateu na cabeça dele com o travesseiro e beijou o lugar onde ele havia sido atingido.

— Vamos. Preciso que me leve para casa. — Ela saiu da cama levando as cobertas com ela. — Só não consigo entender por que minha vida pessoal é motivo para tanto falatório.

Os olhos de Sam ficaram mais escuros enquanto a fitavam.

— Talvez a gente tenha que se casar.

Ela desviou os olhos, pegando a pilha de roupas.

— Sam...

Ele ficou bem perto dela, mas sem tocá-la.

— E se eu dissesse que te amo a ponto de permitir que fosse embora?

Tremendo, ela se virou para encará-lo, analisando os olhos dele.

— Você me contou a história do peixe-anjo por alguma razão, não foi?

O dedo dele percorreu-a pela linha do maxilar.

— Sim, mas não se esqueça da outra sobre a viúva-negra. Talvez amar outra pessoa seja mais seguro, senão tão excitante quanto.

Cassie sentiu o silêncio da noite e ouviu os grilos cantarem para o céu escuro lá fora.

— Você se casaria com Mary Jane se eu fosse embora? — Ela tremeu, mas não estava com frio.

— Poderia — sussurrou ele.

— Você estaria disposto a se acomodar? Você se contentaria com isso?

— Algumas vezes somos obrigados a aproveitar o máximo do que nos é oferecido e a fazer concessões.

Ela se afastou e vestiu a blusa.

— Como sua carreira médica. Você se acomodou em Walton quando poderia ter ido para qualquer lugar.

Ele respirou fundo.

— Algumas vezes precisamos tocar fundo no coração e decidir que caminho queremos seguir. E todas as escolhas envolvem algum sacrifício.

Mas no final, você sabe se tomou ou não a decisão certa. — Ele se inclinou para pegar a calça jeans da cadeira. — E, não, não me acomodei vindo para cá. Costumava acreditar que sim, mas agora sei que tomei a decisão certa.

Ela tentou falar num tom alegre.

— Quando descobriu isso?

Ele a olhou com calma. Seus olhos azuis procuravam os dela.

— Quando a vi no posto de gasolina do meu pai, na noite em que chegou aqui. Agradeci a Deus por não ter permanecido na cidade por muito tempo e por não ter ficado igual a você.

Ela aspirou ar pela boca.

— Imagino que isso signifique que jamais consideraria ir para Nova York comigo?

Ele a olhou do outro lado do quarto e simplesmente respondeu:

— Não. — Um carro solitário passou correndo na rua em frente da casa. A música de seu rádio irrompeu numa forte batida para dentro do quarto à meia luz.

— Poderíamos ser felizes lá. Com seu diploma e a experiência que conquistou aqui, você poderia escolher a especialidade médica que quisesse.

Ele pegou uma cueca da gaveta, a vestiu e colocou a calça jeans por cima.

— Você acredita tão pouco nisso quanto eu. Se eu realmente acreditasse que Nova York é o meu lugar, começaria fazer as malas agora mesmo. Mas não acredito. Contudo, não ficarei no seu caminho, se é isso que quer. — Calçou uma bota. — Como eu disse, talvez eu te ame tanto que a deixarei partir. — Ele a encarou com uma tentativa frustrada de sorriso no rosto. — Além disso, não acho que conseguiria comer *sushi* e começar a usar um palavreado esnobe. Esse não sou eu, Cassie. — Ele calçou a outra bota.

Ela suspirou.

— Não é algo que precisemos decidir agora. — Esfregando a mão no rosto, disse: — Vamos, então. — Sem esperar para ver se ele a seguia, saiu do quarto e desceu a escada. A velha madeira rangia sob seu corpo. O som familiar e assustador tomou conta de seu coração. Afastando qualquer pensamento nostálgico, saiu pela porta da frente.

Capítulo 26

O calor do verão aos poucos deu lugar às temperaturas mais amenas do outono, embora ainda estivesse quente o suficiente para as crianças irem de short para a escola. A grama do jardim ficou da cor de madeira envelhecida, com exceção do lugar recém-plantado, no meio, onde o palavrão havia sido queimado. As pereiras espalhadas por Walton davam um último sopro de vida, com folhas bem vermelhas e laranja, antes de cederem à estação e suas folhas caírem uma a uma sob o chão.

Contudo, a magnólia no gramado da velha casa onde Harriet e Cassie haviam brincado quando meninas ainda estava de um verde vibrante, zombando do outono e de todas as outras espécies menores, não tão fortes para encararem os meses mais frios.

A cada semana, conforme a barriga de Harriet crescia, ela ficava mais fraca. Isso, na verdade, era muito estranho. Sua mente parecia cada vez mais aguçada, enquanto seus músculos e ossos enfraqueciam. O corpo, devagar, estava desistindo. Semanalmente, Harriet viajava a Atlanta para fazer exames e acompanhar a evolução da doença. Ela se recusava, porém, a ficar no hospital, mesmo com a aproximação do dia do parto. Ela queria ficar em casa com Joe e as crianças. Cassie e Lucinda tornaram isso possível substituindo-a na loja.

Apesar da exaustão de Harriet, ela e Cassie redescobriram a proximidade que um dia compartilharam. Em algumas ocasiões, ficavam acordadas até tarde da noite, apenas conversando. Às vezes, Harriet cochilava e Cassie segurava a mão dela até ela acordar. Então, Harriet se lembrava de algo sobre a infância delas. Conversavam de novo, sussurrando e rindo como as meninas que foram um dia.

O Dia de Ação de Graças veio e passou com poucos preparativos para uma ocasião como essa. Harriet estava sem energia e ninguém mais fez menção a ele. Ela entendeu o motivo quando escutou tia Lucinda comentar com Cassie que ela não se sentia com disposição para celebrar, pois não havia muito por que agradecer. Maddie não se sentava mais à mesa de jantar. Mesmo que Harriet tentasse compreender, ver a cadeira vazia toda noite era como partir seu coração dia a dia.

Mesmo com a doença da irmã, Cassie não teve uma trégua da pessoa que a vinha atormentando nos últimos seis meses. As plantas sazonais que ela passou uma semana inteira plantando, sob a orientação de Harriet, foram arrancadas com inacreditável brutalidade. As flores não foram apenas puxadas pela raiz: foram estilhaçadas. Pétalas fúcsias pintavam os canteiros como gotas de lágrimas cor-de-rosa e se espalhavam pelo gramado a cada insistente brisa do outono.

O delegado Adams vinha com frequência para investigar e nomeara um representante para trabalhar em tempo integral no caso. Porém, assim como nos outros incidentes, pouca, ou nenhuma, pista havia sido deixada para trás. Ele e seu departamento não tinham mais respostas para dar a Cassie sobre os atos de vandalismo que começaram com o estrago nas árvores de carvalho. Quanto ao filho mais velho dos Haneys, que foi visto correndo pela rua na noite do incêndio, o relato viera da Sra. Ladue, que era quase cega e admitiu estar sem os óculos naquela noite. Pegadas haviam sido encontradas e eram as mesmas que foram coletadas na primeira vez. Entretanto, não pareciam ter relação com as dos meninos Haneys.

Agora que era dezembro, Harriet tentou ao máximo afastar todos os outros pensamentos e se focar na época do ano que sempre foi sua favorita. A iluminação de rua no centro da cidade estava decorada de vermelho e branco, com as bengalinhas de menta e enormes laços vermelhos coroando-a. Todas as janelas de vidro das lojas piscavam luzes coloridas com a imprescindível neve artificial que caía sobre as vitrines. O homem do tempo disse que ia nevar, o que levou todo mundo para o supermercado em busca de leite e pão. Neve era tão rara quanto sapato no verão. Até onde as lembranças de Harriet alcançavam, ela havia pedido a todas as estrelas do céu que nevasse ao menos naquele época.

Como Harriet não conseguia reunir forças para sair no frio e escolher a árvore de Natal, ela sugeriu a Joe que Cassie fosse em seu lugar, confiando no gosto da irmã. Afinal, elas tiveram a mesma mãe.

Joe e Cassie se espremeram na van com as cinco crianças. Maddie também foi, depois de muita pressão e chantagem por parte de Cassie. Eles foram até o posto de gasolina, onde várias fileiras de pinheiros recém-cortados das montanhas da Geórgia aguardavam para serem escolhidos e levados para casa. Acabaram comprando o maior que conseguiriam colocar dentro de uma sala com o pé-direito de três metros de altura.

Harriet bateu palmas quando chegaram em casa. A árvore sobre o capô era como um troféu. Sem sair da poltrona perto da lareira, ela chamou as crianças para dentro, para instruí-las onde encontrariam as decorações. Ela havia achado um caderno na mesa da cozinha e começou a fazer uma lista de quais decorações tinham e onde estavam guardadas.

— O que está fazendo, Har? — Cassie parou perto de sua poltrona, olhando para o caderno com uma expressão de curiosidade.

— Só por precaução — respondeu, sem olhar nos olhos da irmã.

— Não precisamos disso — falou Cassie, mas até mesmo Harriet podia sentir a insegurança em sua voz.

Harriet e as crianças estavam na sala de visitas. Joe levou Cassie até a cozinha para ajudá-lo a encontrar uma tesoura para cortar a corda que segurava a árvore na van. Harriet, entretanto — com seus mais de 14 anos de maternidade —, ouviu o diálogo deles entre as várias conversas paralelas das três crianças mais novas.

Joe falou primeiro.

— Preciso te falar uma coisa.

A voz de Cassie estava cheia de preocupação.

— O quê? É sobre Harriet?

— Não. É sobre você e Sam.

Fez-se uma breve pausa, antes de Cassie responder.

— Hum... o que é?

Joe tossiu.

— Bom... eu... é... entendo que ele passe todas as noites na sua casa. Não estou te julgando, nem dizendo que há algo de errado nisso. Estava apenas querendo saber se isso vai ter algum futuro.

— Joe, agradeço por sua compreensão fraternal. Mas não precisa. Estamos apenas vivendo um dia após o outro neste momento. Se algo mudar, você será um dos primeiros a saber, tá?

Harriet escutou várias gavetas da cozinha sendo abertas.

— Estava apenas querendo saber. Me preocupo com Sam. Somos amigos há muito tempo. Se você for embora, vai ser um grande baque para ele.

— Temos sido muito francos um com o outro, Joe. Sabemos lidar com a situação. E como sabe que ele passa as noites na minha casa?

Houve uma pausa. Harriet imaginou Joe fazendo um de seus olhares para sua irmã, antes que Cassie falasse de novo.

— Esta cidade não precisa de linhas de telefone, né? Basta ficar no muro do quintal.

— Não é uma coisa ruim, se refletir sobre isso.

Quando voltaram à sala, Harriet não conseguiu tirar o sorriso do rosto a tempo. Rapidamente se ocupou em desembaraçar os ganchos de metal dos enfeites. Na verdade, ela queria levantar os punhos bem alto em sinal de vitória, pois parecia que Cassie, finalmente, havia caído em si.

Depois de cortar mais de sessenta centímetros do pé da monstruosa árvore, eles a trouxeram para dentro e a arrumaram sobre o apoio de árvore recentemente redescoberto. Tudo foi feito seguindo a meticulosa orientação de Harriet quanto à correta disposição. Ela sempre soube — e tinha esperanças de que passara isso para as filhas — que o tom da decoração de Natal era dado por conhecer exatamente onde colocar a árvore.

Com exceção de Maddie, as crianças observavam tudo como urubus, com caixas de enfeites em cada uma das mãos, até a árvore estar pronta para ser decorada. Deitando-se no sofá, Harriet lhes fez um sinal para que começassem a decoração. Esse era o único momento em que ela permitia que a decoração acontecesse sem planejamento. Ela sabia que o segredo de uma árvore de natal perfeita consistia na disposição aleatória dos enfeites caseiros. E na importância de o enfeite mais alto corresponder à altura que a criança maior conseguisse alcançar.

Harriet ficou observando Maddie se sentar, largada, sobre uma cadeira no canto, e desejando em parte desesperadamente, se juntar às outras crianças, e em parte, quisesse apenas se sentir infeliz. Harriet olhou para o enfeite em seu colo, na caixa dos favoritos que Joe lhe dera, e respirou na tentativa de se acalmar.

— Maddie, querida, venha aqui.

Maddie suspirou fundo, saiu devagar de sua cadeira e se pôs perto do sofá. Harriet ergueu o enfeite de borboleta de pano com asas multicores e brilhantes.

— Você se lembra de ter feito isso na pré-escola?

Um relutante sorriso atravessou o rosto de Maddie, antes que conseguisse escondê-lo outra vez. Ela encolheu os ombros.

— É, acho que sim.

Harriet entregou o enfeite para Maddie e ela o pegou, segurando-o contra a luz para fazê-lo girar e brilhar. Ela aproximou a cabeça do enfeite para ler o que estava escrito nas asas.

— O que está escrito? — perguntou Harriet, embora tivesse memorizado as palavras há muito tempo.

Baixinho, Maddie leu:

— Borboleta, voe para perto de minha mãe. Por favor, diga-lhe que a amo. — Sua voz falhou e ela olhou de novo para a mãe. Seus lindos olhos verdes encheram de lágrimas.

Ela se ajoelhou perto de Harriet, segurando com cuidado a borboleta nas mãos. Sua voz estava muito baixa.

— Ainda te amo, mamãe. Nunca deixei de amá-la. Não mesmo. E sinto muito... — Suavemente, Maddie colocou as mãos perto da mãe, como se tivesse segurando uma boneca de vidro, apoiou a cabeça no ombro de Harriet e começou a chorar.

Harriet inclinou a cabeça. Suas lágrimas se misturando com os cabelos da filha.

— Não, Maddie. Não há do que se arrepender. Nunca achei que tivesse deixado de me amar, sabe? Nem por um segundo. — Ela continuou a dar leves tapinhas na filha, sentindo a própria dor se aplacar. — Eu me lembro de quando fez esta borboleta. Eu chorei quando você me entregou. E você não entendeu quando te disse que coisas bonitas fazem as pessoas chorarem às vezes. — Ela puxou Maddie para cima, para que pudesse olhá-la no rosto. — Agora, me prometa uma coisa. Prometa-me que quando vir esta borboleta você vai se lembrar do quanto te amo. E, se chorar, quero que sejam lágrimas de felicidade.

Maddie concordou, fungando. Enxugou o nariz com as costas da mão.

— Você não está brava?

— Não, querida. Não estou brava. Agora, vá pendurar seu enfeite num lugar onde eu possa ver.

Maddie beijou Harriet na bochecha, se levantou e examinou a árvore com atenção. Ao encontrar um lugar na frente, ela o pendurou num galho alto. Uma borboleta sobrevoava uma rena de bengalinha de menta e um anjo de rolo de papel higiênico! Harriet apertou as mãos uma na outra, finalmente tranquila porque tudo daria certo.

Com um suspiro, ela se recostou na almofada. Cassie se abaixou para pegar a caixa de enfeites da mão dela antes que a derrubasse no chão. Harriet apontou para a caixa.

— Estes são os meus favoritos, todos feitos pelas crianças. Guardo esta caixa no armário de roupas de cama, lá em cima. Veja se está na minha lista para Joe.

Cassie estava prestes a retrucar-lhe, quando a campainha da porta tocou. Harriet tentou se sentar, ciente de como devia estar sua aparência.

— Estou um caco. Depressa, Cassie, pega o meu batom na minha bolsa, ali.

Joey correu para abrir a porta ao mesmo tempo em que se dirigiu a Harriet.

— Para mim, você está sempre linda, Har. Não precisa de nenhum batom.

Ela riu e apoiou a mão sobre sua barriga saliente.

— Não te falei que estou vivendo um tórrido romance com Gus Anderson, da loja de produtos de casa?

Joe se sentou ao lado dela e a envolveu em seus braços.

— Se não soubesse como é louca por mim, eu acreditaria.

Harriet enterrou o rosto no braço do marido.

Knoxie se aproximou do sofá e se enfiou entre os pais, aconchegando-se naquele abraço. Amanda, que estava aprendendo a engatinhar, agarrou um enfeite de vidro na forma de pera e o arremessou justamente quando Sam entrava na sala com Joey em seu braço. Sam pegou o enfeite e o segurou no alto como um prêmio. Deixando a pera de vidro fora do alcance da bebê, ele se abaixou até a menininha e a ergueu com o outro braço, fazendo-a gritar de alegria.

Cassie se levantou.

— Estava saindo para pegar algumas folhas da magnólia de mamãe para pintá-las com spray dourado e decorar as mesas e a cornija da lareira com elas. Talvez precise de ajuda.

Sam concordou, deixando Amanda e Joey no chão.

— Claro, Martha Stewart, eu vou.

Curvando-se para beijar Harriet, Cassie disse:

— Voltaremos logo e deixaremos sua casa digna de uma capa da revista *Southern Living*.

Harriet segurou na mão dela e piscou.

— Só não faça nada que eu não faria.

— É um pouco tarde demais para isso — disse Joe. Harriet riu, enquanto Cassie o acotovelava nas costelas.

— Agora, quieto, Joe. Não os deixe bravos, caso contrário não irão decorar nossa casa. — Ela acenou a mão para frente e para trás. — Xô, vocês dois. E deixem minha casa glamorosa.

Harriet ficou olhando enquanto Sam e Cassie saíam. Ela se recostou de novo no travesseiro e focou a atenção nas crianças, que decoravam a árvore. A mão caiu sobre o estômago quando o bebê começou a chutar.

Depois de ter vestido o casaco em Cassie, Sam a apressou para saírem da casa. Eles caminharam alguns quarteirões em silêncio. As bochechas de Cassie doíam com o vento e ela se enrolou melhor em seu casaco. Sam a envolveu em seu braço e a trouxe mais para si até chegarem na velha casa.

Manejando uma carriola sob a árvore, Cassie e Sam começaram a pegar as folhas caídas, agora quebradiças com gelo.

Uma caiu em forma de espiral e Cassie a pegou. Inclinando a cabeça, examinou-a de perto e notou como as veias sinuosas corriam para a margem da folha, para depois desaparecerem, como uma vida frágil que chegava ao fim. Abrindo a mão enluvada, ela deixou a folha flutuar até a carriola. Cassie remexeu a pilha com as mãos em busca da mais brilhante e se lembrou da mãe fazendo a mesma coisa, enquanto ela e Harriet ficavam atrás com os vestidos levantados na frente do corpo, prontas para juntar seus tesouros.

— Imagina, Sam, no ano que vem, nesta época, o bebê de Harriet provavelmente vai estar andando. Difícil de acreditar, não é?

Ele concordou e se abaixou para pegar mais um punhado de folhas.

Cassie ficou observando-o enquanto os dedos buscavam em vão a corrente sob o casaco. Ela parou e ficou completamente imóvel.

— Ela não vai mais estar aqui para ver, vai?

Endireitando-se, ele a fitou com um olhar carinhoso. Seus olhos refletiam as nuvens espalhadas. Devagar, ele fez que não com a cabeça.

— Quanto tempo mais?

As mãos dele caíram ao lado do corpo.

— Acho que ela está vivendo para o bebê nascer com 40 semanas de gestação, embora tenhamos agendado uma cesariana para o dia depois do Natal. De qualquer forma, será logo.

Ela o encarou, sentindo o rosto enrugar, e ele a segurou nos braços.

— Sinto muito. Sei que não é isso que queria ouvir.

Cassie enterrou o rosto na suave camurça do casaco dele, respirando fundo.

— Não, não era. Mas... obrigada por ser honesto comigo. — Ela inclinou a cabeça para trás para olhá-lo no rosto. — E obrigada por estar aqui. Por mim.

Ele envolveu o rosto dela com as mãos e com os olhos gentis.

— Eu te amo, Cassie, e acho que sempre te amarei. Sempre estarei aqui para você, independentemente do que decida fazer.

Lágrimas lhe encheram os olhos e ela respirou fundo, emocionada. Encarou-o no rosto. Parecia que o via pela primeira vez, com todas as suas linhas e curvas.

— Eu também te amo, Sam Parker. Você é teimoso e irritante, e caçoa muito de mim, mas eu te amo. Agora, beije-me, antes que eu comece a chorar de novo.

Com os olhos brilhando, ele levou seus lábios aos dela e a segurou nos braços. O vento açoitava a velha magnólia, cujas folhas tremiam em aprovação.

Muito tempo depois de o último ornamento ter sido pendurado na árvore, quando as crianças já haviam sido colocadas na cama e o último presente, embrulhado e enfeitado com laços e fitas, os homens se retiraram para a varanda dos fundos para tomar uma cerveja e fumar um charuto. As duas irmãs agasalharam-se e foram para o balanço da varanda da frente.

O céu havia limpado e pequeninas nuvens deram lugar a estrelas brilhantes e à Lua que surgia. Ela nasceu cheia e densa, repleta de histórias não contadas. Harriet se sentou tão perto da irmã que Cassie podia sentir os ossos de seus quadris e a suavidade do lenço da cabeça em sua pele. Cassie envolveu-a nos braços e ficou imóvel. Ela estava tão frágil. Parecia que grande parte dela já não existia mais. Como aguentariam dizer adeus ao que ainda resistia?

A respiração delas estava curta, e Harriet tremeu. Cassie a puxou mais para perto de si.

— Está muito frio para você aqui fora. Vamos entrar.

Harriet fechou os olhos e fez que não com a cabeça. Cassie reparou o quão transparentes estavam as pálpebras dela, quase como as de um recém-nascido.

— Gosto do frio. — A voz de Harriet parecia cansada. — Faz-me lembrar que estou viva.

No meio delas, as mãos enluvadas se entrelaçaram e apertaram-se com força. Cassie se virou para a irmã.

— Você está com medo?

Com os dentes tremendo, Harriet balançou a cabeça.

— Não. Não estou. — Ela encostou a testa na de Cassie. — Mas estou preocupada com você.

Cassie se afastou.

— Comigo? Por quê? — Ela deu um impulso no balanço com o pé, fazendo-o oscilar devagar.

Harriet sorriu, seus dentes brilhavam tanto que estavam quase azuis sob a luz.

— Porque não conhece o próprio coração. Está com quase 36 anos, Cassie. É hora de começar a escutá-lo.

Cassie balançou a cabeça de um lado para o outro e deu uma risada.

— Não acredito que *você* esteja *me* dando conselhos. Quando isso aconteceu?

Recostando a cabeça no balanço, Harriet sorriu levemente.

— Acho que ganhei uma vida de sabedoria nestes últimos meses. Vai ver que morrer faz isso com a gente.

Com um movimento bruto, Cassie encarou a irmã.

— Não diga isso, Harriet. Não posso suportar você dizer isso.

Harriet tocou a irmã na face.

— Eu estou conformada. Tive uma vida boa, Cassie. Tive o privilégio e a honra de amar e ser amada pelo homem mais maravilhoso do mundo e de e dar à luz meus filhos. Tem sido uma vida completa e feliz, e não me arrependo de nada, exceto daqueles anos sem você. Prometa-me... — Ela respirou fundo e fechou os olhos com força, sentindo dor. Após uma pausa, prosseguiu. — Prometa-me que viverá sua vida sem arrependimentos. Encontre seu coração e o escute, e você não vai errar.

Cassie apoiou a cabeça no ombro de Harriet e deixou as lágrimas congelarem em seu rosto. Finalmente, disse:

— Te amo, Har.

Suavemente, Harriet colocou a mão sobre a face da irmã.

— Também te amo.

Permaneceram ali fora um pouco mais, esperando estrelas cadentes para fazerem pedidos. O céu, entretanto, estava imóvel e frio, e a Lua sem face subia na sua imensidão. Cassie se levantou, puxou Harriet com ela, e elas entraram na casa, fechando bem a porta atrás de si.

Capítulo 27

Harriet entrou em trabalho de parto nas gélidas horas da manhã do dia de Natal. Enquanto a cidade de Walton dormia e as crianças sonhavam, Harrison Madison Warner veio ao mundo, chutando e gritando. Cassie e Sam voltaram correndo à casa de onde haviam acabado de sair para que Cassie ficasse com as crianças enquanto Sam levava Joe e Harriet para o hospital perto de Monroe. Sam ligou pouco depois das seis da manhã para lhe contar sobre seu novo sobrinho, que tinha todos os dedos das mãos e dos pés e estava muito bem de saúde.

Conforme as crianças acordavam, uma a uma, Cassie lhes contava sobre o irmãozinho recém-nascido, o qual Harriet gostaria que fosse chamado de Harry. Todos, então, se juntaram a ela para encher balões azuis e colocar fitas azuis e brancas em todos os objetos ao redor, para dar a ele as boas-vindas. A mistura com o vermelho, verde e dourado era estranha, mas os dois eventos tinham de dividir as atenções.

Sam apareceu por volta das nove horas. Ele, Cassie e Lucinda celebraram o Natal com as crianças, filmando-as quando abriram os presentes e comemoram. Harriet iria ficar mais alguns dias no hospital, e Sam queria que ela compartilhasse aquele Natal com os filhos.

Harry veio para casa primeiro, como uma trouxinha num cobertor azul. Era um encanto para os irmãos mais velhos, exceto para Maddie. No começo estava reservada, mas logo sucumbiu ao seu charme e começou a disputar sua vez para segurá-lo.

Três dias depois, Joe trouxe Harriet para morrer em casa. Nunca se falou sobre isso, mas estava claro para os adultos que era chegada a hora de se despedir e deixá-la partir. Joe colocou uma cama na sala, ao lado da árvore de Natal, e aquele quarto se tornou o coração e a alma da família. Sam vinha diariamente visitar Harriet e aplicar nela a dose de morfina. Conforme Harriet lentamente se afastava de Cassie e do restante da família, a vida parecia estar suspensa por uma tênue rede.

Cassie ficou na casa da irmã entre a semana de Natal e Ano-Novo. Percebia quando Joe queria ficar a sós com a esposa e se afastava de vez em quando. Contudo, ficava sempre por perto, caso Harriet precisasse de alguma coisa. Grande parte do tempo, ela se sentava na beirada da cama de Harriet, segurava-a pela mão e conversava ou lia para ela. O curso da vida em família seguia com o avançar dos dias. Cada hora era interminável em sua dor e tristeza. Cada dia, porém, acabando rápido demais.

Na véspera de Ano-Novo, o gélido céu de inverno havia se transformado em um cinza intenso, varrendo a cidade de Walton com um vento gelado e incitando as pessoas a não saírem de casa. Aqueles mais afortunados, que tinham lareiras repletas de lenhas, deliciaram-se com a novidade de um fogo crepitante para aquecer as frias noite de inverno. Harriet mantinha a face virada para as chamas com um leve sorriso nos lábios.

Cassie estava lendo em voz alta uma matéria sobre comidas para ocasiões especiais da revista *Southern Living* para a irmã quando sentiu o ar parar. Não era nada palpável, nem nada que pudesse descrever, mas estava lá. Ela olhou rapidamente para Harriet, cujos olhos semicerrados, envoltos em dor e morfina, estavam focados em Joe, que dava mamadeira ao bebê Harry.

Os olhos de Cassie atravessaram a sala na direção de Sam, que estava sentado no chão com as pernas cruzadas, jogando cartas com Joey, Sarah Frances e Knoxie. Maddie, sentada sozinha, encolhida na cadeira, escutava seu iPod e escrevia, concentrada, em seu diário. Amanda estava lá em cima, onde Lucinda a colocava na cama. A paz do final de dia havia recaído sobre a casa.

Em silêncio, Cassie fechou a revista, mas ninguém pareceu notar. Era como se fosse a única espectadora de uma peça. Naquele momento, tudo o que queria era fechar a cortina e evitar que a cena final fosse representada.

Ela se levantou, foi até a janela e olhou para o céu noturno. A Lua estava obscura e inchada atrás da cortina de nuvens, derramando uma manta prateada sobre o dormente jardim abaixo. Ela caminhou até a porta e saiu, aspirando fundo o ar pelo nariz.

Animada, correu para dentro da casa.

— Vai nevar. Aposto pelo cabelo vermelho da avó Knox que vai nevar esta noite. — Assim que falou, enormes flocos brancos começaram a cair do céu.

As crianças gritaram, e até mesmo Maddie largou a caneta e correu até a janela para espiar. Em uníssono, eles se dirigiram ao pai:

— Papai, podemos sair lá fora na neve? Por favor, por favor?

Joe, como de costume, dirigiu-se a Harriet. Como ela não respondeu, ele se virou para as crianças e, em seguida, para Cassie.

— Se para o pai de vocês tudo bem, agasalhem-se muito bem e vamos sair para assistir à neve cair.

As quatro crianças saíram correndo da sala até a entrada. Cassie se virou para segui-los, quando um suave som veio da cama. A voz de Harriet estava tão baixa que Cassie teve de se debruçar sobre ela para ouvir.

— Quero ver.

Cassie olhou para Joe, depois para Sam.

— Harriet também quer ir lá fora.

Joe se levantou com um sorriso hesitante no rosto.

— Acho que deveria. Ela sempre falou em esquiar em algum lugar para que pudesse finalmente ver a neve. Quem imaginaria que isso fosse acontecer em seu próprio jardim! — Ele se ajoelhou na frente da mulher e beijou-a na testa. Dirigindo-se a Cassie, disse: — Vou colocar o bebê para dormir. Agasalhe bem Harriet e eu a carregarei para fora.

Cassie concordou, e Joe levou o bebê até Harriet para que ela o beijasse. Ela tocou o rosto dele e enterrou o nariz no pescocinho do filho antes de dar boa-noite.

Sam retirou o cateter intravenoso de Harriet e ajudou Cassie a agasalhá-la muito bem para que ela suportasse o frio intenso. Havia perdido muito peso desde o nascimento do filho e os medicamentos para dor dificultavam a ingestão de comida. Ela pesava um pouco mais que Sarah Frances, e isso deixava Cassie muito assustada.

Joe desceu a escada. Depois de ter vestido o casaco e o chapéu, ele se inclinou para pegar Harriet. Ele a carregou no colo com facilidade, mas quando lhe pediu para que se segurasse em seu pescoço, ela não teve forças. Em vez disso, Sam ajeitou o braço de Harriet entre o corpo dela e o do marido. Ele e Cassie os seguiram até lá fora.

A neve caía com força, pesados torvelinhos, como as impressões digitais de Deus na paisagem. A grama e os arbustos brancos brilhavam com o fervor da primavera, cobertos de frescas camadas da neve recém-caída. Joey e Sarah Frances esmagavam o chão congelado com os pés, tentando deixar marcas, enquanto Maddie olhava para o alto, encantada. Knoxie corria pelo gramado com a língua para fora, como um cãozinho com a cabeça para fora da janela do carro, tentando pegar flocos de neve.

Flocos de neve congelados cobriam o chapéu e o casaco de Harriet e grudavam em seus cílios e sobrancelhas. Cassie a tocou no braço.

— Abra a boca, Harriet, veja se consegue pegar um.

Com a boca bem aberta, Harriet virou o rosto para o céu. Os olhos cristalinos espelhavam a alegria que emanava dela. Ela pegou um e sorriu. Seus olhos refletiam o brilho da noite. — Tem gosto gelado.

— É verdade, não é? — Cassie riu e Joe a acompanhou, o som oco no ar pulverizado de neve.

Joe se inclinou para dizer algo a Harriet, mas parou no meio da frase. Devagar, ele ergueu a cabeça, com um olhar de espanto que lhe entristecia os olhos. Flocos de neve lhe caíam no nariz e nos cílios e sumiam tão rápido quanto apareceram.

Sam estendeu os braços e segurou Cassie. Ela se afastou sem rancor. A expressão que tomou conta do rosto de Joe, ao se dar conta de que sua amada esposa estava morta, cortava-lhe o coração, ao mesmo tempo em que percebia que ela acabara de perder Harriet, sua irmã. Baixou a cabeça e chorou até Sam envolvê-la em seus braços e os dois chorarem juntos.

Primeiro Maddie, e depois as outras crianças, uma a uma, pararam e se aproximaram da mãe que ainda estava no colo do pai. Começaram todos a chorar, mas ninguém pensou em entrar. Se fizessem isso, tornariam aquilo real demais para eles. Joe inclinou a cabeça para proteger Harriet da neve. Seu corpo tremia enquanto as lágrimas caíam sobre o rosto dela.

A neve continuou a cair, cobrindo as casas e árvores com uma manta branca e grossa e sussurrando um suave acalanto para a família desolada.

A neve caiu por três dias, paralisando cinco municípios. Como não havia equipamentos para limpar as estradas, a vida ficou praticamente paralisada. Várias áreas estavam sem telefone e sem eletricidade, e não havia previsão de conserto antes de uma semana. O prazo final de Cassie já havia passado, mas ela ficou aliviada pela suspensão temporária do serviço da linha telefônica. A bateria de seu celular havia acabado e ela não tinha como recarregá-la. Percebeu, contudo, que na verdade não se importava com isso. Ela estava caminhando num mundo de sonhos, sem começo nem fim, e não conseguia nem pensar no futuro, muito menos fazer planos.

O caixão de Harriet estava no velório Murphy. A cerimônia fora suspensa até parar de nevar e o gelo derreter. Mas todas as noites, durante as horas de visita, a casa ficava cheia de pessoas que traziam bicos-de-papagaio, azevinhos e coroas de sempre-vivas, uma vez que não se encontravam flores frescas. Joe trouxe uma pequena árvore de natal, decorada com os enfeites das crianças, para ficar ao pé do caixão. Era uma homenagem apropriada a uma mulher que amava o Natal com os olhos maravilhados de uma criança.

Conforme os cidadãos de Walton se agrupavam em volta da família de Harriet, a comida começava a se acumular na cozinha de Cassie novamente. Cassie fora várias vezes até a casa de Joe para ver as crianças e ele, mas a casa estava sempre abarrotada de visitas ou as crianças estavam na casa de amigos. Ela se sentia inútil e desnecessária e sentia muita falta da relaxante ocupação com o trabalho. Ficava repetindo o nome Wallace e Madison, e o fantasma da antiga correria voltou a assombrá-la, chamando-a. Sentia saudade de estar no comando, no controle de novo. Até o distante anonimato da cidade a atraía. Em Walton, sua tristeza estava estampada na cara, e todos sabiam disso. Em Nova York, porém, ela podia esconder-se sob sua *persona* de mulher de negócios e afastá-la para bem longe.

Harriet lhe dissera para encontrar o seu coração e segui-lo. Trabalho havia sido para ela seu coração por muitos anos. Era objetivo, fácil de compreender e ela sabia como administrá-lo. Wallace e Madison. Seria uma tola se não aproveitasse essa oportunidade, especialmente quando não era indispensável ali. A cidade cuidava de si mesma, e a família de Harriet estava protegida na segurança desse pensamento.

Sam. Harriet não havia dito certa vez que amar era fazer sacrifícios? Ele seria o seu, pois certamente o que havia entre eles naquele momento seria destruído se Sam fosse com ela para Nova York ou se ela ficasse em Walton. Ela faria de tudo para visitar os filhos de Harriet e a tia Lucinda com frequência. Até mesmo ver Sam, até que ele se casasse com Mary Jane. Então, esperaria a dor passar, pois nada disso teria importância em Nova York, onde seria sócia de uma importante agência de publicidade. Era isso que sempre almejou.

Ela se sentou na beirada da cama e olhou para o quarto de botões cor-de-rosa, escutando a silenciosa casa ao seu redor, enquanto o fogo na lareira fazia pouco para dissipar o frio do ambiente. Lucinda havia se mudado para a casa de Harriet a fim de ajudar Joe com as crianças. Agora a de Cassie estava vazia, rangendo, calada pela estranha manta de neve. Cassie falou em voz alta para o silêncio à sua volta.

— Harriet, você estava enganada, sabe. Amar não é apenas fazer sacrifícios. É tomar decisões difíceis, não é? — Ela respirou fundo, caminhou até o *closet* e tirou de lá a mala e um punhado de roupas dos cabides.

Ela tinha de ligar para Ed. Precisava encontrar um inquilino para sua casa e alguém que fosse colocar tudo o que ele não quisesse num depósito. Mas com certeza ela ficaria com a casa. Era herança de família. Tudo o que restara de sua infância com seus pais e com Harriet estava lá. Quem sabe um dia a deixasse para Maddie e pendurasse o próprio retrato na parede da escada para assustar futuras gerações das crianças Madison.

Depois de falar com Lou-Lou Whittaker para marcar um encontro com Ed para as nove horas da manhã do dia seguinte, Cassie saiu do quarto e ficou vagueando pela casa, percorrendo antigas recordações e relembrando conversas do passado. Parou na entrada do antigo quarto de Harriet. Viu as meninas que ela e a irmã foram um dia, sentadas na cama compartilhando segredos. Fechando os olhos com força, ouviu com atenção, à espera de vozes de criança, entretanto, apenas o desolador som do vento de inverno uivava para dentro do quarto vazio. Devagar, Cassie fechou a porta, segurando com força a maçaneta de metal.

Ela voltou ao seu quarto com a decisão de ir embora reavivada. Jogando as roupas em cima da cama, abriu a mala no chão. Esvaziou uma gaveta da penteadeira e uma caixa de joias e empilhou o que havia dentro ao lado dela. Erguendo um monte de roupas íntimas, colocou-o dentro da mala. Uma gota de algo úmido caiu em sua mão e ela percebeu que estava chorando. "Como vou contar a Sam?".

Ela aspirou ruidosamente pelo nariz e usou a manga para limpá-lo. Levantou-se, sentou-se na cama com os olhos voltados para a parede e começou a mexer nos pingentes do pescoço com o dedo.

Luzes de faróis percorreram o seu quarto, seguidos da batida de uma porta de carro. Olhando pela janela, reconheceu a caminhonete de Sam e desceu devagar a escada para encontrá-lo. Abriu a porta antes que ele pudesse bater. Esperou-o limpar a neve das botas antes de entrar.

Ele estendeu os braços para abraçá-la, mas Cassie recuou, fazendo-o se constranger.

— Tudo bem com você?

Ela respondeu que sim. Seus olhos evitavam os dele.

— Estou bem. Estive pensando em Harriet...

Ele a tocou suavemente na face.

— É por isso que estou aqui. A neve ainda está no chão, mas parou de cair. A energia elétrica voltou no centro da cidade, e eles agendaram o funeral para sábado. Joe me pediu para avisá-la.

Ela concordou, sentindo-se uma estranha.

— Obrigada por me avisar.

Ele inclinou a cabeça.

— Tem certeza de que está tudo bem?

— Sim, tenho.

— Tenho energia e aquecimento de novo na minha casa, se quiser ir comigo. Aquecimento central é melhor do que uma lareira.

— Ficarei bem, obrigada. Tenho o aquecimento a gás também, caso sinta muito frio.

Ele ficou na entrada, ainda com o casaco, esperando um convite para entrar. Por fim, disse:

— O referendo sobre futuras construções será amanhã à noite na prefeitura. Parece que essa tempestade de neve pode ser uma benção disfarçada.

Todos estão presos aqui sem lugar para ir e nada para fazer. Teremos a casa cheia. De qualquer forma, estava pensando se você não gostaria de ir e dar o seu apoio.

Ela engoliu seco e lhe deu uma risadinha.

— Tem certeza de que vou apoiar o lado certo?

Ele ergueu a sobrancelha.

— Bem, como você não pôs abaixo este lugar, sou obrigado a concluir que seja a favor da preservação.

— É. Estarei lá.

Eles ficaram se olhando, constrangidos, por um longo tempo. Finalmente, Sam disse:

— O que está acontecendo, Cassie? Por que não me deixa tocá-la?

Algo entre uma risada e um soluço de choro parou em sua garganta.

— Decidi voltar para Nova York.

O rosto dele ficou paralisado, mas os olhos brilhavam sob a fraca luz que atravessava a janela. Ele a encarou por um instante, antes de falar:

— Então, Cassie Madison desaparece triunfalmente outra vez. Assim que as coisas apertam, ela foge. Eu já deveria esperar por isso.

Ela endireitou os ombros e o fitou.

— Não estou fugindo. Estava aqui apenas para uma visita, lembra-se? Tenho uma carreira em Nova York e uma excelente oportunidade. Seria uma tola de não aceitá-la.

Sam bateu o punho com força no batente de madeira da porta, fazendo-a dar um pulo.

— Caramba, Cassie. E as crianças de Harriet? Não acha que precisam de você aqui também?

Cassie mexeu na corrente de ouro em seu pescoço. Seus dedos se moviam para cima e para baixo, aflitos.

— Elas não precisam de mim, não muito. Têm Joe e Lucinda. E o resto da cidade está enfileirada na porta da casa deles para oferecer-lhes ajuda, comida, e seja lá o que acreditam que elas precisam. Sou bem dispensável. — Ela soltou as mãos ao lado do corpo.

— Dispensável? Seus sobrinhos aprenderam a amá-la e contam com você. E eu? — Ele chutou o tapete da entrada, dobrando-o na ponta. — Acho que nunca nem pensou em mim. — Passando os dedos no cabelo, ele balançou a cabeça e encarou-a. — Quer saber o que é dispensável? É o seu coração. Você não parece usá-lo, então, por que está aí?

Cassie não se moveu e tentou fazer a mão parar de tremer, agarrando-se ao corrimão da escada.

— Não está sendo justo, Sam. Você não entende.

Ele balançou a cabeça de um lado para o outro e a olhou com seriedade.

— Você é como um avião agrícola, que lança seu produto numa baforada de fumaça e some para dentro do imenso azul. Tem razão, Cassie. Não te entendo. — Ele se inclinou na direção dela, com o rosto vermelho, e falou bem baixinho:

— É verdade, você tem uma excelente oportunidade te esperando, e deveria ter orgulho de tudo o que conquistou. Mas sua irmã morreu, deixando seis crianças sem mãe para trás. E você está planejando abandoná-las, e parece não achar nada de errado nisso. Vá, então. Não precisamos de você aqui.

Ele se virou e, com passos largos e raivosos, saiu da casa.

Sem se mexer, ela ficou olhando para o espaço vazio onde ele estivera, ouvindo os pesados passos dele atravessarem a varanda. Foi somente quando os escutou sobre a neve, que ela recuperou o coração.

— Sam! — gritou ela para a casa vazia. Não poderia deixá-lo partir. Não daquela maneira. Obrigando seus pés a se moverem, correu atrás dele, sem se importar em vestir os sapatos.

Ela irrompeu pela porta da frente, deixando a porta de tela bater atrás de si, e gritou seu nome outra vez. Ele parou perto da caminhonete e a encarou sob a fraca luz.

Ela tremeu quando seus pés afundaram na neve da varanda.

— Por favor, não vá. — Lágrimas ameaçavam escorrer-lhe pelo rosto, mas ela as conteve, lutando para manter o seu precioso controle, a única coisa com que podia contar.

Ele deu um passo para frente. Sua respiração saía em enormes lufadas no ar congelado.

— O que mais quer de mim? Quer que eu arranque o meu coração sangrando e o entregue a você? Porque essa é única coisa que ainda não te dei. Mas não vou fazer isso, Cassie. Não vou. — Ele se virou para a caminhonete e falou sobre os ombros: — Vai doer por um tempo, mas superaremos.

Esta cidade tem uma maneira maravilhosa de se unir e se ajudar em tempos difíceis. Não acho que sua partida será muito diferente. — Ele abriu a porta.

— Sam, por favor! — Havia um desespero que ela mesma nunca escutara em sua voz, e isso a assustou. Por que admitir sua fraqueza sempre fora tão difícil para ela?

Sam olhou para trás.

Ela desceu com dificuldade até o último degrau da escada. O braço estava agarrado à grade para se sentir mais segura. Ela batia os dentes.

— Não vá, por favor. Eu... preciso de você.

Largando a porta aberta, ele caminhou até ela.

— Você o quê?

Ela o olhou com olhos semicerrados, rasos d´água.

— Você me escutou.

Ele andou para trás até a caminhonete e entrou. Estava prestes a bater a porta quando ela gritou o nome dele de novo.

Cassie havia saído do último degrau e largado o apoio da grade. Sem ele, sentiu-se sem equilíbrio.

— Sam, por favor! Eu... preciso... de você. — Ela caiu de joelhos na neve gelada. Havia perdido o controle e o seu coração pulsava no peito. Sentiu-se mergulhada em seu próprio desespero e sabia que apenas Sam poderia salvá-la. Seu corpo tremia enquanto gritava para ele. — Estou com tanto medo!

Sam deixou a caminhonete e foi até ela, com o rosto triste.

— Do que você tem tanto medo?

Ela enterrou o rosto nas mãos.

— Que... que eu morra de tanta tristeza. Que eu perca o controle. Que esteja tomando a decisão errada. — Ela balançou a cabeça. — Minha nossa, Sam, não sei o que quero! Pensei que tivesse todas as respostas quando vim para cá, e agora não as tenho mais. Tenho tanto medo de não ser inteligente o suficiente para encontrá-las!

Ele se ajoelhou na frente dela e a segurou pelos ombros. As mãos dele eram fontes e repletas de carinho.

— Bobagem, Cassie. Você é bastante inteligente para encontrá-las. — Ele a chacoalhou pelos ombros. — E a única coisa de que você sempre teve medo na vida é admitir que está errada. Tente, Cassie. O mundo não vai acabar.

Ela se sentou na neve e ele a soltou.

— Como é possível Harriet ter partido, Sam? Quem vai contar às crianças, que ainda são novas, que mãe maravilhosa ela era? E sobre a avó deles e o avô? E de como cuidar das rosas e fazer torta de batata-doce, e por que é importante vestir uma combinação? — Ela aspirou ruidosamente pelo nariz. Suas lágrimas congelavam no rosto.

Ele se levantou devagar.

— Se você não sabe a resposta para essa pergunta, então eu desisto. Fiz o possível para ajudá-la. Não há mais nada que eu possa fazer. — Ele fez que não com a cabeça. — Ninguém vai chantageá-la com aquelas crianças, Cassie. Isso tornaria as coisas fáceis demais para você.

Ela estremeceu e sua voz tropeçou entre as palavras.

— É difícil... não consigo... dizer... o que quero. — Olhando-o com um olhar de ira, ela gritou: — É difícil demais para mim!

Dirigindo-se a ela, olhou-a de modo implacável.

— Eu te amo, Cassie, e é por isso que não vou te dar esta resposta. Você está sozinha nisso. — Ele se virou e caminhou de volta para a caminhonete.

Ela se sentia como uma criança num acesso de raiva, mas não conseguia se controlar. Estava triste demais.

— E se eu dissesse que errei, que estava enganada sobre algumas coisas?

Sam parou, mas não se virou.

— Então é melhor dizer logo. — Ele esperou um instante, ainda de costas para ela, mas Cassie se manteve calada. Ele chutou a neve com força, entrou na cabine da caminhonete e ligou o motor. Olhando demoradamente para Cassie, baixou a cabeça e saiu da entrada da casa. O barulho da neve fez um som terrível e derradeiro.

A eletricidade da casa voltou perto das nove horas e Cassie passou o resto da noite alternando entre chorar, lavar roupas e arrumar a mala. Por volta das quatro da manhã, havia praticamente terminado. Ao tirar a última carga de roupa da secadora, puxou três lenços e começou a passá-los. Chorou um pouco mais ao passar o ferro por cima do linho amassado. As lágrimas chiavam ao virarem vapor sob o aparelho. Dobrando-os bem, enfiou-os na bolsa, ao lado das cartas que encontrara debaixo da cama.

Os primeiros raios do amanhecer já atravessavam a janela vazada quando subiu, exausta, os degraus com uma pilha de roupas limpas no braço. Partículas de pó traçavam um caminho no ar até o porta-retratos do pentavô Madison. Ela se recostou no corrimão no alto da escada, fitando seu antepassado à luz escura. Deixando de lado a roupa, ela se aproximou do retrato e arregalou os olhos.

Como nunca reparou antes? Nas milhares de vezes que subira e descera aqueles degraus, não apenas nos últimos meses, mas em todos os anos que vivera naquela casa, não notara uma única vez. O formato dos olhos, a curva do nariz e do maxilar — era tão óbvio. E se o pentavô não tivesse toda aquela cabeleira, apostaria que tinha orelhas grandes levemente projetadas para fora da cabeça.

Ela se sentou no degrau por alguns minutos, absorvendo sua nova descoberta. No final das contas, isso não tinha mais importância. Era uma perda a mais antes de partir. Uma pessoa a mais para se despedir.

Com passos pesados, subiu a escada e foi para o quarto. Tinha três horas para dormir até o seu compromisso às nove horas. Deitou-se na cama e esperou que o lento tique-taque do relógio do corredor a fizesse cair no sono.

Capítulo 28

Lou-Lou cumprimentou Cassie calorosamente. Seus lábios arqueados expressavam um sorriso solidário.

— Ei, Cassie, sinto muito por Harriet. Ed vai fechar o escritório no sábado em respeito ao velório. Iremos os dois.

— Obrigada, Lou-Lou. Será bom ver os amigos dela lá.

O lábio de Lou-Lou tremeu um pouco.

— Sei que a cidade inteira vai comparecer. Ela conhecia quase todo mundo e todos a amavam. E aquelas pobres crianças... — Sua voz falhou e Cassie teve de virar o rosto, sabendo que se não o fizesse, ela começaria a chorar de novo e não conseguiria parar mais.

— Ed está? Temos um encontro às nove horas para falar sobre o contrato de aluguel da casa.

Lou-Lou pressionou um lenço no canto dos olhos.

— Claro, está sim. Vou avisá-lo que você chegou.

Antes que tivesse a chance de apertar o botão de intercomunicação, Ed abriu a porta de seu escritório. Cassie o olhou, surpresa. Parecia que ele tinha dormido com a roupa do corpo, com a gravata desamarrada, a camisa aberta, e o cabelo curto todo de pé. Círculos escuros pairavam sob seus olhos, e seu maxilar estava sombreado por uma barbicha.

Ele se sentou atrás da escrivaninha, mostrando para ela a cadeira na frente dele. Ela se sentou, observando-o com atenção.

Ele limpou a garganta.

— Estou com toda a papelada do contrato do aluguel e está tudo conforme o que discutimos. O valor está especificado, como também a minha comissão. Agirei como seu representante e locador na sua ausência. Você não tem que se preocupar com nada, exceto com algum conserto grande e a manutenção geral. Apenas confira na última página se seu endereço em Nova York está correto, para que eu não tenha problemas em enviar seu aluguel mensal, assim que eu encontrar um inquilino, claro.

Ela concordou e começou a ler a papelada, rubricando nos parágrafos indicados e assinando no final de cada página. Ao terminar, largou a caneta e lhe entregou a documentação. Então sentou-se com a coluna reta, fitando-o.

— Você pegou a caixa de cartas de papai, não foi?

Um olhar de choque deu rapidamente lugar a um de alívio.

— Sim, peguei.

Ela ficou surpresa diante de sua sinceridade.

— E acho que sei por quê.

Ele não respondeu nada. Cassie pensou que talvez ele estivesse cansado de se esconder e quisesse que a verdade fosse finalmente revelada, independentemente das circunstâncias.

— Você é meu irmão, não é?

Ed baixou a cabeça, olhando para a escrivaninha e mexendo com a caneta.

— Me perguntava quanto tempo demoraria para você descobrir. Você quase me pegou aquela vez, quando te liguei do lado de fora do Dixie Diner. Queria ter certeza de que era você quem estava tentando me encontrar.

Cassie se inclinou para frente.

— Por que não me contou? Por que toda essa enrolação?

Ele arrastou a cadeira para trás e a girou para fitar a enorme janela de vidro. Seu perfil, iluminado pelos claros raios de sol da manhã, refletia a neve. Sua semelhança com o pentavô Madison ficara mais evidente que nunca. Ele deu de ombros.

— Porque não achei que ficaria feliz com essa notícia. — Ele olhou para ela rapidamente. — Ainda me lembro de como eu era patético na escola. E como eu importunava Sam. Não achei que fosse gostar de saber que eu era um parente.

Cassie olhou para as mãos, ainda vermelhas da longa caminhada na neve.

— Você não é mais aquele garoto, e isso não tem nada a ver com o presente. Temos o mesmo pai. E ficarei honrada de tê-lo como irmão.

Um forte rubor tomou conta do rosto de Ed e ele se mexeu na cadeira.

— É, bom, pensei melhor.

Lou-Lou bateu rapidamente à porta e trouxe café e xícaras numa bandeja. Cassie agradeceu a interrupção e aproveitou o momento para analisar Ed com olhos distantes. De novo ela reparou no estado desalinhado dele e ficou se perguntando por quê.

Cassie esvaziou um pacote amarelo de adoçante, notando que suas mãos tremiam.

— Há quanto tempo sabe?

Ed segurou a xícara na frente do rosto. A fumaça distorceu seus traços por um breve instante.

— Quando eu tinha 20 anos meus pais morreram. Encontrei alguns documentos nas coisas deles que diziam o nome dos meus pais verdadeiros, e que eu não era legalmente adotado. Havia sido dado aos Farrells pelo meu avô, como um cão indesejado.

Ele se virou de novo para a janela e tomou um grande gole do café.

— Você pode imaginar como fiquei.

Cassie concordou.

— Provavelmente como eu fiquei ao ler as cartas e descobrir que meu pai teve um amor antes de conhecer a minha mãe, e que teve um filho com essa mulher. Jamais teria acreditado nisso se não tivesse lido as cartas com meus próprios olhos.

— É, bom, eu fiquei furioso também. Meu pai era rico e vivia numa casa grande com as duas crianças que ele queria. E eu vivia numa fazenda suja, com um homem que me batia e uma mulher cujo ânimo havia sido destruído há muito tempo.

Cassie estremeceu.

— Papai não sabia! Primeiro pensou que você tivesse morrido logo que nasceu. Se ele soubesse, teria resgatado você. E quando descobriu que estava vivo, ele tentou te encontrar, mas as pistas já haviam esfriado, e D. Lena não lhe contaria nada. Segundo as informações que ele tinha, você poderia estar em qualquer lugar do mundo. Aposto que o último lugar que teria pensando em te procurar seria nas redondezas de Walton.

Ed girou na cadeira, derramando café na borda da xícara.

— Não o defenda. Se ele realmente quisesse, teria me encontrado e me tirado de lá. Mas não fez isso. Fui largado lá para quase morrer de fome.

— Não foi bem assim, Ed...

Ele a interrompeu.

— Não tente defendê-lo. Você não estava lá quando eu o procurei depois da morte de meus pais. Ele fingiu ficar animado por me ver, mas não me assumiria publicamente, tinha muita vergonha de mim. Ele me deu dinheiro para os meus estudos e até me ajudou a começar os negócios, mas a condição era que eu não revelasse a minha verdadeira identidade.

Cassie se inclinou para frente.

— Eu li as cartas, Ed. Não era por sua causa, mas pela reputação de D. Lena. Se as pessoas descobrissem que ela teve um filho ilegítimo, ela sofreria muito. Ele fez isso para protegê-la. Não consegue entender isso?

Ed girou a cadeira, afastou-se dela e esfregou as mãos no rosto.

— Aquelas cartas. Deus, como queria tê-las encontrado antes. Muitas coisas seriam diferentes.

— Como o quê?

Ele a encarou com os olhos arregalados.

— Nada. Não é nada.

Cassie se recostou na cadeira.

— D. Lena sabe que você é filho dela?

Ed encolheu os ombros.

— Quis esperar até estar bem de vida para lhe contar, mas então já era tarde demais. Tentei conversar com ela sobre isso e algumas vezes parece até ter entendido, mas grande parte do tempo sua mente desliga, e acho que ela não compreende nada. Chega a ser engraçado, porque tive com ela a discussão mais lúcida sobre meus negócios. E, então, no instante seguinte, ela me olhou como se nunca tivesse me visto antes.

Cassie, devagar, largou a xícara sobre a escrivaninha.

— Gostaria de reconhecê-lo como irmão. Se acha que D. Lena ainda se sentiria constrangida, pode ser entre nós e alguns amigos, por enquanto. Mas gostaria de fazer isso. Tirando Lucinda e os filhos de Harriet, você é a única família que tenho.

Ele se virou de costas para ela, balançando a cabeça quase imperceptivelmente.

— Não compartilharia essa novidade com ninguém neste momento. Você talvez descubra que é melhor guardar isso para si.

— O que quer dizer com isso? — Ela se inclinou para frente, intrigada de novo com o estado desalinhado dele. Parecia que tinha passado a noite toda no escritório, lutando com demônios.

Ele fez que não com a cabeça e se levantou, num claro sinal de que a conversa havia acabado.

— Não tem importância. Não é nada que possa ser reparado, mesmo.

Ela se levantou também. Havia uma expressão de interrogação no rosto.

— Como somos da mesma família, talvez, possa te ajudar com seus problemas.

Ele se distanciou da mesa e caminhou com passos largos até a porta, abrindo-a para ela.

— Acho que não. Não me entenda mal, gosto de você e tudo. Na verdade, gosto muito de você. Mas ainda é a filha de seu pai, e não estou pronto para confiar em você.

Tocando-o de leve no braço, ela disse:

— Bem, sabe onde me encontrar caso mude de ideia. — Ela passou pela porta e se virou, enfiando a mão na bolsa. — Quase esqueci. É uma carta de papai para você. Deve ter caído da caixa de cartas quando a derrubou na minha cama. Encontrei-a no chão com duas outras cartas de sua mãe.

Ele enrubesceu de novo e pegou os envelopes.

— Não sei por que ele não te entregou esta carta quando soube de sua existência. Foi escrita há tanto tempo, que talvez ele tenha simplesmente a esquecido.

Ed passou devagar o dedo no envelope, mas não o abriu.

— Você a leu?

— Sim. Li. E espero que qualquer dúvida que tenha sobre o amor de nosso pai e a preocupação dele com você esteja respondida aí.

Ed concordou, e Cassie notou que ele a observava quando se virou e se dirigiu à porta de saída. Ela parou no meio do caminho e o olhou de novo.

— Gostaria que se sentasse comigo e com Joe no velório, se ficar à vontade com isso.

Devagar, ele balançou a cabeça.

— Não. Não posso fazer isso. Mas... obrigado. Agradeço a consideração.

— Tudo bem. Mas se mudar de ideia, será bem-vindo. — Ela se despediu de novo, acenou para Lou-Lou e saiu.

Só mais tarde lhe passou pela cabeça pedir de volta a caixa de cartas. E então ficou feliz por não ter feito isso. Ela passou muitos anos felizes ao lado do pai, fazendo parte da vida dele. O mínimo que podia fazer era entregar ao filho perdido a antiga caixa com as cartas que falavam de uma criança nascida de um amor e depois abandonada.

Maddie abriu a porta da frente da casa da tia e ouviu o silêncio ali de dentro. Desde que sua mãe morrera, sua própria casa havia ficado mais barulhenta e cheia do que de costume. O *freezer* e a geladeira estavam lotados com presuntos, ensopados e tortas de gelatina. Provavelmente os vizinhos imaginavam que o mundo estivesse acabando. E Maddie acreditava que, de certa forma, estava.

— Tia Cassie — chamou ela e esperou, mas escutou apenas o tique-taque do antigo relógio do avô. Devagar, andou de quarto em quarto, desfrutando do silêncio, porém um pouco apreensiva por estar completamente só. Havia acabado de sair de casa, pois precisava se distanciar de todos os olhares solidários, abraços e palavras que jamais trariam sua mãe de volta.

— Tia Cassie — chamou ela de novo e parou no escritório. A maioria dos livros e papéis haviam sido encaixotados e empilhados e estavam encostados na parede. Mas as fotos nos porta-retratos ainda estavam lá, e Maddie olhou para elas, reconhecendo a de formatura de colégio de sua mãe. Pegou-a na mão e começou a chorar outra vez. Não conseguia mais parar. Não estava mais brava com a mãe, apenas perdida. Pela primeira vez, sua vida parecia seguir um rumo sem que ela soubesse a direção.

Ela olhou para uma foto de tia Cassie e percebeu o que a mãe sempre dissera sobre elas se parecerem. Até mesmo as sardas, pensou Maddie ao se inclinar para frente e reparar nas do rosto da tia. Mas já não eram mais tão densas, encorajando-a a acreditar que não teria as suas para sempre.

Maddie examinou mais porta-retratos, vendo a vida da mãe desde quando era uma bebê até a foto na maternidade, segurando a pequena Maddie nos braços. Notou que seu crescimento foi semelhante ao da mãe — férias na praia com a família, nadar no riacho, andar de cavalinho nas costas do pai. Maddie reconheceu até mesmo o salão Bitsy no fundo de uma foto em que sua mãe arrumava o cabelo, presumivelmente para o desfile do Festival Kudzu. De fato, quase nada havia mudado ao longo dos anos! Contudo, Maddie já não sabia mais se isso era uma coisa ruim. Isso fez até mesmo que se sentisse mais próxima da mãe, ainda que parecesse que a mãe não queria nada além de uma casa cheia de filhos, e Maddie tinha certeza de que isso ela não queria.

Sem fome de tanto comer rocambole de geleia, ensopados e frango frito sem parar nos últimos dias, ela passou direto pela cozinha e subiu a escada. Vagueou pelo corredor, enfiando a cabeça em cada quarto antes de seguir adiante. Mas, ao chegar no quarto da tia, parou e sua boca ficou seca.

No meio do quarto estava a mala de Cassie, lotada de roupas e sapatos, a maioria de salto, os quais Maddie não vira nos pés da tia desde suas primeiras semanas em Walton. Entrando no quarto, Maddie foi até a escrivaninha e viu a confirmação de uma reserva de passagem aérea de Atlanta para LaGuardia, com o nome de Cassie nela.

Maddie se sentou com o corpo todo na cama, sentindo-se completamente vazia. Traída. Tia Cassie não lhe dissera que ficaria. Mas com a morte da mãe, ela supôs que a tia quisesse ficar, como acontecera com tia Lucinda quando a mãe de Cassie morreu.

Ela caiu da cama e a cabeça bateu na mala, mas não se importou. Um pequeno ferimento na cabeça não era nada comparado ao estado de seu coração. Por que tia Cassie desejaria ficar em Walton? Ela tinha uma vida mais animada em outro lugar. Maddie fechou os olhos, tentando imaginar como deveria ser um lugar como Nova York, onde ninguém sabia seu nome ou te olhava com pena porque tinha 14 anos e acabara de perder a mãe.

Devagar, Maddie se levantou, com os olhos focados nas sedas brilhantes e caxemiras dentro da mala. Mas não as enxergou de fato. No lugar, viu apenas as horas e dias que estavam por vir. Dias pintados de cinza. Dias em que todos tropeçariam pela vida sem a pessoa que parecia conduzi-los na direção certa. A mãe, certa vez, dissera que ela era a capitã do navio.

Agora, Maddie só conseguia imaginá-lo afundando, pois seu pai não tinha a menor noção de como manejar as velas.

Notou, sobre a cabeceira da cama, um bloco de anotações e uma caneta e os pegou. Então, pensando nas palavras certas, começou a escrever. Ao terminar, colocou o bloco e a caneta no lugar, dobrou o bilhete com cuidado e o enfiou no bolso de trás de seu jeans.

Ao sair da casa, parou diante da fotografia de tia Cassie. Finalmente entendeu por que sua mãe sempre dissera que ela era igual à tia. E não se tratava apenas da aparência física.

Maddie abriu a porta e sentiu a fria rajada de vento atingir-lhe o rosto. Enfiando as mãos nos bolsos do casaco, olhou para as densas nuvens acima e rezou para que não nevasse.

Capítulo 29

Luzes de Natal ainda brilhavam na neve, do lado de fora da prefeitura. O quadrilátero central e as vagas de estacionamento lotaram rapidamente. Nuvens vinham ameaçando mais neve ao longo de toda a tarde. O cheiro estava denso no ar quando Cassie parou o carro numa vaga na frente da Estátua da Liberdade.

O tempo não pareceu deter a população de Walton, que chegava de todas as direções. Cassie reconheceu a maioria dos veículos, inclusive o de Sam e o de Ed, ambos estacionados perto dos degraus da prefeitura, dando a entender que foram os primeiros a chegar. Ela acenou com a mão enluvada em resposta a cumprimentos que lhe foram gritados e subiu os degraus.

A sala de reuniões tinha cada vez menos cadeiras livres. Cassie caminhava pelo corredor central procurando um lugar para se sentar. Os aquecedores lançavam um ar tão quente que as pessoas em suéteres e casacos pareciam estar derretendo tão rápido quanto a neve dos sapatos.

— Não esperava vê-la aqui.

Cassie se virou ao escutar a voz de Sam perto de seu ouvido.

— Eu te disse que viria.

O seu rosto estava perto do dela, indecifrável.

— Obrigado. Espero que não atrapalhe seus preparativos para a viagem.

Ela tirou as luvas.

— Sam...

— Quando você vai embora? — Suas palavras estavam sucintas e distantes.

— Depois do velório de Harriet. Lucinda vai me levar ao aeroporto às cinco horas. Eu... eu liguei para Andrew e aceitei a sociedade.

— Parabéns. — Ele olhou por cima da cabeça dela, notando quando os conselheiros tomaram seus assentos na tribuna. — Preciso ir agora.

— Espere. — Ela o segurou pelo braço e ele parou, com uma leve centelha de esperança nos olhos. — Queria te devolver isso. Eu mesma os passei. — Ela enfiou a mão na bolsa e lhe entregou a pequena pilha de lenços.

A centelha em seus olhos, então, desapareceu e ele pegou os lenços de sua mão.

— Obrigado. E adeus. Espero que seja feliz.

Sem esperá-la responder, ele se virou e saiu. Percebendo milhares de olhos encarando-a, olhou em volta em busca de um lugar vago e ficou surpresa ao notar que ao lado de D. Lena havia uma cadeira vazia.

Cassie pisou em vários pés para chegar até ela e se acomodou na cadeira, tentando não bater em ninguém quando tirou o casaco. Dona Lena estava com o mesmo casaco cor-de-rosa sobre um vestido florido, e meias de lã azuis cobriam suas pernas. Ela estendeu o braço e apertou a mão de Cassie.

— Sinto muito por Harriet. Você deve estar muito triste. — Ela apertou os dedos congelados de Cassie. — Estou rezando por você, pelo marido dela e pelos filhos.

Cassie tossiu para disfarçar a garganta apertada.

— Obrigada, D. Lena. Muito obrigada. — Ela olhou para os olhos da velha mulher e viu que eram claros e brilhantes.

A sala ficou cada vez mais silenciosa, conforme as pessoas se acomodavam e a reunião começava com as costumeiras formalidades. Uma a uma, as pessoas se levantaram e falaram sobre sua cidade e usaram as próprias palavras para, com esperança, influenciar uma opinião para um lado ou outro.

O senador Thompkin se levantou e falou sobre seus tataravós, que haviam fundado a cidade há quase duzentos anos e estavam agora enterrados no cemitério atrás da antiga capela Metodista — a mesma capela que estava condenada a ser destruída por um novo complexo industrial construído pela Roust Development.

Outra meia dúzia de pessoas se levantou para contar histórias similares. E então Richard Haney se levantou e falou das áreas negligenciadas e em decadência nos arredores da cidade, que foram revitalizadas e reformadas graças à Roust Development. Vários outros respeitáveis membros da cidade se aproximaram da tribuna e declararam seu apoio a Roust e ao maravilhoso trabalho que ele vinha fazendo naquele lugar.

Cassie olhou em volta, em busca de um homem num terno elegante, ou ao menos alguém que ela não reconhecesse, na tentativa de identificar o representante da Roust Development. Não acreditava que alguém da Roust não estaria presente naquela importante reunião da cidade. Mas não viu ninguém que não conhecesse. Ela se perguntou se Jim Roust poderia ser tão presunçoso a ponto de já ter como certa a destruição de Walton e de pensar que aquela reunião era irrelevante.

Por fim, Ed Farrell se levantou. Sua gravata estava torta e ele olhou, inseguro, ao redor da sala antes de pegar um cavalete e se aproximar da tribuna. Colocou um enorme pôster da cidade sobre o cavalete e deu um passo para trás, com um sorriso constrangido no rosto, para que todos pudessem ver o que havia no pôster.

Ed limpou a garganta e começou a falar.

— Senhoras e senhores, eu vos ofereço uma excelente proposta. Sugiro que digamos não ao grande esquema da Roust Development e, no lugar, deixemos que um de nós planeje uma nova e mais vibrante Walton. Claro, Walton foi um lugar maravilhoso para os nossos avós. Mas isso foi naquela época, antes dos computadores, das estradas e dos supermercados. — Ele pegou um lenço do bolso de trás e enxugou a testa. — Sim, nós conhecemos todo mundo na cidade, vamos à igreja com nossos vizinhos e nos casamos com a menina cujo rabo de cavalo costumávamos puxar na escola. — Uma risadinha ressoou pela plateia. — Mas isso não vai impedir Walton de se tornar um desastre econômico nas próximas décadas. Precisamos de revitalização, precisamos manter nossos jovens aqui, assim como precisamos atrair gente nova, capaz de injetar dinheiro na economia desta cidade. — Ele se afastou para o lado, para que as pessoas pudessem ter uma visão melhor do cavalete. — É isso que estou sugerindo, uma nova e melhorada versão de Walton.

Cassie se endireitou no assento, fascinada. O mapa no cavalete chamava a atenção pela cor, beleza e perfeição — a Walton ideal. Lindos carros andando por belas e arborizadas avenidas da cidade, ao mesmo tempo em que pessoas empurravam carrinhos de bebê e caminhavam com seus cães em calçadas imaculadas. Havia até mesmo um grupo de crianças soltando pipa num parque, onde, atualmente, era o quarteirão de estabelecimentos comerciais, entre eles a lanchonete Dixie Diner.

Havia algo de errado naquilo — tão irreal e inalcançável. Aquela versão não era a Walton de Cassie. — Era o sonho de uma cidade perfeita de alguém. Seja lá o que fosse, não era a Walton onde todos se conheciam desde que nasceram e os vizinhos se ajudavam e faziam mutirões para trazer comida e cuidar de uma mulher mais velha. Não era a cidade onde as crianças nadavam no antigo riacho atrás da casa do senador Thompkin ou faziam piqueniques dominicais no parque, onde no mapa estava desenhado um novo supermercado da rede Piggly Wiggly. Independentemente do que fosse aquela cidade fictícia, ela não tinha relação com o lugar maravilhoso onde Cassie crescera. Com base na expressão do rosto de Sam, ela podia dizer que ele estava pensando a mesma coisa.

Devagar, Sam se levantou. Ele não tinha um cavalete nem um ponteiro, tampouco vestia um terno. Em vez disso, caminhou devagar até a tribuna usando jeans e botas, e acenou para vizinhos e amigos. Debruçou-se sobre o microfone e, muito sucinto, disse:

— Perdoem o meu francês, camaradas, mas isso é uma grande bobagem. — Um murmúrio atravessou a multidão e D. Lena deu uma risadinha. — Só porque Ed diz que é um de nós, não quer dizer que colo que os interesses da cidade em primeiro lugar. Claro, algumas áreas de Walton poderiam ser revitalizadas, mas isso não significa uma destruição em massa de casas históricas e estabelecimentos comerciais. Precisamos focar nossas ações em preservar estruturas já existentes e encontrar para elas novas utilidades. Porque essa é única maneira de conservarmos a integridade deste lugar.

Ele fez uma longa pausa e seus olhos percorreram a sala e encontraram os olhares das pessoas sentadas na plateia.

— E se vocês decidirem votar contra a preservação, acho que não importa quem faça as construções na cidade, se Ed Farrell ou Jim Roust. De toda forma, eles irão destruir Walton. Irão arruiná-la, assim como fez general Sherman em sua marcha até o mar. As pessoas irão embora e estranhos se mudarão para cá. Começaremos a trancar nossas portas e não mais conheceremos nossos vizinhos. Não haverá mais Dixie Diner, Bitsy's House of Beauty, ou Harriet's Skirts 'n' Such. Todos irão até o shopping center para esses serviços, e as lojas vazias serão lacradas e abandonadas.

Cassie endireitou-se ainda mais na cadeira, sentindo a paixão das palavras dele. Sam prosseguiu:

— Eu lhes pergunto onde estão Jim Roust e seu pessoal? Não acham que alguém que tanto deseja mudar esta cidade deveria estar aqui hoje à noite? Pelo menos para ouvir o que os cidadãos têm a dizer sobre as propostas de mudança? Não acham que ele se importaria?

Cassie observou, surpresa, quando D. Lena se levantou. Seus dedos enrugados se agarravam com força no assento à sua frente. Sua voz soou bem alta e clara na multidão em silêncio.

— Mas ele está aqui. Ele está bem aí, na frente do cavalete.

O rosto de Ed pareceu perder a cor, enquanto ele olhava para a mãe. Ele deu um passo para frente, com um sorriso forçado.

— Ora, D. Lena, acho que a senhora está um pouco confusa. Por que não deixa Cassie levá-la para fora para um ar fresco? — Um tique nervoso começou em seu maxilar, contradizendo a calma expressão no rosto.

Dona Lena parecia confusa de fato. Inclinou a cabeça e ficou encarando os homens próximos do pódio.

— Mas, Ed, você mesmo me contou que comprou a Roust Development e que agora é o grande chefe. Certo, Ed?

Ed encolheu os ombros, desculpando-se com o público.

— Desculpem-me pela interrupção, senhores e senhoras. Talvez D. Lena não esteja acostumada a ficar acordada até tão tarde.

A velha mulher começou a tremer. Sua expressão estava longe de se mostrar confusa. A voz, embora trêmula, saiu clara e convincente.

— Não, Ed. Não costumam mentir para mim, principalmente meu próprio filho. — Ela ignorou os suspiros e sussurros vindos da plateia à sua volta e continuou a olhar diretamente para ele. — Sinto muito se sua infância não foi como deveria ter sido. Fiz o que achei ser melhor na época. Culpe-me, então, Ed, ao invés de punir estas pessoas. As mesmas que cuidam de mim agora e que se certificaram de que você tivesse roupas no corpo e comida no prato quando era uma criança. Olhe para si mesmo! Não parece que sua educação ou que esta cidade impediram você de ser bem-sucedido. — Ela parou por um instante, respirando fundo para se acalmar. — Só queria que fosse um pouco mais novo, porque merece uma boa surra.

Sua voz pareceu falhar por um momento ao olhar em volta para a plateia arrebatada, antes de se dirigir ao filho novamente.

— Como nunca pude te dar conselhos maternos, me dê este prazer agora ao menos desta vez. — Ela lhe apontou o dedo enrugado. — Seja bom com as pessoas, porque toda ação maldosa sempre volta mais tarde para pegá-lo pelo traseiro.

D. Lena se sentou num tranco, enquanto um silêncio desorientador permeava a sala. Seus olhos se embaçaram ao mesmo tempo em que olhava para as pessoas mais perto dela, tentando descobrir onde estava e por que falava. Cassie a envolveu em seu braço e a trouxe mais para perto de si.

Ed estendeu os braços, com as palmas das mãos viradas para cima em súplica.

— Pera aí, gente. É claro que ela está confusa. — Ele parou por um instante, ao mesmo tempo em que começava um murmúrio na sala, acompanhado de olhares acusatórios. A expressão de Ed ficou agressiva. — Ei, mesmo que eu fosse dono da Roust, qual o problema? Ainda sou o cara com todas as ideias incríveis para esta cidade. Olha só, vejam a lanchonete Dixie Diner. — Ele tirou uma enorme fotografia em papel brilhante de um portfólio aos seus pés e a colocou no cavalete. — É feia como o pecado. É, colocaram toldos coloridos e jardineiras nas janelas, mas ainda é um prédio velho e feio. Todo o quarteirão é. Há importantes varejistas do país que estão loucos para colocar as mãos nesta propriedade. Imaginem o comércio que trará para Walton e os empregos.

Sam estudou Ed e um novo entendimento refletia em seus olhos.

— Claro, baixos salários, empregos com salários mínimos. Todos os melhores cargos serão preenchidos pelas empresas em nível corporativo. Os proprietários dos negócios desse quarteirão e as pessoas que trabalham neles ficarão desempregadas. — Sam respirou fundo, numa evidente tentativa de controlar a sua ira. — O que parece, Ed, é que você quer destruir esta cidade pouco a pouco, para que não notemos logo de cara. Está tentando nos derrubar por algo que aconteceu há quarenta anos. Sinto muito, Ed, mas não consigo deixá-lo destruir Walton sem resistir.

Sam deu um largo passo na direção de Ed, pondo-se bem perto dele.

— Porque vou lutar contra você, Ed, vou lutar contra você até o último minuto, até a última gota de sangue. Esta cidade e a sua população são a minha vida, e são mais valiosos para mim do que qualquer dinheiro neste mundo. Tenho muita pena daqueles que a desdenham e não sentem necessidade de pertencer a ela. Apesar de toda educação e riqueza no mundo, eles são estúpidos demais para perceber que estamos sentados em cima de uma mina de ouro!

Cassie sentiu a garganta apertar, pois sabia que as palavras de Sam não foram dirigidas apenas a Ed.

Ed olhou em volta, com a boca aberta e um olhar hostil no rosto, enquanto examinava cuidadosamente a multidão. Quando seus olhos encontraram os de D. Lena, ele parou. Eles ficaram se encarando por um bom tempo, antes que ela pressionasse os lábios e se virasse, enterrando o rosto no ombro de Cassie.

Sam falou devagar. Suas palavras foram acompanhadas pela multidão embasbacada.

— Não acho que esqueceremos que você mentiu para nós. Observe as pessoas de Walton, Ed, e veja se consegue olhá-las nos olhos sem vacilar. Veja se é homem suficiente agora para nos contar a verdade.

Ed, de fato, parecia envergonhado. Com os ombros caídos, olhou para a mãe de novo. Ela se recusou a olhá-lo nos olhos. Então, ele se virou para Cassie e ela viu outra vez a criança magra, usando roupas de segunda mão. Ela ofereceu-lhe um sorriso tranquilizador e disse com o movimento da boca: "Conte-lhes a verdade".

Com um leve suspiro, resignado, Ed desabou na cadeira, segurando o lenço sobre as gotas de suor acima do lábio. A multidão começou a murmurar enquanto ele balançava a cabeça para esclarecer os pensamentos. Por fim, ele deu um rápido aceno de cabeça para Cassie e disse baixo:

— É tudo verdade. — Com um olhar encorajador de Sam, ele prosseguiu. — Estou por trás de todas as propostas de loteamento em Walton feitas pela Roust Development.

As pessoas se levantaram e começaram a gritar e acenar os braços, enquanto D. Lena só balançava e enterrava a cabeça no ombro de Cassie. Um membro do conselho bateu um pequeno martelo, silenciando a sala outra vez.

A voz de Sam estava calma ao encarar Ed. Contudo, Cassie podia ver seu maxilar se mexendo sem parar.

— Por quê, Ed? Acho que todos precisamos saber o porquê.

Ed não tirava os olhos de Cassie.

— Minhas razões são pessoais.

Sam deu um passo para frente. Seu rosto tinha uma expressão ameaçadora.

— Sugiro que você aborde questões pessoais, Ed. Estamos escutando.

Ed olhou para o médico por um instante, parecendo que acabara de sair de um transe. Ele disse baixinho:

— Nunca tive a intenção de pôr em prática a cidade planejada. Queria colocar Walton abaixo e reconstruí-la.

Estupefata, a plateia ficou em silêncio, e Ed olhava para tudo desejando que o chão se abrisse e o engolisse por inteiro. Mas Sam estava impiedoso em seu questionamento.

— Prossiga, Ed. Não vamos embora até que nos conte toda a história.

Ed tossiu e tomou um gole de água. Ele tinha um olhar que Cassie podia jurar que era de alívio. Respirando fundo, ele começou a falar. O cavalete montado entre ele e as pessoas de Walton fazia as vezes da tela de um confessionário.

— Por quase vinte anos, vivi minha vida sentindo que alguém havia feito algo muito errado para mim. E foi apenas recentemente que descobri a verdade, e que o errado era eu. — Seu olhar se fixou em Cassie e ela pensou de novo nas cartas. — A pessoa que mais enganei foi Cassie Madison. Menti para ela quanto às minhas intenções com a casa, abusando de sua confiança, e apenas porque ela teve a grande infelicidade de ser filha de quem é. — Ele olhou em volta da sala em silêncio. — Era do pai dela que eu estava atrás, e de tudo que ele amava. Sua casa, sua cidade. Pensava que só poderia ficar em paz se a casa dele fosse enterrada sob um enorme shopping center.

Olhando para a cabeça baixa de D. Lena, ele disse:

— Parece também que perdi a confiança da mulher mais querida e doce que tive o prazer de conhecer. E sinto-me envergonhado. Sinto-me terrivelmente envergonhado. — Ele baixou a cabeça ainda mais. — E agora perdi uma irmã que nunca me permiti conhecer. Olho em volta para todas as pessoas que conheciam Harriet e a amavam e percebo o quanto perdi. E para quê?

D. Lena finalmente parou de tremer e Cassie a abraçou com mais força. Ed olhou para o delegado Adams.

— E eu mais alguns homens que contratei fizemos todas aquelas coisas na propriedade de Cassie. Não foi o Sr. Haney ou outra pessoa. Sim, Richard Haney trabalhava para Roust, mas ele nunca soube que eu estava por trás dela. Me responsabilizo por todos os estragos e receberei a punição cabível. — Ele esfregou as mãos na face, escondendo os olhos por um longo tempo. — Acho que deveria agradecer a todos vocês. Há anos não me sinto aliviado assim. — Quando retirou as mãos, Cassie pôde ver o brilho das lágrimas.

O pôster escorregou do cavalete e caiu, com a face voltada para o chão, aos pés de Sam, que o deixou ali, sem olhar para baixo. O delegado Adams começou a andar na direção de Ed, que voltava a se dirigir a plateia.

— Sinto muito, sinto muito mesmo, por mais lamentáveis que possam soar a vocês essas palavras. Tentei por muito tempo ignorar as evidências, mas D. Lena, e aqueles que se importam com ela, fizeram de tudo para que eu enxergasse do que é feita esta cidade. Hoje à noite aprendi que não posso mais ignorá-la. D. Lena me mostrou o quão especial é este lugar. Vocês se importam de verdade uns com os outros. É algo especial e raro e, com pessoas como eu no mundo, vocês são uma espécie em extinção. Se algo que eu disse aqui teve alguma importância, espero que seja isso. — Ele encarou os membros do conselho. — Espero que votem contra mais loteamentos e a favor da preservação. Espero que votem não para pessoas como Jim Roust e Ed Farrell, que querem, sem distribuição, colocar abaixo antigos prédios. Claro, Walton poderia se utilizar de alguma melhoria, mas isso deve ser feito de maneira inteligente. Detesto dizer isso, mas nesta questão concordo com o Dr. Parker.

Antes que as palavras tivessem tempo de serem absorvidas pelos ouvidos de Cassie, as portas duplas ao final da sala se abriram e Joe parou na entrada. Ele estava empacotado num casaco de esqui. A neve caía de seu capuz e sobrancelhas.

— Desculpe interromper, mas estou numa situação de emergência e preciso da ajuda de vocês.

Com os pensamentos girando com a recente guinada de acontecimentos, Cassie entregou D. Lena a Sra. Crandall, que estava sentada do seu outro lado, e se levantou para ir até Joe.

Ele prosseguiu, com a preocupação estampada no rosto.

— Maddie fugiu de casa. Deixou um bilhete. — Ele pegou um pedaço de papel amassado no bolso e o entregou a Cassie. — Está começando a nevar muito forte e receio que... Precisamos encontrá-la rápido. Alguns voluntários poderiam se dividir em grupos?

Enquanto homens e mulheres corriam pelo corredor na direção de Joe, Cassie baixou a cabeça para ler o bilhete.

Não posso mais viver aqui. Ninguém parece se dar conta de que as coisas jamais serão as mesmas de novo sem a mamãe. Não sei como papai vai fazer para cuidar de todos nós, então achei melhor facilitar as coisa para ele indo embora. Nunca senti que pertencia a este lugar mesmo. Resolvi me mudar para Nova York. Pareço mais velha do que sou e tenho certeza de que posso conseguir um emprego de garçonete ou algo parecido — qualquer coisa para fugir desta cidadezinha medíocre onde ninguém sentirá minha falta.

Não estava assinado, mas não havia dúvida de quem o escrevera.

Sem dizer nada, Cassie entregou o bilhete a Sam, que havia se aproximado dela e ficou olhando enquanto ele lia o bilhete. Ele o devolveu a Joe e rapidamente começou a organizar os grupos de busca e a distribuir seu número de celular.

Ele se voltou para Joe.

— Lucinda está com as crianças?

Joe respondeu que sim com a cabeça.

— Bom. Quero que você vá com Hal Newcomb, de porta em porta, nas casas dos amigos de Maddie. Insista para que os pais chequem pessoalmente os quartos das meninas para ver se Maddie está lá. Pode ser que tenha se escondido.

Ed conseguiu atravessar a multidão, abrindo caminho com os ombros.

— Deixe-me ajudar, por favor.

Para surpresa de Cassie, Sam concordou.

— Você pode ir com Hank. Acho que ele o quer por perto, de toda forma. — Ele apontou para Hank. — Quero que vá para a interestadual. Deus me livre de ela pensar que vai de carona até o norte, mas também não descartaria essa possibilidade.

Hank e Ed seguiram em direção à porta e Cassie agarrou o casaco, correndo atrás deles e gritando para Sam sobre os ombros:

— Vou com eles.

Sem esperar por uma resposta, ela seguiu Hank e Ed até a caminhonete do delegado. O veículo de tração nas quatro rodas era mais fácil de guiar na neve do que seu carro de patrulha. Eles caminharam com dificuldade até o veículo e, enquanto Ed segurava a porta aberta para ela, ele disse:

— Desculpe, Cassie. Pelo que fiz com você e sua casa e por ter mentido. Se não fossem aquelas cartas...

Ela ergueu a mão, interrompendo-o.

— Estaria mentindo se dissesse que não estou brava, porque estou. E temos muito a conversar, e vamos, mas depois. Agora temos de nos preocupar em encontrar Maddie e trazê-la de volta para casa sã e salva.

Ed concordou, e os dois entraram quando Hank deu a partida. Cassie deu um sorriso forçado.

— Nunca achei que um dia agradeceria por estar numa caminhonete quatro por quatro.

O rosto de Hank estava sério.

— É. Só espero que não fiquemos atolados num trecho de gelo. Só patins para sair de um desses.

Eles seguiram sobre o que costumava ser a rodovia pavimentada em frente à prefeitura, mas que agora não passava de uma faixa plana de neve, serpenteando a cidade.

Cassie viu a caminhonete de Sam saindo atrás deles, com o rosto dele brevemente iluminado pela luz de outros faróis. Pessoas saíam correndo do prédio, apressadas para espalhar a notícia de que a jovem Maddie Warner estava perdida em algum lugar na neve. Se houvesse tempo, Cassie teria abraçado cada uma delas por não terem colocado em primeiro lugar a própria segurança nem por um segundo. Elas se juntaram num momento em que era necessário ajudar uma delas, e Cassie se enchia de orgulho de estar entre aquelas pessoas.

Hank seguiu em direção à interestadual, acendendo os faróis altos, que iluminavam neve atrás de neve e, ocasionalmente, alguns flocos que caíam de um galho de árvore.

Ed falou do banco de trás:

— Por que vocês acham que ela ia querer ir para Nova York?

Cassie olhou para fora da janela.

— Por alguma razão, ela me coloca num pedestal. Acredita que encontrará todas as respostas para os seus problemas em qualquer lugar, menos aqui.

Ed se inclinou para frente, apoiando o braço no banco.

— Igualzinha a você, né?

Ela não respondeu e ele acabou voltando para trás.

Hank ligou o seu *scanner* automotivo.

— Tenho certeza de que com a neve caindo desse jeito não haverá muito tráfego nas estradas. Isso talvez seja bom pra gente.

Cassie apertou os joelhos com força, sem querer pensar nas consequências.

— Será que ela acha que vai andando pela neve até lá? — Ela recostou a cabeça no assento. — Meu Deus, ela nem tem botas. — Ela sentiu um nó na garganta, mas o engoliu. — No que ela estava pensando?

Ed esperou um instante antes de responder.

— Você se lembra de refletir sobre as situações quando tinha 14 anos? Duvido, acho que eu não pensei direito por quase vinte anos.

Cassie não respondeu. Seus olhos continuavam focados na estrada vazia à frente deles. Hank guiava devagar, enquanto seus olhares esquadrinhavam as laterais da rodovia. Duas vezes Cassie pensou ter visto algo, mas em ambas as vezes o que acreditou ser uma perna ou uma cabeça surgindo na neve ofuscante era, na verdade, um galho caído ou uma pedra congelada.

Quando chegaram na rampa de acesso à interestadual, Hank parou o veículo.

— Estou com receio de seguir de caminhonete. Tem muito gelo aqui e pode ser que a gente derrape e acabe de ponta cabeça na estrada lá embaixo.

Cassie comprimiu os olhos para ver a rodovia de seis faixas. Nenhuma luz de carro, nenhum tipo de luz vinha da estrada. Seu olhar acabou por se fixar na frente da caminhonete, no arco amarelo formado pelos faróis. Ela se inclinou para frente.

— O que é aquilo?

Hank piscou os olhos.

— Daqui não consigo dizer. Fiquem aqui dentro que vou dar uma olhada.

Ignorando-o, Cassie saiu num pulo, alcançando o objeto ao mesmo tempo. Ao pegá-lo na neve, ela gritou:

— É a mochila de Maddie. Estão vendo? Tem o nome dela na etiqueta. Cerca de trinta centímetros à frente havia uma tiara de cabelo. As contas de vidro sobre ela refletiam a luz do carro.

— Maddie! — Hank e Cassie gritaram o nome dela ao mesmo tempo e foram rapidamente acompanhados por Ed. Hank deu um passo para frente e escorregou. Suas pernas voaram para o alto e ele caiu de mal jeito sobre o braço. O som de osso trincando ecoou no ar cheio de neve.

Hank grunhiu e ficou deitado, imóvel, com o rosto contorcido de dor sob o largo feixe de luz dos faróis.

Cassie se ajoelhou.

— Não se mexa, Hank. Vou ligar para Sam do celular de Ed, tudo bem? Tente apenas não se mover.

Ed havia engatinhado até a beira da estrada, movendo-se devagar. Ele arremessou o celular para ela e Cassie o pegou.

— Cuidado, só tem gelo debaixo da neve. Maddie deve ter escorregado sobre o dique.

Um leve choro veio da base do morro.

— Me ajudem! Meu tornozelo... não consigo mexê-lo!

Hank grunhiu de novo, enquanto se esforçava para se sentar, antes de despencar de dor. Cassie amarrou uma tipoia em seu ombro bom.

— Não se mexa, Hank. Não precisamos de outro acidente. E se é Maddie quem está lá embaixo, Ed e eu conseguiremos trazê-la para cima. Fique deitado, quieto.

Ela ligou para o número de Sam enquanto observava Ed deitar de barriga para baixo e olhar atentamente sobre o dique, onde a cerca de segurança não oferecia nenhuma proteção contra uma possível queda.

— É você, Maddie? É o Sr. Farrell e sua tia Cassie. Viemos para te tirar daí, tudo bem?

— Por favor, depressa, estou com muito frio. — A voz de Maddie parecia fraca e distante, absorvida pela neve à sua volta.

Sam atendeu no primeiro toque.

— Sam, é Cassie. Estamos na rampa da entrada norte para a interestadual. Encontramos Maddie, e ela talvez esteja machucada, mas está falando. E acho que Hank quebrou o braço.

Não havia emoção em sua voz quando respondeu.

— Estarei aí logo. — Sua despedida foi o clique do telefone.

Ed se virou para Cassie.

— Entre na caminhonete e olhe debaixo do banco de trás. Há uma espécie de corda lá. Pegue-a e traga-a para mim. Talvez eu precise dela para amarrar Maddie em mim para trazê-la para cima.

Cassie concordou e fez como lhe foi pedido. Levou, também, uma manta que encontrara no banco para colocar sobre Hank.

Ed se levantou esfregando os braços com as mãos, tentando se aquecer.

— Vou lá embaixo checar se ela está ferida gravemente. Se não estiver, vou tentar trazê-la para cá. Preciso que fique aqui com Hank e espere por mim, e diga a Sam onde estou quando ele chegar.

Os dentes dela batiam incontrolavelmente.

— Tudo bem. Tome cuidado.

Enrolando a corda no ombro, Ed começou a descer o dique devagar, escorregando de bumbum e usando os saltos do sapato como tração.

— Maddie, estou descendo. Não tente se mexer.

De novo, ouviram o choro, mas nada mais.

Os breves minutos que Ed demorou para chegar até ela pareceram horas. Quando ele acabou de checar se estava tudo bem com Maddie e anunciou que a levaria para cima, Cassie gritou, aliviada.

Ele amarrou Maddie nas costas, e a carregou nos ombros, ao mesmo tempo em que enfiava a mão na neve em busca de apoio para se segurar. Escorregou várias vezes. Em uma, quase voltou lá para baixo. Por fim, chegou à beira. Cassie agarrou Maddie pelos braços enquanto Ed a desamarrava. Depois de duas tentativas frustradas, tirou-a das costas dele e esperou que ele subisse até onde ela estava.

Quando estavam todos a salvo, luzes de faróis e ruído de neve sendo triturada anunciaram a chegada de Sam. Ele sorriu, aliviado, ao ver Maddie. Depois de examinar o tornozelo dela, ele orientou Ed sobre como enrolá-la numa coberta que ele havia trazido e colocá-la no banco de trás de sua caminhonete.

Ele, então, se virou para Hank. O rosto do delegado parecia agora branco como a neve à sua volta e ele começou a tremer. Sam ajoelhou-se na frente dele.

— Você sempre tem de ser o centro das atenções, não é mesmo, Hank? — Aproximando-se do amigo, disse baixinho: — Vou pedir para Ed me ajudar a colocá-lo no banco de trás de sua caminhonete para que não sinta frio enquanto imobilizo seu braço. Depois, Ed vai levá-lo até o hospital para que tratemos de seu braço do jeito certo. A neve está menos intensa e ele não vai ter problemas em guiar sua caminhonete.

Hank, sem forças, concordou e foi carregado até o veículo. Cassie entrou na caminhonete de Sam, ao lado de Maddie, e a envolveu em seus braços, esperando que os próprios dentes parassem de bater. Quando isso aconteceu, não sabia o que faria primeiro: gritar com Maddie por tê-la assustado ou dizer-lhe o quanto a amava.

Ela ficou observando Ed partir com Hank e esperou Sam subir no banco da frente e conduzir a caminhonete até a cidade.

Cassie estava impressionada com a calma na própria voz.

— Maddie, por que você fugiu? Não sabe que sua família te ama e que estávamos todos muito preocupados com você? — Ela se lembrou da angústia no rosto de Joe quando contou sobre o desaparecimento da filha, e Cassie não sabia se devia beijar ou estrangular a sobrinha.

Maddie começou a chorar.

— Não fique brava, tia Cassie. Achei que ninguém fosse sentir minha falta.

— Ah, não estou brava, Maddie. Estava muito preocupada. — Ela a apertou com mais força. — E ninguém iria sentir sua falta? Sabia que metade da cidade está espalhada pela neve, te procurando e que seu pai está quase louco de tanta preocupação?

Maddie soluçou mais alto.

— Não, não sabia. E só estou chorando agora porque... porque meu tornozelo dói.

— Sim, sim, sim. — Cassie abafou uma risada, aliviada por perceber ainda era capaz de sorrir.

Sam se virou no assento com a sobrancelha erguida.

— Meu Deus, ela parece alguém que conheço.

Cassie lançou para ele um olhar duro.

— Desculpe. — Soluçou Maddie, enterrando o rosto no ombro da tia.

Os olhos de Cassie encheram-se de lágrimas, emocionada por esta menina que tanto a fazia lembrar de si mesma. Tocou a face da sobrinha e disse baixinho:

— Querida, todo amor e aconchego que poderia desejar na vida estão bem aqui. Basta olhar à sua volta para perceber. Eles irão te amar e te aceitar mesmo que fique cheia de espinhas e trabalhe no circo. É sua gente, Maddie. E a maioria das pessoas passa a vida inteira buscando o que você já tem nesta cidadezinha. Nunca se esqueça disso.

Os olhos de Sam encontraram os de Cassie no retrovisor e naquele instante a mente dela se esclareceu. Como num filme em cores vivas e em *zoom*, ela viu Joe, as crianças, Lucinda, Sam, sua linda casa com a magnólia no gramado da frente e pisos de madeira que rangiam. A saudade em seu coração, que carregara como uma mala durante todos aqueles anos, havia desaparecido. Ela tinha o que queria. Ela teve isso a vida toda. E, finalmente, soube o que era.

Capítulo 30

O velório de Harriet foi na casa de Cassie, para acomodar o grande número de pessoas. Como por intervenção divina, o céu limpou e a temperatura subiu para quase 10 °C. As sarjetas estavam inundadas pela neve derretida. Bonecos de neve lentamente se tornavam nada mais do que montes desfigurados de cenoura e chapéus no meio dos gramados.

Cassie ficou feliz em ver Ed e o beijou no rosto. Ele passou os dedos, constrangido, no terno novo, fruto de uma viagem de compras com ela em Atlanta.

— Irei ao seu julgamento na próxima quinta-feira. Joe e várias outras pessoas também irão para te apoiar.

Ele corou e a pele branca de sua testa, exposta por um recente corte de cabelo, ficou bem vermelha.

— Agradeço muito, Cassie. O delegado Adams disse que é provável que eu receba suspensão condicional da pena e tenha que fazer serviço comunitário. Além disso, terei de te pagar pelos danos na propriedade. — Ele corou ainda mais e virou os pés. — Sei que nunca poderei me desculpar por tudo que te fiz passar, mas, bom, gostaria de construir um parque, como parte de meu serviço comunitário. Pensei em colocá-lo na Sycamore Street, onde era a casa dos Kobylt. E gostaria que esse parque se chamasse Harriet Madison Warner, se você concordar.

Impulsivamente, ela o abraçou e tentou conter as lágrimas.

— Acho que é uma ideia maravilhosa. Especialmente por ser um parque para crianças. Seria uma homenagem muito apropriada. Obrigada, Ed. — Ela olhou ao redor da sala por um momento, até seu olhar se voltar para o cunhado. — Vou deixar que você conte a Joe. Sei que ele ficará tão entusiasmado quanto eu.

Ed concordou e caminhou até Joe.

Sam se aproximou dela.

— Como tem passado?

Cassie sorriu, sentindo-se tímida ao lado dele. Eles não se falavam desde a noite em que Maddie fugiu. Parecia que Sam lhe estava dando tempo para que as palavras que dissera para a sobrinha no banco de trás fizessem sentindo para ela.

— Estou bem. Chego quase a sentir Harriet aqui entre nós, celebrando a vida dela conosco. Quando penso assim, não é tão difícil de... encarar que ela se foi.

Ele concordou e baixou a cabeça com um sorriso peculiar nos lábios.

— Lucinda me contou que você desfez a mala e a guardou no sótão, planejando ficar por aqui um tempo.

Cassie se ocupou pegando alguns pratos de papel e empilhando-os.

— Bom... meu Deus, acho que posso dizer a Joe para desligar sua linha de telefone, já que não precisará mais dela com Lucinda morando em sua casa. Ela é melhor que um jornal.

Ele levantou o queixo de Cassie para encará-lo.

— Você iria algum dia me contar?

Ela se sentiu perdida por um instante quando os olhos deles se encontraram.

— Sim. Claro. Queria apenas deixar todos os detalhes esclarecidos antes.

— Detalhes? — Ele soltou a mão.

— Sim. Parece que serei o braço sul da Walace e Madison. Formarei novas contas em Atlanta e na região sudeste e as administrarei do meu escritório, em casa.

— Escritório em casa? Nesta casa?

Cassie se concentrou em juntar os talheres de prata sobre os pratos sujos.

— Sim, a própria.

— Cassie?

Ela olhou para ele. — Sim?

— Estou contente.

— Contente?

Os olhos dele brilharam.

— Tão feliz quanto um porco na lama.

Ela tentou esconder o sorriso.

— Não seja tão arrogante. Não estou fazendo isso por você.

Ele ergueu a sobrancelha.

— Não?

— Estou fazendo por mim. E por minha família.

Ele pegou os pratos da mão dela e os largou na cozinha. Quando voltou, aproximou-se de Cassie e colocou o braço sobre os ombros dela. Os dois olharam para as pessoas como um casal, aceitando suas condolências e compartilhando suas tristezas. Maddie, que distendeu o tornozelo ao cair no dique, saltitava para todos os lados de muleta, curvando-se de quando em quando para receber um beijo na face de alguma amiga da mãe ou para abraçar o pescoço de alguém.

Joe ainda parecia estar entorpecido, contudo estava cercado de amigos. Eles falavam sobre Harriet como se ainda estivesse viva, contando histórias sobre sua consideração, bondade e amor pela família. Ele sorriu, e a aura de tristeza desenfreada que o envolvia diluiu-se um pouco. Cassie foi até onde ele estava sentado com Harry no colo e colocou a mão em seu ombro. Eles superariam aquilo. Com a ajuda de todos aqueles que os amavam, eles superariam.

Depois de a última pessoa partir, Joe levou Cassie para a varanda.

— Harriet me pediu para te dar isto. — Ele enfiou a mão no bolso do casaco e tirou uma caixa de joias preta.

Cassie a pegou e, devagar, abriu-a. Havia seis pingentes de coração sobre um veludo preto, que cintilavam para ela com o reflexo do Sol. Levou a mão à boca e olhou para ele, com medo de falar.

— São para os filhos dela. Ela disse que você saberia o que significam. — A voz dele falhou, e nenhum dos dois conseguiu falar. Ele a abraçou enquanto choravam. Ao terminar, ela se afastou e olhou para os corações de novo.

— Vou precisar de uma corrente maior para segurar todos estes aqui. — Uma pequena risada foi murmurada por seus lábios enquanto ela apertava a caixinha contra o peito.

Cassie e Joe se sentaram no balanço e ficaram ali até o Sol se pôr, com seus longos raios dourados acenando o último adeus.

O tempo avançava devagar em Walton, e Cassie algumas vezes se perguntava se ele avançava mesmo. Ela assistiu ao inverno da morte da irmã dar lugar ao brilho da primavera e, em seguida, ao calor do verão. E, então, chegou o outono do ano seguinte de novo, com as velhas folhas caindo, derramando as radiantes plumagens. A magnólia ainda resplandecia com suas folhas verdes e brilhantes.

As crianças cresciam, perdiam dentes e se derramavam em lágrimas. Cassie estava lá nas peças da escola, testes para líder de torcida e sessões de álgebra tarde da noite. Joey perdeu seu primeiro dente, Harry aprendeu a engatinhar e Knoxie decidiu que não queria mais cabelos vermelhos. Cassie apreciava todas as conquistas, que tornavam ainda mais pungente a memória da mãe que não poderia estar presente para compartilhá-las.

Maddie sofreu muito a perda da mãe, mas Cassie deixou claro que a sobrinha sempre teria o carinho de seu ombro para se apoiar quando precisasse. Cassie olhou para trás, para o primeiro ano, com alegria e tristeza, percebendo que a vida sempre seria uma mistura dos dois. Ela também estava ciente de que sua pequena cidade sempre lhe daria o que fosse preciso para enfrentá-la.

E então veio dezembro de novo, cheio de recordações alegres e tristes. Fora ideia de Maddie que o casamento ocorresse no Natal, e Cassie concordou. Harriet sempre amou essa data, e agora era a vez de ela trazer de volta boas lembranças dessa estação para a família da irmã.

Em meio à confusão e animação das preparações de Natal e casamento, o aniversário de um ano de Harry quase foi esquecido. Mas Cassie se lembrou dele e fez o bolo ela mesma, seguindo os conselhos da Sra. Crandall, que ficara mais do que feliz em dar uma mãozinha.

Agradecendo Cassie pelo trabalho que teve, Harry decidiu que era hora de andar e deu seus primeiros passinhos, caindo sobre os braços esticados da tia radiante. Ela o abraçou com força por um momento, agradecendo em silêncio à mulher que lhe dera à luz.

A cerimônia de casamento foi simples, oficializada pelo reverendo Beasley. Cassie riu diante dos dizeres na frente da igreja: "Sentindo-se cansado? Levante-se com Jesus". E mais abaixo: "Parabéns, Sam e Cassie".

Joe e Lucinda saíram primeiro da limusine. O Sr. Murphy ajudou Cassie a sair, tomando cuidado para que ela não pisasse na antiga grinalda de seu vestido de noiva. Não era muito de seu desejo andar na limusine do chefe do velório, mas ou era isso ou o carro de radiopatrulha do delegado, se ela quisesse chegar ao casamento com estilo. Com um sorriso, Joe ofereceu-lhe o braço e ela o aceitou, tentando ignorar o clima gelado de inverno que uma vez mais caíra sobre Walton e agitava as saias sob o vestido. Em volta do pescoço, ela tinha uma longa corrente de ouro, agora cheia de brilhantes corações dourados e uma chave.

Com a parte de trás da camisa para fora do smoking, Joey carregava, orgulhoso, as alianças pela nave da igreja. Atrás dele, acompanhando a vibrante batida do órgão, tocado por Burnelle Thompkins, vinha Knoxie e Sarah Frances com vestidos de veludo verde-escuro, jogando pétalas brancas pelo caminho por onde passavam. Por fim, a marcha nupcial começou e Maddie, resplandecente como dama de honra, vinha na frente da tia. Cassie usava o vestido de casamento de cor marfim que fora da mãe e que havia sido embalado com amor e esperança no sótão da velha casa.

Enquanto caminhava pela nave de braço dado com Joe, Cassie se perguntou se a mãe sentira metade da alegria que a preenchia naquele momento ao se aproximar de Sam e contemplar a vida que lhes aguardava. Um raio de sol fugidio atravessou o vitral sobre o altar, e parecia que seus pais e sua irmã sinalizavam que estavam lá. Joe a beijou no rosto e a entregou ao noivo.

Depois da recepção em sua casa, Cassie foi para a frente da varanda com seu traje de passeio sob o pesado casaco de lã e arremessou o buquê para a multidão de mulheres à espera de pegá-lo. Ele caiu nas mãos estendidas de Lucinda, que o cheirou com um sorriso faceiro. Cassie se perguntou se alguém mais havia notado o rubor intenso se espalhando pelo rosto do delegado.

Sob uma chuva de arroz, eles correram até a caminhonete de Sam, alegremente decorada com fitas vermelhas e verdes e latinhas de cerveja amarradas no para-choque. Eles saíram da entrada da casa e seguiram para o cemitério.

O túmulo de Harriet fora colocado ao lado do dos pais. Ambos foram decorados com vasinhos de bico-de-papagaio e enfeites feitos pelos filhos dela. Do bolso, Cassie tirou um enfeite dourado na forma de coração e o amarrou bem firme à flor. Ela se levantou quando um gélido vento veio do norte, fazendo-a tremer, e Sam a envolveu nos braços.

— Também sinto saudade dela — disse ele.

Cassie concordou e olhou para o céu cinza acima deles. As extremidades das nuvens estavam pesadas e densas.

— Se eu já não soubesse, apostaria que vai nevar.

Sam acompanhou o seu olhar e concordou.

— Acho que aprendeu algumas coisas enquanto esteve no norte.

Ela o acotovelou de leve e apoiou a cabeça no seu casaco de lã.

— Você acha que Harriet e meus pais estão nos observando?

Ele a abraçou mais forte.

— Espero que não o tempo todo. — Em seguida, com os olhos sérios, beijou-a nos lábios suavemente. — Sim, gostaria de acreditar que sim.

Ao olhar para ele, três flocos de neve caíram do céu, rodopiando e caindo ao capricho do vento, antes de se acomodarem sobre a infecunda grama de inverno. Cassie os observou derreter e virou o rosto para o céu, à espera de mais.

— Neve em Walton pelo segundo ano consecutivo. O que está acontecendo com o planeta?

Sam riu, pegou Cassie pela mão e começou a andar até a caminhonete.

Eles atravessaram a cidade e seguiram para a interestadual, com esperança de chegarem ao aeroporto antes que tudo fechasse. Bermudas em dezembro era muito atraente para Cassie, que ligou o aquecedor da caminhonete no máximo.

Os velhos carvalhos, que enfeitavam as ruas, curvaram-se para eles em saudação. As folhas tremulavam e se agitavam, celebrando a volta para casa. Cassie suspirou, virando a cabeça para observar um grupo de crianças brincando de pega-pega no gramado da frente da casa dos Hardens. O calor de seu hálito embaçava o vidro. Tocou a corrente em volta do pescoço, feliz com a abundância de corações de ouro e sorriu. E casa para ela não mais parecia um lugar onde se nasce e depois se abandona, com os joelhos ralados e os sonhos de infância. Parecia-lhe, agora, um lugar que habita o coração, esperando de braços abertos para ser reencontrado.

Eles atravessaram a cidade devagar. As latas e faixas batiam de leve atrás deles. Passaram pela Madison Lane, pela antiga escola, pela casa do diretor Purdy, cuja varanda fora pintada de cor-de-rosa há muito tempo. Passaram pela casa da D. Lena e a viram com Ed ajudando-a a subir os degraus da varanda. Eles estiveram no casamento e na festa. D. Lena usou seu casaco cor-de-rosa sobre o vestido de domingo e adorou a oportunidade de compartilhar com tantas pessoas seus amados livros. Viram pela janela o Dixie Diner e a loja Lucinda's Lingerie, antiga Harriet's Skirts 'n' Such, e dois blocos adiante, o Parque Harriet Madison Warner, com brinquedos hibernando sob um fina camada de gelo.

Quando Sam e Cassie se aproximaram do quadrilátero central, os flocos começaram a cair com mais força, pulverizando a grama e as folhas como uma pequena graça divina.

— Pare, Sam.

Ele estacionou a caminhonete na sarjeta.

— O que foi?

— Só um segundo. — Ela desceu do veículo e andou ruidosamente sobre a grama congelada até a Estátua da Liberdade, cuja cabeça de madeira era agora um verde-claro, sob a fina manta de neve. Subindo na base da estátua, Cassie fitou o rosto da Sra. Liberdade, com seu eterno olhar sedutor, voltado para o soldado confederado, montado a cavalo na outra extremidade do gramado.

Cassie tirou o boné vermelho de tricô e o colocou sobre a coroa. Em seguida, desceu e retornou à caminhonete.

Sam foi embora, rindo, enquanto ela se virava para olhar como havia ficado a Sra. Liberdade e deu uma gargalhada. Sim, Cassie Madison havia voltado. Demorou 15 longos anos, mas finalmente ela havia encontrado o caminho de casa.